Religiosidad y Costumbres Populares en Iberoamérica

RELIGIOSIDAD Y COSTUMBRES POPULARES EN IBEROAMÉRICA

DAVID GONZÁLEZ CRUZ

(ED.)

Universidad
de Huelva

Centro de
Estudios Rocieros

082 (E9WQP)

COLLECTANEA

39

2000

©

Servicio de Publicaciones
Universidad de Huelva

©

David González Cruz

Motivo de cubierta
Manuel Rodríguez de Guzmán. "La procesión del Rocío" (1853).

Tipografía
Textos realizados en tipo Garamond de cuerpo 10/12, notas en Garamond
de cuerpo 8/auto y cabeceras en versalitas de cuerpo 8.

Papel
Offset industrial ahuesado de 80 g/m^2

Encuadernación
Rústica, cosido con hilo vegetal

Printed in Spain. Impreso en España.

I.S.B.N.
84-95089-49-1

Depósito Legal
HU-100/2000

Imprime
Tecnographic s.l.

C.E.P.
Biblioteca Universitaria

RELIGIOSIDAD y costumbres populares en Iberoamérica / David
González Cruz (ed.).– Huelva : Universidad de Huelva, 2000
    373 p. ; 24 cm. – (Collectanea ; 39)
    "Actas del Primer Encuentro Internacional celebrado en Almonte-El
Rocío (España) del 19 al 21 de febrero de 1999"
    "Primer Encuentro Iberoamericano de Religiosidad y Costumbres
Populares".–pref.
    ISBN 84-95089-49-1
    1. América Latina — Vida religiosa — Congresos 2. América Latina –
– Usos y costumbres — Congresos I. González Cruz, David II. Encuen-
tro Iberoamericano de Religiosidad y Costumbres Populares (1º. 1999.
Almonte-El Rocío) III. Universidad de Huelva IV. Serie
    393(7/8=6)(063)
    392(7/8=6)(063)

Actas del Primer Encuentro Internacional celebrado en Almonte-El Rocío (España) del 19 al 21 de febrero de 1999

Comité Organizador

Prof. Dr. David González Cruz
Director Científico

Lcdo. Domingo Muñoz Bort
Director Gerente del Centro de Estudios Rocieros

Comité Científico

Prof. Dr. David González Cruz
Prof. Dr. Manuel José de Lara Ródenas
Prof. Dra. María Antonia Peña Guerrero
Prof. Dr. Salvador Rodríguez Becerra

Índice general

COMUNICACIONES

PREFACIO

El Primer Encuentro Iberoamericano de Religiosidad y Costumbres Populares, cuyas ponencias y comunicaciones se editan en este libro, ha intentado responder a la necesidad existente de conocimiento mutuo de la historia de los pueblos hispanos que han nacido como consecuencia de una cultura común y, además, ha surgido como un instrumento de diálogo para que los diferentes investigadores puedan estudiar modelos comparativos de conductas y comportamientos colectivos referentes a la Península Ibérica y a la América Hispana.

La elección de la provincia de Huelva como lugar para su celebración se debe, como es obvio, a que los Lugares Colombinos tuvieron, a partir del Descubrimiento de América, un importante papel en la difusión y proyección de la religiosidad andaluza y española en el Nuevo Mundo; no en vano, múltiples costumbres y tradiciones de origen colonial continúan estando vigentes en los países americanos.

Se trata de un Encuentro que ha puesto un especial énfasis en el análisis de las raíces históricas de la religiosidad y de la cultura popular iberoamericana. Con este marco contextual, atendiendo a la Sede donde se ha organizado (Almonte-El Rocío), se ha dotado de mayor protagonismo al estudio de las devociones y de las diversas manifestaciones religiosas. De este modo, se han abordado las siguientes temáticas: sincretismo religioso y cultural, procesos de secularización, devociones marianas, substrato de la religiosidad española en América, la Virgen del Rocío en el espacio iberoamericano, la protección de "lo sobrenatural" en los desastres naturales y conflictos bélicos, modelos de conducta social y control normativo de la estructura eclesiástica, fiestas, cofradías, romerías y procesiones, entre otras.

Por otra parte, de la lectura de las páginas de esta publicación se desprende que este Encuentro ha tenido una vocación internacional, como lo prueba que se haya contado con la participación de ponentes y comunicantes de diversas universidades y centros de investigación de Argentina, Brasil, Colombia, Chile, España, Francia, México y Portugal.

Por supuesto, es de agradecer el apoyo que han ofrecido a este proyecto de carácter iberoamericano los historiadores e instituciones que confiaron en él; muy especialmente los ponentes y comunicantes que con su esfuerzo y su labor investigadora hicieron posible que esta primera edición fuera una realidad. Con todo, quisiera destacar la acogida y entusiasmo que el Alcalde de Almonte, el Centro de Estudios Rocieros y la Hermandad Matriz de Nuestra Señora del Rocío dispensaron desde el primer momento a esta iniciativa que les propuse en su día y en la que hemos venido trabajando conjuntamente. Por último, le expreso desde estas páginas mi agradecimiento a la Universidad de Huelva y a su Servicio de Publicaciones por colaborar en la difusión de las investigaciones resultantes de este Encuentro.

Sin duda, en la construcción de la Comunidad Iberoamericana de Naciones queda un largo camino que recorrer; no obstante, espero que esta iniciativa pueda contribuir a un conocimiento científico más profundo de los valores culturales del mundo hispano y al desarrollo de estudios comparativos de la historia de los diferentes países que lo integran. Desde estas tierras de la provincia de Huelva, que en la pasada Cumbre de Jefes de Estado y de Gobierno celebrada en la Habana en noviembre de 1999 fueron declaradas como "Lugar de Encuentro Iberoamericano", debido a su vinculación histórica con América, tratamos de colaborar con contribuciones como ésta al avance de un marco de cooperación científica entre las naciones de lengua española y portuguesa. Con esa convicción estamos diseñando la organización del Segundo Encuentro Iberoamericano de Religiosidad y Costumbres Populares y también con el deseo de cumplir, de esta forma, el compromiso que adquirí con el Ayuntamiento de Almonte y el Centro de Estudios Rocieros durante la celebración de la primera edición.

San Juan del Puerto, 8 de febrero de 2000

DAVID GONZÁLEZ CRUZ

PONENCIAS

LES CONFRÉRIES DE NOIRS DANS LA PÉNINSULE IBÉRIQUE (XVᴇ-XVIIIᴇ SIÈCLES)

BERNARD VINCENT
École des Hautes Études en Sciences Sociales, Francia

1. INTRODUCCIÓN

La réalité de l'esclavage au sein des sociétés espagnoles et portugaises à l'époque moderne a été longtemps ignorée quand elle n'était pas niée Des travaux récents ont montré son importance tout au long des XVIe et XVIIe siècles et son amenuisement progressif postérieur jusqu'à son abolition au XIXe siècle. Le nombre des personnes réduites en esclavage dans la péninsule ibérique au cours de cette période est sans nul doute nettement supérieur à un million [1].

Notre connaissance du phénomène repose pour l'essentiel sur une foule de monographies plus ou moins amples, par exemple sur l'Estrémadure méridionale et sur Jaen, sur Carthagène et sur Ayamonte, sur Madrid et sur Valence, etc. qui toutes ou presque analysent les groupes d'esclaves en fonction de leurs origines géographiques, évaluent les fluctuations du marché, étudient le monde des propriétaires à partir de l'exploitation des archives notariales et des archives paroissiales. Si la recherche a dans ce domaine effectué des progrès indéniables, elle n'est pas exempte d'éléments répétitifs et néglige des aspects essentiels [2].

---

[1] Alessandro STELLA et Bernard VINCENT, «L'Europe, marché aux esclaves», *L'Histoire*, n° 202, 1996, pp. 64 à 70.

[2] Dans une productin abondante on peut citer les ouvrages de Vicente GRAULLERA SANZ, *La esclavitud en Valencia en los siglos XVI y XVII*, Valencia, 1978, d'Alfonso FRANCO SILVA, *La esclavitud en Sevilla y su tierra a fines de la Edad Media*, Sevilla, 1979, A.C. de C.M. SAUNDERS, *A Social History of Black Slaves and freedman in Portugal 1441-1565*, Cambridge, 1982, traduction portugaise, Lisbonne, 1994.

En effet dans le meilleur des cas, on s'est plu à ne voir chez les esclaves, du fait de leur dépendance et de leur dispersion, que des êtres passifs et soumis. Rappelons en effet que la figure ordinaire de l'esclave dans les sociétés ibériques d'Ancien Régime était l'esclave domestique voué à des tâches polyvalentes à l'intérieur et à l'extérieur de la maison du maître. Celui-ci n'avait d'ordinaire qu'un ou deux esclaves à son service. Le monde servile était donc éclaté. Et de fait il n'y pas trace de la moindre révolte d'esclaves selon le schéma connu dans l'Antiquité ou dans le Nouveau Monde moderne ou contemporain. Il faut cependant compter avec les nombreux refus individuels qui peuvent prendre la forme de la violence contre le propriétaire ou l'un de ses proches ou de celle de la tentative de fuite. Et aussi ne doit-on pas oublier que la solidarité servile n'a cessé de s'exercer entre le XVe et le XVIIIe siècle.

Les esclaves de la Péninsule ibérique étaient pour l'essentiel constitués de deux grands groupes, les noirs originaires de l'Afrique centrale et occidentale et les blancs pour la plupart musulmans venus du Maghreb ou de Méditerranée orientale. Contrairement à ce que l'on peut croire, une partie des esclaves musulmans ne fut jamais baptisée si bien qu'en dehors ou en plus de la condition sociale, la religion pouvait rassembler nombre de dépendants. Les communautés musulmanes, constituées principalement d'esclaves et d'affranchis, n'ont pas été rares dans l'Espagne des XVIe et XVIIe siècles, ainsi à Murcie, Carthagène, Grenade, Malaga, Séville, Cordoue ou Cadix. Nous savons que ceux de la région de Carthagène et de Murcie se retrouvaient à l'ermitage de San Ginés de la Jara car ils voyaient en San Ginés un descendant de Mahomet [3].

La majorité des esclaves étaient chrétiens. Ils n'étaient pas moins solidaires que leurs compagnons musulmans. Certes nous connaissons mal les lieux de la sociabilité servile que ce soient ceux des ports comme Séville ou Lisbonne ou ceux des mines de Guadalcanal et d'Almadén où les esclaves constituaient une partie importante de la main d'œuvre. Tout est à faire dans ce domaine de recherche. Cependant l'institution la plus répandue susceptible d'accueillir ces êtres déracinés a été la confrérie. Parmi les très nombreuses confréries de pénitence de l'époque moderne figurent celles que les spécialistes appellent confréries ethniques. Comme les autres, c'étaient des associations d'hommes – et parfois de femmes – sans nombre défini, disposant d'une organisation autonome, de statuts et d'approbation ecclésiastique [4]. Leur temps fort était bien entendu la semaine sainte au cours de laquelle une procession avait lieu.

Si l'expression confrérie ethnique a été utilisée, c'est que à la différence de presque toutes les autres confréries, celles qui regroupaient les esclaves

---

[3] Bernard VINCENT, «Les jésuites et l'islam méditerranéen», in *Chrétiens et musulmans à la Renaissance*, Bartolomé Bennassar et Robert Sauzet éds., Paris, 1998, pp. 519-531.

[4] Cf. l'ouvrage collectif *Las cofradías de Sevilla, historia, antropoloía, arte*, Séville, 1985 ou Miguel Luis LÓPEZ MUÑOZ, *La labor benéfico-social de las cofradías en la Granada moderna*, Granada, 1994.

étaient moins connues par leur invocation que par le qualificatif de *negros* ou *mulatos* en Espagne, de *pretos* au Portugal. Le terme *negros*, *pretos*, etc. fait d'ailleurs problème. Signifie-t-il qu'il y a eu pendant plusieurs siècles discrimination avec impossibilité pour les noirs de côtoyer des blancs au sein d'une même confrérie? Les *mulatos* ont-ils cherché à se séparer des *negros*, et si ce fut le cas, dans quelles circonstances et sur quels critères? Les esclaves de couleur blanche – et donc souvent d'origine musulmane – étaient-ils admis dans les confréries dites de *negros*? Par voie de conséquence ces dernières accueillaient-elles également noirs esclaves et noirs libres?

Toutes ces questions sont importantes et pourtant nous devons reconnaître qu'elles n'ont guère intéressé les historiens. Quelques éléments de réponse existent. Didier Lahon a bien montré que la confrérie lisboète du Rosaire, créée à l'initiative des dominicains à la fin du XVe siècle n'excluait personne à l'origine [5]. Blancs et noirs en faisaient partie. Pourtant les conflits internes ont dû s'accumuler et déjà en 1565 une confrérie du Rosaire noir, résultat d'une scission à l'intérieur de l'organisation dominicaine voyait le jour. Les deux confréries, noire et blanche, coexistèrent dans la rivalité jusqu'à l'élimination de la partie noire en 1620. Par ailleurs la présence, à Séville, de trois confréries concurrentes, deux de *negros* et une de *mulatos* à la fin du XVIe siècle, est troublante. La première – placée sous l'invocation de la Piedad y Nuestra Señora de Los Angeles - fut appelée ordinairement de los morenos: ses origines semblent remonter à la fin du XIVe siècle et elle aurait été la troisième ayant vu le jour dans la cité du Guadalquivir [6]. Elle bénéficie d'un règlement de l'archevêché au plus tard en 1544. La confrérie du Rosaire, elle aussi apanage des noirs, fut créée en 1584. Peut-être a-t-elle répondu aux besoins d'une population abondante qu'une seule confrérie ne pouvait satisfaire. Séville avait alors près de 10.000 esclaves dont une majorité de noirs. Or la confrérie du Rosaire fut installée à Triana, sur l'autre rive du fleuve. Mais celle-ci, à en croire certains témoignages, aurait été interdite aux morisques et aux mulâtres. Enfin une confrérie de la Presentación de Nuestra Señora, sise dans la paroisse de san Ildefonso et aussi très liée à l'hôpital de Belen, a existé au moins depuis 1572. La dénomination *de los mulatos* fut rapidement appliquée sans que l'on sache si par ce mot ou celui de *pardos* qui fut aussi employé, on voulut se distinguer de *los negros* [7].

Les exemples précédents, à Lisbonne et à Séville, semblent prouver que les cloisons étaient étanches. Non seulement les confrères blancs cherchaient à expulser les noirs mais les minoritaires eux-mêmes auraient eu tendance à ne pas être unis. C'est encore ce que semblent suggérer les données concer-

---

[5] Didier LAHON, «Les confréries de Noirs à Lisbonne et leurs privilèges royaux d'affranchissement. Relations avec le pouvoir du XVIe au XIXe siècle», communication au colloque *Les dépendances serviles*, Paris, 1996, sous presse.

[6] Isidoro MORENO, *La antigua hermandad de los Negros de Sevilla*, Sevilla, 1997.

[7] Ignacio CAMACHO MARTÍNEZ, *La hermandad de los mulatos de Sevilla*, Sevilla, 1998.

nant Malaga en dépit de leur ambiguïté. Dans ses *Conversaciones historicas malagueñas*, Cecilio Garcia de la Leña a une phrase aux termes contradictoires: «En Cabildo que celebró esta Ciudad en 30 de Abril de 1610, consta la pretensión de los negros, mulatos, y esclavos berberiscos, que administran la Hermandad de la Misericordia (después de S. Julián) para que les diese licencia para pasarla y radicarla en el Hospital de Sta Ana, en donde harían su bóveda, fiestas, etc. La Ciudad se le concedió, y tomó su Cofradía el titulo del Ángel Custodio, como queda referido, tratando de este Hospital: formaron sus Constituciones, que se reformaron en 1693 en tiempo del Sr. D. Fr. Alonso; siendo sus hermanos todos los berberiscos que se exercitaban en la palanca baxa. Como han ido faltando éstos, se ha suprimido esta Cofradía, quedando sólo el Altar del dicho Ángel Custodio» [8]. On peut s'étonner déjà que le mot *esclavos* précède les seuls *berberiscos* et non pas les *negros* et *mulatos* mais l'important est le rapprochement entre les trois groupes, ce qui laisse à entendre qu'ils appartenaient tous à une unique confrérie au début du XVIIe siècle. Mais cent ans plus tard ou presque l'institution ne regrouperait que des *berberiscos*. Y eut-il séparation d'avec les *negros* et *mulatos* ou ces derniers étaient-ils alors si peu nombreux qu'ils étaient passés sous silence? Constatons que le même auteur évoque dans un autre passage la disparition en 1681 de la confrérie de la Caridad dirigée traditionnellement par les *mulatos*. Ceux-ci étant devenus rares, l'évêque Alonso de Santo Tomás confie la confrérie à la noblesse [9]. On est dès lors tenté de se demander si les *mulatos* ne se sont pas séparés de leurs confrères pour aller constituer leur propre association. Mais si tel est le cas, à quelle date? Et qu'ont fait les *negros*? Là, comme ailleurs, nous en sommes réduits aux hypothèses.

Il est possible que l'appellation de *los negros* ait un caractère générique désignant rapidement l'ensemble des minoritaires. Cela serait particulièrement pertinent au Portugal, en Estrémadure ou en Andalousie occidentale où les dépendants noirs étaient beaucoup plus nombreux que les autres. Une telle pratique serait moins compréhensible là où, en Andalousie orientale et dans les royaume de Murcie ou de Valence les esclaves blancs fournissaient les plus gros contingents. Faudrait-il alors admettre – autre suggestion plausible – que les esclaves d'origine maghrébine et donc musulmane se seraient montrés plus réfractaires à l'organisation en confréries que les esclaves venus d'Afrique noire? Une certitude toutefois: avec le temps a été renforcé l'éclatement. La discrimination, reflet d'une infinité de frontières et de rejets, n'a cessé de s'accentuer. Les plus démunis, à commencer par ceux qui étaient privés de la liberté, n'ont pas constitué un front uni. Mais pour pouvoir mesurer les réalités concrètes des solidarités il faudrait pouvoir disposer de livres où seraient enregistrés les confrères et à défaut être très attentif aux individus dont parlent

---

[8] Cecilio GARCIA DE LA LEÑA, *Conversaciones históricas malagueñas*, tome IV, 1793 (réédition 1981), p. 89.

[9] *Ibid.*, p. 198.

les documents, à leurs origines, à la couleur de leur peau, à leur rôle au sein de la confrérie. A Jaen, la confrérie de Nuestra Señora de los Reyes, fondée en 1600, ne réunit en apparence que des *negros* ou *morenos* mais on ne peut affirmer qu'elle n'a jamais accueilli d'esclave blanc.

On aura enfin remarqué que les confréries auxquelles nous nous intéressons ont pour dénomination courante *de los negros, de los morenos, de los mulatos* et jamais *de los esclavos*. L'élément ethnique l'emporte bien sur l'élément social. Et de fait libres et esclaves appartiennent aux mêmes associations. Pourtant la ségrégation sociale vient renforcer les fractures raciales. Les membres libres des confréries de *negros* sont d'ordinaire des affranchis. Parmi ces derniers quelques-uns ont fait fortune. Il importerait de savoir si leur solidarité avec leurs anciens compagnons a été sans faille ou non. Par exemple le lettré grenadin Juan Latino a-t-il fait partie de la confrérie locale *de los negros* Et qui sont d'autre part les responsables, les leaders de ces associations?

Mal connues, les confréries de negros ou de mulatos n'en existent pas moins. Et elles sont nombreuses, plus d'une vingtaine en Espagne alors que nos informations ne portent, à l'exception de Madrid et de Valence, que sur l'Andalousie et près d'une trentaine au Portugal comme le montre l'enquête systématique de Didier Lahon [10]. Les grandes villes en abritent plusieurs, Grenade et Malaga deux chacune, Cadix et Séville trois, Lisbonne cinq, ce qui correspond bien à l'importance des communautés d'esclaves et d'affranchis. Il n'est pas moins significatif qu'on en trouve dans des localités de dimensions plus réduites, Gibraltar, Medina Sidonia, Montemor o Novo ou Tavira. Chaque agroville, chaque modeste port de la moitié méridionale de la Péninsule ibérique a participé au phénomène si bien que l'on devrait découvrir l'existence de dizaines d'autres confréries de ce type.

La plupart sont nées fort logiquement au XVIe siècle ou au début du XVIIe siècle, car l'histoire des confréries de minoritaires épouse totalement l'histoire des groupes dont elles émanent. La datation de la toute première, celle de la Piedad y Nuestra Señora de Los Angeles (ou de Los Negros) vers 1400 est d'ailleurs problématique tant elle est antérieure à l'arrivée massive d'esclaves noirs dans la ville [11]. Nous aurions la preuve, si elle était confirmée, que Séville aurait été le point d'arrivée de nombreux hommes qui depuis l'Afrique centrale auraient été au Moyen Age emmenés par voies caravanières jusqu'en Afrique du Nord et en Europe. De toute manière les textes légaux la consolidant furent promulgués seulement en 1554. En revanche la première confrérie lisboète crée en 1476 s'est déployée à la suite des découvertes portugaises de la deuxième moitié du XVe siècle, le long des côtes africaines. Ce fut l'aube d'une longue période où le noir esclave - à côté de compagnons

---

[10] Didier LAHON, thèse en cours sur *Communauté noire esclave et affranchie au Portugal entre le XVIe et le XIXe siècle.*

[11] I. MORENO, *op.cit.*, ch. I, pp. 23-56, «los años oscuros: de la fundación de don Gonzalo de Mena al establecimiento de la sede actual (1398-1550)».

d'autres origines – a été un personnage familier de la société ibérique. Et il ne fait pas de doute que le Portugal a en la matière précédé l'Espagne [12].

Les groupes serviles ont probablement atteint leur sommet entre 1570 et 1630, époque d'apparition des confréries de Jaen, Ubeda, Baeza, Malaga, Puerto de Santa Maria, Gibraltar, de deux de Séville, de deux de Lisbonne, etc. Les plus tardives sont fort logiquement gaditanes, lisboètes ou madrilènes. Cadix a connu au XVIIe siècle un fort développement qui a suscité un appel considérable à la main d'œuvre esclave. Lisbonne a conservé, et avec elle d'autres villes portugaises, une population servile importante au XVIIIe siècle, c'est pourquoi les créations de confréries continuent. Madrid parce que capitale conserve aussi des effectifs serviles relativement importants. La confrérie de San Benito de Palermo y est fondée en 1747 par 24 noirs [13]. Ailleurs au moins en Espagne, c'est le reflux et souvent la dispersion. On a vu plus haut que la Misericordia de Malaga était affaire exclusive de blancs dès 1693. Le chroniqueur, Henríquez de Jorquera, évoque le transfert de la confrérie de Nuestra Señora de la Encarnación y Paciencia de Grenade à *gente blanca*[14]. La confrérie de los mulatos de Séville n'avait plus, en 1709, que cinq membres [15]. Elle continue à végéter jusqu'à la fin du XVIIIe siècle. Et celle voisine de los morenos vit la proportion des blancs, nulle au XVIIe siècle, augmenter progressivement. Entre 1775 et 1797 sont admis 31 membres noirs dont seulement 4 esclaves et 55 blancs parmi lesquels figurent une grande proportion de nobles et d'ecclésiastiques [16]. A cette époque 10 à 12 confrères participaient aux chapitres généraux qui avaient eu jusqu'à 250 membres à la fin du XVIe siècle.

Les raisons n'ont pas manqué à l'émergence et à la diffusion des confréries de noirs et de mulâtres. Ces êtres déracinés trouvaient dans l'association un lieu d'accueil où s'exerçait la solidarité sous de multiples formes. La confrérie était l'espace d'un possible loisir collectif dont la danse semble avoir été l'élément essentiel. Les *zambras de negros* dans leurs différentes versions, zarabanda, chacona, guineo, paracumbé, zarambeque, etc. ont été extrêmement populaires et ont représenté un signe fondamental d'identité en terre d'exil. On en trouve trace à Grenade comme à Lisbonne ou à Valladolid[17]. La confrérie était surtout l'institution qui pouvait défendre les intérêts de ses membres et peut-être au-delà de tous ceux qui avaient quelque affinité avec elle. Les activités privées au quotidien, certainement les plus importantes, nous

[12] A.C. de C.M. SAUNDERS, *op.cit.*

[13] Antonio RUMEU DE ARMAS, *Historia de la Prevision social en España, Cofradias, gremios, hermandades, montepíos*, Madrid, 1942, p. 273.

[14] Francisco HENRÍQUEZ DE JORQUERA, *Anales de Granada*, Granada, 1987, tome I, p. 223 (1ª éd. 1934).

[15] I. CAMACHO MARTÍNEZ, *op.cit.*, p. 122.

[16] I. MORENO, *op.cit.*, p. 149.

[17] Cf. danza de negros para la vuelta de la Virgen de San Lorenzo a su casa en Valladolid in Anastasio ROJO VEGA, *Fiestas y comedias en Valladolid, siglos XVI-XVII*, Valladolid, 1999, p. 91.

échappent totalement. Mais comment ne pas imaginer que les confréries ont été des lieux de refuge pour des esclaves ou des domestiques en conflit avec leurs maîtres? Ou qu'elles ont défendu auprès des autorités ecclésiastiques la cause de couples qui s'étaient promis le mariage mais ne parvenaient pas à leurs fins en raison de l'opposition systématique de propriétaires, hostiles à toute manifestation d'autonomie de leurs dépendants. On sait que l'église, soucieuse de permettre l'accès de tous au sacrement du mariage, a favorisé ces unions plus ou moins clandestines. La pression des confréries n'a pas dû y être étrangère. Et comment ne pas songer à l'obtention de la liberté par des esclaves qui auraient obtenu l'aumône de leurs confrères? L'histoire de l'entraide reste totalement à écrire.

Les autorités étaient également intéressées à l'existence et à la consolidation de confréries ethniques. Esclaves et affranchis suscitaient de multiples craintes en raison du refus de certains de leur condition, à l'origine d'éventuelles rébellions, et de pratiques culturelles et religieuses, animistes ou musulmanes, que l'on cherchait à extirper. Laisser l'initiative aux esclaves et aux affranchis était considéré comme dangereux. Les confréries constituaient le vecteur idéal à travers lequel les énergies pouvaient être canalisées, le moule précieux où surveillance et contrôle pouvaient être réalisés. Les ordres religieux, au premier plan desquels se situent les dominicains, des prélats comme l'archevêque de Grenade Pedro de Castro y Quiñones, auteur en 1612 d'une *instrucción para remediar y asegurar quanto con la divina gracia fuere posible que ninguno de los negros que vienen de Guinea, Angola y otras provincias de aquella corte de Africa carezcan del sagrado bautismo,* des corporations municipales contribuèrent à l'effort commun [18].

Les confréries de negros o mulatos eurent une vie généralement difficile. Tout d'abord parce qu'elles n'étaient pas riches. L'une des plus prospères, celle de la Piedad y Nuestra Señora de los Angeles, était installée à Séville dans une chapelle modeste. Elle acheta en 1635 un Christ œuvre de l'un des meilleurs sculpteurs andalous, Andrés de Ocampo, pour la somme de 1.400 reales. Elle possédait antérieurement la Vierge de los Ángeles qui ornait le grand autel et acquit un San Benito de Palermo probablement au milieu du XVIIe siècle [19]. On trouvait en outre à l'intérieur deux bénitiers, quelques tableaux, des tapis de sparte, des bancs. Les inventaires font naturellement état de la présence des ornements liturgiques indispensables, croix, calice, ciboire, chasubles, étoles, etc. Les frais étaient relativement élevés. La confrérie participait activement à diverses fêtes du calendrier liturgique, à la Semaine Sainte, préparée solennellement depuis le 25 mars, jour de l'Incarnation, et prolongée jusqu'à la Pentecôte; s'ajoutaient les fêtes du 2 août, des âmes du purgatoire

---

[18] Le document est publié par Aurelía MARTÍN CASARES *La esclavitud en la Granada del siglo XVI*, Granada, 2000 p. 502-508.
[19] I. MORENO, *op.cit.*, pp. 99-100.

le 2 novembre et de l'Immaculée Conception le 8 décembre [20]. En outre la contribution à la procession de la Fête Dieu et l'enterrement des confrères étaient très coûteux. Décoration de la chapelle, vêtements de la Vierge, encens, cire, location de tuniques de pénitents, paiement de musiciens et de prédicateurs, feux d'artifice, etc. représentaient des frais considérables pour une confrérie dont les membres étaient d'ordinaire pauvres. Et encore fallait-il entretenir la chapelle. L'économie confraternelle reposait sur les cotisations, les dons de membres ou de protecteurs. Des quêtes étaient réalisées surtout pour faire face aux dépenses extraordinaires. En période de grande difficulté, la confrérie vendait des objets, faisait payer la participation de danseurs à des fêtes profanes ou bien des membres libres n'hésitaient pas à devenir esclaves. La confrérie de Nuestra Señora de los Reyes qui avait acquis une statue de la Vierge en 1601 pour la somme modeste de 125 reales dut faire appel à l'aumône publique pendant onze jours de fête au cours des années 1627 et 1628 [21].

Les associations avaient à faire face à bien d'autres problèmes. D'abord internes car les conflits entre confrères n'étaient pas rares. Ainsi la réunion du chapitre de la confrérie de los mulatos de Séville, le 9 juillet 1600, fut marquée par des incidents qui rendirent impossible la présentation des comptes. D'ailleurs trois confrères avaient préalablement engagé un procès contre deux responsables [22]. La même confrérie fut le théâtre de violents heurts toujours pour raisons économiques, au début du XVIIIe siècle. Au sein de la confrérie des noirs de Jaen une lutte sans merci opposa, en 1627, le fondateur Juan Cobo à son confrère Cristóbal de Porras désireux de prendre en mains la destinée de l'association. Porras passa huit jours en prison tandis que l'épouse de Cobo était excommuniée. Il est possible que la pauvreté des confréries ethniques ait exacerbé les dissensions entre leurs membres [23].

Elles eurent à compter sans relâche aussi avec l'hostilité déclarée d'une grande partie de la population. Si toutes les confréries de noirs ou de mulâtres purent disposer de la bienveillance et de l'appui de notables, les manifestations de sympathie dont elles bénéficièrent demeurèrent rares au regard des mouvements de mépris et de dérision, des humiliations et des prises de position menaçantes. De ce point de vue tout ce que l'on sait de la relation entre la population en général et les communautés gitanes en Espagne, au Portugal et ailleurs au XVIIe ou au XVIIIe siècle est applicable aux noirs et aux mulâtres. A la protection accordée par l'archevêque de Grenade puis de Séville, Pedro de Castro y Quiñones déjà rappelée plus haut s'opposa l'attitude délibérément négative de son prédécesseur sévillan Fernando Niño de Guevara (1601-1609) qui interdit aux confréries de noirs de participer aux processions

---

[20] *Ibid.*, p. 116.

[21] Rafael ORTEGA SAGRISTA, «La Cofradía de los Negros en el Jaén del siglo XVII», *Instituto de Estudios Giennenses*, num. 11, 1957, p. 132.

[22] I. CAMACHO MARTÍNEZ, *op.cit.*, pp. 78-79.

[23] R. ORTEGA SAGRISTA, *op.cit.*, p. 131.

générales [24]. Le prélat faisait sienne, par son rejet, l'opinion majoritaire. Les noirs de la Piedad y Nuestra Señora de los Ángeles furent au début du XVIIe siècle opposés judiciairement à l'une des plus puissantes confréries de la cité, celle de Nuestra Señora de la Antigua, à la suite d'affrontements qui avaient eu lieu le jeudi Saint de 1604 entre membres des deux associations pour des questions de préséance. Les témoignages alors recueillis ne laissent aucun doute quant à l'animosité généralisée à l'encontre des minoritaires. Les noirs sont qualifiés de gens sans raison, ridicules, fomenteurs de scandales. L'un des déposants en vient à affirmer «aunque, como dice Nuestro Señor Jesucristo se puso en la cruz por todos y nuestra madre la iglesia no los (los negros) excluye, en ella hay órdenes y grados como los hay en el cielo...» [25]. Les termes offensants et racistes n'étaient nullement conjoncturels. Année après année les noirs et mulâtres subissaient lazzis, insultes, sifflets. Le procureur de l'archevêché sévillan affirmait à la fin d'une diatribe visant les noirs que leur procession ne servait à rien sinon perturber la dévotion des fidèles.

C'est sous cet angle qu'il faut envisager les danses que les noirs effectuaient les jours de fête. La danse est un bel exemple de phénomène d'attraction-répulsion que suscitaient les esclaves. Elle était si appréciée qu'elle faisait immanquablement partie du programme de la Fête-Dieu. Les badauds se pressaient au spectacle. Mais à la fois les commentaires critiques et les condamnations pleuvaient. Nous en trouvons un écho dans le mémoire que le morisque grenadin Francisco Núñez Muley adresse au président de la Chancellerie en 1567. «Hay más baja casta que los negros y esclavos de Guinea? Y sin embargo se las consiente que canten y dancen con sus instrumentos y cantares y en sus lenguajes» [26]. Pas un instant ce notable si émouvant par ailleurs ne ressent la moindre solidarité inter-ethnique. Le jésuite Juan de Mariana voyait en la *zarabanda,* la plus populaire de toutes les danses de noirs, une expression de tous les vices, à commencer par la luxure et la paresse. «Entre otras invenciones ha salido en estos años un baile y cantar tan lascivo en las palabras, tan feo en los meneos que basta para pegar fuego aun en las personas muy honestas... ¿Qué dirán cuando sepan cómo van cundiendo los males y creciendo la fama, que en España, donde está el imperio, el albergo de la religión y de la justicia, se representan no sólo en secreto, sino en público, con extrema deshonestidad, con meneos y palabras a propósito los actos más torpes y sucios que pasan y hacen en los burdeles [27]?» Un tel exemple ne pouvait, aux yeux du religieux, que mettre en péril la République.

---

[24] I. MORENO, *op.cit.*, p. 78.

[25] *Ibid.*, p. 84.

[26] Antonio GALLEGO BURÍN y Alfonso GÁMIR SANDÓOVAL, *Los Moriscos del reino de Granada sigún el sínodo de Guadix de 1554*, Granada, 1996, p. XLIV.

[27] Juan de MARIANA, *Tratado contre los juegos públicos*, Bibliotéca de Antores Epañoles, n° 30, Madrid, 1950, p. 52.

Alors que l'éventail des invocations de confréries est très ample, celles désignant les confréries de noirs sont extrêmement limitées. A l'origine deux seules dominent, Notre-Dame du Rosaire et Notre-Dame des Rois. Plus que toutes les autres, ces confréries dépendent étroitement de leurs commanditaires et de leurs protecteurs. Beaucoup, parmi les premières, furent liées aux dominicains qui n'ont cessé d'être les principaux propagateurs du culte de la Vierge du Rosaire. De fait la première des confréries de noirs de Lisbonne était installée au couvent de S. Domingo, au cœur de la ville. A partir des années 1640, les dominicains de Lisbonne patronnèrent deux confréries du Rosaire ouvertes aux noirs, la seconde était connue comme celle du Salvador. Au début du XVIIIe siècle, les Augustins favorisèrent à leur tour l'émergence de deux confréries similaires, toutes deux placées sous la protection de la Vierge du Rosaire et installées dans les monastères de la Trinité et de la Grâce. A Cadix, Gibraltar, Huelva, Séville et au Puerto de Santa María, on retrouve l'invocation de Notre-Dame du Rosaire. Il est possible que cette insistance traduise la volonté de proposer aux intéressés des substitutions pratiques [28]. Le rosaire serait perçu par les noirs comme une sorte de talisman, une alternative à l'ifa, instrument africain de divination selon l'hypothèse d'Alessandro Dell'Aira [29]. N'oublions pas aussi que la dévotion au Rosaire a été renforcée par l'institution de la fête par le pape Grégoire XIII, le 7 octobre, à la suite de la victoire de la Sainte Ligue sur les ottomans en 1571 à Lépante. Le rosaire pouvait à la fois attirer les noirs et signifier la supériorité des chrétiens sur les musulmans.

Deuxième invocation récurrente, celle de Notre-Dame des Rois, adoptée par exemple à Jaen et à Jerez de la Frontera. La confrérie sévillane de Nuestra Señora de los Ángeles s'est aussi primitivement appelée de Nuestra Señora de los Reyes, le changement d'invocation n'étant pas intervenu avant le milieu du XVIe siècle. Les Rois accompagnant la Vierge étaient les Rois Mages dont l'un, Balthasar, le plus jeune, appartenait à la race noire. Comme le souligne Isidoro Moreno il s'agissait pour les promoteurs de la confrérie de souligner l'égale sollicitude de la Mère de Dieu pour tous les hommes. Les confrères noirs manifestaient aussi leur attachement à la Vierge des Rois Mages par le relief qu'ils donnaient à la fête de l'Epiphanie [30].

Enfin les nombreuses références à Saint Benoît de Palerme ne sont pas moins remarquables. De Lisbonne à Jaen, de Gibraltar à Grenade, du Puerto de Santa María à Baeza, le saint sicilien a été vénéré. Ce fils d'esclaves noirs était né à San Fratello, près de Messine, vers 1525. Affranchi, il servit comme pâtre le maître de ses parents, Vincenzo Manasseri. Un chevalier, Girolamo

---

[28] A.C. de C.M. SAUNDERS, *op.cit.*, p. 205 (édition portugaise)/

[29] Alessandro DELL'AIRA, «Il Santo nero e il rosario: devozione e rappresentazione», communication au collque *Il Santo e la citta, S. Benedetto il moro da Palermo*, Palermo, décembre 1998.

[30] I. MORENO, *op.cit.*, p. 49 et sv.

Lanza le convainquit, alors qu'il avait une vingtaine d'années, le rejoindre une communauté d'ermites. Celle-ci ayant été dissoute en 1562, Benedetto entra au couvent franciscain de Santa Maria di Gesù, près de Palerme, où il exerça d'abord comme cuisinier. Sa réputation fut rapidement considérable et de nombreuses guérisons miraculeuses lui furent attribuées. Elu en 1578 gardien du couvent, ce frère lai analphabète fut aussi maître des novices. Il mourut en odeur de sainteté le 4 avril 1589.

Le procès de canonisation de Saint Benoît de Palerme ou Saint Benoît le More, pour reprendre l'expression employée couramment pour le désigner, aboutit seulement en 1807. Mais il avait été entamé dès 1591 avec la composition par un riche et dévot marchand, Gian Domenico Rubbiano d'une vie du frère franciscain [31]. La diffusion du culte fut foudroyante et le roi Philippe III fit transférer en 1606 et 1607 des reliques du saint en Espagne. En 1611 Lope de Vega écrivit une pièce de théâtre intitulée *Comedia famosa de el Santo negro Rosambuco de la ciudad de Palermo* [32]. L'auteur fait dire à l'un de ses personnages, une noire:

> *Tura ro neglo bacemo cofadría*
> *al Santo Neglo.*

Tout porte à croire qu'effectivement des confréries de noirs portant l'invocation de Saint Benoît Le More aient vu le jour au début du XVIIe siècle en Espagne et au Portugal. Ou surtout que nombre de confréries déjà existantes ont ajouté le nom du saint sicilien à leur titre. Ce fut le cas de Notre Dame de Guadalupe de Lisbonne, de Notre-Dame du Rosaire de Cadix et probablement de Notre-Dame des Rois de Jaen et de Notre-Dame du Rosaire de Gibraltar. Il faudrait en fait pouvoir dater très précisément ces créations et ces introductions et en connaître les circonstances. La confrérie sévillane de la Virgen de los Ángeles n'a jamais introduit le nom de Saint Benoît dans son invocation, mais la statue du noir sicilien fut dès le milieu du XVIIe siècle, et peut-être avant, la troisième en importance de l'institution. Seuls le précédaient dans l'esprit des confrères la Vierge des Anges, et un Christ en croix. Au XVIIIe siècle l'image du saint se trouvait au centre d'un retable où elle était accompagnée des portraits de deux autres saints noirs, sainte Ephigénie, princesse nubienne de l'Antiquité, et saint Elesbaan, roi d'Abyssinie au Ve siècle [33]. Il est clair que l'ordre franciscain a été alors très actif afin de jouer un rôle éminent auprès des communautés d'esclaves. Ainsi Cristóbal de Porras, personnage en vue de la confrérie de Jaen, était un frère franciscain dépêché peut-être depuis

---

[31] *San Benedetto il Moro Santità, agiografia e primi processi di canonizzazione*, eds. Giovanna Fiume e Marilena Modica, Palermo, 1998.

[32] Felix LOPE DE VEGA CARPIO, *Comedia famosa de el Santo negro Rosambuco de la ciudad de Palermo*, acte II.

[33] I. MORENO, *op.cit.*, p. 120.

Priego pour aller fonder des confréries de Saint Benoît à Ubeda, Baeza et finalement Jaen [34]. La confrérie madrilène, créée sous l'invocation de Saint Benoît en 1757 était attachée au couvent des franciscains. En 1807, date de la canonisation du saint palermitain, sa statue fut à Séville portée en procession de la chapelle de la confrérie de la Vierge des Anges au monastère franciscain.

On peut en outre émettre l'hypothèse d'un culte amplement encouragé par les autorités, tant civiles que religieuses; Saint Benoît réunissait toutes les qualités propres à unir l'ensemble des esclaves ou affranchis et par là à assurer l'encadrement d'une population désorientée. On s'est peu préoccupé de connaître les origines géographiques de la famille de Benedetto. Le flou était opportun comme le montre à merveille la *comedia* de Lope de Vega. Le saint pouvait être éthiopien, mandingue ou congolais. Et de surcroît il aurait été, avant son baptême, musulman, d'où ce surnom de Benoît le more. Lope ne fait –il pas dire par la bouche de saint François:

> *A bautizarte, disponte*
> *y deja al falso Mahoma*
> *y luego en Jesús del Monte*
> *que es mi monasterio, tome*
> *la cuerda, el hábito ponte.*

Dès lors africains du nord, de l'est ou de l'ouest pouvaient se sentir concernés par la dévotion à un saint qui, d'une manière ou d'une autre, leur racontait leur propre histoire. La diffusion du culte de Benoît Le More fut fulgurante. Et dans ce processus qui conduit de Sicile au Nouveau-Monde, la Péninsule ibérique a joué à travers les confréries un rôle d'intermédiaire singulièrement efficace.

---

[34] R. ORTEGA SAGRISTA, *op.cit.*, p. 131.

Los "Dioses" de la Guerra: Propaganda y Religiosidad en España y América Durante el Antiguo Régimen

David González Cruz
Universidad de Huelva

La herencia del dios Marte de los romanos, del dios Ares de los griegos, de Anubis y de Osiris de los egipcios, de Inurta de los sumerios y acadios, de Teshub de los hititas, de Assur de los asirios, de Oddin de los germánicos, de Indra de los indo-iranios, de Maris de los etruscos, de la diosa Morrigain de los celtas y de la diosa Anat de los cananeos, de Viziliputzli de los aztecas[1], entre otras muchas imágenes divinas que las civilizaciones antiguas ofrecieron de "lo sobrenatural", continuaron estando presentes en la cultura de guerra del mundo hispano del Antiguo Régimen. Así, dentro del esquema de una religión teóricamente monoteísta y en el seno del imaginario colectivo aparecían en el Campo de Batalla, junto a los militares españoles, el Dios Supremo de los Ejércitos, la Virgen en sus diferentes advocaciones, los santos, los arcángeles,... Eran los nuevos "dioses" de la guerra del "todopoderoso" Imperio Español.

Desde luego, esta mentalidad religiosa hispana no surgía de repente en los siglos de la modernidad, puesto que en gran medida respondía a la asimilación de una doctrina que interpretaba los ejemplos bíblicos descritos en el Antiguo Testamento como justificación y referente de la protección divina a los

---

[1] La imagen de Viziliputzli, el Dios de la Guerra de los mexicanos, era descrita en 1752 por Pedro Murillo en los siguientes términos: "eran de piedra, de figura horrible, formidable, y espantosa, y de estatura de gigantes grandes, cubiertos de nácar, con muchas perlas, y piezas de oro, esmeraldas, ametistos y otras piedras preciosas, aves, sierpes, animales, pezes, flores, y rosas hechas a lo Mosayco. El cuerpo estaba ceñido con una cadena gruesa de oro a manera de sierpe, tenían una máscara muy fea con ojos de espejo, que de noche, y de día relucían mucho..." MURILLO VELARDE, Pedro, *Geografía Histórica de la América y de las Islas Adyacentes, y de las Tierras del Norte y del Sur, Tomo IX de la Geografía Histórica del Mundo*. Universidad de Granada, 1990, pág. 72.

ejércitos cristianos[2]. Precisamente de esta aceptación de la supuesta parcialidad de Yahvé seguía haciéndose eco la jerarquía eclesiástica, incluso a fines del siglo XVIII, de lo que era buena muestra el elogio fúnebre que fue publicado con motivo de las honras realizadas a los difuntos militares de España[3], en el que José Julio García de Torres -Cura, Juez Eclesiástico y Colegial del Seminario Tridentino- argumentaba, todavía en 1797, la alianza establecida entre Dios y el ejército español:

"¿Aquel brazo fuerte que comunicó el valor a un Josué para pelear, y que hizo al traquido de los rayos sus enemigos se confesasen vencidos; aquel dios que en una sola noche colocó a los pies de los Ezechias, ciento ochenta y cinco mil Asirios, esparciendo el espanto en el corazón de Senaquerib; Aquel Dios, repito, que ha protegido en todos los

---

[2] Realmente la creencia de que la protección del Dios de los Ejércitos podía hacer cambiar el transcurso de los conflictos bélicos estaba tan extendida entre la población que en el Diario de Barcelona se publicó -durante la guerra que mantuvo Carlos IV con la Francia Revolucionaria- una carta escrita bajo el pseudónimo del "Catalán celoso", en la que argumentaba que las súplicas que se le hicieran podían conseguir de él para las tropas españolas auxilios similares a los registrados en el antiguo Testamento: "Sí, amados Patricios: el Dios de las batallas, cuyo auxilio implorais fervorosos, ostentará su poderoso brazo, como lo ha hecho siempre desde el principio de los siglos, y nadie es capaz de resistirle; el infierno todo no lo ha podido conseguir después de tantos siglos de combate; la justicia de la causa que defendemos, es tan notoria, que ella sola es capaz de hacernos concebir esperanzas... el Dios de las batallas los confundirá; su brazo omnipotente no ha menester grandes Exércitos para contrarrestar sus fuerzas. Si las nuestras son desiguales, también lo eran las de Abía, Rey de Judá, que con solo 400.000 hombres derrotó a Jeroboan, cuyo Exército se componía de 800.000 combatientes. Phacée, Rey de Israel, dio muerte en un solo día a 120.000 hombres de las Tropas de Judá. Asa, Rey de Judá, con 600.000 hombres fue atacado por Zara, rey de Chus, que tenía un millón, y quedó éste enteramente derrotado. ¿Quántas veces los israelitas salieron victoriosos del furor de sus contrarios, con muy corto Exército? Si les faltó el alimento, Dios lo suplió con el Maná del Cielo. Si carecieron de agua, brotaron arroyos las peñas al solo contacto de la vara de su Caudillo Moyses. Si El día fue corto para concluir una batalla, se detuvo el Sol enmedio de su carrera. Si la obscuridad de la noche las impedía el caminar, una luminosa nube les servía de guía. Si Pharaón los persigue arrogante, el Mar abre su seno para darles paso, y sumergir después entre sus olas a todos sus contrarios; y para que nunca creyesen, que las muchas batallas que alcanzaron de sus enemigos, podían ser efecto de su pericia militar, o de su valor, experimentaron en una de las famosas, que mientras Moysés oraba en el Monte, levantadas las manos al Cielo, ellos vencían a sus contrarios; y quando las baxaba, se cambiaba la suerte, por lo que quedó la costumbre en lo sucesivo de presentarse el Sacerdote al frente del Exército antes de entrar en la batalla, pronunciando en voz alta estas palabras: Escucha, Israel, no temas a los enemigos, pues el Señor peleará por ti".

[3] GARCÍA DE TORRES, Joseph Julio, *Elogio fúnebre que en las honras que anualmente se celebran en la Santa Iglesia Metropolitana de México a la memoria de los difuntos militares de España dixo el día 14 de noviembre de 1797*. México, Imprenta de Joseph de Zúñiga y Ontiveros, 1798, págs. 11-12.

tiempos las guerras que han tenido por fin exterminar la herejía e impiedad, no había de prestar socorro a nuestras tropas?".

Evidentemente nuestro clérigo novohispano trataba de fundamentar su argumentación con pasajes de la historia del pueblo judío haciendo referencia a conflictos bélicos como los que protagonizaron Ezequías -rey de Judá a fines del siglo VIII a. C.- y Senaquerib[4] -rey de Asiria-, quien no pudo conquistar la ciudad santa de Jerusalén, a pesar del poderío que demostró anexionándose Babilonia y otras 46 ciudades regidas por Ezequías.

Por supuesto, el clérigo García de Torres no era una excepción en el conjunto de la Iglesia española y americana; no en vano, los discursos que alababan la alianza entre la Iglesia y el Estado se multiplicaban en los púlpitos y en las publicaciones editadas en las diversas imprentas del Imperio. De este modo, los eclesiásticos confesaban públicamente que la religión era deudora de las espadas[5], que la Iglesia estaba en el Estado para conservarse pacífica y defendida por la protección del rey[6], y que el socorro a la Corona era el destino más noble y santo para los bienes de los súdbitos[7]. Como testimonio de esta mentalidad de la jerarquía eclesiástica española D. Francisco Fabián y Fuero, Obispo de Puebla de los Ángeles, en una carta pastoral dirigida a los cristianos de su diócesis, insistía en que la doctrina de la Iglesia Hispana siempre había defendido la fidelidad a la Monarquía:

> "Nadie debe hablar mal. Teman todos las iras de el Monarcha, y veneren sus decretos, assí en lo exterior y público como en lo interior y más secreto de sus corazones. Esto enseña la Sagrada Escritura; ésta ha sido siempre la doctrina de la Iglesia Cathólica, y la Iglesia de América, que es también una con la de España en la fidelidad y en la doctrina, no respira otra cosa que lealtad a su Monarcha. Nunca ha sido otro el carácter de los

---

[4] Ezequías (727 a.C.-699 a. C.) restauró el culto a Yahvé en el reino de Judá y combatió a los asirios. Por su parte, Senaquerib (705 a.C.-681 a.C.), hijo del rey asirio Sargón II, realizó varias campañas militares, entre otras, contra Palestina, Elam y Media.

[5] GARCÍA DE TORRES. Joseph Julio, *Op. cit.,* pág. 21.

[6] En concreto, respecto a las relaciones Iglesia-Estado se expresaba sin ambigüedades el obispo de Puebla de los Angeles: "la Iglesia está en el Estado para conservarse pacífica, y defendida en el tiempo de esta vida mortal con la protección del soberano, y el Estado está en la Iglesia para lograr la vida inmortal salvándose eternamente con su Príncipe por la dirección, y Magisterio de Dios, y de su Summo Vicario; porque es la Iglesia la Arca de el Divino Noé, y fuera de ella nadie puede salvarse de el Naufragio eterno". FABIAN Y FUERO, Francisco, *Carta pastoral a todos los fieles de esta nuestra Diócesis, de cualquiera estado, calidad, o condición que sean.* Puebla de los Angeles, 1767, pág. 9.

[7] Vid OSES DE ALZUA, Joaquín, *Exhortación a todos los fieles de la Diócesis de Cuba para los donativos voluntarios y préstamos sin interés que pide S.M. por su Real Decreto de 27 de Mayo.* Santiago de Cuba, Imprenta del Colegio Seminario, 1798. pág. 35.

obispos de los Dominios del Rey de las Españas; y siempre que ha havido necesidad se han juntado en concilios para firmar en el Solio a sus Soberanos, y llenar de execraciones, y anathemas a los desleales"[8].

Sin duda, en este contexto de compenetración entre los intereses de la religión y de los del Estado, los clérigos hispanos difundieron mensajes de sumisión a la realeza, llegando a emparentar a los monarcas con la propia divinidad al calificarlos de vicedioses[9] o de imágenes del "Soberano Eterno"[10]. Asimismo, desempeñaron un incuestionable protagonismo en el diseño de la propaganda de guerra de la Corona, pues si atendemos a las aseveraciones del cronista Francisco López de Gómara en la *Historia de las Indias*, ésta fue un instrumento imprescindible en el expansionismo territorial del Imperio Español, incluso desde el comienzo de la Conquista de América:

"...Nunca hasta aquí se vio en estas Indias y Nuevo Mundo que los españoles echasen un pie por miedo, ni aún por hambre ni heridas que tuviesen, y ¿queréis que digan: "Cortés y los suyos se volvieron estando seguros, hartos y sin peligro"? Nunca Dios tal permita. Las guerras consisten mucho en la fama; pues ¿qué mayor que estar aquí, en Tlaxcallan, a despecho de vuestros enemigos, y publicando guerra contra ellos, y que no se atrevan a venir a enojaros? Por donde podéis conocer cómo estáis aquí más seguros y fuertes que fuera de aquí... que menos éramos cuando por esta tierra entramos y ningún amigo teníamos; y como bien sabéis, no pelea el número, sino el ánimo; no vencen los muchos, sino los valientes. Y yo he visto que uno de esta compañía ha desbaratado un ejército, como hizo Jonás, y muchos, que cada uno por sí ha vencido mil y diez mil indios, igual que David contra los filisteos".

Por supuesto, esta propaganda bélica a la que hemos hecho referencia partía de un razonamiento básico que trataba de otorgar confianza a las tropas españolas y que sintéticamente respondía a la imagen de una nación que

[8] FABIAN Y FUERO, Francisco, *Op. cit.*, pág. 55.

[9] Precisamente, este calificativo le otorgaba a Luis XVI un canónigo de la catedral de México, en uno de esos textos propagandísticos que se utilizaron con asiduidad para exaltar los ánimos de los españoles en contra de los revolucionarios franceses: "Haz que brille como el de sus hermanos los europeos. Españoles como todos, porque todos somos hijos y vasallos del amabilísimo Carlos, Padre y Rey de ambas Españas. Todos somos enemigos de la Francia, porque todos abominamos a los que se atrevieron a quitar la vida al Vice Dios de aquel Imperio". BERISTÁIN, Joseph Mariano, *Elogio de los soldados difuntos en la presente guerra que en las solemnes exequias de los militares celebradas en la Metropolitana de México el día 22 de noviembre de 1794, y presididas del Exmo. Señor Marqués de Branciforte, virrey de esta Nueva España*. México, Herederos de Felipe de Zúñiga y Ontiveros, 1795, pág. 17.

[10] Vid. OSES DE ALZUA, Joaquín. *Op. cit.*, pág. 34.

había participado en contiendas militares encaminadas a conseguir fines acordes con la doctrina cristiana[11], en las que España acostumbraba a contar con la aprobación y beneplácito del "Dios de los Ejércitos". Desde este pensamiento generalizado que esperaba que la divinidad dispensase protección a las Armas Hispanas, los eclesiásticos contribuyeron a difundir, entre los militares y todos los súbditos de la Corona, la idea de que "lo sobrenatural" tenía una incidencia determinante en el resultado de las guerras; no en vano, estimaban que el Cielo daba fortaleza a los que luchaban en las batallas o, en su caso, infundía terror entre los enemigos[12] y, por último, entendían que el "Dios de las Batallas" era el único que concedía la victoria[13]. No obstante, esta convicción no resultaba novedosa, puesto que con anterioridad a los siglos de la modernidad, los pueblos germánico y romano concedieron a sus dioses de la guerra respectivos -Oddin y Júpiter- la capacidad de sembrar pánico en el ejército enemigo, a pesar de que éstos no intervenían directamente en la contienda[14]. Como fruto de esta creencia extendida entre los tratadistas y publicistas de las gestas hispanas, el Obispo D. Alejo Fernando de Rojas Azevedo, solamente comprendía la Conquista de América realizada por un reducido número de hombres como producto de una sucesión de hechos milagrosos; así, al menos, lo manifestaba el 9 de octubre de 1723, en una carta pastoral dirigida a los fieles del Obispado de Santiago de Chile con motivo del alzamiento general de los indios araucanos situados al sur del río Bio-Bio[15]:

"Ya lo vio practicado nuestra obligada gratitud, en las afortunadas Conquistas, de este y el Reyno de México, con tan limitado número de Conquistadores, y tan inmensa muchedumbre de conquistados; empressa en que siendo los arrestos de el animo temeridades de el valor, se labraron de los portentos los Laureles; y se establecieron los triunfos en la repetición de los milagros; y como no ay acaso en Dios, por eso su providente beneficencia, nos destinó el diestro Marte que nos gobierna, un General que importa por diez mil soldados, como de David los blasonaban sus commilitones[16]..."

[11] GARCÍA DE TORRES, Joseph Julio, *Op. cit.*, págs. 8-9.

[12] BERISTÁIN, Joseph Mariano, *Op. cit.*, pág. 9.

[13] GARCÍA DE TORRES, Joseph Julio, *Op. cit.*, pág. 3.

[14] DUMEZIL, Georges, *Los dioses de los indoeuropeos*. Barcelona, Editorial Seis Barral, 1970, págs. 27 y 30.

[15] Vid. CASANOVA GUARDA, Holdenis, *Las rebeliones araucanas del siglo XVIII*. Temuco, Universidad de la Frontera, 1987, págs. 28-32.

[16] ROXAS Y AZEVEDO, Alexo Fernando de, *Carta pastoral a los fieles de su Obispado en ocasión del alzamiento general, que han hecho los indios, exortando a los sacrificios, oraciones y demás piadosos devotos exercicios; y principalmente a la frequencia de sacramentos; para que por tan sagrado medio, se sirva dios auxiliar nuestras Armas, concediéndonos el feliz triunfo que deseamos en la expedición, que intenta hazer*. Lima, Impresor Francisco Sobrino, 1724.

Desde luego, las publicaciones religiosas como esta última reseñada no se cansaban de aconsejar que el camino para obtener la victoria debía basarse en la esperanza y confianza en Dios, al tiempo que en una estrategia premeditada para apartar el demonio mediante la superación de las pasiones. A este respecto, la literatura religiosa y los propios documentos insistían en que los adulterios, incestos y demás pecados eran el origen de las guerras, puesto que con ellos se injuriaba y se ofendía al Padre Eterno; por tanto, los autores eclesiásticos entendían justificada la construcción de una imagen de "Dios Vengador" que castigaba a los rebeldes para que, al mismo tiempo, sirviese de escarmiento a otros[17]: De esta manera, se difundía la creencia en que la indignación del Cielo descargaba sobre los españoles el "azote de la guerra", ya fuese utilizando como instrumentos a franceses, ingleses, indios americanos, holandeses o portugueses. Sobre ello mostraba su convicción Don Joaquín Oses, en junio de 1798, en el texto que redactó para solicitar donativos voluntarios a los fieles cubanos, cuando se refería a las guerras que se mantuvieron con Inglaterra y Francia:

"Nosotros podríamos decir hoy, que no hemos ofendido a los Yngleses; pero no podremos negar que hemos ofendido a Dios, y que Dios ofendido se vale de la crueldad de éstos para vengar las injurias que le hacemos...; porque aunque hicimos alianza con los Franceses no la hicimos con dios. Por tanto, se ha encendido su furor contra su Pueblo y ha descargado su mano sobre él y le ha herido... Deseamos, y aún clamamos diciendo paz, paz; pero la guerra continua. Es preciso convenir en que mientras tengamos a Dios por enemigo, no tenemos razón de esperar ni el alibio ni la paz; y que aún quando consigamos su ajuste con la Ynglaterra, no quedaremos seguros de caer en otra mayor calamidad...[18].

En este contexto de guerras que se pensaba que habían sido originadas a causa de un castigo divino se agitaban las conciencias y se divulgaba la exigencia de adoptar "buenas costumbres" y cumplir con las obligaciones de cristiano. Por ello, las predicaciones de los clérigos instaban a desterrar los bailes de la "gente vulgar", a que se moderasen los trajes para que no ofendiesen a la "católica vista", y a que los padres de familia atendiesen al cuidado de sus casas dando ejemplo a sus hijos y a sus domésticos y, asimismo, les enseñasen la doctrina cristiana"[19].

Respecto a los pecados cometidos y a la disolución en las costumbres como causas de las guerras se referían, incluso, los papeles periódicos editados en la época, de lo que es muestra una carta publicada en el Diario de Barcelona con motivo de las rogativas que se habían ordenado hacer durante la guerra mantenida por Carlos IV contra la Francia Revolucionaria; el autor que la firmaba bajo el pseudónimo de "El catalán celoso" se expresaba en este sentido:

[17] ROXAS Y AZEVEDO, Alexo Fernando de, *Op. cit.*
[18] OSES DE ALZUA, Joaquín, *Op. cit.*, págs. 7, 14, 16 y 17.
[19] ROXAS Y AZEVEDO, Alexo Fernando de, *Op. cit.*

"Es cierto que hemos pecado; el desorden, la disolución, la mala fe en los tratos, el escándalo de muchos matrimonios, y el mal exemplo de varios, es cierto que pueden haber irritado justamente contra nosotros la ira del Todopoderoso; creería adularos, si dixera lo contrario; porque en estos últimos tiempos es evidente, que nuestros pecados como una enorme montaña, cuya cima tocaba ya hasta el cielo, y que como allá en otro tiempo la sangre del justo Abel clamaba por la venganza, pueden habernos acarreado los males que nos amenazan; igualmente lo es, que la guerra es uno de los azotes, con que el Omnipotente aflige muchas veces a los Pueblos, para que vuelvan sobre sí; y no suele ser siempre por los pecados, que a nosotros nos parecen más enormes. Un solo pensamiento de vanidad bastó para que David le propusiese el Señor por el profeta Gad una hambre de tres años, una guerra de tres meses, o una peste de tres días"[20].

Sin duda, la Corona Española también participaba de la mentalidad de que las sangrientas guerras que habían sufrido sus vasallos respondían a castigos de la divinidad; de ahí que Felipe V en una circular enviada a todos los prelados de sus dominios admitiese que Dios estaba ofendido y que debía, en colaboración con sus súbditos, aplacar su justicia con el fin de lograr su piedad. Esta certidumbre del primer Borbón le llevó a recurrir a la jerarquía eclesiástica con objeto que le aconsejaran sobre los medios a los que debía acudir para que la Voluntad Divina le favoreciese y evitar, de este modo, que continuasen las calamidades y contratiempos que había sufrido España en los primeros años de su reinado. La mencionada circular firmada por Felipe V el 11 de marzo de 1715 en el Buen Retiro y dirigida a todos los prelados de sus reinos sintetizaba su actitud de búsqueda de opciones para agradar al Altísimo:

"...he considerado que para la dirección y el acierto, no debo ni puedo buscar más propios, ni adquiridos instrumentos, que los de los Prelados, que, como Ministros de Dios, y de su Iglesia, y al mismo tiempo Consegeros míos, con las luzes de su dictamen, alumbren mi razón, y dirijan mis deseos; diciéndome cada uno sucintamente con sencillez, y libertad christiana, los medios, que juzgare convenientes, para evitar las ofensas de Dios, y merecer su agrado. Y assi os ruego, y encargo lo hagáis, por lo que a vos toca, como corresponde, y lo espero de vuestro zelo, virtud y literatura, que en ello me servireis"[21].

Con todo, esta solicitud del monarca español resultaba fácil de cumplimentar por los prelados hispanos si atendemos al conjunto de fórmulas que

---

[20] Archivo General de Indias (A.G.I.), Carta publicada en el Diario de Barcelona de los días 12 y 13 de abril.

[21] Archivo Segreto Vaticano, Secretaria de Estado, España, sig. App. XIII.

se aplicaron asiduamente durante la Edad Moderna para obtener la misericordia del "Soberano de los soberanos". Realmente el estado de guerra, al que estuvieron acostumbrados los españoles durante centurias, generaba la multiplicación de las confesiones y comuniones entre los fieles, los ayunos, las disciplinas y mortificaciones. De esta forma, la redención del pecado y el resarcimiento de culpas en períodos bélicos se lograba con la realización de sacrificios y sufragios; así se creía, al menos, que se aplacaba la justicia divina y se evitaba que el Padre Celestial siguiese enviando calamidades [22]. Por ello, la Iglesia intensificaba las misas y rogativas [23] con el objetivo de implorar la clemencia del Padre Eterno y reducir las dosis del castigo divino; como muestra de ello, en estos casos el ritual eucarístico acostumbraba a incluir una epístola y una oración para tiempos de guerra. En concreto, la oración decía lo siguiente:

"Dios, que quebrantas las guerras, y que con el poder de tu defensa rindes los que combaten, a los que esperan de tí; socorre a tus siervos que imploran tu clemencia, para que oprimida la ferozidad de sus enemigos, con incessable acción de gracias te alabemos".

Realmente, en los Reinos de la Monarquía Española, durante los períodos bélicos, se adoptaba como modelo básico de actuación la máxima de compaginar las armas con el rezo o, como dirían las fuentes de la época "pelear con las manos y orar con el corazón"[24]. De todas formas, las fervorosas súplicas al Dios de los Ejércitos se ajustaban a un complejo ritual que acostumbraba a incluir, entre las rogativas y desagravios, un conjunto de recursos religiosos como misas votivas, "tempori belli", vísperas, maitines, manifestaciones del Santísimo Sacramento, sermones, novenarios, indulgencias, oraciones de tiempos de guerra, canto de horas canónicas, rosarios, penitencias, preces, letanías de la Virgen, letanías de santos, ejercicios espirituales, comuniones generales, oraciones nocturnas, canto del Te Deum y la Salve, procesiones, etc.

Con todo, entre este conjunto de actos y ritos religiosos es evidente que alguno de ellos lograron tener una mayor potencialidad para concienciar a los

---

[22] OSES DE ALZUA, Joaquín, *Op. cit.*, pág. 38.

[23] El modelo de comportamiento que trataban de divulgar los prelados se ajustaba al que nos relataba el obispo de Santiago de Chile en 1724, ocho años después que Felipe V hubiese enviado una circular a la jerarquía eclesiástica pidiendo consejo sobre el modo de conseguir la piedad Divina: "Frequentemos los Templos, en el tiempo que se hizieren las Rogativas, o ocurriendo todo los Fieles a la Iglesias, conforme sus vecindades; y derramando en ellas todas el alma por los ojos, tristemente postrados, y congojosamente rendidos, pidamos al Señor de los Exércitos su amparo, y nuestro remedio en tanta tribulación; mudemos los coraçones de piedra, deshechos al calor de nuestro abrasado sentimiento, qual blanda cera, y se inclinará el Juez a perdonarnos. Y si todos hemos sido pecadores, lloremos todos nuestras culpas..." ROXAS Y AZEVEDO, Alexo Fernando de, *Op. cit.*

[24] GARCÍA DE TORRES, Joseph Julio, *Op. cit.*, pág. 17.

fieles a que tomasen una actitud activa en la guerra mediante su participación en las rogativas. Éste era el caso de los sermones, en que los oradores hacían apología de ella[25], elogiaban el valor y lealtad de las tropas españolas y persuadían a los asistentes, entre otras cuestiones, a que continuasen con sus deprecaciones y penitencias hasta conseguir la misericordia divina[26], así como a que solicitasen la conversión de las personas que habían motivado el enfrentamiento bélico[27]. Del mismo modo, el recurso de los prelados de conceder indulgencias resultó un motor incentivador de esa participación, pues hemos de tener en cuenta que estaban muy cotizadas espiritualmente dentro de una mentalidad religiosa en la que los fieles destinaban una parte de sus esfuerzos a acumular este tipo de salvoconductos que creían que les permitía reducir el tiempo de estancia de sus almas en el Purgatorio. Esta estrategia de la jerarquía eclesiástica ha dejado en las fuentes múltiples testimonios[28], de lo que es una muestra más las indulgencias concedidas a las personas que asistieron a las rogativas que se celebraron en la ciudad de Guadalajara (México), en abril de 1795:

"El R.P. Prior del Convento de N.P. Santo Domingo de esta Ciudad, deseando concurrir con sus Religiosos a implorar al Altísimo el feliz suceso de las Armas de nuestro Católico Monarca en la presente Guerra, ha alcanzado del M.I. Señor Dean y Venerable Cabildo, Sede vacante, exponer en su Iglesia por todo el día el Divinísimo Señor Sacramentado el día doce de cada mes, solicitando el que por la intercesión de nuestra Madre Santísima Guadalupe, general Patrona de todo el Reyno, dirijan los Fieles a Dios sus oraciones, que unidas con las de la Iglesia aplaquen la ira de su Magestad, justamente irritada por nuestras culpas. Y a fin de promover estos cultos el Illmo. Sr. D. Fr. Damián Martínez Galiesoga, Obispo de Sonora, por sí y por el Illmo. Sr. Obispo de la Puebla de los Ángeles Dr. D. Salvador de Bienpica, ha concedido ochenta días de Indulgencia a todas las personas que asistan a cada uno de los actos de Religión que se hacen en dicho día; como es el Santo Sacrificio de la Misa, Rosario, Rezo propio del día; y asimismo tres indulgencias plenarias para cada año a las personas que confesadas, comulgadas y haciendo la Oración acostumbrada visitaren los días doces de

[25] Vid. BERISTÁIN: Joseph Mariano, *Op. cit.*

[26] Rogativas realizadas en Pachuca para conseguir la victoria en la Guerra con Francia. (*Gaceta de México*, nº 78, 19 de noviembre de 1794).

[27] Sermón predicado en las rogativas organizadas por el Convento de la Merced de Oaxaca (*Gaceta de México*, nº 28, 29 de abril de 1794, pág. 221).

[28] En las rogativas organizadas en la ciudad de Valladolid, en Nueva España, el obispo de esta Diócesis concedió, según relata la crónica periodística de los actos religiosos, "para alcanzar más devoción (...) quarenta días de Indulgencia a todas las personas que concurriesen, y plenaria a los que confesasen y comulgasen el último día, en el qual predicó el R.P. Lector de Prima Fr. Bernardo del Espíritu Santo un Sermón fervoroso exhortando a la penitencia" (*Gaceta de México*, nº 15, 30 de marzo de 1795, pág. 121).

Abril, Agosto y diciembre dicha Iglesia, y en ella al Santísimo Sacramento y a nuestra Madre y Patrona"[29].

En este ambiente de religiosidad postridentina, el efectismo que caracterizó a la sociedad hispana desde la época barroca estuvo unido a los rituales bélicos, lo que originaba que la Corona y la jerarquía eclesiástica promoviesen la pompa y el "aparato" en la realización de las rogativas. De este modo, con el fin de dotar a los actos de solemnidad se recurrió a los repiques de campana, iluminación[30], música y salvas de cámaras. No obstante, a pesar que la música era un medio para atraer la atención de los asistentes, también fue utilizada como una manera de aplacar las iras del Todopoderoso; y a este respecto, parece que los indios cristianizados[31] -si atendemos a la información que nos proporcionan las fuentes- fueron considerados como un recurso para disminuir el castigo divino. No debe extrañar que así lo hiciera constar la *Gaceta de México* al referirse al novenario de misas realizado en Xonocatepec, en el que "un coro de doce niños inditos", a quienes se les enseñó perfectamente el canto llano estuvieron implorando con sus voces la victoria de las Armas españolas[32].

Si bien la necesidad de realizar rogativas públicas estaba perfectamente asimilada por la sociedad hispana del Antiguo Régimen y surgía con dosis de espontaneidad, de forma que motivaba que cualquier episodio bélico fuese un estímulo instantáneo para que inmediatamente la comunidad dirigiese sus súplicas al Cielo; no es menos cierto que este ritual se hallaba perfectamente reglamentado por la Corona, pues con cierta recurrencia la Casa Real enviaba a todos sus dominios cédulas en las que fijaba el trámite exigido para llevarlas a efecto. Obviamente, un ritual como éste, en el que se precisaba que el poder temporal y el eclesiástico se coordinasen para ofrecer una imagen conjunta no permitía dejar resquicios a la interpretación particularizada. Como exponente de esta rigurosidad en la organización de las rogativas es expresivo el testimonio ofrecido por el Cabildo Eclesiástico de Caracas el 11 de abril de 1780:

"El mismo día se obedeció otra Real Cédula de 13 de octubre de 1779 (que sigue copiada) dirigida unidamente al Illmo. Sor. Obispo y señor

---

[29] Gaceta de México, n° 30, 19 de mayo de 1795, pág. 249.

[30] La crónica periodística de las rogativas celebradas en Zoquitlán en el mes de agosto de 1793 resaltaba la solemnidad que le otorgaron las más de tres mil velas que se colocaron en los altares y se repartieron en los actos (*Gaceta de México*, n° 57, 8 de octubre de 1793, pág. 549).

[31] A modo de ejemplo, en las dos solemnes funciones celebradas en diciembre de 1796 por el Párroco de Panotlán con el fin de implorar a Dios los "socorros necesarios" en la guerra contra los ingleses tuvieron un protagonismo especial los indios de la doctrina de ese lugar, quienes cantaron y tocaron los instrumentos en ambas misas (*Gaceta de México*, 8 de febrero de 1797, págs. 254-255).

[32] *Gaceta de México*, n° 21, Suplemento del 17 de abril de 1795.

Deán y Cabildo cuyo duplicado remitió su Sría Illma. desde el lugar en que se hallaba siguiendo su santa visita, acerca de las ocurrencias en las procesiones de rogativas, o insertándose en ella las Reales Cédulas de 26 de noviembre de 1762 y 14 de julio de 67, se declara que siempre que el Ilustre Ayuntamiento acuerde hacer alguna procesión o rogativa para implorar el auxilio divino en calamidades o dar gracias a Dios por beneficios, comunique verbalmente su determinación por medio de un diputado al Obispo y Cabildo, y que contestado con urbanidad, el Illmo. Sor. Obispo pase oficio al señor Gobernador para que le conste y a la ciudad de que es cabeza, sin intervención de notario, ni otro escrito, ni diligencia judicial"[33].

Sin duda, la propaganda bélica se ajustaba a un diseño que favorecía a los intereses comunes de la Corona, el clero y todo el organigrama de cargos políticos y militares; de ahí que tanto uno como otros se esforzasen en divulgar la apología de los enfrentamientos bélicos ordenando la realización de eventos o, incluso, llegándolos a financiar con sus propios fondos. En este entramado las "públicas rogativas" se constituían en un instrumento para dotar de valor y resignación a la población ante las penurias y calamidades de los conflictos; por ello, los reyes no se cansaban de firmar decretos para que sus súbditos solicitaran al Todopoderoso el favor para sus ejércitos[34], lo que no dejaba de ser un cierto aval de apoyo y de compromiso ofrecido por los vasallos a las decisiones tomadas por la Monarquía de entrar como parte activa en determinadas contiendas. Como ejemplo de esta costumbre de la realeza puede resultar ilustrativa la orden dada por el monarca español en 1732 cuando se disponía a conquistar la Plaza de Orán:

"Aviendo conseguido el Rey poner en execución sus cathólicos exemplares deseos de recuperar la Plaza de Orán, a cuyo importante fin se ha juntado de su Real Orden un poderoso Exército en Alicante, y hecho todas las demás prevenciones necessarias; ha mandado S.M. que en todos sus Reynos se hagan públicas fervorosas Rogativas, implorando la Assistencia Divina, para que sus Reales Armas logren sobre los Infieles Africanos el éxito de esta Sagrada empressa..."[35]

Como portavoces inmediatos de los deseos del rey de España, los cargos políticos (virreyes, gobernadores,...) y el alto clero (prelados y provinciales de las órdenes religiosas), obligados todos ellos a rendir pleitesía al monar-

---

[33] *Actas del Cabildo Eclesiástico de Caracas*, libro 18, fol. 51.
[34] Felipe V, en plena Guerra de Sucesión a la Corona Española, firmó un decreto por el que ordenaba que se hiciesen rogativas públicas con el fin que el Cielo favoreciese sus "Armas en su próxima jornada" (*Gaceta de Madrid*, nº 48, 1 de diciembre de 1705).
[35] *Gaceta de Madrid*, nº 26, 24 de junio de 1732.

ca como medio para conseguir nuevas prebendas y empleos, se constituían en vehículos transmisores de los mensajes regios publicando edictos[36] y decretos que se acostumbraban a fijar en los "parajes más públicos" de las ciudades y pueblos. De este modo, como si se tratase de un reguero de pólvora, la voluntad real se hacía efectiva en el extenso rosario de parroquias, cofradías, capillas, iglesias, conventos, santas escuelas de Cristo[37] y lugares de culto distribuidos a lo largo de los reinos hispanos, erigiéndose así en templos destinados a que los súbditos pidiesen -tanto de día como de noche- la misericordia divina y la derrota del enemigo.

La coincidencia de criterio entre los diferentes cuerpos del Estado y la Corona encontró un mecanismo de expresión en la financiación que por iniciativa institucional o particular soportaron todos los estamentos de la sociedad y sus órganos de gobierno; no en vano, entre los benefactores hallamos a virreyes, miembros de la nobleza, burgueses-comerciantes, administradores de rentas reales y ministros de la Real Hacienda, militares, integrantes de los cabildos municipales, hermandades, prelados y cabildos eclesiásticos, curas y clérigos de las parroquias, feligreses, vecinos y demás "bienhechores". Si bien con respecto al coste económico aportado por las élites políticas y eclesiásticas pudieran existir motivaciones relacionadas con la exhibición de status o con la acumulación de méritos para obtener algún cargo o merced real, no tenemos que descartar como sinceras las intenciones de estas autoridades que patrocinaron las rogativas por iniciativa propia[38] -según las fuentes- con la

[36] El Obispo de Oaxaca publicó un edicto en la Santa Iglesia Catedral, que fue repartido también como un impreso, ordenando la celebración de rogativas en su diócesis en estos términos: ".. que todos los sacerdotes el día que puedan apliquen una Misa por la felicidad de las Armas Españolas en mar y tierra: que en las Misas Conventuales y privadas se de la oración pro tempore belli, y en los días de primera clase "sub una conclusiones": que todos los días a la hora de Tercia se cante la Letanía Lauretana, tocando a este tiempo plegaria, como también a las horas regulares, por espacio de un mes..." (*Gaceta de México*, nº 44, 6 de agosto de 1793, pág. 405.

[37] Respecto al ritual pro-bélico organizado por la Santa Escuela de Cristo de México es clarificador la información ofrecida por el papel periódico de esta ciudad: "La Santa Escuela de Christo, de que es tutelar María Santísima de Guadalupe de México, sita en el Campo Santo del Hospital Real general de los Naturales de esta capital, erecta en 15 de Diciembre de 1748, y con permiso de S.M. en Real Cédula fecha en el Buen Retiro a 31 de Julio de 1757, concurriendo el espíritu de rogación por el feliz éxito de la Guerra contra la Francia, verificó el Novenario de una hora de oración, por la noche, patente el Señor Sacramentado, desde primero hasta nueve del presente, terminando el día catorce con Misa solemne y Comunión general de los Hermanos, siguiendo después una hora de oración nocturna semanariamente, con arreglo a la licencia concedida por el Excmo. e Illmo. Señor Arzobispo" (*Gaceta de México*, nº 44, 6 de agosto de 1744, págs. 408-409.

[38] Sin duda, a pesar de haber nacido en el ámbito de la milicia, la iniciativa del Teniente Coronel destinado en el Castillo de San Juan de Ulúa, pareció encontrar apoyos en su comunidad logrando así conjugar sus funciones militares con sus principios religiosos. Realmente, la conducta exterior que manifestó puede ser considerada como ejemplo del modelo teórico

mirada puesta en estimular a los vecinos a asistir a los actos religiosos, exhortados a la continuación de sus oraciones para "unos fines tan obligatorios como interesantes a la Religión y al Estado", rogar a Dios por la exaltación de la Santa Fe Católica y por el feliz éxito de las Armas Españolas. El espíritu de patrocinio de las rogativas estaba tan extendido que miembros del Tercer Estado -en su condición de devotos feligreses- colaboraran con sus limosnas, junto al resto de los grupos sociales más potentes, a que se llevasen a efecto; de esta unanimidad percibida en el tejido social fueron viva expresión las misas celebradas en la ciudad de Durango durante los meses de julio y agosto de 1793:

"... y en consecuencia de haberse franqueado la Catedral y sus individuos a celebrar con solemnidad quantas Misas de Rogación pidieran los Cuerpos de esta Capital y sus gentes honradas, sin más costo que el de la cera que pusieran en el Altar, por no gravar a la Fábrica, se han hecho muchísimas; pero las más solemnes han sido las siguientes. La primera fue el 21 de Julio, que hizo el Prelado y Cabildo con Misa Pontifical y Sermón... La segunda el Ilustre Ayuntamiento y Ministros de la Real Hacienda... La tercera hizo la Archicofradía del Santísimo Sacramento el 26 del dicho... El 28 costeó la Rogación el Teniente Coronel D. Juan Joseph Yandiola Caballero del Orden de Santiago... El 4 del corriente costeó la Rogación el Comercio de esta Ciudad... El día 11 hicieron la Rogación los Empleados en las Reales Rentas de Tabaco, Alcabalas y Correos... La última ha sido el día 18 que celebró la Real Congregación de la Vela y Alumbrado erigida en esta Catedral..."[39]

Ciertamente, el esfuerzo económico y organizativo que exigía el complejo ritual de rogación en tiempos de guerra contó en todo momento con el

---

propugnado en los sermones y en la literatura religiosa de los siglos de la modernidad; así quedaba recogido, al menos, en una información que llegó a la ciudad de México desde Tepic: "El Teniente Coronel D. Pedro Alberni, Capitán de la primera Compañía de Voluntarios, y destacado con ella para guarnición del Castillo de San Juan de Ulúa, lleno de los más sanos principios de honor y religión, y al mismo tiempo de un íntimo conocimiento del carácter y zelo patriótico de varios Individuos que forman este vecindario, escribió a D. Juan Manuel de Siniaga Administrador de Rentas Reales en aquel Departamento, suplicándole que uniera sus votos a los de todos aquellos que contribuyeran con su limosna a aplacar las iras del Cielo. En efecto, el referido Siniaga, deseando complacer a su amigo, dispuso de conformidad con el mismo y otros, para no incomodar al común de las gentes, celebrar a expensas de ellos el día 7 del corriente una solemne función a la Santa Cruz... Dióse principio a ella por tres repiques, y en el último, que fue a las nueve, ya se hallaba poblado aquel hermoso y florido campo de toda clase de individuos, y la Iglesia y convento de las personas más condecoradas en espera de la Misa" (*Gaceta de México*, nº 66, 4 de octubre de 1794, pág. 542.

[39] *Gaceta de México*, nº 54, 28 de septiembre de 1793, págs. 525-526.

respaldo mayoritario de los vecinos mediante la asistencia a los actos. En ellos, junto al "común del pueblo", se le concedía una participación preferencial a las autoridades civiles y eclesiásticas con el fin de dotarlos de boato y solemnidad; de este modo, habitualmente acudían a estas celebraciones los miembros de la reales audiencias y demás tribunales, prelados, comunidades religiosas, capitulares de los municipios y -según las crónicas- "numeroso concurso de las personas de distinción". El auditorio, con la publicación de los decretos en los lugares públicos y el "especial convite" que se le enviaba a los vecinos distinguidos, quedaba garantizado por tratarse de actos en los que la población demostraba con su participación el patriotismo y lealtad a la Corona, al tiempo que su esperanza en la prosperidad, triunfo y victoria de las Armas Católicas.

Como respuesta a las preces, oraciones y sufragios de los españoles, la literatura religiosa de los siglos de la modernidad daba veracidad a la aparición de Dios en el campo de batalla, ya fuese con su presencia o, en su caso, mediante la intervención de la Virgen María, el Arcángel San Miguel o Santiago Apóstol. Desde luego, la mentalidad del español medio del Antiguo Régimen no se iba a sorprender de narraciones como éstas, si se tiene en cuenta que sus oídos estaban familiarizados, ya desde época medieval, con los beneficios que reportaban las apariciones durante las operaciones militares. A este respecto, era conocida por todos la leyenda que narraba cómo se le presentó la Cruz de Cristo a Don Pelayo en la batalla de Covadonga[40] o aquella otra que relataba la victoria que obtuvo contra los moros el Rey Don García de Aragón después de visionarla en el aire rodeada de una aureola resplandeciente[41]. Desde entonces las cruces fueron utilizadas por reyes y súbditos como si se tratasen de amuletos de protección ante los peligros de la guerra; de ahí que en las ilustraciones de múltiples códices medievales apareciera en ellas el siguiente lema: "Hoc signo tuetur pius, in hoc signo vincitur inimicus" (con este signo se protege al piadoso, en este signo queda vencido el enemigo[42]).

Por otra parte, continuando con la línea jerárquica de la divinidad, los tratadistas citaban a grandes padres de la Iglesia como San Bernardo para certificar que las manos de María "son los canales por donde ha querido el Altísimo fluyan y se deriven a nosotros todos sus beneficios[43]". Como fruto de

---

[40] ESCOLAR, Hipólito (Dir.) *Historia ilustrada del libro español. Los manuscritos.* Madrid, Ediciones Pirámide, 1993, pág.

[41] ROXAS Y AZEVEDO, Alexo Fernando de: *Op. cit.*

[42] ESCOLAR, Hipólito (Dir.) *Op. cit.,* págs. 304-305.

[43] SOLANO Y MARCHA, Joseph María, *Sermón moral que en la rogación solemne hecha por los cuerpos militares de la guarnición mexicana para implorar los auxilios del Todo-Poderoso mediante la intercesión de María Santísima de Guadalupe a favor de las Armas de España en la presente guerra contra la Francia.* México, Mariano Joseph de Zúñiga y Ontiveros, 1795, pág. 5.

esta creencia en la significativa capacidad intercesora de la Virgen, los prelados recomendaban, en ocasiones[44], que durante las rogativas se situase junto al Santísimo Sacramento la principal imagen de Nuestra Señora que se venerase en la localidad con objeto que se le cantase la letanía de todos los santos, las letanías lauretanas, la Salve y las preces de tiempos de guerra. No obstante, a la luz de la documentación histórica, entre el cúmulo de advocaciones por las que se veneraba a la Madre de Cristo parece desprenderse que Nª. Sª. de Guadalupe, Nª. Sª. de Atocha, Nª. Sª. del Socorro, Nª. Sª. del Refugio, Nª.Sª. de los Remedios, Nª. Sª. del Carmen, entre otras, pudieran haber obtenido mayores gracias del Dios de los Ejércitos si atendemos a la devoción que suscitaban en épocas de conflictos bélicos. De esta manera, Nuestra Señora de Guadalupe, a la que se calificaba de "arra celestial de la felicidad española e indiana", decían haberla visto los contemporáneos en el aire, junto a Nuestra Señora de los Remedios, echando tierra en los ojos a los indios con el fin de defender a los conquistadores. Esta aparición de ambas imágenes que narraba José María Solano y Marcha -Cura y Juez Eclesiástico del Partido de Tizayuca- en el sermón que predicó en la Real Colegiata de Nuestra Señora de Guadalupe el 25 de enero de 1795 no hacía más que reproducir un modelo de apariciones que se detecta en siglos anteriores[45] y del que era ejemplo manifiesto el testimonio que ya nos ofrecía en 1646 el cronista Alonso de Ovalle en la *Histórica relación del Reino de Chile*; no en vano, recogía en sus páginas la acción que llevó a efecto la milagrosa imagen de la Santísima Natividad de María, en su ermita de Penco -actual ciudad de Concepción-, pues -según la leyenda- la Virgen protegió a los españoles refugiados en esa ermita cegando a los indios que los atacaban mediante polvo y tierra que ella misma les echó con sus propias manos[46]. Con todo, este relato-modelo de protección de la divinidad no había sido creado en la América Hispana, ya que desde la Edad Media -en la época de las Cruzadas- se encuentran testimonios ligados a la leyenda como es el caso del que nos ofrece el historiador musulmán Abulfaraje, quien alejándose de la realidad atribuyó la victoria cristiana sobre Saladino "a la súbita aparición de un viento milagroso, que cegó con arena los ojos de los guerreros"[47]. En esta literatura de guerra resulta eviden-

---

[44] En concreto, en el Cabildo de 21 de marzo de 1806 se tuvo noticia de un oficio enviado por el Ilmo. Sr. Arzobispo en que se realizaban estas recomendaciones (*Actas del Cabildo Eclesiástico de Caracas*, libro 23, fol. 35).

[45] En este sentido, desde los inicios de la Conquista de América, los relatos legendarios ofrecían la imagen de la Virgen con atribuciones guerreras; precisamente de este estereotipo se hacía eco el cronista Murillo Velarde en 1752 cuando se refería a la ayuda que prestó la Madre de Dios a Cortés y Alvarado: "El tropel de los enemigos era grande, combatían sin cesar a los Españoles, y huvieran acabado con todos, si la Santísima Virgen no los huviera defendido, echando tierra en los ojos de los Indios". MURILLO VELARDE, Pedro *Op. cit.,* p. 60.

[46] Cfr. MONTESSUS DE BALLORE, Conde de, "Historia sísmica de los Andes Meridionales", *Anales de la Universidad de Chile*, tomo CXXXI (1913) págs. 485-486.

[47] BARCELÓ, Emmanuel, *Los templarios*. Madrid, Edimat Libros, S.A., 1998, pág. 44.

te que la Madre de Jesucristo no parecía ser descrita como amiga de los pueblos indígenas; no en vano, el jesuita Miguel de Olivares en una de sus crónicas relataba que la Virgen defendió a los españoles que se encontraban en el Fuerte de Boroa, en el Sur de Chile, frente a los ataques de los indios araucanos que lo sitiaban, puesto que tanto su imagen como otra de un Cristo, ante los ruegos de sus ocupantes, "empezaron a sudar y este sudor o rocío divino apagaba el fuego de las hachas encendidas" que eran lanzadas sobre la ciudad"[48]. Tampoco se mostró colaboracionista con los indígenas Nuestra Señora del Triunfo, imagen que da título a la Capilla del Sagrario de la Catedral de Cuzco, pues -si se creyese la narración recogida por Jorge Juan y Antonio de Ulloa sobre la tradición oral existente en 1748- a esta advocación le correspondió proteger a los españoles de la furia de los indios cuando estuvieron cercados por el Inga-Manco, así como del fuego con que pretendieron quemar la ciudad en repetidas ocasiones[49].

Sin discusión, la imagen de la Virgen que nos presentan los clérigos publicistas de la guerra es la de una madre que ampara y protege a los cristianos españoles, llegando incluso a enviar desde su Trono relámpagos y truenos a los enemigos[50]. En este marco teórico elaborado por los eclesiásticos de la época parece lógico entender también el suceso, de tintes ciertamente milagrosos, que relataba el Padre Juan García Racimo -franciscano y Procurador General de las Filipinas- al narrar en 1672 la intervención que tuvo la Virgen María en el enfrentamiento que sostuvieron en Cabite (Filipinas) españoles y navíos holandeses[51]:

"Y que en otra ocasión fueron sobre Cabite, jurisdicción de Manila, con doze Navíos, y començaron a batir el Convento de San Diego que está en la orilla del agua, y que en lo alto del texado se avía puesto una Muger vestida de blanco, y con sus manos cogía las valas en el ayre y las bolvía a repetir con mayor fuerça que la pólvora las despedía de sí (y no me espanto, que es muy fuerte el braço de la que fue concebida en Gracia en el primer instante de su ser)".

[48] OLIVARES, Miguel de, *Breve noticia de la Provincia de la Compañía..*, págs. 401-406. Cfr. CRUZ DE AMENÁBAR, Isabel, *Arte y sociedad en Chile*, 1550-1650. Santiago, Universidad Católica de Chile, 1986.

[49] JUAN, Jorge y ULLOA, Antonio de, *Relación Histórica del Viaje a la América Meridional hecho de Orden de su Magestad para medir algunos grados de meridiano terrestre, y venir por ellos en conocimiento de la verdadera figura, y magnitud de la Tierra, con otras varias observaciones astronómicas, y phisicas*. Madrid, Fundación Universitaria Española, 1978 (Reedición de 1748), págs. 171-172.

[50] Vid. ROXAS Y AZAVEDO, Alexo Fernando de, *Op. cit.*

[51] GARCÍA RACIMO, Fr. Juan, *Relación y carta... en que da cuenta a su provincial de las cosas sucedidas en las Islas Filipinas, Japón y China, y otras partes del Asia, desde el año de 1666. Y de como se apareció Nuestra Señora en Cabite encima del tejado del Convento de San Diego, que lo estavan cañoneando los enemigos, y recebía en sus manos las balas y las bolvía al enemigo. Con otros sucessos raros y milagrosos*. Madrid, 1671.

Entre estas legendarias aventuras bélicas de la Virgen resulta curioso lo sucedido con la advocación de Nuestra Señora del Carmen, que según los testimonios documentados en las Actas del Cabildo Eclesiástico de Caracas, se mostró vigilante ante las incursiones de los enemigos de la Monarquía Española y ante los traidores del Estado. Su intercesión en estos casos motivó que en 1806 se le tributase la correspondiente acción de gracias organizándose una procesión general con la imagen del Convento Carmelita, en la que los vecinos debían expresar su júbilo y ratificar la fidelidad al Rey de España[52]. Como resultado de esta gratitud y reconocimiento a la intervención de Nuestra Señora el Cabildo Eclesiástico de Caracas acordó el 29 de agosto de 1806 hacer festivo el día 16 de julio y solicitar a la silla apostólica que fuera festividad de segunda clase con octava[53]. Si bien la advocación del Monte Carmelo había sido considerada como uno de los baluartes defensivos de la fidelidad a la Corona, unos años más tarde -entre los independentistas chilenos que no acataron la autoridad real- se le otorgó una función totalmente contraria a esta primera, ya que fue tomada por estos denominados "patriotas" como su protectora. De este modo, el proceso de emancipación de las colonias hispanas motivaba que en estas tierras del Cono Sur Americano se hicieran partícipes a las diferentes imágenes de la Virgen de los sucesos que acontecían en el campo de batalla, situándose así a la advocación carmelita frente a Nuestra Señora del Rosario de Valdivia, puesto que había sido adoptada esta última como patrona de las Armas Reales[54].

En el devenir histórico no resulta extraño que los diferentes bandos contendientes, en este caso los independentistas y los leales a la monarquía española, quizás inconscientemente por razones de tradición cultural estuviesen inmersos en un "politeísmo encubierto" que utilizaba a las diversas advocaciones de la Virgen como si se trataran de divinidades diferentes que podían llegar, incluso, al enfrentamiento entre ellas con el fin de concederles beneficios bélicos a unos u otros[55]. En este sentido, relatos de obras clásicas como el que se encuentra en la Ilíada, en que se narra la participación de los dioses

---

[52] Cabildo del 12 de marzo de 1806. *Actas del Cabildo Eclesiástico de Caracas, tomo II,* pág. 382.

[53] Actas del Cabildo Eclesiástico de Caracas, tomo II, *pág. 386.*

[54] CRUZ DE AMENÁBAR, Isabel, *Arte y sociedad... Op. cit.,* pág. 247.

[55] Sobre estas connotaciones politeístas en el seno de la Cristiandad ya realizaba Toynbee algunas consideraciones: "El monoteísmo abatió el culto de Baal y Astoret sólo para ver cómo los tradicionales asociados divinos, severamente proscriptos de un celoso Yahvé se escurrían de nuevo a la ortodoxia judía como personificaciones del "Verbo" del Señor, "Sabiduría" del Señor, y "Angel" del Señor, y luego para establecerse en la ortodoxia cristiana, desde el principio y con derecho propio en la doctrina de la Santísima Trinidad y en los cultos del Cuerpo y la Sangre de Dios, la Madre de Dios y los santos. Estas intrusiones del politeísmo en el monoteísmo de la iglesia cristiana, que eran más flagrantes que las intrusiones registradas en el judaísmo, suscitaron una cabal reafirmación del monoteísmo en la forma del islamismo, y una reafirmación menos cabal en la forma del protestantismo". TOYNBEE, Arnold J., *Estudio de la historia,* vol. IX. Buenos Aires, Emecé Editores, 1963, pág. 181.

griegos en las luchas entre los diferentes pueblos, no parecen estar muy distantes de determinadas conductas religiosas de los católicos hispanos:

"Y alrededor, de noche cubrió la lucha el impetuoso Ares para proteger a los troyanos, mientras iba y venía por doquier. Cumplía así los encargos de Febo Apolo, el de la áurea espada, que le había mandado despertar el ánimo a los troyanos cuando vio a Palas Atenea marcharse; pues ésta era protectora de los dánaos"[56]

Con todo, la cultura hispana disponía también, junto al amparo de María en sus diferentes advocaciones, de la protección del Arcángel San Miguel y Santiago Apóstol. En concreto, al Arcángel era requerida su ayuda en su calidad de Príncipe de las Escuadras Celestiales y Protector Especial de las Armas Españolas; por su parte, la invocación a Santiago Apóstol se justificaba por su condición de Patrón de todos los Dominios de la Monarquía, así como de "caudillo y capitán de sus tropas"[57]. Este último había ganado una acrisolada fama de militar con el título de "Matamoros" en el proceso de Reconquista de Al-Andalus, en el que fue titular de la orden de su mismo nombre, lo que le continuaba acreditando todavía a fines del Antiguo Régimen como un excelente intermediario divino de las nuevas empresas de la Corona. Precisamente las leyendas medievales españolas rememoraban la victoria de Ramiro sobre los infieles musulmanes, en la que -según los publicistas bélicos del siglo XVIII- muchos contemporáneos habían visto en el aire al Apóstol Santiago[58] y San Millán de la Cogolla destrozando a los musulmanes[59]; sobre lo milagroso del suceso no querían dejar dudas si consideramos que decían que murieron en la batalla doce mil "turbantes" y se cogieron siete mil prisioneros. Realmente, la fama y reconocida experiencia militar del Patrón de España traspasó los límites peninsulares de manos de los primeros conquistadores, quienes difundieron en América las virtudes y prodigios que acostumbraba a realizar el discípulo de Jesucristo. Fruto de ello sería su supuesta intervención, en 1541, en el incendio de la primera fundación de Santiago de Chile, pues si atendemos a la información que nos proporciona el cronista Gerónimo de Bibar unos años después, en 1558, los indios que la quemaron se fugaron despavoridos al

[56] HOMERO, *Ilíada*. Madrid, Editorial Gredos, 1991, pág. 200.

[57] Vid. CASTILLA, Miguel de, *elogio sepulchral a la inmortal memoria de los españoles que murieron en la victoriosa expulsión del exército enemigo, segunda vez apoderado de la Corte de Madrid*. México, Viuda de Miguel Ribera Calderón, 1711.

[58] A modo de ejemplo, en una carta ya citada publicada en el Diario de Barcelona y firmada bajo el pseudónimo de "El catalán celoso", a fines del siglo XVIII se decía: ¿Quantas (veces) pelear en los ayres, en nuestro auxilio, a nuestro Patrón Santiago, tan temido de los Moros, como venerado de nuestros Mayores?.

[59] Vid. GARCÍA DE TORRES, Joseph Julio, *Op. cit.*, pág. 14.

observar la presencia de un anciano montado en su caballo blanco. Así describía, en 1558, el prodigioso hecho el autor de la *Crónica y relación copiosa y verdadera de los Reinos de Chile*[60]:

> "Prendiéronse muchos y, preguntándoles que por qué huían tan temerosos, respondían porque un Viracocha viejo en un caballo blanco, vestido de plata con una espada en la mano, los atemorizaba y que, por miedo de este cristiano, huyeron. Entendido los españoles tan grande milagro, dieron muchas gracias a Nuestro Señor y al Bienaventurado Apóstol Señor Santiago, Patrón y Luz de España. En esta batalla murieron ochocientos indios, y los indios mataron dos españoles y catorce caballos".

Si bien es verdad que Santiago Apóstol, como advertían los cronistas, parecía tener suficientes recursos para ganar por sí solo al enemigo, también es cierto que en ocasiones los diseñadores de la propaganda bélica prefirieron unir sus esfuerzos a los de la Virgen María[61]. Según el mismo Gerónimo de Bibar -natural de Burgos y relator de las hazañas de Pedro de Valdivia-, alguna victoria del conquistador de Chile se forjó gracias a la intervención conjunta de ambas imágenes devocionales[62]:

> "El despojo que en el campo dejaron fueron muchas picas y plumajes y otras armas. En este encuentro murieron trescientos indios y prendiéronse más de doscientos. De aquestos el gobernador (Valdivia) mandó castigar, que fue cortalles las narices y manos derechas.
> Esta victoria hubo el gobernador con la ayuda de Dios y de su Bendita Madre Santa María y el Bienaventurado Apóstol Santiago porque, cortándoles las manos a estos indios y hablando con algunos, y decían todos a una que no habíamos sido parte nosotros para ellos sino una

---

[60] BIBAR, Gerónimo de, *Crónica y relación copiosa y verdadera de los Reinos de Chile*. Santiago de Chile, Fondo Histórico y Bibliográfico J.T. Medina, 1966, pág. 56.

[61] El obispo de Caracas sería consciente de los efectos benéficos que lograban conjuntamente ambas devociones, pues publicó -durante la guerra mantenida contra los ingleses- un edicto mediante el que mandaba que se sacase en rogativa pública a Nuestra Señora de la Concepción y al Apóstol Santiago, a quienes los cabildos secular y eclesiástico debían organizarles sendas fiestas (*Actas del Cabildo Eclesiástico de Caracas*. Cabildo de 11 de octubre de 1770, libro 18, fol. 8). Por su parte, la alianza del Patrón de España con San José también sería considerada como fructífera si tenemos en cuenta que en la localidad de Panotlan se celebró el 19 de abril de 1795 una misa solemne en la que estaban presentes las imágenes de ambos santos "para impetrar de Dios nuestro Señor, por medio de la eficaz intercesión de Santos tan poderosos, los auxilios necesarios a favor de nuestras Armas, la conservación de las importantísimas vidas de nuestros Soberanos, y sobre todo la reducción de los rebeldes enemigos" (*Gaceta de México*, nº 30, 19 de mayo de 1795, pág. 250-251).

[62] BIBAR, Gerónimo de, *Op. cit.*, pág. 144.

muger que había bajado de lo alto y se había puesto en medio de ellos, y juntamente bajó un hombre de una barba blanca y, armado con una espada desnuda y un caballo blanco. Visto por los indios tan gran resplandor que de sí salía, les quitaba la vista de los ojos, y que de verlo perdieron el ánimo y fuerzas que traían. Según yo me informé de ellos, fue muy cierto ver este milagro cuando se pusieron a la vista de los españoles porque, sin el favor de Dios, tan pocos españoles contra tanto enemigo no nos podían sustentar, pues ver los aparejos que traía era de ver, porque yo vi".

Evidentemente, los publicistas de las gestas y hazañas españolas, ya fuesen laicos o eclesiásticos, disponían -a la vista de la documentación y bibliografía expuesta- de un arsenal de recursos escénicos para insuflar ánimo a los militares con graduación y a los soldados en los períodos previos al combate; de todas formas, sabedores de que los milagros no siempre se producían en el campo de batalla aleccionaban a los componentes de la tropa insistiéndoles en que debían llevar al Dios de los Ejércitos en sus corazones, pues les ayudaría en el caso que no percibieran alguna manifestación de la divinidad en el teatro de operaciones militares. De este modo, aunque no tuviera lugar alguna aparición, la propaganda -en su condición de instrumento fundamental para la victoria- acostumbraba a surtir el efecto apetecido sobre el valor de los combatientes. Sirva como muestra de esta argumentación un fragmento del elogio que dedicó a los soldados difuntos el canónigo D. José Mariano Beristain durante las solemnes exequias celebradas en la Catedral de México en 1794 con motivo de la guerra entre España y Francia[63]:

"... nuestras Tropas: que se encuentran, que se baten según las reglas de la moderna disciplina de la guerra; que aunque llevan en su corazón al Dios de las batallas, y pelean por su causa, no han visto empero todavía ni al Ángel de Senacherib, ni a su glorioso Patrón Santiago, como otras veces en su ayuda; y que 10 vencen a 100, y 100 arrollan muchas columnas numerosísimas de franceses, me veo obligado gustosamente a decir, que este valor, sin salir de los términos de humano, es asombroso; que nuestros Militares han sido terribles a sus enemigos; que han peleado bien, brava, excelentemente: Bonum certamen certavi".

Desde luego, no es la función de un historiador dilucidar si las apariciones y milagros de la divinidad en los conflictos bélicos sucedieron en la realidad. No obstante, sí forma parte de nuestra labor analizar si el aparato propagandístico diseñado por la jerarquía eclesiástica y los poderes del Estado

---

[63] BERISTÁIN, Joseph Mariano, *Op. cit.*, pág. 10.

cumplieron con su intención de acrecentar los ánimos combativos y el valor de los ejércitos españoles, al tiempo que propagaban el terror en las filas enemigas[64]. Fueran ciertos o no los relatos reseñados, es evidente que en su época tuvieron una gran fuerza simbólica y fueron contemplados con ciertos visos de verosimilitud por el subconsciente colectivo de la sociedad hispana del Antiguo Régimen. De otra forma no puede entenderse que el mismísimo rey de España firmase, el 21 de octubre de 1652, un decreto en el que decía textualmente que "la poderosa mano de Dios, que por su misericordia, y por la intercesión de su Santísima Madre, ha guiado y encaminado mis Armas a fin tan deseado, y de que se pueden esperar grandes consecuencias[65]".

[64] Precisamente la propaganda bélica, desde tiempos de los primeros conquistadores, ya había generado en los indios la creencia en que los soldados españoles eran invencibles porque, según ellos, "su dios les ayudaba". Vid. LÓPEZ DE GÓMARA, Francisco, *Op. cit.*, Segunda Parte, pág. 92.

[65] Decreto de su Magestad, de veinte y uno de octubre de 1652, en que manda se de aviso a los Virreyes del Perú, y de la Nueva España, den gracias a Dios N. Señor, por haverse rendido; y dado la obediencia a la Ciudad de Barcelona. Y assimesmo se da quenta de las Plazas y Ciudades que ha restaurado en el mismo Principado de Cataluña el Excelentísimo Señor Marqués de Mortara.

Devociones y Cultos Marianos en Galicia durante la Edad Moderna

Roberto J. López
Universidad de Santiago de Compostela

En la actualidad disponemos de un amplio elenco de investigaciones sobre Galicia que aportan una visión bastante aceptable de los múltiples aspectos del ámbito religioso de la época moderna. Gracias a estos trabajos conocemos cuestiones muy dispares, desde las relacionadas con las rentas de las instituciones eclesiásticas hasta algunos de los contenidos y manifestaciones de la religiosidad popular, pasando por conclusiones referentes a la sociología del clero y el poder jurisdiccional de los cabildos y monasterios, por citar únicamente algunos ejemplos. A este estado actual de las investigaciones en Galicia han contribuido diversas líneas de trabajo que han confluido en su interés por el tema, si bien en épocas muy diferentes y con planteamientos teóricos y metodológicos muy distintos, y –por qué no decirlo- en ocasiones con intereses ideológicos muy señalados. No es éste el lugar para tratar con detenimiento los pormenores del origen y evolución de los trabajos realizados sobre las prácticas religiosas en Galicia, pues desborda el propósito de estas páginas; pero sí que parece oportuno trazar aunque sea muy brevemente el itinerario –tal vez sería más adecuado decir itinerarios- seguido por estas investigaciones.

La atención al estudio de los orígenes y desarrollos posteriores de las prácticas culturales y de devoción gallegas cabe situarla en el contexto del interés más general que se despierta en el último cuarto del siglo XIX por desentrañar los contenidos de la cultura popular gallega. A partir de entonces, se hicieron frecuentes los trabajos y publicaciones sobre cuestiones diferentes y que alcanzaron una primera época de relativa madurez en la década de 1930 en torno a la generación *Nós* y al *Seminario de Estudios Galegos*; entre esas cuestiones estaba, como no podía ser de otra manera, la llamada religiosidad popular[1]. Aun a riesgo de simplificar en exceso los objetivos de los autores y

---

[1] Véase DUBERT, I., "A cultura popular na Galicia rural do Antigo Réxime, 1500-1830. Ofensivas e resistencias", *Grial*, 122 (1994), págs. 235-236.

eruditos de esa época, puede decirse que su interés no era tanto la investigación y el conocimiento por sí mismos, como la búsqueda de los fundamentos de "lo gallego", identificado en no pocas ocasiones con el mito de "lo celta"[2]. Este planteamiento que bien pudiera calificarse como "esencialista", por emplear un término a la moda, también se puede encontrar en algunos trabajos más recientes de antropología y etnografía, en los que parece perseguirse sobre todo el encuentro del "alma gallega"[3]. A estos trabajos se han venido a unir en los últimos veinte años, más o menos, un conjunto de investigaciones históricas vinculadas con las corrientes historiográficas francesas y, en menor medida, inglesas, en el que sobre una base de estudio comarcal luego ampliada, se abordan aspectos diversos de la religiosidad gallega del Antiguo Régimen. Si en sus inicios estos trabajos se preocuparon más por los aspectos institucionales de la Iglesia en Galicia (rentas eclesiásticas, cuestiones jurisdiccionales, sociología del clero, relaciones entre el poder civil y el eclesiástico, etc.), en la última década se ha experimentado un claro auge del estudio de los aspectos relacionados con la formación y religiosidad del clero y más especialmente sobre lo que se ha dado en llamar la religiosidad popular, a veces en los contextos más amplios de la historia de las mentalidades y de la cultura popular[4].

[2] Es de notar el esfuerzo de estos autores por encontrar modos peculiares en los contenidos o en las formas de ciertas prácticas y rituales, que pudieran servir para identificar la esencia del pueblo gallego. Como ejemplo de esta actitud podemos citar la afirmación, relativamente reciente, de Taboada Chivite a propósito de las fiestas de San Juan en Galicia, de las que dirá que a pesar de las múltiples coincidencias con las celebraciones solsticiales de otros lugares de España y de fuera de España, "en Galicia, *hechos raciales muy característicos* y factores psicológicos *de indudable ascendencia céltica* le dan aspectos muy interesantes y modalidades peculiares que merecen conocerse" (TABOADA CHIVITE, X., *Ritos y creencias gallegas*, Santiago de Compostela, 1980, pág. 13; el texto original es del año 1952; el subrayado es nuestro). El autor es discípulo de dos de los más claros impulsores del mito de la Galicia celta, López Cuevillas y Vicente Risco.

[3] Un ejemplo de esta actitud heredera de aquellos planteamientos lo hallamos en un texto reciente dedicado a los santuarios marianos gallegos, en el que puede leerse lo siguiente: "Aunque la antropología suele diferenciar la religiosidad popular –y por lo tanto los santuarios de Galicia- según el medio en que se ubican, y así resultan diferentes los marineros, los campesinos, los urbanos, sin embargo *en todos predomina la uniformidad del alma gallega* con su "saudade", sus problemas humanos, su *morriña y amor a la tierra y a los antepasados y a las costumbres y tradiciones ancestrales*" (CARDESO LIÑARES, J., "Lugares de especial devoción mariana", en *Galicia, Terra Única. Galicia renace*, Santiago de Compostela, 1997, pág. 144). El subrayado inicial es nuestro; el segundo suponemos que corresponde a una cita de Vicente Risco, al que el autor citaba en el párrafo anterior al que aquí reproducimos.

[4] La cuestión de qué se puede entender por "religiosidad popular" está lejos de haber sido resuelta, de manera que la bibliografía sobre la misma es muy amplia. Los términos del debate, las ambigüedades y dificultades para definir satisfactoriamente el concepto, se podrán encontrar, entre otros, en el texto introductorio de GINZBURG, C.,"Premessa giustificativa", *Quaderni Storici*, 41 (1979), págs. 393-397 (número monográfico dedicado a las

En nuestro caso partimos del supuesto de que las prácticas religiosas son, como las demás manifestaciones de la vida social, una construcción histórica y que como tal responden a los condicionantes de su tiempo. Dicho de otro modo, para entender los cómos y los porqués de determinadas devociones, de su aparición, desarrollo y eventual desaparición, el historiador debe esforzarse por considerarlas en su ámbito propio, y por tanto buscar aquellos elementos de carácter ideológico, social, cultural, e incluso económico, que pueden dar razón de las pervivencias y de los cambios; hacer otra cosa –como recurrir a la teoría de las pervivencias, o a los paralelismos entre sociedades tradicionales con sociedades primitivas- es distorsionar el análisis al aplicar a unos grupos humanos unos criterios de comprensión que se basan en los valores y prácticas de otros grupos humanos separados en tiempo y espacio[5]. En nuestro caso particular, el del análisis de la evolución del culto mariano en Galicia entre los siglos XVI y XVIII, partimos de varios supuestos que permiten entender esta evolución más allá de la mera enumeración de las diversas iniciativas y realizaciones que se llevaron a término en esta época. Partimos, primeramente, de la consideración de la sociedad gallega del Antiguo Régimen como una sociedad en la que lo religioso forma un todo de alguna forma indisociable de los demás valores que configuraban la sociedad de la época; partimos, en segundo lugar, de la consideración de que ese "todo" no permaneció invariable en los tres siglos de historia a los que aquí hacemos referencia, sino que fue sujeto de variaciones, algunas de ellas especialmente relevantes; y partimos, en tercer, último y no por ello menos importante lugar, del supuesto de que tales variaciones fueron protagonizadas tanto por las "clases dominantes" como por las "clases subalternas", o por decirlo de otro modo, deben entenderse en el contexto de un juego de influencias mutuas entre sectores cultos y sectores populares, lo que permitirá entender de manera más completa tanto los avances de determinadas prácticas como las resistencias a estos avances. En resumen, y para concretar más la perspectiva con la que se elaboran estas páginas, hay que decir que se estudia la evolución del culto mariano en Galicia considerando su sociedad como una sociedad tradicional del

---

"Religioni delle classe popolari"); BADA, J., *Prácticas simbólicas y vida cotidiana*, Zaragoza, 1995, págs. 37-40; LÓPEZ, R. J., "Religiosidad popular en Galicia durante el Antiguo Régimen" en *O feito relixioso na historia de Galicia*, Santiago de Compostela, 1993, págs. 97-103; y LLINARES GARCÍA, M., "¿Religiosidad popular?: problemas de método", en *Las religiones en la historia de Galicia*, Santiago de Compostela, 1996, págs. 641-651.

[5] Algunos juicios a propósito de este "despropósito" de interpretar lo que sucedió –y sucede– en las sociedades históricas como meras adherencias a una mentalidad primitiva mágico-supersticiosa, que sería la que realmente daría explicación suficiente de los valores y prácticas religiosas, son tajantes: "Nosotros también fuimos nuer y azande que se llamaban, por caso, celtas y germanos, y no falta quien se dedique a explicar fenómenos actuales resucitando a unos fantasmas culturales, desaparecidos hace siglos, en un empeño más parecido al espiritismo que a la antropología" (CÓRDOBA, P., "Religiosidad popular: arqueología de una noción polémica", en *La religiosidad popular*, t. I, Sevilla-Barcelona, 1989, pág. 72).

Antiguo Régimen, heredera de valores y principios elaborados y desarrollados en la Edad Media –especialmente en la Baja Edad Media- y por tanto esencialmente cristianos; que dichos valores y principios se verán sometidos a los cambios generados por las reformas religiosas de la época –en este caso, la reforma católica promovida antes y, sobre tódo, después del concilio de Trento-; y que tales cambios no deben considerarse únicamente como una imposición clerical, sino el resultado de intercambios entre los diversos actores sociales. En cuanto al desarrollo de estos planteamientos, trataremos de apoyarlos en los resultados disponibles sobre diversos indicadores de las prácticas religiosas de carácter mariano: 1) el desarrollo de las cofradías con advocaciones marianas, 2) la situación de los santuarios en la Edad Moderna, 3) la onomástica de las personas, y 4) las imágenes de los templos y las de uso doméstico. Pero antes haremos una breve descripción de su marco general.

1. EL MARCO GENERAL DE LA DEVOCIÓN MARIANA EN LA GALICIA DE LA EDAD MODERNA

Aunque resulte una afirmación tópica, lo cierto es que se puede afirmar que en Galicia el culto mariano arraigó pronto. Paulo Orosio lo pone de manifiesto en el siglo V, al lamentarse de la opinión contraria de los priscilianistas a la maternidad divina de María. En esta difusión del culto mariano jugaron un papel muy determinante las fundaciones monásticas realizadas desde épocas muy tempranas; concretamente, debemos referirnos a las primeras promovidas por Martín Dumiense en el siglo VI desde su llegada a la diócesis de Braga, territorio eclesiástico al que pertenecía entonces buena parte de Galicia[6]. Con posterioridad, esta influencia monástica se reforzó extraordinariamente por la llegada de la orden de San Benito, tanto de monjes cistercienses como cluniacenses, y más tarde por las órdenes mendicantes de San Francisco y Santo Domingo[7]. Y, por supuesto, debe considerarse el influjo de las devociones marianas de otros lugares de España y de Europa llegado a través del Camino de Santiago. Sobre estas bases se fueron desarrollando y enraizando las diversas formas de la devoción y el culto a María, que alcanzaron un notable esplendor en la Baja Edad Media, hasta el punto de poder situar en los siglos XIV-XV el origen de buena parte de las devociones marianas desarrolladas en la Edad Moderna[8]. De este desarrollo puede servir de referencia un dato, el de

---

[6] Véase LÓPEZ PEREIRA, J. E., "La cristianización de la Gallaecia", en *Galicia, Terra Única. Galicia castrexa e romana*, Santiago de Compostela, 1997, págs. 282-288.

[7] Sobre el protagonismo de los benedictinos primero, y de los franciscanos y dominicos después, en el desarrollo y difusión de.la devoción mariana en los siglos XII y XIII, véase MÂLE, E., *El gótico. La iconografía de la Edad Media y sus fuentes*, Madrid, 1986, págs. 238 y 268.

[8] Véase en *Galicia, Terra Única. Galicia renace*, Santiago de Compostela, 1997, PRECEDO LAFUENTE, M. J., "El culto mariano en Galicia", en págs. 114-116; LIMIA GARDÓN, F.

las advocaciones parroquiales; algo más de la quinta parte de las parroquias gallegas a mediados del siglo XIX están bajo una titularidad mariana, lo que resulta significativo si se tiene en cuenta que el mapa parroquial es anterior a la Edad Moderna y apenas sufrirá cambios relevantes antes de finales del XIX[9].

Dicho esto, también hay que decir que a pesar de todo lo anterior el panorama de la doctrina y de la práctica religiosas en Galicia en los albores de la Edad Moderna, distaba de la ortodoxia y la moralidad que deseaban las jerarquías eclesiásticas, como se desprende de los dictámenes de algunas visitas pastorales, de disposiciones sinodales y, ya entrado el siglo XVI, de la documentación inquisitorial[10]. Esta situación no resulta excepcional en el panorama europeo de la época, sino que viene a confirmar el estado general en el que se encontraban las creencias y prácticas religiosas cristianas a finales de la Edad Media, un estado de cosas que explica el surgimiento de numerosos movimientos e iniciativas reformistas y que cristalizarán en el XVI en las reformas protestantes y –traspasado el ecuador del siglo- en la reforma católica impulsada por Trento. Los reformadores –fueran luteranos, calvinistas o católicos- se empeñaron a partir de entonces en corregir o incluso eliminar aquello que consideraban contrario –o al menos no esencial- a la doctrina y la moral religiosas; en este sentido, y tomando la expresión de Burke, podemos considerar a los reformadores como puritanos, en el significado literal del término, en cuanto estaban interesados en la purificación de las costumbres y de la religiosidad del conjunto de la población[11].

J., "El culto mariano en el arte", págs. 126-127. En la misma obra colectiva se hallará un resumen de la presencia de las órdenes religiosas en Galicia en las Edades Media y Moderna, en GARCÍA ORO, J., "La vida monástica y espiritual. Panorama histórico", págs. 304-322.

[9] Véase SAAVEDRA, P., *La vida cotidiana en la Galicia del Antiguo Régimen*, Barcelona, 1994, págs. 327-328. Concretamente, las parroquias bajo patronazgo mariano son el 20,1% del total, a las que siguen ya a una notable distancia las que tienen por patrón a San Pedro (8,2%) y Santiago (7,9%). Más datos sobre la titularidad parroquial en Galicia, si bien referidos al momento actual, en CEBRIÁN FRANCO, J. J., *Guía para visitar los santuarios marianos de Galicia*, Madrid, 1989, pág. 25; y RODRÍGUEZ FRAIZ, A., "Costumbres populares de las iglesias y santuarios marianos de Galicia", *Museo de Pontevedra*, XIV (1960), pág. 90; las diferencias no son especialmente significativas.

[10] Según estos textos, "habría que concluir que en el siglo XVI ni los curas ni los campesinos eran realmente cristianos, o al menos no lo eran por completo, en el sentido que lo exigía la ortodoxia afirmada en Trento" (SAAVEDRA, P., *La vida cotidiana ...*, op. cit., pág. 275).

[11] Véase BURKE, P., *La cultura popular en la Europa Moderna*, Madrid, 1991, págs. 295-296. Como muestra, valgan las siguientes consideraciones de Martín de Azpilcueta en 1545 a propósito de las procesiones del Corpus, a las que tacha de "cúmulo de burlas y profanidades": "Que por ventura más se ofende a Dios que se sirve, en las intenciones paganas y gastos que se sacan (...) en los que se hacen semejantes procesiones (...), porque veo que por ver y mirarlas algunos clérigos dejan el coro, otros el canto, otros ríen cantando, y riendo cantan (...) más devotos están en notar quién cómo salió vestido y quién cómo danza (...) que contemplar (...) el misterio que aquella procesión representa. De donde se sigue

Si Galicia no fue una excepción en el panorama religioso del período de transición de la Edad Media a la Moderna, tampoco lo fue como escenario de la reforma; en este caso de la reforma católica. Como en otros lugares, esta reforma se había iniciado incluso antes del siglo XVI; pero será a partir de la segunda mitad de esta centuria cuando se pueda observar con claridad lo que algunos autores han calificado como "ofensiva" para adoctrinar y moralizar a la población. Para esta acción que tendrá diferentes grados de intensidad según tiempo y lugar, las autoridades eclesiásticas utilizarán recursos diferentes[12]; unos serán de carácter negativo (es decir, prohibición de determinadas costumbres o al menos su corrección), y otros de carácter positivo (es decir, introducir y difundir nuevos cultos, intensificar el adoctrinamiento, etc.)[13]. Tanto unos como otros se pondrán en juego al abordar el aspecto concreto de la religiosidad que aquí tratamos, el de la devoción mariana. En Galicia, como en otros lugares de la Europa católica, la jerarquía eclesiástica se esforzará por eliminar ciertos elementos que considera un abuso o una inmoralidad, al tiempo que tratará de establecer formas y costumbres que considera más acordes con la ortodoxia doctrinal emanada del concilio de Trento y de disposiciones posteriores. En las páginas que siguen tratamos de estudiar con algo más de detenimiento algunos de esos medios; para terminar este apartado nos referiremos a algunas cuestiones de carácter más general, que pretendemos que sirvan para encuadrar mejor lo que a continuación se diga sobre las cuatro manifestaciones del culto mariano moderno elegidas y que antes enumeramos.

Al igual que en otros lugares europeos de confesión católica, las autoridades eclesiásticas gallegas tratarán de atajar ciertos hábitos que consideraban incompatibles con la moral y recta doctrina. Así, y en relación con algunas manifestaciones del culto a la Virgen, se encontrarán abundantes disposiciones sobre el necesario decoro de las imágenes y lugares de devoción[14]. En la visita pastoral que en 1791 se hace a la parroquia de Santa María de los Ángeles (A Mahía, diócesis de Santiago), se ordenó derribar una "caseta yntitulada por rústicos e idiotas capilla de Ntra. Sra. de la Concepción", orden que deberá ejecutarse como previene el visitador con prudencia y precediendo a la misma una tarea de adoctrinamiento de los feligreses

---

que alguna ocasión tuvieron los luteranos de quitar la procesión del día del Corpus por las muchas profanidades y gentílicas vaciedades" (citado en MARTÍNEZ-BURGOS GARCÍA, P., "Imágenes del paraíso (Notas a la iconografía de la fiesta religiosa del siglo XVI)", *Boletín de Arte*, 10 (1989), pág. 63).

[12] La introducción y aplicación de los decretos de Trento siguió en Galicia diferentes ritmos según las diócesis; en las de la costa (Mondoñedo, Santiago y Tuy) y probablemente en la de Orense, la difusión y aplicación avanzó más rápidamente que en la diócesis de Lugo. Véase DUBERT, I., "A cultura popular ...", *op. cit.*, pág. 241.

[13] Véase un balance de estos recursos en BURKE, P., *La cultura popular ...*, *op. cit.*, págs. 295-342.

[14] Véase SAAVEDRA, P., *La vida cotidiana ...*, *op. cit.*, págs. 304-306.

"para apartar de la facilidad en creer en semejantes apariciones y milagros de que nunca necesitó la pureza e infalibilidad de nuestra Santa
Religión Católica siendo no pocas veces tales patrañas ocasión para que
los hereges nos vituperen y no hagan el aprecio debido de tantos milagros verdaderos de que abunda nuestra Santa Religión, siendo uno de
los argumentos más fuertes para probar contra los acatólicos ser ella
sola la única y verdadera"[15].

En la misma visita, aunque a otra parroquia de la diócesis, la de San
Juan de Buxán, se ordenó sepultar una imagen de Nuestra Señora de las
Nieves "por ser indecentísima", medida que iba unida a una segunda que
prohibía colocar exvotos, mortajas y cabellos en las paredes de la iglesia. Unos
años antes, en 1778, el obispo de Tuy había prohibido en la visita a una de
sus parroquias que se colocasen cintas de ofertas a una imagen de Nuestra
Señora del Carmen[16]. Además del decoro material de imágenes, ermitas e iglesias, a la autoridad eclesiástica le preocupaban ciertas costumbres con ocasión
del culto; de manera especial, con ocasión de las romerías. A título de ejemplo se puede citar la queja que en 1613 manifestaba el obispo mindoniense
sobre el comportamiento de los devotos que acudían a la capilla de los
Remedios (Mondoñedo),

"pues al tiempo que están en ella asisten en el coro de dicha ermita, en
donde se están con mucha indecencia y poca reverencia al lugar sagrado y presencia de la Virgen Nra. Sra., comiendo y durmiendo en el
dicho coro e iglesia hombres con mujeres"[17].

Junto con estas medidas que podemos denominar coercitivas, la jerarquía trató de reformar positivamente el culto mariano. En tal sentido, hay que
destacar el impulso de la predicación a partir de Trento, y de manera particular las misiones populares que tuvieron lugar en Galicia en los siglos XVII y
XVIII, las cuales tuvieron como resultado, entre otros, la difusión del rezo del
rosario y el establecimiento de cofradías bajo esta advocación, además de otras
prácticas y devociones marianas. Con carácter general, es decir, dejando a un
lado las devociones de carácter local, se puede afirmar que el resultado de la
reforma e impulso dados al culto mariano en Galicia en la Edad Moderna gira
en torno a tres advocaciones: la Virgen del Rosario, la Virgen del Carmen y la
Virgen de los Dolores [18]. A partir de mediados del siglo XVI, la primera de las

---

[15] Citado en GONZÁLEZ LOPO, D., "Aspectos de la vida religiosa barroca: las visitas pastorales", en *Las religiones en la historia de Galicia*, Santiago de Compostela, 1996, pág. 440.

[16] Véase GONZÁLEZ LOPO, D., "Aspectos de la vida ...", *op. cit.*, págs. 438-439.

[17] Citado en SAAVEDRA, P., *La vida cotidiana ..., op. cit.*, pág. 303.

[18] Seguimos en esto a GONZÁLEZ LOPO, D.,"Las devociones marianas en el obispado
de Tui a mediados del siglo XIX. Cambios y permanencias de un culto tradicional", *Tui.
Museo y Archivo Histórico Diocesano*, VIII (1998), págs. 106-109.

advocaciones estará prácticamente extendida por todas las parroquias gallegas, gracias a la tarea de los dominicos, aunque no sólo serán ellos sus propagadores. A partir de mediados del siglo XVIII, la devoción a la Virgen del Rosario empezará a ser desplazada, parcialmente al menos, por la devoción al Carmen; en su progresión debe tenerse en cuenta no sólo la predicación de los carmelitas en las misiones populares, sino de manera especial dos hechos: el creciente uso del escapulario del Carmen y por tanto su incorporación a las prácticas religiosas relacionadas con la muerte y las almas del Purgatorio, y la difusión del culto a la Virgen del Carmen entre los hombres de la mar en sustitución progresiva del tradicional patrono San Telmo. La devoción a la Virgen de los Dolores no fue realmente una devoción nueva, pues está relacionada con el culto a la Pasión de Cristo, culto en auge desde inicios del siglo XV; no obstante, se verá impulsada notablemente por contar en España con dos celebraciones propias (una desde 1671 y otra desde 1735[19]), y al ir agrupándose bajo esta denominación cultos tradicionales como el de la Quinta Angustia, la Piedad, etc. Del avance de esta devoción a la Dolorosa son buena muestra los resultados que proporciona el análisis de los testamentos de Santiago, Tuy y Ferrol; en ellos se comprueba una presencia cada vez mayor de esta advocación entre las destinatarias de limosnas y mandas de misas, una presencia que sin llegar a ser mayoritaria, es suficientemente expresiva del cambio devocional[20].

En definitiva, la autoridad eclesiástica pondrá un empeño considerable en potenciar el culto mariano en Galicia durante la Edad Moderna, tomando como punto de arranque el sustrato devocional configurado en los siglos medievales y tratando de ajustarlo a los dictámenes de la ortodoxia tridentina. Un texto de la década de 1640 pone de manifiesto la percepción que los contemporáneos –al menos algunos contemporáneos- tenían de ese empeño y de sus logros:

"Desde el año de 1600 se ha servido Nuestro Señor en este Reino de Galicia de resucitar muchas devociones de las imágenes antiguas de su

[19] Véase GONZÁLEZ LOPO, D., "Onomástica y devoción: la difusión de nuevos cultos marianos en la Galicia Meridional, durante los siglos XVIII y XIX: El Obispado de Tuy", *Obradoiro de Historia Moderna*, 1 (1992), pág. 168.

[20] Los datos sobre Santiago y Tuy (ambas ciudades y sus entornos rurales) son elocuentes: la advocación de la Virgen de los Dolores era la destinataria de apenas el 0,5% de las limosnas y mandas de misas a comienzos del siglo XVIII, y pasará a serlo del 13,5% en el período 1791-1810; el porcentaje se refiere al total de advocaciones marianas (véase GONZÁLEZ LOPO, D., "Onomástica y devoción …", *op. cit., loc. cit.*). En las disposiciones de sufragios que aparecen en los testamentos ferrolanos se aprecia también cómo las peticiones para que se digan misas en (o en honor de) Nuestra Señora del Chamorro, San Andrés de Teixido o la Merced de Chanteiro –lugares tradicionales de la piedad ferrolana- van siendo sustituidas entre los años finales del XVIII y comienzos del XIX por otras devociones como la de la Virgen de los Dolores (véase GARCÍA GONZÁLEZ, F., "Comportamientos religiosos de los ferrolanos durante el siglo XVIII", *Obradoiro de Historia Moderna*, 3 (1994), pág. 190).

Santísima Madre (…), desde que se puso silencio a la disputa que había sobre si había sido concebida o no sin pecado original, porque estaban olvidadas y suspensas, sin la frequentación que solían tener en otros tiempos"[21].

Veamos, entonces, cuáles fueron algunos de esos logros y en qué medida tales logros deben ser atribuidos sólo a la acción clerical; dicho de otra manera, cuál fue el carácter de las relaciones entre el clero y la población laica, una población abrumadoramente rural y marinera.

2. LAS COFRADÍAS MARIANAS

Resulta indiscutible el papel que desempeñaron las cofradías en el proceso de difusión e implantación de parte de las reformas acordadas en Trento, así como la contribución de estas asociaciones a la configuración del marco cotidiano de relaciones vecinales en las sociedades del Antiguo Régimen[22]. En esta ocasión nos fijaremos especialmente en el aspecto religioso de las cofradías, y más concretamente en las devociones que reflejan sus títulos. Se parte de la base de que el estudio de estas titularidades permite evaluar la difusión de determinados cultos y la posible adhesión a las nuevas corrientes de espiritualidad; y en sentido contrario, que las ausencias que se puedan detectar permiten reparar en las resistencias o retrasos en la recepción de nuevas devociones[23].

Las investigaciones llevadas a cabo sobre esta materia en Galicia, permiten afirmar que también aquí las cofradías sirvieron de vehículo canalizador de la religiosidad reformada tridentina. A partir del Concilio, el número de cofradías irá en aumento, en parte por la iniciativa de las autoridades eclesiásticas que verán en ellas un medio adecuado para reforzar determinados aspectos de la doctrina y el culto; entre ellos, los referentes a la Eucaristía y a la Virgen, puestos en entredicho por los reformadores protestantes[24]. Si en el

[21] Citado en SAAVEDRA, P., "O papel da Igrexa na evolución da Galicia moderna", *A Trabe de Ouro*, 8 (1991), pág. 501.

[22] Las investigaciones realizadas sobre las cofradías, dentro y fuera de España, son muy abundantes. Nos remitimos, por eso, a las que se citan en los trabajos que aquí mencionaremos para no alargar imprudentemente estas notas.

[23] Véase H. FROESCHLÉ-CHOPARD, M., "Dévotions et confréries aux XVIIe et XVIIIe siècles d'après les sources vaticanes", en *Les confréries du Moyen Age à nos jours. Nouvelles approches*, Ruan, 1995, págs. 23-40. Se trata de un estudio que presenta los primeros resultados de un análisis realizado a partir de los breves pontificios concedidos a las cofradías o solicitados por ellas, que se encuentran en los archivos vaticanos. A través de esta documentación se trata de evaluar los cambios (y las resistencias a los cambios) a "escala de la catolicidad" en las devociones.

[24] Una primera aproximación a la evolución general de las cofradías gallegas, en LÓPEZ, R. J., "Las cofradías gallegas en el Antiguo Régimen", en *Obradoiro de Historia Moderna. Homenaje al Prof. Antonio Eiras Roel*, Santiago de Compostela, 1990, págs. 181-200.

primer caso significó la generalización en prácticamente todas las parroquias de las cofradías del Santísimo Sacramento, en el segundo significó la creación de múltiples cofradías bajo diversas advocaciones marianas[25]. No contamos, por el momento, con resultados para todo el territorio de Galicia; los más completos y sistemáticos se refieren a una diócesis, la de Santiago, que en cualquier caso es lo suficientemente significativa tanto por el amplio marco geográfico como por el número de parroquias y vecinos que abarca, como para poder extrapolarlos al resto de Galicia.

De los datos más pormenorizados que se ofrecen en el apéndice, tablas 1 y 2, sobre el número de cofradías marianas y la evolución de sus diversas advocaciones, se pueden extraer al menos dos conclusiones[26]. En primer lugar, que las cofradías marianas supusieron –con ciertas ligeras variaciones- más o menos la cuarta parte de las cofradías existentes en Galicia durante la Edad Moderna, lo que quiere decir que en términos absolutos su número fue ascendiendo durante todo el período al mismo tiempo que subían las sacramentales o las devocionales[27]. Y en segundo lugar, que en ese ascenso numérico jugaron

[25] En 1559 el arzobispo de Santiago Gaspar de Zúñiga establecía del siguiente modo las cofradías del Santísimo en su diócesis: "Considerando ser necesario conforme a los Sagrados Concilios, razón y buena costumbre que el Sanctísimo Sacramento esté perpetuamente en el relicario, y cuanto daño y peligro de las ánimas se sigue de lo contrario, no sin grave tristeza hemos sido informados que en muchas yglesias de nuestro Arçobispado no ay Sacramento, y donde le ay no está con la limpieza, la decencia y la honorificación que a tan alto Señor se debe. Por tanto, queriendo proveer de remedio, nos a parecido ser cosa conveniente ordenar una cofradía del Santísimo en todo nuestro Arçobispado, como la instituyó nuestro muy sancto Paulo tercio en Roma y exorta encarecidamente se instituya en toda la cristiandad, y concede innumerables indulgencias y perdones, a todos los confrades de la dicha cofradía, como parece por su bula; la qual mandamos imprimir juntamente con las reglas que han de guardar los dichos cofrades; y exortamos e mandamos a todos los Rectores, curas e sus tenientes hagan leer muchas veces esta bula en sus feligresías, no dexen de ayudar a tan sancta obra y ganar tantas indulgencias y perdones". Citado en BLANCO PRADO, J. M., *Religiosidad popular en el municipio de Begonte*, Lugo, 1990, págs. 141-142. Esta orden se adoptó también pronto en las otras diócesis gallegas.

[26] No se trata de datos totales de la diócesis, sino de algunos de sus arciprestazgos; eso quiere decir que el total de cofradías de cada caso estaría por encima de las cifras que se indican en las tablas. Por esa razón no se han incluido los datos de un recuento general del año 1842, que arroja un total de 1425 cofradías en la diócesis compostelana, y de las que 343 (el 24%) son marianas. La inclusión de estos datos daría una imagen falsa de la evolución general de las cofradías, pues daría a entender un crecimiento numérico en los primeros decenios del siglo XIX, cuando la realidad es que desde las décadas finales del XVIII las cofradías están sujetas a un proceso de revisión tanto por las autoridades religiosas como las civiles que tuvo como resultado la paulatina disminución de su número. El recuento al que acabamos de referirnos se encuentra en el Archivo Histórico Diocesano de Santiago (AHDS), leg. 1211.

[27] En algunos casos, las cofradías marianas superaron la proporción que se acaba de indicar; es lo que sucede en Vigo y sus alrededores, en donde de 35 cofradías que se han podido identificar, 11 (es decir, el 31%) se corresponden a advocaciones marianas. Véase GONZÁLEZ FERNÁNDEZ, J. M., *Inventario histórico das ermidas de Vigo e do Val do Fragoso. Séculos XVI-XIX*, Vigo, 1997, pág. 33, nota.

un papel destacado las nuevas –renovadas- devociones modernas; si durante la primera mitad del siglo XVI las cofradías marianas se mueven en torno a las festividades más importantes del calendario mariano (Natividad, Encarnación, Purificación y Asunción), a partir de finales del XVI el panorama comienza a cambiar, pues retrocederán paulatinamente estas cofradías para dejar paso a advocaciones particulares, especialmente la del Rosario y desde mediados del XVIII y comienzos del XIX las del Carmen y los Dolores[28]. A los datos que se ofrecen en la tabla 2 sobre la diócesis compostelana, se pueden añadir algunos relativos a la diócesis tudense; aquí la presencia de estas nuevas, relativamente nuevas, advocaciones es muy similar: las cofradías del Rosario suponían en la década de 1780 casi el 52% de las marianas, mientras que las dedicadas a la Virgen de los Dolores eran más o menos el 6%[29].

Es evidente que el papel de las cofradías marianas en la difusión de las doctrinas elaboradas en Trento no se limitaba tan sólo a su aportación para establecer el culto determinado por su propia advocación, sino que servían también al reforzamiento de otros aspectos. A título de ejemplo, cabe apuntar cómo todas coinciden en la atención de los cofrades en el momento de su muerte, en su entierro y funerales[30]; atenciones que, en algunos casos, se extendían a otras personas ajenas a la cofradía[31]. La práctica religiosa no se limitaba el ámbito privado ni al de la sola cofradía, sino que llegaba a círculos y ambientes sociales más amplios, con ocasiones tan diversas como las celebraciones de la Semana Santa y el Corpus e incluso las rogativas públicas[32]; incluso también mediante la participación en celebraciones de carácter

[28] Sobre la cofradía del Rosario de Santiago, establecida en el convento de Santo Domingo, su historia y su documentación, véase NOVOA, M. A., *Cofradía del Rosario de Santo Domingo de Bonaval*, 5 vols., tesis doctoral, Universidad de Santiago de Compostela, 1997.

[29] Véase GONZÁLEZ LOPO, D., " Las devociones marianas …", *op. cit.,* págs. 106-109.

[30] La cofradía del Rosario de Santiago tenía una imagen que era llevada a las casas de los cofrades enfermos (BOUZA BREY, F., "La imagen argéntea de Nuestra Señora de la Cofradía del Rosario de Compostela (siglo XVI)", *Compostellanum*, 2 (1964), págs. 197-208). Sobre la participación de la cofradía del Rosario de La Coruña en los entierros de sus miembros, SAAVEDRA VÁZQUEZ, M. C., *La Coruña durante el reinado de Felipe II*, La Coruña, 1989, pág. 72.

[31] La cofradía de Nª Sª de los Dolores, Piedad, Misericordia y Beneficencia de Santiago tenía como "instituto recoger los cadáveres de los ajusticiados, hacerles las funciones fúnebres y darles sepultura" (AHDS, leg. 1211, papeles sueltos, sobre la ciudad de Santiago).

[32] La cofradía del Rosario de Santiago era la encargada de sacar la procesión que recorría las calles compostelanas el día de Viernes Santo; en el año 1779 será la Ciudad quien se encargue de esta función por encontrarse la cofradía suspendida en sus funciones por el pleito que seguía con el monasterio de Santo Domingo, en el que tenía su sede. Sobre el pleito, PARDO VILLAR, A., *Los dominicos en Santiago (Apuntes históricos)*, Santiago de Compostela, 1953, págs. 165-176; el acuerdo del concejo de Santiago en Archivo Histórico de la Universidad de Santiago (AHUS), fondo municipal de Santiago, libro de consistorios de 1779, fs. 97-98v. Una solicitud de la cofradía de Nª Sª de los Dolores al ayuntamiento de Santiago para sacar en procesión su imagen por la escasez de agua, en AHUS, fondo municipal de Santiago, libro de consistorios de enero-agosto de 1771, f. 524v.

político[33]. En resumen, y para no extendernos más sobre este particular, podemos concluir afirmando que las cofradías fueron un vehículo muy apto para la consolidación y difusión del culto mariano en Galicia durante la Edad Moderna, en concreto bajo algunas advocaciones, y también para la consolidación y difusión de otras cuestiones doctrinales como las relacionadas con el purgatorio, las indulgencias, la eucaristía, y el culto a –o a través de- las imágenes, entre otras; aptitudes que no impidieron que –al igual que otras cofradías y hermandades gremiales- las cofradías marianas (al menos, algunas de ellas) incurrieran en excesos y tuvieran que ser llamadas al orden[34].

3. LAS ERMITAS Y LOS SANTUARIOS MARIANOS

Las devociones y costumbres surgidas en torno a los santuarios y ermitas constituyen, sin duda ninguna, uno de los aspectos más estudiados de la religiosidad. En estos lugares se produjeron –y se producen- asociaciones tan contrapuestas –o aparentemente tan contrapuestas- como lo sagrado con lo profano, la fiesta con la tragedia, la devoción personal con la afirmación colectiva, la ortodoxia con la heterodoxia, la leyenda con la historia, la finalidad espiritual con el lucro económico. En definitiva, una amalgama tal que no deja de resultar atractiva para los investigadores sociales, porque el estudio de este abigarrado mosaico de elementos en apariencia contradictorios puede desvelar valores, actitudes, comportamientos y mecanismos de relación de las sociedades que los protagonizan. Por todo ello, resulta poco menos que obligado referirse al culto mariano articulado en torno a ermitas y santuarios al tratar del culto mariano en su conjunto; hacer lo contrario sería no tener en cuenta resultados significativos sobre los contenidos de algunas creencias, las prácticas que inducen y generan, sus medios y procesos de difusión, sus protagonistas y sus efectos.

---

[33] En una nota suelta en el libro de cabildo de la cofradía de Nuestra Señora de la Quinta Angustia de la feligresía de Nª Sª del Camino (Santiago de Compostela), se puede leer: "El Sr. Don Manuel de la Peña asistirá en el día 27 de el presente, vestido de cavallero, con la mejor gala que pueda, a las seis de la tarde, con su cavallería y acha para llevar en las manos a acompañar el carro triunfante que por cavildo de ayer 22 de el presente se acordó se llevase en la fiesta que hace la ciudad para la aclamación de nuestro Rey que Dios guarde, y y por ausencia de el mayordomo lo firma uno de los vicarios. Santiago y agosto 23 de 1746" (AHUS, Bienes Nacionales, leg. 1074).

[34] En la visita de la parroquial de San Juan de Serres (Muros, La Coruña) hecha en el año 1771, se ordena no sólo la revisión de las cuentas de la cofradía de Nª Sª del Carmen desde el año 1767 (e incluso de algunos años antes), sino que además se declara "extinguido el abuso de la comida a los señores sacerdotes como ageno a los berdaderos profesos del estado sacerdotal por consequenzia y experienzia"; no obstante, se le permite a la cofradía que "les dé una parba con la moderación que requiere tan sagrado estado" (AHUS, Bienes Nacionales, leg. 1097, f. 31v.).

Para la comprensión de este fenómeno en la Edad Moderna es necesaria adoptar una perspectiva de carácter histórico. No quiere esto decir que rechacemos *a priori* y en bloque las aportaciones hechas desde otros campos como la antropología o la sociología, ya que sus contribuciones conceptuales, analíticas y de método resultan a menudo de interés[35]. Lo que queremos decir es que, en la línea de lo afirmado al comienzo de estas páginas, la comprensión cabal de las creencias y comportamientos observados a la sombra de ermitas y santuarios en un período histórico sólo es posible si se tienen en cuenta las condiciones y circunstancias específicas de ese período histórico; de otra manera se corre el riesgo de incurrir en anacronismos y por tanto de dar una imagen cuando menos desenfocada del fenómeno, como por ejemplo cuando se insiste principalmente en las pervivencias paganas del culto en los santuarios para explicar los comportamientos que en ellos se observan en cualquier tiempo[36]. Si innegables pueden ser los posibles orígenes precristianos de muchos de ellos –orígenes que por otra parte habría que demostrar más allá de la leyenda, la tradición, o la simple suposición-, más innegable es que el culto que en ellos tiene lugar en la Edad Moderna se produce en un claro contexto cristiano y a mayor abundamiento en un contexto de ofensiva reformista[37]. Al hecho de tener en cuenta este contexto particular es a lo que nos referimos con adoptar una perspectiva de carácter histórico.

[35] Una breve recopilación de propuestas de interpretación sociológicas y antropológicas sobre los santuarios (sentido espacial, sentido temporal y sentido sociológico), en BLANCO PRADO, J. M., *Religiosidad popular ...*, *op. cit.*, págs. 70-72.

[36] En ese anacronismo incurre, a nuestro juicio, un estudioso de las costumbres tradicionales gallegas al que ya citamos anteriormente. Para explicar algunas danzas y representaciones de luchas entre moros y cristianos en las fiestas de algunos santuarios y en otras ocasiones (como las festividades del Corpus), Taboada Chivite se remonta al más remoto pasado, no sólo gallego sino prácticamente universal, para demostrar "la raigambre arcaica con ambivalencia bélico-religiosa" de estas manifestaciones, su "peculiaridad primigenia", y cómo sobre esta base se fueron incorporando elementos históricos considerados como simples adherencias: "No obstante las refutaciones de algunos etnólogos a la teoría de paralelismos y similitudes para demostrar remota raigambre a muchos usos populares, no puede negarse en gran número de ellos, pese a las adherencias que le anexan en los avatares de la Historia, un *substratum* que ha soportado todas las vicisitudes" (TABOADA CHIVITE, X., *Ritos y creencias ...*, *op. cit.*,, págs. 269-270).

[37] Al respecto, es ilustrativa la afirmación de un estudioso de la antropología y etnografía gallegas a propósito de los santuarios marineros: "os múltiples santuarios da costa galega deben a súa razón de ser ó significado simbólico do mar. O mar, en canto lugar de naufraxios e mortes, ten carácter maléfico. O mal que nel se manifesta é vencido polo poder sagrado que acubilla o santuario. Dito así segue a resultar chocante. En realidade habería que dicir: o home tradicional ten fe en que Deus e os Santos o protexan do mal. Lamentablemente para o antropólogo, que, para gaña-lo aplauso da maioría dos seus lectores, dexesaría ter comprobado que as romarías tradicionais son pervivencias do paganismo, ten que concluír que nada hai nelas que non encaixe co catolicismo tradicional. Claro que se o pensamos ben, ¿a quen se lle ocurreu que despois de vinte séculos de poder da igre-

Alejados, pues, de la mentalidad mágico-primitiva, los santuarios y ermitas de la Edad Moderna responden sobre todo a las exigencias de un ámbito cultural cristiano que además se encuentra en efervescencia[38]. Y es precisamente esta efervescencia, el enfrentamiento entre reformadores católicos y protestantes, una de las causas del auge de estos lugares de culto ya establecidos y de la creación de otros nuevos en la Europa católica. Se trata de un proceso que, desde luego, no debe sorprender, pues santuarios y ermitas aunaban algunas de las prácticas que centraban las discusiones de los reformadores: el culto a la Virgen y a los santos, las indulgencias y las peregrinaciones. Los santuarios no sólo fueron motivo de discusión teológica, sino que se convirtieron en instrumento de difusión doctrinal y de control para los reformadores católicos. Para ello se recuperaron antiguas tradiciones culturales medievales, a veces en desuso; en otros casos, los santuarios se crearon *ex novo* a propósito de supuestos milagros o favores concedidos por una imagen; y todo ello apoyado en el poder de difusión que proporcionaba la imprenta, mediante hojas sueltas, libros y de manera especial las estampas y grabados de las imágenes que se veneraban en los santuarios y ermitas. Se trató de un proceso que, además, ejemplifica el grado de "circularidad" existente entre las formas culturales oficiales y las populares, en este caso de las correspondientes a la religiosidad[39]. Parece fuera de toda discusión que, de una parte la jerarquía asume para sus fines de adoctrinamiento y educación unas prácticas arraigadas entre el conjunto de la población, es decir asume prácticas populares;

---

xa podería haber aínda págáns?" (MARIÑO FERRO, X. R., "Santuarios mariñeiros de Galicia, perspectiva antropolóxica", en *Historia e antropoloxía da cultura pesqueira en Galicia*, Santiago de Compostela, 1996, pág. 79).

[38] Vale la pena reproducir la valoración que hace Laslett sobre el cristianismo como rasgo definidor de la vida cotidiana en la Edad Moderna, en particular en el mundo campesino: "Todos nuestros antepasados eran creyentes convencidos, siempre. Sus creencias no eran sólo religiosas, desde luego, pues creían en la brujería, maligna y benigna, y daban crédito a muchas afirmaciones y costumbres condenadas por los teólogos como pervivencias paganas. Pero no podría sostener que tales supersticiones llegasen nunca a constituir una religión que, como tal, rivalizase con el cristianismo, y el aldeano irreflexivo no parece haber notado ninguna incongruencia en la gama de sus creencias y semi-creencias. El cristianismo tenía un poder sobre su vida subjetiva que nos es difícil imaginar (…). No todos eran igualmente devotos, por supuesto, y sería ingenuo suponer que ninguno de esos aldeanos abrigaba nunca dudas. Mucha de su devoción debe haber sido formal, y en parte mera conformidad. Pero su mundo era un mundo cristiano y su actividad religiosa era espontánea, no impuesta desde arriba" (LASLETT, P., *El mundo que hemos perdido, explorado de nuevo*, Madrid, 1987, págs. 95-96).

[39] Tomamos la expresión de GINZBURG, C., *El queso y los gusanos*, Barcelona, 1986. Sobre las interrelaciones entre elites sociales y grupos populares son de interés las apreciaciones que se aportan en CARO BAROJA, J., *Las formas complejas de la vida religiosa. Religión, sociedad y carácter en la España de los siglos XVI y XVII*, Madrid, 1985; y DOMÍNGUEZ ORTIZ, A., "Iglesia institucional y religiosidad popular en la España barroca", en *La fiesta, la ceremonia, el rito*, Granada, 1990, págs. 9-20.

de otra, que los grupos populares se mostraron receptivos a las modificaciones de formas cultuales o a la introducción de cultos nuevos por parte de la jerarquía sobre la base del respeto a formas y cultos tradicionales. Este proceso, simple y complejo a la vez, es apreciable no sólo en aquellos territorios que fueron escenario de tensiones entre católicos y protestantes; también lo es en otros que, como Galicia, no las conocieron[40].

En el momento actual no contamos con ningún trabajo suficientemente exhaustivo que nos pueda aportar una visión precisa y de conjunto sobre las ermitas y santuarios de Galicia, tanto del proceso general de su fundación como del más particular relacionado con las ermitas y santuarios de advocación mariana, que es el que aquí más nos interesa[41]. Tenemos que contentarnos con algunas aproximaciones e informaciones parciales que, no obstante su precariedad, parecen confirmar para el caso de Galicia el comportamiento general arriba apuntado, es decir un impulso a su fundación y a las actividades propias durante la Edad Moderna sobre todo a partir de Trento, y un impulso especialmente particular a las ermitas y santuarios marianos. Una primera imagen significativa de la evolución del número de santuarios y ermitas (no sólo de carácter mariano) la proporcionan los datos recogidos sobre Vigo y su entorno, el Val do Fragoso: 8 capillas y ermitas a comienzos del siglo XVI, cantidad que asciende a las 55 en la segunda mitad de siglo XVIII, para bajar a 23 en el segundo tercio del XIX; el período en el que más abundaron las fundaciones parece haber sido desde mediados del siglo XVII hasta mediados del XVIII, especialmente la segunda mitad del XVII: es decir, la época en la que las reformas de Trento ya parecen haber sido asimiladas suficientemente en esta parte de Galicia y estaban siendo aplicadas con relativo éxito[42]. No tenemos información similar a ésta relativa a las ermitas y santuarios de la Virgen; de todos modos, y con las precauciones que imponen los límites de la fuente de información utilizada, los datos de la tabla 3 pueden tomarse como

[40] En los siglos XVII y XVIII, las jerarquías católicas del sur de Alemania impulsaron numerosas peregrinaciones de carácter local a ermitas y santuarios; véase CHARPENTRAT, P., *Du maître d'ouvrage au maître d'oeuvre. L'architecture religieuse en Allemagne du Sud de la Guerre de Trent Ans à l'Aufklärung*, París, 1974, págs. 31-38.

[41] Se recoge una amplia información sobre unos cuantos santuarios marianos, concretamente 17, en CARDESO LIÑARES, J., *Santuarios marianos de Galicia: historia, arte y tradiciones*, La Coruña, 1995; de cada uno de ellos se ofrecen los datos de su localización geográfica y accesos, una breve reseña histórica, las costumbres y tradiciones religiosas y festivas, y una pequeña bibliografía, además de diverso material gráfico. En CEBRIÁN FRANCO, J. J., *Guía para visitar ...*, op. cit., la relación de santuarios y ermitas es mayor, pues alcanza los 125 lugares de culto; no obstante, también resulta insuficiente. Una relación de los santuarios, no sólo marianos, de la provincia de Lugo en BLANCO PRADO, J. M., *Exvotos e rituais nos santuarios lucenses*, Lugo, 1996; su carácter es etnográfico y ofrece escasa información de carácter histórico.

[42] Los datos que se acaban de citar en GONZÁLEZ FERNÁNDEZ, J.M., *Inventario histórico das ermidas ...*, op. cit., págs. 18-20.

indicativos de esa posible tendencia a establecer nuevos lugares de culto mariano ligados a costumbres tradicionales en época moderna[43]. Igualmente parciales, pues se refieren únicamente a la diócesis de Tuy entre mediados del siglo XVIII y mediados del siglo XIX, pero indicadores del peso que tenía la devoción mariana, resultan las informaciones condensadas en las tablas 4 y 5. De la primera destaca la alta proporción de ermitas de advocación mariana en el conjunto de todas ellas, el 17%, proporción que es la más alta si se tiene en cuenta que las 355 dedicadas a personajes del santoral se reparten entre 95 advocaciones (40 de santos y 55 de santas), y que de ellas la que tiene más ermitas entre el santoral masculino es San Roque (22 ermitas), y entre el femenino es Santa Lucía (6 ermitas)[44]. De la tabla 5 se extrae como consecuencia el peso de advocaciones nuevas y renovadas, como son las de la Concepción, el Carmen y los Dolores, en concordancia con lo que ya señalamos a propósito de las cofradías; en este caso, el hecho de encontrar pocas ermitas dedicadas a la Virgen del Rosario no contradice para nada lo entonces señalado, pues fue relativamente frecuente que esta devoción se superpusiera a la titular de un santuario o ermita, e incluso a su propia cofradía como sucede en el santuario de Nuestra Señora de las Ermitas (Orense) a comienzos del siglo XVIII[45].

Si bien los estudios generales son, como se ha dicho, escasos e insuficientes, no se puede decir lo mismo de los dedicados a algunos santuarios marianos, en particular a aquellos que gozaron y gozan de mayor fama. Las

---

[43] La información que sirvió de base para elaborar la tabla 3, la contenida en CEBRIÁN FRANCO, J. J., *Guía para visitar ...*, *op. cit.*, está lejos de ser exhaustiva, pues de buena parte de los santuarios sólo se aportan los datos de localización. Con todo, nos parece significativo que de los 29 santuarios marianos de cuya fecha de fundación se nos informa, 15 fueran creados en la Edad Moderna.

[44] Los datos pormenorizados se encuentran en GONZÁLEZ FERNÁNDEZ, J. M., *Inventario histórico ...*, *op. cit.*, págs. 31-32.

[45] Desde 1674 existía en este santuario un cofradía bajo la advocación de la titular del templo, pero de la que no constaba documentalmente su canonicidad, por lo que "haciendo misiones en este Santuario el R. P. Fr. Alonso de Ulloa del Orden de Predicadores y conventual de su casa en la ciudad de Lugo, fundó aquí en agregación a la primera la Cofradía de Nª Sª del Rosario en 25 de marzo del año de 1705" (*Breve y compendiosa reseña del Santuario de Nuestra Señora de las Ermitas y de su Ilustre Congregación, por un párroco siervo de María*, Santiago de Compostela, 1849, pág. 9). En esta misma reseña se encontrará más información sobre la historia e indulgencias tanto de la cofradía de las Ermitas (págs. 13-17) como del Rosario (págs. 8-13). Algo similar sucede en el santuario de Nª Sª do Mundil, en Orense, un santuario de origen bajomedieval reconstruido en el último tercio del siglo XVIII; en 1790, tras la construcción de la nueva capilla, se fundó una cofradía del Rosario para que "se conserve para siempre y aumente la doble deboción y el maior culto dibino"; véase JUAN FRANCO, B., *O Santuario do Mundil*, Orense, 1995, págs. 66-71, donde entre otras noticias de la cofradía se recoge un resumen de sus constituciones. Este proceso de introducción de la devoción del rosario por parte de los dominicos se analiza con detenimiento en el caso de Cantabria en MANTECÓN MOVELLÁN, T. A., *Contrarreforma y religiosidad popular en Cantabria. Las cofradías religiosas*, Santander, 1990, págs. 49-59.

similitudes que se pueden apreciar con respecto a ciertas leyendas sobre su fundación, en las características de los fundadores o restauradores en la Edad Moderna, y en los medios empleados para divulgar y extender el nombre del santuario –y lo que eso significaba-, permiten elaborar un perfil, probablemente tosco pero también probablemente útil para comprender el desarrollo de este fenómeno cultural más allá de simples suposiciones.

Un número relativamente alto de ermitas y santuarios gallegos de la Edad Moderna eran de fundación medieval; en algunos casos se puede datar su construcción, pero en otros no se puede ir más allá de meras conjeturas apoyadas en restos arqueológicos[46]. Lo común a todos ellos es que esos oscuros orígenes están envueltos en leyendas cuyos argumentos y situaciones son muy similares entre sí y con respecto a los relatos referentes a otras imágenes y santuarios de España: luces especiales o sonidos maravillosos que son escuchados por pastores o campesinos, hallazgo de una imagen escondida en un árbol o entre unos arbustos o unas piedras, resistencia de la propia imagen a ser trasladada a otro lugar y, por fin, construcción en el lugar del encuentro de una ermita[47]. También, aunque no en todos los casos, se suele intercalar un episodio relacionado con la invasión sarracena, que sería la causante de la pérdida u ocultación de la imagen luego milagrosamente recuperada, lo que hace suponer que de alguna manera estos santuarios estuvieran relacionados con el proceso repoblador y de conquista, como se ha propuesto con respecto a los santuarios marianos andaluces más antiguos[48]. El interés que puedan tener estos relatos para la finalidad de este trabajo no reside en la información que ofrecen, pues es mínima e inverosímil en muchos aspectos y, en cualquier caso, referida a un período anterior al que aquí se estudia; su interés deriva del uso que de estas leyendas se hizo en la Edad Moderna para apuntalar e impulsar el culto en esos templos de origen medieval, y de alguna forma legitimarlo apelando a su antigüedad y orígenes milagrosos y extraordinarios. Y, probablemente, más que el uso hay que subrayar quiénes lo protagonizaron.

[46] Es el caso, por ejemplo, el santuario de Nª Sª de Pastoriza (Arteixo, La Coruña); la documentación disponible no permite ir más allá del siglo XVI, mientras que ciertos restos arqueológicos hacen suponer que ya había culto mariano en el siglo IX (CEBRIÁN FRANCO, J. J., *Guía para visitar ...*, *op. cit.*, pág. 77); para otros, sin embargo, su origen no se remontaría más allá del siglo XIII, en el mejor de los casos al XII (LUCAS ÁLVAREZ, M., *El Santuario de Nuestra Señora de Pastoriza*, La Coruña, 1951, págs. 9-21).

[47] Véase una amplia recopilación de estas leyendas en SÁNCHEZ PÉREZ, J. A., *El culto mariano en España. Tradiciones, leyendas y noticias relativas a algunas imágenes de la Santísima Virgen*, Madrid, 1943. Las leyendas sobre los santuarios gallegos se recogen, entre otros lugares, en la bibliografía citada en la nota 41.

[48] Véase RODRÍGUEZ BECERRA, S., "De ermita a santuario: reflexiones a partir de algunos casos de Andalucía", en *Romarías e peregrinacións*, Santiago de Compostela, 1995, pág. 113. Uno de los santuarios gallegos cuya leyenda está aderezada con la ocultación de la imagen de la Virgen ante la invasión árabe es el de Nª Sª del Corpiño (provincia de Pontevedra); se puede encontrar con cierto detalle en SALGADO TOMIL, R., *Santuarios gallegos. El Corpiño*, Lugo, 1929, págs. 26-40.

En efecto, resulta curioso comprobar cómo esas leyendas y tradiciones acerca de los orígenes de determinados santuarios marianos, atribuidas en general a la cultura y religiosidad popular, son recogidas, asumidas, argumentadas y enriquecidas por representantes del clero, y en concreto por clero instruido. Así, debemos citar la obra de carácter general de Juan de Villafañe, editada en dos ocasiones en la primera mitad del siglo XVIII, en la que recoge noticias de setenta y tres santuarios españoles, entre ellos cinco de Galicia, y en la que se hace eco de sus leyendas fundacionales y de otros hechos extraordinarios, dándolos por ciertos[49]. Pero de manera particular es obligado referirse a unos cuantos escritos dedicados a tres imágenes gallegas de la Virgen y a sus lugares de culto, Nuestra Señora de los Ojos Grandes (Lugo), la Virgen de la Barca (La Coruña), y Nuestra Señora de las Ermitas (Orense), escritos que, por otra parte, Villafañe incorpora a su *Compendio*.

En el año 1700 ve la luz la extensa obra que el lectoral de la catedral de Lugo dedica a la patrona de la ciudad, la Virgen de los Ojos Grandes; se trata de una obra póstuma, pues el canónigo lucense ya había fallecido en noviembre de 1668[50]. El tema central de *Argos Divina* lo constituye la mencionada imagen, y en él nos detendremos; no obstante, debe advertirse que el libro constituye también un elogio y defensa de los privilegios, derechos y jurisdicción del cabildo catedral de Lugo, así como de la antigüedad y méritos de la ciudad y su territorio. Como sucede con frecuencia en estos escritos de carácter apologético, uno de los argumentos empleados para establecer la honorabilidad del culto es el de su antigüedad; en este caso, el lectoral recoge y defiende con apasionamiento el origen apostólico de la sede lucense[51]. Según Pallares, "Santiago dedicó la cathedral de Lugo a la Virgen N. Señora, en la imagen de Santa María de Lugo de los Ojos Grandes", de donde se deduce que es "la primera imagen que se conoce en Galicia. La segunda de quantas ai en España, y se sospecha ser la primera", afirmación alusiva, huelga dar

---

[49] VILLAFAÑE, J. de, *Compendio histórico, en que se da noticia de las milagrosas, y devotas imágenes de la Reyna de Cielos, y Tierra, María Santísima, que se veneran en los más célebres santuarios de Hespaña*, Salamanca, 1726; hay otra edición hecha en Madrid en 1740. Los santuarios gallegos que recoge son los de la Barca, Nª Sª del Cristal, la Franqueira, las Ermitas y Nª Sª de los Ojos Grandes.

[50] PALLARES GAYOSO, J., *Argos Divina. Sancta María de Lugo de los Ojos Grandes, fundación, y grandezas de su Iglesia, sanctos naturales, reliquias, y venerables varones de su Ciudad, y obispado, obispos y arçobispos que en todos imperios la governaron*, Santiago, 1700.

[51] "Lo que goza una iglesia por su fundación, es de más noble derecho que lo que posee por nuevo privilegio (…). En esta doctrina la catedral de Lugo vendrá a tener el maior lustre, probando su fundación desde la predicación del Único Patrón de las Españas, Santiago, y será el maior blasón de la gloria de los lugueses aver sido de los primeros christianos de España, por primeros discípulos e hijos primogénitos los gallegos de su predicación evangélica" (págs. 25-26). A esta cuestión le dedica los capítulos 3 á 6.

más explicaciones, al Pilar de Zaragoza[52]. Por si no fuera suficiente la implantación apostólica del culto que a esta imagen se le daba en una capilla de la catedral de Lugo, el canónigo recoge más adelante un breve repertorio de milagros fechados entre principios del siglo XVII y la década de 1660, no sin hacer antes una breve disertación sobre el fundamento y valor teológico de estos sucesos; en total, reúne once producidos por el uso del aceite de la lámpara votiva de la imagen, cuyos protagonistas (cinco clérigos, una religiosa, un militar y cuatro vecinos) se ven librados de enfermedades tales como la gota, ciática, fiebres tercianas, tisis, diversas infecciones y tumores y la "persecución de un duende", en referencia, suponemos, a una enfermedad mental[53]. Y a mayor abundamiento, el lectoral añade el relato de su propia curación a los once anteriores[54]. Para comprender el alcance de esta obra tan extensa no es suficiente con entenderla como el resultado de una devoción meramente personal, sino inmersa en la situación particular que rodeaba el culto a la imagen de la Virgen de los Ojos Grandes a mediados del siglo XVII y que el propio lectoral pone de relieve en uno de los pasajes finales de su relato. Tal contexto no es otro que el esfuerzo deliberado por parte del cabildo catedralicio –al menos de una parte del mismo– encabezado por el lectoral Pallares de recuperar el puesto de privilegio de esta imagen como patrona de la ciudad, y que estaba seriamente amenazado por el intento del año 1654 de vender su capilla; es de suponer que lo que el canónigo deja por escrito a su muerte sobre la antigüedad y acciones portentosas de la imagen fueron los argumentos que entre 1654 y 1656 se esgrimieron para impedir la pérdida de la titularidad de la capilla y recuperar e impulsar el culto popular a la patrona de la ciudad. Al respecto, no deja de tener interés la carta que el obispo lucense Juan Bravo dirige al cabildo en 1656, una vez anulados los trámites de la venta, y en la que se deja ver cuál era la situación a mediados del siglo:

"dicha fue se tratase de la enagenación, pues se ha despertado la devoción de V.S. [*el cabildo de la catedral*] y a su exemplo la veneración de los fieles a acudir con sus limosnas para tan sancto, y piadoso empleo. Y no dudo, que en la buena diligencia, y cuidado de V.S. ha de venir a

---

[52] El primer entrecomillado corresponde al título del capítulo 7 (págs. 53-57); las posibles objeciones a esta afirmación las trata de refutar en el capítulo siguiente (págs. 57-62). El segundo entrecomillado corresponde al título del capítulo 10, un capítulo extenso que abarca las páginas 67-83.

[53] Véanse págs. 546-556.

[54] La narra del siguiente modo: "Con su intercesión, estando desahuciado con todos los sacramentos, y con plazo, quando más, de dos horas de vida, asistido de sacerdotes, que hacían la recomendación del alma, y tocando a agonizar, y prevenidos los lutos entre los últimos alientos de la respiración, juzgándome muerto, me quedé dormido algunas horas, y poco a poco alentándose los pulsos, mejoré, y recobré salud, reconociendo este favor a Dios N. S. por intercesión de su Sanctísima Madre. Ojalá sepa agradecer tan singular beneficio, y merced tan liberal" (pág. 553).

ser ese sanctuario de los más venerados y frequentados de todo este Reino, y que ha de resucitar con nuevos fervores la devoción de Nª Señora, que ia estava casi muerta por la injuria de los tiempos, y cortedad de caudal"[55].

Al poco tiempo de haberse publicado el amplio alegato de Pallares a favor del culto a la patrona de Lugo, aparecen algunos escritos que defenderán también la antigüedad del culto a la Virgen de la Barca en su santuario costero de Muxía, en la provincia de La Coruña; nos referiremos a dos de ellos, el publicado por "un devoto" a mediados de la década de 1710 y el de Riobóo y Seixas de 1728[56]. El afán común de ambos relatos es, al igual que en el caso del canónigo lucense con respecto a la imagen de su devoción, la defensa de la antigüedad del origen y culto del santuario, un origen también apostólico y milagroso: la aparición de la Virgen al apóstol Santiago en este lugar, al que llegó navegando en una barca de piedra[57]. Sobre este extremo, debe llamarse

[55] PALLARES GALLOSOS, J., *Argos Divina ..., op. cit.,* págs. 554-555. El efecto de este impulso tardó, no obstante, unos cuantos años en llevarse a la práctica, pues hasta 1725 el cabildo no se planteó realmente la construcción de una nueva capilla para la imagen. Sobre los trámites seguidos y las características formales de esta nueva capilla véase VILA JATO, M. D., *Lugo barroco,* Lugo, 1989, págs. 37-60. Debe destacarse, a los efectos que nos interesan en este trabajo, el programa iconográfico desarrollado en esta capilla, el cual se construye sobre dos ideas fundamentales: 1- la exaltación de la Virgen como Reina de la Creación, y 2- María como camino de salvación en cuanto Madre de Cristo; se analiza también en el trabajo de la profesora Vila Jato, págs. 53-60.

[56] *Relación verídica y autenticada por autoridad del Ordinario de la Ciudad, y Arçobispado de Señor Santiago, único Patrón de España, de las maravillas, prodigios, y milagros, que Nuestro Señor obra, y ha obrado por medio de la Devotísima Imagen de Nª Sª de la Barca, colocada en su capilla ... de la Villa de Mugía, en el Reyno de Galicia ...,* Madrid, 1719, 32 págs.; y RIOBOO Y SEIXAS, A., *La Barca más prodigiosa. Poema historial de la antigüedad, invención y milagros de el célebre santuario de N. S. de la Barca, colocada en los confines del Puerto de Mugía en el Reino de Galicia ...,* Santiago, 1728, 190 págs. Hay que advertir con respecto a la *Relación verídica* que la edición que aquí se cita no es la primera, pues en la de 1719 se habla de "la vez primera que salió a luz" (pág. 30); es posible que la primera fuera del año 1716, fecha que cita Riobóo pues emplea este texto como fuente para su peculiar relato.

[57] La documentación escrita del santuario no va más lejos del siglo XV, si bien otros elementos materiales señalan la existencia de un culto en este lugar el menos en el siglo XII; véase CEBRIÁN FRANCO, J. J., *Guía para visitar ..., op. cit.,* págs. 60-62. Resulta interesante comprobar que la leyenda sobre los supuestos orígenes apostólicos de determinadas imágenes marianas, sigue siendo considerada verídica en fecha tan tardía como 1872, aunque suponemos que este caso es más una excepción que la norma general, en SOLLA GARCÍA, A., *Resumen histórico del Santuario de Nuestra Señora de Aguassantas, en Cotobad ...,* Santiago, 1872. El autor mantiene como cierto que algunas imágenes de la Virgen llegaron a España en el siglo I de nuestra era, como la de Montserrat que según él llegó a Barcelona en el año 50; dado que la imagen del santuario de Aguasantas (municipio de Cotobade, provincia de Pontevedra) es muy similar a la de Montserrat, su antigüedad debe ser similar (págs. 34-45). En conjunto, el libro es una defensa a ultranza del carácter sagrado y milagroso del santuario frente a los idólatras, ateos, etc.

la atención sobre al menos dos de sus posibles implicaciones, una que podemos calificar como de rivalidad con otro culto (el de la Virgen de los Ojos Grandes), y otra que podría ser calificada como de apoyo a un tercer culto (el de Santiago). Con respecto a la primera, baste con señalar que Riobóo defiende la veracidad de la leyenda del origen apostólico del santuario de la Barca, enfrentándola a la defensa hecha por Pallares Gayoso del origen de la imagen lucense que unos años antes se había dado a la imprenta[58]. Y con respecto a la segunda, hay que señalar la vinculación de este santuario con la peregrinación a Santiago, documentada al menos desde comienzos del siglo XV, de manera que la defensa del origen apostólico del santuario lo es también de la peregrinación jacobea; se entiende así que Riobóo incluya, a diferencia del anónimo autor de la *Relación verídica*, un grabado en el que junto a la imagen titular del santuario y sus elementos característicos aparece la de Santiago apóstol vestido de peregrino, grabado que, también es significativo, es copia del que en 1726 mandara realizar el arzobispo compostelano Miguel Herrero de Esgueva[59].Como es habitual en este tipo de relatos, la pertinencia del culto se fundamenta, además de en la cuestión de los orígenes, en los prodigios que se cuentan de la imagen y su santuario; en concreto, se llama la atención sobre los que definen la particularidad de este lugar: las peculiares oscilaciones de una gran piedra plana que supuestamente es la vela de la milagrosa barca (la llamada "pedra de abalar", piedra de balancear en gallego), las curaciones de quienes pasan agachados por debajo de otra piedra con forma cóncava y que se correspondería con el casco de la barca (llamada la "pedra dos cadrís", piedra de las caderas en gallego), y las misteriosas señales que el mar deja en la orilla y que se identifican con instrumentos de las pasión de Cristo, anagramas también de Cristo y de María, entre otros[60]. Al igual que se comentó con ocasión de la obra de Pallares, aquí también hay que decir que ni el texto anónimo ni el de Riobóo son simples obras de devoción "intemporal" –si es que se puede hablar así-, sino que responden al interés más inmediato de impulsar la devoción en un período de recuperación general de las devociones y que en este caso se plasmaba en la construcción de un nuevo santuario; se trataba, como se lee en el largo título de la obra de Riobóo, de redactar textos "para incentivo de la devoción", pero un incentivo que se concretase también en lograr más limosnas para el nuevo templo. Al respecto, el autor de la *Relación*

---

[58] Véase RIOBÓO Y SEIXAS, A., *La Barca más prodigiosa ...*, *op. cit.*, págs. 111-120.

[59] Véanse las explicaciones sobre la inclusión de Santiago en el grabado en RIOBÓO Y SEIXAS, A., *La Barca más prodigiosa ...*, *op. cit.*, págs. 172 y 185. Y algunos datos sobre peregrinos a Santiago que visitan el santuario de la Barca en CEBRIÁN FRANCO, J. J., *Guía para visitar ...*, *op. cit.*, pág. 62.

[60] Sobre la piedra de "abalar" de este santuario, su carácter de piedra adivinatoria (es decir, que se mueve como respuesta afirmativa a la petición de una gracia), y sobre otras piedras semejantes en Galicia, véase TABOADA CHIVITE, X., *Ritos y creencias ...*, *op. cit.*,, págs. 166-169. Del mismo autor y obra, más información sobre la "pedra dos cadrís" y otras "pedras furadas" (piedras agujereadas) gallegas con virtudes sanatorias en págs. 169-172.

verídica es clarificador del interés coyuntural de su texto y eventualmente de otros, al señalar cómo tras leer su pequeño impreso el conde de Frigiliana y Maceda, "del Consejo de Estado de Su Magestad Cathólica, y de Su Real Gabineto", envió mil doblones para el nuevo santuario; el autor precisa que la muerte del conde impidió una colaboración más estrecha, pero

> "con dicha cantidad, y otras, aunque de menos monta, con que concurrieron algunos devotos, así deste Reyno, como de afuera, se está trabajando una iglesia de bastante cuerpo, y de muy decente arquitectura"[61].

En el año 1737 verá la luz la obra de Juan Manuel Contreras sobre el santuario de Nuestra Señora de las Ermitas, situado en la provincia de Orense pero perteneciente canónicamente a la diócesis de Astorga[62]. Esta obra, al igual que las anteriores, presenta una estructura muy similar a aquéllas: una primera parte dedicada a los orígenes del templo –en este caso, una leyenda representativa de los relatos de imágenes escondidas y luego halladas por pastores- y a las mejoras más recientes, y una segunda parte en la que se apoya la sacralidad del lugar y de la imagen con el relato de diversos milagros[63]. Y al igual que las anteriores, se puede inscribir en el contexto del general relanzamiento católico de la Edad Moderna y el particular del santuario a partir del siglo XVII, porque el texto puede entenderse como un elemento más del proceso iniciado en 1624 por el obispo de Astorga para que este santuario dejara de ser uno de tantos y convertirlo en lugar de peregrinación destacado de su diócesis[64]. A partir de entonces se siguió una serie de cambios jurídicos y materiales que hicieron de este lugar uno de los más destacados de entre los

---

[61] *Relación verídica ...*, *op. cit.*, pág. 30.

[62] CONTRERAS, J. M., *Historia del célebre Santuario de Nuestra Señora de las Hermitas*, Santiago, 1737, 464 págs.

[63] Lo peculiar del libro de Contreras en este punto es la agrupación de los milagros "juntos todos los de una misma línea o de un género". El elenco de géneros es el siguiente: ciegos que recobraron la vista; mujeres que lograron leche para alimentar a sus hijos; algunos niños que fueron resucitados; salvación de peligros de aguas y resurrección de algunos ahogados; locos que recobraron el juicio; gotosos que dejaron de padecer la enfermedad; algunos mancos curados; tullidos y valdados que recobraron la salud; curación de diversos males de garganta; levantamiento de un castigo por blasfemia; cuidado de la Virgen de las Ermitas por quienes se ocuparon de la fábrica del santuario; mujeres estériles que lograron tener descendencia; curación de hidropesía, tisis y zaratones; apariciones de la Virgen a algunos enfermos y que se curaron de sus dolencias; curación de varias y diversas enfermedades; sanaciones del mal de la piedra "y de roturas" (hernias intestinales e inguinales); y milagros de "lenguas", es decir, en mudos y personas que sufrieron percances en la lengua (en págs. 147 y ss.).

[64] Según se cuenta en la primera parte del libro de Contreras, el obispo se encontraba realizando la visita episcopal a una parroquia próxima en ese año cuando se encontró indispuesto y al borde de la muerte, enfermedad de la que milagrosamente curó por intercesión de la Virgen de las Ermitas. En agradecimiento, decidió iniciar un extenso plan de reformas.

dedicados al culto mariano en Galicia: pasará a depender del patronato episcopal de Astorga, se construirá un nuevo templo que será ampliado en varias ocasiones, se construirán nuevas dependencias para el administrador y capellanes del santuario, se ampliará el mesón que acogía a los peregrinos, se mejorarán los accesos y se construirá un puente sobre el río próximo al santuario, y hacia 1730 se iniciarán las obras del original vía crucis que constituye una de las señas de identidad del santuario[65]; todo ello irá convenientemente apoyado por las numerosas gracias e indulgencias otorgadas por los obispos y los papas, la ayuda económica –y el consiguiente prestigio- de algunos monarcas, y la difusión escrita de los milagros y otros sucesos hecha por autores como Contreras[66]. El resultado de todo ello fue el progresivo aumento de las peregrinaciones al santuario desde mediados del XVII hasta finales de la Edad Moderna, al socaire de una piedad y tradiciones alentadas por las jerarquías eclesiásticas, si bien –también es necesario apuntarlo por lo que significa de cambio de mentalidad- se advierten a finales del XVIII ciertos intentos de eliminar excesos de la piedad barroca, para lo que la autoridad eclesiástica toma como ocasión la segunda edición de la *Historia* de Contreras[67]. El tono reformista del santuario queda de manifiesto en su programa icono-

[65] El conjunto es único en España en su género: cada estación es una capilla abovedada que alberga un conjunto escultórico de la escena de la pasión y muerte de Cristo correspondiente a la estación penitencial. El modelo que se siguió fue el del vía crucis del santuario del Bom Jesús do Monte (Braga, Portugal), construido en 1723. Según Bonet, tanto el hecho de incorporar la devoción del vía crucis y de haberlo hecho siguiendo el modelo bracarense, demuestran que el santuario de las Ermitas no fue una obra ingenua ni provincial, sino cuidadosamente planificada, atendiendo a las nuevas devociones y a sus plasmaciones artísticas más recientes; véase BONET CORREA, A., "El Santuario de las Ermitas", en *El Santuario de Nuestra Señora de Las Ermitas (Orense)*, León, 1987, págs. 35-46; también sobre este vía crucis HERVELLA VÁZQUEZ, J., "Los Vía Crucis, una devoción presente en Galicia", en *Galicia, Terra Única. Galicia renace*, Santiago de Compostela, 1997, pág. 224-226.

[66] "Al paso que los Obispos de Astorga, cada uno en su tiempo, destinaban parte de sus rentas para la Fábrica de la Iglesia, hicieron lo mismo los Señores Reyes, ayudando a tan santa obra, concediéndole diferentes gracias y privilegios y la señora reina Doña Isabel de Borbón, mujer del señor Felipe IV, manifestó repetidas veces su devoción a aquella Santa Imagen en muchas alhajas que la dio para su mayor culto y decencia, de suerte que desde los principios de su aparición hasta hoy, siempre ha tenido devotos de todas clases que hayan dado muestras de su gratitud" (de un memorial enviado al Consejo por el administrador del santuario en 1780, citado en GONZÁLEZ GARCÍA, M. A., "Historia, organización y culto", en *El Santuario de Nuestra Señora ...*, *op. cit.*, pág. 128).

[67] Sobre el aumento de peregrinos y algunas estimaciones imprecisas CONTRERAS, J. M., *Historia del célebre santuario ...*, *op. cit.*, págs. 70-72. Entre las numerosas noticias que recoge Contreras sobre el santuario y el culto que se desarrolla en él, se encuentra la referente al modo con que se descubría la imagen a la vista de los fieles, pues de manera habitual estaba oculta por unas cortinas. Según su relato, al separarlas rozaban con la paloma de plata que estaba sobre la cabeza de la imagen y que representaba al Espíritu Santo, y al movimiento de la paloma se unía el de unos angelitos que estaban a su lado; el espectáculo se completaba con el sonido de una rueda de campanillas y la música de órgano que

gráfico, centrado básicamente en dos cuestiones citadas aquí suficientemente: el culto mariano y el culto eucarístico[68].

Acabamos de ver cómo en el caso de los santuarios de origen medieval, la actuación de las jerarquías eclesiásticas fue determinante para consolidarlos y ampliar su radio de influencia y de renombre. Una situación similar la volveremos a encontrar en los santuarios creados *ex novo* en la Edad Moderna, es decir que volvemos a encontrar a un eclesiástico que, habitualmente a propósito de un suceso milagroso, pone en marcha un culto que con el tiempo acabará configurando un nuevo santuario. Los ejemplos podrían multiplicarse, pero para no alargar mucho más este apartado, citaremos únicamente el nombre y fecha de origen de algunas de estas ermitas y santuarios: Nª Sª de Belvís, (Santiago, 1693), Nª Sª del Cristal (Celanova, Orense, 1650), Nª Sª de la Esclavitud (Cruces, La Coruña, 1732), Nª Sª de Guadalupe (Rianxo, La Coruña, 1773), Nª Sª de los Milagros (Amil, Pontevedra, 1778), la Virgen Peregrina (Pontevedra, 1776), Nª Sª de los Desamparados (Silleda, Pontevedra, mediados del siglo XVIII), Nª Sª de los Remedios (Mondoñedo, mediados del siglo XVI), entre otros.

4. LA ONOMÁSTICA

La onomástica, es decir, el conjunto de nombres elegidos en una época y en un lugar para denominar a las personas, puede ser un recurso de indudable interés para conocer posibles cambios y posibles tradiciones respecto a las devociones religiosas, si bien el hecho de que la elección de un nombre también pueda responder a posibles tradiciones de carácter familiar –continuidad en el uso de un mismo nombre entre padres e hijos, o entre padrinos e ahijados, por ejemplo–, o simplemente el hecho de que la elección sea mecánica –por ejemplo, elegir el nombre del santo del día–, debilitan las conclusiones que puedan derivarse del análisis de la onomástica[69]. Los datos con los que contamos sobre Galicia son, no obstante, muy limitados como para poder

---

acompañaba a la ceremonia de descubrimiento de la imagen. Este relato, así como otros pasajes de la obra de Contreras, fue retocado por el censor que revisó la obra para su segunda edición (Salamanca, 1798), por considerar "que no es propio de la seriedad que exige un lugar sagrado" (tomamos la cita de GONZÁLEZ GARCÍA, M. A., "Historia, organización …, *op. cit.*, pág. 122).

[68] Un análisis pormenorizado del programa iconográfico (fachadas, retablos y decoraciones pictóricas), en CARBALLO-CALERO RAMOS, M. V., "Programas iconográficos", en *El Santuario de Nuestra Señora …, op. cit.*, págs. 55-96. Contreras ya había señalado que los jeroglíficos que adornan la iglesia se tomaron "sin duda" de los compuestos y publicados por el P. Nicolás de la Iglesia, prior de la Cartuja de Miraflores, en su *Flores de Miraflores*.

[69] Sobre estos y otros extremos se trata en LARQUIÉ, C., "Mentalités et comportements à l'époque moderne: le prénom des enfants madrilènes aux XVIIe et XVIIIe siècles", en *Pouvoirs et société dans l'Espagne Moderne*, Toulouse, 1993, págs. 125-147.

ofrecer resultados especialmente significativos; no parece que haya sido un campo de trabajo que haya atraído especialmente a los investigadores de la religiosidad en Galicia, que sobre otros aspectos sí que han dedicado su esfuerzo, como se ha puesto de manifiesto hasta aquí. En cualquier caso resumimos lo que sabemos, porque a pesar de sus evidentes limitaciones tales resultados no contradicen sino que apoyan los de las otras investigaciones; es decir, progreso del culto y la devoción mariana, aunque con algunas variaciones que reflejan los posibles cultos locales[70].

Los datos referentes a la ciudad de Orense, que recogemos en la tabla 6, indican cómo desde mediados del siglo XV el nombre de María va siendo elegido con más frecuencia (del 12% inicial al 19% de mediados del XVIII), y cómo desde el siglo XVI es el primero. En la zona rural de la provincia de Orense, el porcentaje de uso del nombre de María es mayor que el que se acaba de indicar para la capital de la provincia; concretamente a mediados del siglo XVIII alcanza el 28% de la población femenina[71]. En otros lugares, la proporción es todavía mayor; así, en la diócesis de Mondoñedo y en la primera mitad del siglo XVIII el nombre de María lo lleva un tercio de las niñas, mientras que en la parroquia de Santa Columba de Louro (diócesis de Santiago) y entre los años 1630 y 1850 este nombre era llevado por casi la mitad de las mujeres nacidas aquí[72].

A pesar de la posible debilidad de esta fuente para el conocimiento de las devociones, por el lastre que pueden suponer determinadas tradiciones familiares y sociales a las que ya aludimos anteriormente, sería muy útil la ampliación de los resultados aquí expuestos hasta lograr un nivel de información lo suficientemente amplio que permitiese cartografiar los diversos usos onomásticos. Tal vez así se podrían determinar posibles influencias y relaciones entre la elección de determinados nombres (no sólo de los relacionados con el culto mariano) y la proximidad de santuarios y ermitas, de cofradías devocionales, de determinadas imágenes, etc.

---

[70] El predominio del nombre de María sobre los demás nombres del santoral ya ha sido puesto de manifiesto en otros lugares de España en la Edad Moderna; además del trabajo sobre Madrid citado en la nota anterior, véanse los resultados que sobre Salamanca en el siglo XVIII ofrece SAÜGNIEUX, J., *Cultures populaires et cultures savantes en Espagne*, París, 1982, págs. 118-119.

[71] El resultado proviene de una muestra de 778 mujeres de cinco parroquias rurales orensanas (San Torcuato de Santa Comba, San Pedro Félix de Bande, San Miguel de Carballeda, Beade y San Verísimo de Queirogás), elaborada a partir de los libros personales del Catastro de Ensenada, y que se estudia en SAAVEDRA, P., *La vida cotidiana ..., op. cit.*, pág. 324.

[72] Sobre Mondoñedo, SAAVEDRA, P., *La vida cotidiana ..., op. cit.*, pág. 324; sobre la parroquia de Louro, MARTÍNEZ LÓPEZ, X. M., *Estudio da evolución onomástica na parroquia de Santa Columba de Louro, alias "Cordeiro", 1630-1830*, trabajo de investigación inédito, Universidad de Santiago de Compostela, 1997.

5. IMÁGENES DE CULTO E IMÁGENES DOMÉSTICAS

Uno de los resultados de las corrientes relativamente recientes en la historia cultural y en la historia del arte, ha sido el de considerar las realizaciones artísticas más allá de sus características formales y de estilo; es decir, como vehículos de expresión y de difusión de valores personales y sociales, y por tanto como instrumentos al servicio del discurso ideológico[73]. Para la cuestión que aquí se analiza, el proceso de difusión de la devoción mariana en el contexto de las reformas religiosas de la Edad Moderna, es inexcusable el recurso a la información icónica, puesto que el arte y sobre todo la imagen se convirtió en tema de discusiones doctrinales y morales y notable medio de propaganda de los planteamientos que estaban en liza, tanto en los ambientes católicos como en los protestantes[74]. El papel que jugaron las imágenes en la Europa católica de la Edad Moderna está fuera de toda duda, particularmente a partir del decreto de Trento concerniente a la materia[75]. La discusión sobre

[73] "Y a pesar de todo lo caprichoso, despreocupado, fantástico y extravagante que puede ser el arte, sirve para la elaboración de armas en la lucha por la existencia, no sólo de modo indirecto, por medio de la agudización del sentido de lo real, sino también directamente, como instrumento de la magia, del rito y de la propaganda" (HAUSER, A., *Fundamentos de la sociología del arte*, Barcelona, 1982, pág. 23).

[74] Sin ánimo alguno de exhaustividad, pues la bibliografía sobre arte y reformas religiosas de la Edad Moderna es abundantísima, citamos a manera de ejemplo los siguientes títulos recientes: ANRUP, R., "Imaginería mariana barroca en la España de la Contrarreforma y en la Suecia de la Reforma Luterana", en *España y Suecia en la Época del Barroco*, Madrid, 1998, págs. 957-997; DELENDA, O., "L'art au service du dogme. Contribution de l'école sévillaine et de Zurbarán à l'iconographie de l'Inmaculée Conception", *Gazette des Beaux-Arts*, CXI (1988), págs. 239-248; GONZÁLEZ RODRÍGUEZ, P. J., "Comentario del grabado de Lucas Cranach *La doctrina luterana en imágenes*", *Goya*, 216 (1990), págs. 344-346; GREGORY, J., "Anglicanism and the arts: religion, culture and politics in the Eighteenth century", en *Culture, politics and society in Britain, 1660-1800*, Manchester, 1991, págs. 82-109; MARTÍNEZ-BURGOS GARCÍA, P., *Ídolos e imágenes. La controversia del arte religioso en el siglo XVI español*, Valladolid, 1990; MICHALSKI, S., *The Reformation and visual arts: the Protestant image question in Western and Eastern Europe*, Londres, 1993; SAINT-SAËNS, A., *Art and faith in Tridentine Spain (1545-1690)*, Nueva York, 1995; WANDEL, L. P., *Voracious idols and violent hands. Iconoclasm in Reformation Zurich, Strasbourg, and Basel*, Cambridge, 1995; y ZAPALAC, K. E. S., *In his image and likeness: political iconography and religious change in Regensburg, 1500-1600*, Nueva York, 1990.

[75] Sesión XXV, 3 de diciembre de 1563: "Enseñen diligentemente los obispos que por medio de las historias de los misterios de nuestra redención, expresadas en pinturas y otras imágenes, se instruye y confirma al pueblo en los artículos de la fe, que deben ser recordados y meditados continuamente y que de todas las imágenes sagradas se saca gran fruto, no sólo porque recuerdan a los fieles los beneficios y dones que Jesucristo le ha concedido, sino también porque se ponen a la vista del pueblo los milagros que Dios ha obrado por medio de los santos y los ejemplos saludables de sus vidas, a fin de que den gracias a Dios por ellos, conformen su vida y costumbres a imitación de las de los Santos, y se muevan a amar a Dios y a practicar la piedad" (citado en SEBASTIÁN, S., *Contrarreforma y*

la legitimidad del culto a las imágenes, derivó en discusiones más específicas acerca del decoro, la fidelidad a las fuentes literarias, y el valor devocional de las representaciones plásticas que, a su vez, se plasmaron en las disposiciones que sobre la materia se establecieron en los numerosos concilios provinciales y sínodos diocesanos de la segunda mitad del siglo XVI y en la actuación de los tribunales inquisitoriales[76]. En esta línea se encuentran las medidas dictadas en Galicia en diversos momentos y circunstancias y de las que ya citamos una muestra en el apartado primero; añadiremos aquí tan sólo otro ejemplo, la disposición adoptada en el sínodo diocesano de Orense de 1619:

"que las imágenes de nuestra Señora no se compongan con rizos u otras novedades e invenciones de las que las mujeres no con santos fines han inventado, ni las vistan sobre altares ni para ello las saquen de las iglesias; y las que nuestros visitadores hallaren no estar con la dicha decencia, las hagan poner conforme a lo arriba dicho, o las escondan o entierren, para que no sean vistas ni causen indecencia"[77].

En este contexto se puede valorar con algo más de precisión el significado de la presencia de imágenes religiosas en distintos entornos. En el caso de Galicia, los trabajos publicados permiten adentrarnos –aunque con diferentes grados de profundidad y extensión geográfica- en la imaginería de los templos, en los motivos religiosos que decoraban los hogares, y en los temas de los grabados y estampas de devoción.

En un estudio de carácter provisional tratamos de establecer las posibilidades y dificultades de orden material e interpretativo del análisis de las imágenes de las iglesias, a partir de una muestra de Galicia[78]. Partimos de la infor-

---

barroco, Madrid, 1981, págs. 62-63). Conviene matizar que no obstante la indudable influencia de Trento en el arte de la Edad Moderna, en particular en el barroco, resulta una simplificación identificar arte barroco con tridentino: "Se ha hablado mucho de arte *tridentino*, lo cual, aunque sea justo para definir una época y hasta un estilo, sería excesivo si se creyera que ese arte salió de las reglas dadas en Trento (…); acaso se ha ido demasiado lejos en las consecuencias artísticas del Concilio, estableciendo como serie de causalidades lo que no era sino una mera sucesión en el tiempo (…). Con tan escuetas reglas [*las señaladas en Trento sobre las imágenes*] no hay materia para formar un estilo. Y en el caso de que el Barroco sea, como se ha pretendido, el arte de la Contrarreforma, poco ha seguido a Trento en ese afán de moderación, en esa desconfianza hacia las novedades" (GÁLLEGO, J., *Visión y símbolos en la pintura española del Siglo de Oro*, Madrid, 1972. págs. 216-217).

[76] Véase SARAVIA, C., "Repercusión en España del decreto del concilio de Trento sobre las imágenes", *Boletín del Seminario de Estudios de Arte y Arqueología*, XXVI (1960), pág. 129-143.

[77] Citado en LIMIA GARDÓN, F. J., "El culto mariano …", *op. cit.,* pág. 130.

[78] Véase LÓPEZ, R. J., "Arte y sociedad: la religiosidad de Galicia durante el Antiguo Régimen a través de algunos elementos iconográficos", en *Actas del VIII Congreso Nacional de Historia del Arte*, t. II, Mérida, 1993, págs. 851-857.

mación y catálogos publicados referentes a los retablos de unas 120 parroquias repartidas en las actuales cuatro provincias gallegas, y cronológicamente encuadradas entre los inicios del siglo XVI y primeros años del XIX, si bien una buena parte de los elementos iconográficos datan del siglo XVIII tanto por la mayor producción de este siglo como por su mejor conservación. El resultado global es similar al que se encontró en otros casos estudiados[79]; sin entrar en más detalles, que para nuestro propósito resultan secundarios, basta con señalar los resultados que aquí nos interesan con respecto a la devoción mariana. De las 1020 representaciones que se pudieron inventariar, el grueso se corresponde con imágenes de la Virgen, en concreto el 25% (tabla 7), habida cuenta de que aunque el 56% pertenece a advocaciones del santoral tal porcentaje se reparte entre 87 advocaciones quedando por tanto muy por debajo de las representaciones marianas[80]; las advocaciones más frecuentes son la Inmaculada (43), el Carmen (33), la Virgen del Rosario (32), y la Dolorosa (24), lo que confirma un vez más el progreso de estas devociones marianas en la Edad Moderna (tabla 8). Dejamos para más adelante algunas consideraciones sobre las interpretaciones hechas acerca del perfil de esta distribución.

Un espacio diferente a los recintos sacros es el del hogar. Supuestamente está a salvo de injerencias externas, al menos de imposiciones rígidas y de vigilancias exhaustivas como sucedía en el caso de las iglesias, ermitas y otros lugares públicos, de manera que la presencia –también las ausencias- de determinados motivos religiosos en cuadros, imágenes de bulto y otras piezas pueden tomarse como indicadores de una devoción más personal. No obstante, debe tenerse muy en cuenta el carácter de la fuente que habitualmente sirve a los historiadores para acceder a estas informaciones, y que no es otra que los inventarios *post mortem*; se trata de un documento elaborado para cumplir una función legal y económica, de manera que sus datos pueden resultar incompletos (cuando, por ejemplo, un objeto no se considere de valor) e incluso pueden ser ocultados (imágenes prohibidas por la Inquisición, pongamos por caso). A esto hay que añadir, ya al margen de la naturaleza del documento, la posibilidad de que los objetos que se encuentren en una casa en el momento de fallecer su propietario, cabeza de familia, o la persona de que se trate, pueden haber sido adquiridos efectivamente por el ya difunto, pero pudiera suceder que se trate del resultado de una herencia, un regalo; es decir que, a los efectos que aquí interesan, no respondan necesariamente a la mentalidad y creencias del fallecido. En cualquier caso, tales limitaciones no invalidan la fuente si bien obligan a un uso e interpretación prudente de sus datos.

[79] Por ejemplo, MÉNARD, M., *Une histoire des mentalités religieuses aux XVII et XVIII siècles. Mille retables de l'ancien Diocèse du Mans*, París, 1980.

[80] El santo del que encontramos más imágenes es San Antonio de Padua, con 50, al que sigue San Roque con 49; entre las santas, la más representada es Santa Lucía, con 24, seguida ya a bastante distancia por las representaciones de Santa Bárbara, 8 en total. Los datos pormenorizados en LÓPEZ, R. J., "Arte y sociedad ...", *op. cit.*, pág. 855.

Hechas estas advertencias, hay que señalar que por lo que hace a Galicia las informaciones disponibles se refieren al menos a cuatro ciudades: Santiago, Betanzos, Ferrol y La Coruña; los inventarios de las zonas rurales gallegas han dado como resultado la ausencia en sus hogares de imágenes, sólo en ocasiones alguna que otra estampa[81]. En el primer caso, el de Santiago, se estudiaron 111 inventarios del siglo XVII, de los que contienen elementos iconográficos de tema religioso 61 (es decir, el 55%), y en ellos el tema dominante es el mariano, presente en el 78% de la documentación; y lo que resulta más interesante es que esta presencia mayoritaria es en líneas generales independiente del nivel social y económico del poseedor, salvedad hecha claro está del valor material del objeto[82]. La información sobre la ciudad de Betanzos en el siglo XVIII coincide más o menos con la compostelana, es decir, predominio de los temas marianos en los objetos decorativos religiosos y un cierto grado de homogeneidad social[83]; de entre las representaciones marianas destacan las de la Virgen de los Dolores, la Inmaculada, el Rosario y en menor medida las del Carmen, el Pilar y otras[84]. El perfil se repite en parte en la ciudad de Ferrol en el siglo XVIII; en este caso, las imágenes marianas son el 23% del total, a las que superan las de Cristo que en la muestra llegan al 32%[85]. La imagen mariana más habitual es la de los Dolores, que acapara el 44% de todas las representaciones marianas, si bien de forma diferente en el

---

[81] Es posible que esta carencia no resulte tan abrumadora como parecen indicar los inventarios; pero como ya se ha advertido antes, los elementos que con más frecuencia es posible que estuviesen en las casas de campesinos y marineros fueran las estampas de devoción que por su escaso valor económico no se consignarían en los inventarios de estas casas.

[82] "A través de una materialización más lujosa o de una forma más modesta y precaria, el artesanado, los mercaderes, los "oficios de pluma" y el alto clero catedralicio de Santiago del XVII se comportan de similar manera en el momento de materializar y expresar el sentimiento religioso; un sentir que por encima de las diferentes disponibilidades actúa como un aglutinante e igualador de todos ellos; como un elemento homogeneizador de los diferentes grupos sociales de una ciudad de Antiguo Régimen y tan singular y peculiar como lo era Santiago de Compostela en el s. XVII" (ROZADOS FERNÁNDEZ, M. A., "La iconografía religiosa a través de los inventarios post mortem: Santiago de Compostela en el s. XVII", *Compostellanum*, 3-4 (1986), pág. 416).

[83] Véanse los datos en VAQUERO LASTRES, B., *Un ejemplo de sociedad urbana en la Galicia del Antiguo Régimen: Betanzos en el siglo XVIII*, tesis de licenciatura, Universidad de Santiago de Compostela, 1985, págs. 249-258.

[84] Véase VAQUERO LASTRES, B., *Un ejemplo de sociedad urbana ...*, op. cit., págs. 250, 254, 256, 257 y 333. En cualquier caso, no parece que haya un número suficientemente elevado de objetos como para extraer conclusiones terminantes sobre las devociones (sus cambios, sus permanencias, etc.) habida cuenta de que, por ejemplo, el monto total de imágenes y objetos de tema mariano reunidos por la autora en la muestra correspondiente al sector hidalgo de la población –es decir, el más destacado social y económicamente- se reduce a 16 cuadros, 2 imágenes, un escapulario de la Merced y tres rosarios (pág. 333).

[85] Véase GARCÍA GONZÁLEZ, F., *Mentalidade e cultura en Ferrol durante o século XVIII*, Ferrol, 1997, pág. 77.

transcurso de la centuria: no se encuentra ninguna con anterioridad a 1764, y su presencia irá en paulatino aumento a partir de la década de 1770; con ella aparecen la Inmaculada Concepción (sobre todo a partir de finales del XVIII), y en menor grado las del Rosario y el Carmen, y en último término devociones claramente personales[86]. Los datos relativos a la ciudad de La Coruña los resumimos en la tabla 9. Como puede apreciarse, el conjunto más numeroso de piezas es el de los santos y santas, pero que como suele ser habitual esconde una amplia gama de advocaciones, de manera que el más relevante es el grupo de las representaciones marianas con un 32% del total; de entre ellas sobresale la imagen de la Dolorosa, y como en otros casos aparecen menciones a cultos locales probablemente relacionados con devociones a santuarios próximos como el de Pastoriza (Arteixo) y el de las Angustias (Betanzos), y no tan próximos como el de las Ermitas en la provincia de Orense[87].

Ya hemos dicho antes que uno de los soportes de la imagen religiosa, el grabado, apenas si dejó rastro en los inventarios notariales. Sin embargo, su difusión fue alta en la Edad Moderna y por eso su estudio es necesario[88]. La posesión de estampas fue fomentada por las propias autoridades eclesiásticas mediante la concesión de indulgencias a los que rezasen ante ellas; así, la estampa se transformaba en una suerte de prolongación de la imagen titular; las indulgencias concedidas (requisitos para lograrlas y pena remitida) se hacen constar en la estampa, así como la autoridad eclesiástica que las otorga, de forma que se pone de manifiesto una vez más las estrechas relaciones entre la jerarquía y ciertas devociones, o si se prefiere su interés por impulsar determinadas devociones y culto[89]. Además de poner de manifiesto la diversidad de las devociones –en nuestro caso, de las devociones marianas-, los datos que aporta la propia estampa y los que pueden encontrarse en la documentación escrita, como los contratos con los grabadores y los impresores, permiten conocer quienes son sus promotores o comitentes: algunos devotos anónimos,

---

[86] Véase GARCÍA GONZÁLEZ, F., *Mentalidade e cultura ...*, *op. cit.*, págs. 77-78.

[87] Véase SAMPAYO SEOANE, E., "Un estudio sobre el entorno urbano de La Coruña del siglo XVIII: el ámbito de lo cotidiano", *Obradoiro de Historia Moderna*, 6 (1997), págs. 271-272. La autora ofrece una información más extensa en la investigación original: *Los grupos sociales coruñeses durante el siglo XVIII, a través de los inventarios post-mortem*, tesis de licenciatura, Universidad de Santiago de Compostela, 1996, págs. 172-223; sobre las representaciones marianas, págs. 185-201.

[88] Una descripción de los distintos tipos de grabados religiosos de los siglos XV al XVIII (estampa mural, estampas alegóricas, bíblicas, estampas documento, estampas críticas, estampas sueltas, estampas heterodoxas), y algunos comentarios sobre su utilidad, en MONTORO CABRERA, M. C., "El grabado como plasmación de la religiosidad popular", en *La religiosidad popular*, t. II, Barcelona-Sevilla, 1989, págs. 190-201.

[89] En una estampa de la Virgen de las Mercedes se determinan estas condiciones para lograr las indulgencias concedidas: rogar a Dios "por la exaltación de Nª Sª Fe Católica", "por la exaltación de la Yglesia", y por la "extinción de las herejías, paz y concordia entre príncipes cristianos y necesidades de la Yglesia" (citado en BARRIOCANAL LÓPEZ, Y., *El grabado compostelano del XVIII*, La Coruña, 1996, pág. 117).

pero en bastantes ocasiones fueron los priores de los conventos, los patronos de las cofradías, párrocos, nobles protectores de la advocación los que encargaron una determinada impresión y la costearon[90]. Las estampas habitualmente estaban dedicadas a la propia imagen, pero en algunas ocasiones a personajes destacados de la jerarquía eclesiástica, lo que las convertía no sólo en un vehículo de la devoción, sino en una posible manifestación de prestigio a partir de la exhibición de un vínculo social. En definitiva, nos encontramos con unas manifestaciones plásticas de la devoción que pueden catalogarse como populares, en cuanto que su difusión se realizó en gran medida entre sectores populares tanto por el asunto al que se referían como por su reducido coste (lo que no impide que se hiciesen ediciones más costosas y orientadas a grupos sociales de elite); pero que al tiempo fueron inspiradas e impulsadas por miembros de las jerarquías eclesiásticas y también de las civiles[91]. Todo esto es aplicable al gran número y variedad de estampas de temas marianos impresas en Galicia, o fuera de Galicia pero relativas a advocaciones veneradas en santuarios gallegos[92]. Para concluir, únicamente añadiremos que su uso comenzó relativamente pronto en Galicia, hacia mediados del siglo XVI, con los grabados de la patrona de Lugo, la Virgen de los Ojos Grandes[93].

No queremos terminar el apartado sin hacer mención de dos manifestaciones icónicas de indudable sabor popular y que manifiestan también la progresión de la devoción mariana en Galicia en la Edad Moderna: los exvotos pictóricos y los *petos* de ánimas o altares de ánimas. La propia factura de los exvotos pictóricos así como las diversas reformas del culto, han provocado la pérdida de estas manifestaciones de arte popular de tal manera que son una excepción las que han llegado hasta nosotros; entre los exvotos gallegos conservados cabe citar las cuatro tablas del santuario de Nuestra Señora de la Ermida (Queiroga, Lugo), que son copias hechas en 1882 de los originales del siglo XVIII, y el del santuario de Santa María de Vilaselán (Ribadeo)[94]. Al igual que otros exvotos de este tipo, las tablas presentan una parte pictórica y un breve relato del favor que da origen a la ofrenda, por lo que permiten acce-

[90] Nos remitimos al caso anteriormente expuesto de los dos grabados de la titular del santuario de la Virgen de la Barca, como ejemplo de elaboración culta de estas imágenes.

[91] Sobre la identidad social de los comitentes, las dedicatorias, los inspiradores de las estampas, y otras cuestiones de carácter sociológico, véase BARRIOCANAL LÓPEZ, Y., *El grabado compostelano ...*, op. cit., págs. 116-119. Una breve síntesis acerca de los autores, comitentes, etc., en otra obra de la misma autora, *Arte y devoción. La estampa religiosa en el grabado barroco en Galicia*, La Coruña, 1997.

[92] Sobre las estampas y grabados de tema mariano, BARRIOCANAL LÓPEZ, Y., "El lenguaje de la estampa religiosa al servicio de la sociedad. Valores iconográficos y devocionales", en *Galicia, Terra Única. Galicia renace*, Santiago de Compostela, 1997, págs. 338-344, y *El grabado compostelano ...*, op. cit., págs. 215-240.

[93] BARRIOCANAL LÓPEZ, Y., *El grabado compostelano ...*, op. cit., pág. 114.

[94] Se da noticia de estos exvotos, así como de las leyendas de cada uno de ellos en BLANCO PRADO, J. M., *Exvotos e rituais nos santuarios lucenses*, Lugo, 1996, págs. 49-51.

der a ciertas informaciones de carácter devocional y del entorno de la vida cotidiana que difícilmente se encuentran en otras fuentes; lamentablemente, la pérdida de gran cantidad de exvotos en Galicia impide llevar a cabo estudios similares a los realizados en otros lugares[95]. En cuanto a los *petos* de ánimas, esos altares colocados en las encrucijadas de los caminos rurales y en otros lugares de paso para fomentar los sufragios de los vivos por las almas del Purgatorio (de nuevo la reforma de Trento), únicamente daremos un apunte, el de la presencia de la imagen de la Virgen ataviada con el hábito del Carmen a partir del siglo XVIII, lo que viene a confirmar por otra vía lo señalado ya en ocasiones anteriores sobre el progreso de esta advocación sobre todo por su inclusión entre las devociones relacionadas con la muerte[96].

6. A MANERA DE CONCLUSIÓN: ¿RELIGIOSIDAD POPULAR O RELIGIOSIDAD OFICIAL?

Al comienzo de este trabajo insistimos, como también en cada uno de sus apartados, que el estudio de las distintas manifestaciones de la devoción mariana en Galicia y de sus evoluciones durante la Edad Moderna debía hacerse teniendo muy en cuenta su contexto histórico, que no fue otro que el de una sociedad culturalmente cristiana y sujeta al proceso peculiar de las reformas religiosas de la época. Vistas así las cosas, partimos del supuesto de que las manifestaciones de la religiosidad aquí abordadas fueron empleadas por las autoridades eclesiásticas para hacer valer y difundir sus iniciativas de reforma, suposición que deja de ser tal al comprobar cómo los representantes de los diferentes niveles de la jerarquía eclesiástica participaron activamente en la fundación de nuevas cofradías, relanzamiento de santuarios medievales y fundación de otros nuevos, preocupación por la imaginería religiosa y empleo de las estampas devotas para difundir devociones y cultos marianos, además de tratar de controlar lo que consideraban excesos y abusos en determinados comportamientos religiosos. El progresivo aumento de las cofradías, del número de santuarios y de sus peregrinos, y de las restantes manifestaciones del culto mariano sugiere que se produjo una buena acogida por parte de la población gallega de la doctrina emanada de Trento y de los consiguientes esfuerzos de la jerarquía por ponerlos en práctica, de manera que podría afirmarse que ese mundo

[95] Véase por ejemplo RODRÍGUEZ BECERRA, S., "Formas de la religiosidad popular. El exvoto: su valor histórico y etnográfico", en *La religiosidad popular*, t. I, Barcelona-Sevilla, 1989, págs. 123-134.

[96] Véase BARRIOCANAL LÓPEZ, Y., *Arte popular. Los petos de ánimas*, Orense, 1985, pág. 42. Más informaciones –también gráficas- en MENOR CURRÁS, M., y otros, *Os petos de ánimas en Ourense*, Sada (La Coruña), 1985; y SÁNCHEZ CORA, T. y MARTÍNEZ PLASENCIA, M., *Cruceiros, cruces e petos do concello de Ponte Caldelas*, Ponte Caldelas (Pontevedra), 1990.

un tanto impreciso y cambiante de la llamada "religiosidad popular" no haría entonces otra cosa que plegarse y reflejar la hegemonía clerical, capaz de imponer sus propios cultos o si se prefiere su "religiosidad oficial"[97].

Esta explicación es a todas luces tan clara como insuficiente en su esquematismo; basta con recuperar, resumidos, algunos aspectos que han ido surgiendo en las páginas precedentes para comprobar que el proceso de transformación de los comportamientos religiosos fue algo más complejo que el simple enfrentamiento entre lo oficial y lo popular. A) En primer lugar, hay que decir que tal enfrentamiento entre unas formas y otras es prácticamente inexistente desde el momento en que no hay "unas" y "otras", sino modificación de las que estaban en uso y que tenían una clara raigambre social: no se eliminaron ni las cofradías, ni los santuarios con sus romerías y festejos, ni se prohibió el culto a las imágenes, sino que se intentaron corregir los excesos y aprovechar las posibilidades de esos medios –precisamente por su popularidad- para llevar a buen término la labor reformista tridentina[98]; la reforma en este caso de las devociones y cultos marianos no se hizo "contra" lo ya existente sino aprovechándolo, en un proceso de circularidad cultural característico. B) En segundo lugar y en estrecha consonancia con lo anterior, hay que evitar el tópico de suponer que el clero de la Edad Moderna era un todo homogéneo y compacto con unos planteamientos religiosos (doctrinales y morales) diferentes al de la población laica, porque la realidad era muy distinta a la que propone ese lugar común; en particular, la realidad de gran parte del clero parroquial, que era el que estaba más en contacto con lo que convencionalmente denominamos entorno popular. Aproximadamente unos dos tercios de este clero parroquial era de origen campesino y buena parte del mismo continuará viviendo en ese ambiente, de manera que es más que probable que hubiese un alto nivel de complicidad de este clero con sus parroquianos; al fin y al cabo, sus sustrato cultural era el mismo y, salvo excepciones, participaba más de la cultura y formas de vida rurales que de los presupuestos más elaborados de la alta jerarquía eclesiástica, empeñada en controlar y reglamentar tiempo y espacios[99]. Incluso en ocasiones esa complicidad de usos se encuentra en las altas jerarquías, de manera que en determinados aspectos y momentos resulta trabajoso trazar una frontera nítida, desde el

---

[97] Esta explicación, religiosidad oficial triunfante frente a religiosidad popular en repliegue, se da como buena, por ejemplo, en VOVELLE, M., "Iconografía e historia de las mentalidades", en *Ideologías y mentalidades*, Barcelona, págs. 51-79.

[98] Sobre este carácter "modificador" de las reformas católicas, diferente al "abolicionista" de las protestantes, BURKE, P., *La cultura popular ..., op. cit.,* págs. 305-307.

[99] Véanse BARREIRO MALLÓN, B., "El clero de la diócesis de Santiago a través de las visitas pastorales, visitas *ad limina*, registros de licencias ministeriales y concursos de curatos", *Compostellanum*, 3-4 (1990), págs. 489-515; y DUBERT GARCÍA, I., "La domesticación, la homogenización y la asimilación de las conductas del clero gallego del Antiguo Régimen a la idealidad del modelo trentino, 1600-1850", en *Antiguo Régimen y liberalismo. Homenaje a Miguel Artola*, t. II, Madrid, 1995, págs. 477-495.

punto de vista cultural, entre unos y otros[100]. C) Y, por último, no debe olvidarse que la inmensa mayoría de los gallegos de la Edad Moderna –entre un 90 y un 95% del total- vivía en comunidades rurales, y que para éstas la religión era un fenómeno con carácter más social que individual, que impregnaba buena parte de sus manifestaciones de sociabilidad y que muchas veces la práctica religiosa era sobre todo una ocasión para el encuentro y cohesión de esa comunidad de aldea, como lo eran la pertenencia a las cofradías y la participación en sus festejos y las romerías a los santuarios y ermitas. En estas condiciones queda por averiguar cómo fueron efectivamente asumidos los ideales de reforma de Trento por la población gallega; en qué medida el campesinado –al que hay que añadir también el artesanado y las poblaciones de la costa de economía pesquera- al apropiarse de las ideas que recibía del clero las modificó haciendo de todas ellas algo más que actos de piedad. Pues si bien fueron muchos los que, por ejemplo, engrosaron las filas de las cofradías y acudieron en peregrinación a los santuarios, resulta acertado suponer que no todos lo hicieron impulsados por las mismas intenciones y fervor, aunque no sepamos decir cuántos ni en qué medida[101].

[100] En 1757 se pidió al arzobispo de Santiago que bendijera la ría de Cangas para lograr abundancia de pesca y frutos de la tierra; lo hizo por tres veces y "después de la primera entró y sacó del agua un rosario pendiente de él un *lignum crucis*, un *agnus* y una reliquia de San Telmo" (citado en GONZÁLEZ LOPO, D., "Aspectos de la vida religiosa …", *op. cit.*, pág. 440).

[101] Véase SAAVEDRA, P., *La vida cotidiana …, op. cit.*, pág. 322. Que esto fue así lo demuestran los textos reproducidos en este trabajo, algunos de finales del siglo XVIII, en los que se llamaba la atención sobre algunas conductas que no se ajustaban a las intenciones de los reformadores. A éstos añadiremos tan sólo uno más del año 1736, correspondiente a una deliberación del concejo de Santiago sobre los comportamientos observados en las romerías: "En este ayuntamiento [*de Santiago*] se ha visto carta del señor D. Francisco Vela de la Cuesta del Consejo de S. M., su oydor en la real Audiencia de este Reino [*de Galicia*] (…), en que de orden del Real Acuerdo pide a la Ciudad su dictamen en orden a la reforma de los abusos experimentados en los concursos a las romerías y en las salidas de los naturales de este Reino a los de Castilla. Acordaron se xunte y se le responda que para reformar los abusos que pueden cometerse en las romerías será preciso extinguir la mayor parte de la debozión y piedad de que ellas abundan, y que la Ciudad no alla medio de separar lo bueno de lo malo en este asumpto" (AHUS, fondo municipal de Santiago, libro de consistorios de 1736, 1er. semestre, fs. 401 y vto.). La situación no era, desde luego, privativa de Galicia; con todas las reservas con las que hay que considerar una aseveración tan general y radical, cabe citar el siguiente juicio de Meléndez Valdés entresacado de sus *Discursos forenses*, y que se refiere a las procesiones: "Porque ciertamente no se alcanza ahora qué puedan significar en una religión, cuyo culto debe ser todo espíritu y verdad, esas galas y profusión de trages (…), esas imágenes y pasos llevados por ganapanes alquilados, esas hileras de hombres distraídos mirando a todas partes sin sombra de devoción (…), ese bullicio y pasear de la carrera, esa liviandad y desenvoltura de las mugeres, ese todo, en fin, de cosas o extravagancias que se ven en una procesión, si no son cómo el fiscal las juzga para sí, en vez de un acto religioso, un descarado insulto al Dios del cielo y a sus santos" (citado en MORENO DE LAS HERAS, M., "Procesión de aldea", en *Goya y el espíritu de la Ilustración*, Madrid, 1988, págs. 160-161).

En último término, y a la vista de las consideraciones precedentes, habrá que plantearse no sólo cuál fue la influencia social, económica e ideológica de la Iglesia en la Galicia moderna, sino también los posibles condicionamientos de la población –sobre todo del campesinado, aunque no sólo de éste- sobre una parte sustancial del clero, particularmente del clero parroquial. Dicho de otro modo, el análisis de las prácticas y devociones religiosas debe hacerse considerándolas, más que como una imposición desde arriba –que desde luego lo fue en determinados casos, como se ha podido comprobar-, como el resultado de un intercambio –desigual si se quiere, pero intercambio al fin- entre formas diferentes de entenderlas y vivirlas.

TABLAS

Tabla 1. Evolución numérica de las cofradías marianas de la diócesis compostelana en el conjunto general de las cofradías del Antiguo Régimen

	Cofradías marianas	Otras cofradías	Total de cofradías
Mediados del siglo XVI	11 (26%)	32	43
Finales del siglo XVI	31 (20%)	123	154
Mediados del siglo XVII	93 (22%)	322	415
Mediados del siglo XVIII	229 (23%)	744	973
Finales del siglo XVIII	239 (24%)	754	993

Fuente: Elaboración propia a partir de los datos de GONZÁLEZ LOPO, D., "La evolución del asociacionismo religioso gallego entre 1547 y 1740: el Arzobispado de Santiago", *Obradoiro de Historia Moderna*, 5 (1996), pág. 166; "La evolución del asociacionismo religioso gallego en la segunda mitad del siglo XVIII: el Arzobispado de Santiago", en *Gremios, Hermandades y Cofradías*, t. II, San Fernando (Cádiz), 1992, pág. 34; y "Aspectos de la vida religiosa barroca: las visitas pastorales", en *Las religiones en la historia de Galicia*, Santiago de Compostela, 1996, pág. 441.

Tabla 2. Evolución de las advocaciones de las cofradías marianas en la diócesis de Santiago durante la Edad Moderna

	Cofradías de Nª Sª del Rosario	Cofradías de Nª Sª del Carmen	Cofradías de Nª Sª de los Dolores	Total de cofradías marianas
Mediados del siglo XVII	59 (63%)	-	-	93
Mediados del siglo XVIII	162 (71%)	17 (7%)	-	234
Finales del siglo XVIII	161 (67%)	28 (12%)	7 (3%)	239

Fuente: Elaboración propia a partir de GONZÁLEZ LOPO, D., "La evolución del asociacionismo religioso gallego en la segunda mitad del siglo XVIII ...", *op. cit.*, pág. 35; y "Aspectos de la vida religiosa ...", *op. cit.*, págs. 443-444.

Tabla 3. Época de fundación de algunos santuarios marianos gallegos

	Diócesis de Santiago	Diócesis de Lugo	Diócesis de Mondoñedo	Diócesis de Orense	Diócesis de Tuy	Diócesis de Astorga	TOTAL
E. Media	6	4	-	2	1	1	14
E. Moderna	5	1	1	8	-	-	15
No se dice	60	10	2	21	3	-	96
TOTAL	71	15	3	31	4	1	125

Fuente: Elaboración propia a partir de CEBRIÁN FRANCO, J. J., *Guía para visitar los santuarios marianos de Galicia*, Madrid, 1989.

Tabla 4. Advocaciones de las ermitas de la diócesis de Tuy entre mediados del siglo XVIII y mediados del siglo XIX

Advocaciones	Número	Porcentaje
Santos	254	51
Santas	101	20
Marianas	86	17
Divinidad y otras	69	12
TOTAL	501	100

Fuente: Elaboración propia a partir de GONZÁLEZ FERNÁNDEZ, J. M., *Inventario histórico das ermidas de Vigo e do Val do Fragoso. Séculos XVI-XIX*, Vigo, 1997, págs. 31-32.

Tabla 5. Advocaciones de las ermitas marianas de la diócesis de Tuy entre mediados del siglo XVIII y mediados del siglo XIX

Advocación	Número
Concepción Inmaculada	24
Nª Sª del Carmen	17
Nª Sª de la Soledad	8
Nª Sª de la Guía	7
Asunción	7
Nª Sª de los Remedios	7
Nª Sª del Rosario	6
Nª Sª de las Nieves	5
Nª Sª de Guadalupe	5
TOTAL	86

Fuente: Elaboración propia a partir de GONZÁLEZ FERNÁNDEZ, J. M., *Inventario histórico ...*, op. cit., loc. cit.

Tabla 6. Elección de nombres femeninos en la ciudad de Orense entre mediados del siglo XV y mediados del siglo XVIII. Se señalan los cinco primeros y entre paréntesis sus porcentajes con respecto al total de los datos de cada período.

1454	1597	1750
Constanza (16,3)	María (14,9)	María (19,4)
Tereija (15,6)	Catalina (13,9)	Josefa (10,9)
Einés (13,4)	Inés (9,9)	Antonia (5,5)
María (12,5)	Ana (7,8)	Francisca (5)
Lionor (8,8)	Beatriz (6)	Isabel (5)

Fuente: SAAVEDRA, P., *La vida cotidiana en la Galicia del Antiguo Régimen*, Barcelona, 1994, pág. 326.

Tabla 7. Distribución general de los temas iconográficos en retablos y decoración pictórica de una muestra de 120 parroquias de Galicia (siglos XVI a XVIII)

Temas	Número	Porcentaje
Divinidad	20	2
Representaciones de Cristo	172	17
Representaciones marianas	255	25
San José	34	4
Ángeles y Arcángeles	14	1
Apóstoles y Evangelistas	110	11
Santos	296	29
Santas	83	8
Santos (sin especificar)	4	-
Antiguo Testamento	13	1
Otros temas	19	2
TOTAL	1020	100

Fuente: LÓPEZ, R. J., "Arte y sociedad: La religiosidad de Galicia durante el Antiguo Régimen a través de algunos elementos iconográficos", en *Actas del VIII Congreso Nacional de Historia del Arte*, t. II, Mérida, 1993, pág. 852.

Tabla 8. Distribución de las advocaciones y escenas marianas en retablos y decoración pictórica de una muestra de 120 parroquias de Galicia (siglos XVI a XVIII)

Inmaculada	43
Nª Sª del Carmen	33
Nª Sª del Rosario	32
Anunciación	26
Dolorosa y Soledad	24
Asunción	9
Nª Sª de las Nieves	8
Coronación de la Virgen	6
Visitación	5
San Joaquín y Santa Ana	4
Pentecostés	3
Nª Sª de la Paz	2
Nª Sª del Buen Suceso	2
Nª Sª del Pilar	2
Sagrado Corazón de María	2
Virgen Peregrina	2
Dormición de la Virgen	1
Nª Sª de Guadalupe	1
Nª Sª de las Mercedes	1
Otras (sin determinar)	49

Fuente: LÓPEZ, R. J., "Arte y sociedad ...", *op. cit.,* pág. 855.

Tabla 9. Temas religiosos en las representaciones plásticas de uso doméstico (cuadros, imágenes de bulto, grabados y estampas) mencionadas en una muestra de inventarios de la ciudad de La Coruña

Tema	1680-1750	1751-1820	TOTAL
Cristo	14 (35%)	87 (25%)	101 (26%)
María	12 (30%)	110 (32%)	122 (32%)
Santos y santas	9 (22%)	129 (37%)	138 (36%)
Ángel de la Guarda	2 (5%)	4 (1%)	6 (2%)
Escenas bíblicas	3 (7%)	15 (4%)	18 (5%)
TOTAL	40	345	385

Fuente: Elaboración propia a partir de SAMPAYO SEOANE, E., "Un estudio sobre el entorno urbano de La Coruña del siglo XVIII: el entorno de lo cotidiano", *Obradoiro de Historia Moderna*, 6 (1997), pág. 272.

Las leyendas de Hallazgo y de Singularización de Imágenes Marianas en España.
II. Una Aproximación a la Categoría de Imagen-Persona.

Honorio M. Velasco
U.N.E.D., Madrid

Las imágenes de culto han sido para el Cristianismo un casi permanente objeto de controversia. Se gestó como una religión iconoclasta y los movimientos de revisión y de regeneración de tiempo en tiempo surgidos en su seno suelen recordarlo con fuerza[1]. Sin embargo, es posible que no se entendiera su expansión entre las más diversas poblaciones de la Tierra sin el ofrecimiento de imágenes con las cuales vincular a los creyentes con los seres sobrenaturales, aunque en el fondo, el elevado concepto que de la divinidad tiene el Cristianismo obligue a reconocer que no sea estricta ni adecuadamente representable en una imagen[2].

En buena medida ninguna de las imágenes de culto debiera necesitar mayores elaboraciones de legitimación y sacralización que la representación

---

[1] Sobre el debate iconoclasta puede consultarse, entre otros: E. SÁNCHEZ SALOR, E., *Polémica entre cristianos y paganos*. Madrid, Ed. Akal, 1989; TEJA, R., *El Cristianismo primitivo en la sociedad romana*. Madrid, Ed. Itsmo, 1990; GRABAR, A., *L'iconoclasme byzantin. Dossier archeologique*. París, Flammarion, 1957; WIRTH, J., *L'image medievale. Naissance et developpements (VIe-XVe siècle)*. París, Méridiens Klincksiek,1989; PHILIPS, J., *The Reformation of Images: Destruction of Art in England, 1535-1660*, Berkeley, University of California Press, 1973; SCHMITT, J.C., "La culture de l'imago", *Annales HSS*, janvier-février, 1991, n° 1, pp. 3-36; MARTÍNEZ-BURGOS, P., *Idolos e imágenes. La controversia del arte religioso en el siglo XVI español*. Valladolid, Universidad de Valladolid, 1990.

[2] Puede seguirse esta discusión en GOODY, J., "Icônes et iconoclasme en Afrique", *Annales ESC*, nov.-dec.(1991), n° 6, pp. 1235-1251; C. GINBURZ, G., " Representation: le mot, l'idée, la chose". *Annales ESC*, nov.-dec.(1991), n° 6, pp. 1219-1234.

digna ("decoro"[3] es la categoría usada) del ser sobrenatural. El reconocimiento de la identidad de éste podría bastar. Y por otra parte no parece haber razón para considerar singulares unas imágenes y no otras desde el punto de vista del culto si la representación es en todas ellas adecuada. Pero bien parece que la centralidad de las imágenes en los templos, la relevancia que tienen en la formación de devociones y la focalización de las prácticas religiosas que producen, exigen algo más que una mera bendición no siempre solemne por parte de una autoridad institucional, único ritual que la Iglesia tiene previsto para ellas antes de estar dispuestas para el culto[4].

Las leyendas de hallazgos y aparición de imágenes, entrecruzadas muchas veces con relatos históricos, son sin embargo bastante abundantes y deben verse, por un lado, teniendo como trasfondo los debates permanentes (tanto internos como externos) sobre la posibilidad de representación de la divinidad y lo sobrenatural y, por otro, han de considerarse no sólo como discursos de carga de significados para estos objetos de culto, sino también en cierto modo como discursos de sacralización. Pues en principio y en sentido estricto el carácter sagrado está reservado en la Iglesia exclusivamente para las especies del pan y el vino, para los óleos, para los templos, para el orden sacerdotal, para las reliquias y para las escrituras (la Biblia). Si bien es un hecho que las imágenes (determinadas imágenes al menos) pueden llegar a tener a los ojos de los creyentes igual o mayor trascendencia religiosa que muchos de los elementos sagrados citados.

Para el análisis de tales leyendas no cabe simplemente el dejarse atraer por algunos prototipos sino que es imprescindible abordar el amplio corpus de relatos referidos especialmente, pero no sólo, a las imágenes marianas en toda la Cristiandad y desde el siglo VI en las iglesias de Oriente hasta las recientes versiones sobre hierofanías y apariciones que se dan en distintas partes del mundo[5].

---

[3] Sobre el concepto de decoro: MARTÍNEZ-BURGOS, P., "El decoro, la invención de un concepto y su proyección artística", *Espacio, tiempo, forma*, n° 2 (1988), pp. 90-102.

[4] Es una idea insinuada por FREEDBERG, D. (1989), *El poder de las imágenes*. Madrid, Cátedra, 1922. p. 107 y ss.

[5] Un corpus legendario (o histórico-legendario) que no tiene más que compilaciones fragmentarias y en todo caso no ha sido acometido somo tarea sistemática. Algunos de los libros concebidos para difundir o reafirmar la devoción mariana contienen un número muy estimable de textos. Entre estos libros pueden destacarse: FACI, R., *Aragón Reyno de Cristo y dote de María Santísima fundado sobre la columna immobil de Nuestra Señora en su Ciudad de Zaragoza. Aumentado con las apariciones de la Santa Cruz...*, Zaragoza, 1739, Joseph Fort; reimpresión en Zaragoza, 1979; N. CAMÓS, N., *Jardín María plantado en el Principado de* Cataluña.Barcelona, 1657, reimpresión Barcelona, Editorial Orbis, 1949; VILLAFAÑE, P., *Compendio histórico descriptivo de las milagrosas y devotas imágenes de la Reina de los Cielos y Tierra*, Salamanca, 1727; PALLÉS, J., *Año de María o Colección de Noticias Históricas, leyendas, ejemplos, meditaciones, exhortaciones y oraciones para honrar a la Virgen Santísima en todos los días del año*. Barcelona. Imp. del heredero de D. Pablo Riera, 6 vols, 1875; PRADES, J. *Historia de la adoración y uso de las Santas Imágenes y de la*

Aunque algunos patrones parecen más difundidos en determinadas áreas y han tenido probablemente más éxito durante algunas épocas, el conjunto de "motivos" es evidentemente mucho más amplio. Lo que Vicente de la Fuente llamó "el ciclo de los pastores" (el hallazgo de una imagen en un paraje determinado por parte de niños o jóvenes pastores o pastoras)[6] es evidentemente uno de los motivos legendarios más conocido. Pero en absoluto es el motivo más primitivo, ni parece adecuado para imágenes radicadas en templos urbanos, ni como se sabe, tampoco suele ser frecuente para imágenes veneradas por poblaciones costeras o ribereñas,... El ciclo de los pastores llevó a los autores mariólogos del s. XIX a sugerir que los elementos fundamentales de los relatos legendarios de hallazgos de imágenes marianas eran un pastor, una luz y un milagro[7]. Una simplificación sugerente que permitía además una lectura oficialista del relato por la serie de resonancias bíblicas que conllevaba[8]. Si se contrasta este esquema con los datos comparativos no parece posible mantener tales elementos como fundamentales, pero el tratamiento de los mariólogos es significativo. Las leyendas no son del todo relatos "populares", sino popularizadas explicaciones que cuidadosamente racionalizan los acontecimientos y que intentan evitar hábilmente tanto las acusaciones de idolatría (desde hace tiempo invocadas por los iconoclastas) como los vigilantes controles dogmáticos de la propia Iglesia, pendientes de cualquier sesgo herético o de posibles engaños inducidos por el maligno.

La proliferación de leyendas y relatos de acciones milagrosas en España ha tenido probablemente a lo largo del tiempo dos periodos álgidos, los de la Baja Edad Media y los posteriores a la Contrarreforma. Ambos fueron periodos de implantación y desarrollo de una red de santuarios[9]. El primero fue más

---

imagen de la fuente de la Salud. Valencia, Imprenta de Felipe Mey 1596, y más recientemente Moreno Cebada, Sánchez Pérez, Santuarios Marianos, etc.

[6] Sobre el ciclo de los pastores, vid.: FUENTE, V. de la, *Vida de la Virgen María con la historia de su culto en España*. Barcelona, Montaner y Simón, 1877, T.II, p.96 y ss.

[7] "Muchas de las historias de santuarios de la Virgen Santísima en nuestra patria tienen episodios comunes en los que suele figurar una luz, un pastor y un milagro, porque por medio de la luz se da a conocer providencialmente la existencia de la imagen a un pastor, hombre sencillo y lleno de fe que por frecuentar poco el mundo no se halla corrompido y un milagro para que viendo los fieles la sencillez del pastor y juzgando como regularmente juzga el mundo no dejase de dársele crédito por hallarse comprobadas sus palabras por un portento, portento que a la vez es una voz del cielo que escita a los fieles a acudir a la santa imagen para conseguir de ella las gracias que María desea vívamente dispensar" PALLÉS, J. o.c..

[8] Ya percibida por TURNER, V. y E., *Image and Pilgrimage in Christian Culture*. New York, Columbia University Press, 1978.

[9] Estos dos periodos de difusión están caracterizados por dos tipos muy distintos de publicaciones marianas. En el primero se encuadran los libros de milagros y especialmente las *Cantigas de Sta. María* y *Los milagros de Nuestra Señora* de Berceo. Aun mencionando a veces lugares y advocaciones los milagros que se atribuyen a "Sta. María", una denominación universal. En el segundo sobresalen numerosos libros monográficos dedicados a imá-

propiamente un periodo de eclosión al modo hagiográfico de la figura de Ntra. Sra. como foco principal de culto y tiene como muestras más relevantes los libros de milagros. El segundo fue más un periodo de extensión, consolidación y desarrollo de la red de santuarios y tuvo como centro de interés, con numerosas publicaciones, a las imágenes particularizadas de la Virgen, con múltiples y bien diferenciadas advocaciones que fueron objeto de veneración en ellos. Pero también habría que subrayar que en el primer período el Cristianismo estaba reafirmando su diferencia iconodula frente al Islam iconoclasta, mientras que durante el segundo el Catolicismo español ponía énfasis en el culto a las imágenes en contraste marcado frente a la destrucción de ellas que propugnaba el Protestantismo. Entre uno y otro periodo hay continuidades, pero también algunas variaciones. No es sorprendente que se insinúe con esto que las claves del discurso de sacralización, de carga o recarga de lo sagrado, sean en parte constantes y en parte variables, pues la sensibilidad hacia lo sagrado fue cambiando y exigiendo modos diferentes de racionalidad, como respuesta a las diferentes reacciones de los detractores del culto a las imágenes.

En todo caso es obligado afirmar que las leyendas se fueron formando mediante la utilización (selectiva) de una multitud de "motivos" en su mayor parte ya existentes en Occidente integrados dentro de lo que se podría llamar el discurso de lo maravilloso[10]:

✦ hallazgos en:

- árboles, en cuevas, en fuentes, en montes y peñas, en terrenos respetados por la nieve, o en despoblados y entre ruinas ...;
- precedidos en no pocos casos por señales impactantes, misteriosas, captadoras de la atención, tales como movimiento de estrellas, luces, sonidos, aromas, etc.;
- por parte de pastores, cazadores, leñadores, carboneros, etc. pero también eclesiásticos, monjes, ermitaños, viajeros, caballeros,...;
- con intervención en ocasiones de animales, toros, ovejas, cabras, palomas, ciervos, liebres, perros, e incluso serpientes,...;

genes concretas, a advocaciones particulares o a los monasterios en los que se encuentran, presentados muchos de ellos como "historias": Historia del santuario de Codes de Amiax, Historia de la V. de Valvanera de Bravo de Sotomayor, Historia de la Santa Cinta de Martorell, la Divina Serrana del Tormes de Sánchez Tejado, Historia de la milagrosa imagen de Ntra. Sra. de la Peña patrona de Brigüega de Francisco de Béjar, Historia de Monte Celia de González de Mendoza, Historia de la invención de la Santa y Milagrosa Imagen de Ntra. Sra de los Llanos de Antonio Ignacio, Historia de Ilmo. Monasterio de Ntra. Sra de Sopetrán de Antonio Heredia, etc., etc.

[10] Véase: OBSECUENTE, J., *Libro de los prodigios*. Edición de Ana Moure. Madrid, Ed. Clásica, 1994

- a veces acompañada la imagen de otros objetos como campanas, cirios,... y también otras imágenes,...[11]

◆ hallazgos tras haber sido enterradas en campos labrados o en pozos y algibes, o descubiertas en el hueco de paredes y muros, etc.;
  - por parte de labradores, albañiles, alfareros, niños,... y también de devotos y clérigos;
  - con intervención en ocasiones de animales, bueyes, vacas, ...[12]
◆ hallazgos de imágenes flotando sobre el agua:

  - en alta mar, o en los ríos, o traídas por las olas a las riberas,...
  - rescatadas por pescadores o marineros y descubiertas por otros en playas o riberas,...
  - en cajas y en arcas, en barcas o en navíos,...[13]

◆ aparecidas:

  - en árboles o cuevas,... a pastores, niños, ...
  - en batallas a reyes y guerreros o en el mar en medio de tormentas a eclesiásticos y tripulación,....
  - en el interior de los templos o en espacios domésticos a religiosos o devotos;
  - a veces con entrega de objetos, casullas, cintas, imágenes, hábitos, ...[14]

◆ reproducidas prodigiosamente en cortezas de árboles o de frutos, en bulbos de plantas, en superficies de piedra, etc.[15];

[11] Leyendas de hallazgo de imágenes en árboles, etc., se atribuyen, por ejemplo, a: V. de Aguas Vivas en Carcagente, V. de la Aliaga en Cortes, V. de los Arcos en Costeán. V. de Botoa en Badajoz, V. de la Carrasca en Bordón, V. del Carrascal en Plenas, V. de la Casita en Alaejos, V. del Castañar en Béjar, V. de Castejón en Castejón, V. de Castell-Lebra en Oliana, V. de Cilleruelos en Cuevas Labradas, V. de la Cogullada en Zaragoza, V.del Coral en Prats de Molló, V. de las Cruces en Daimiel, V. de Cubillas en Albalate, V. del Cubillo en Aldeavieja, V. de Domanova en Rodés, V. de la Encina en Arciniega, V. de la Encina en Ponferrada, V. de Enebrales en Tamajón, etc. etc.

[12] Leyendas de hallazgo de imágenes enterradas en el campo, p.e.: V. del Campo en Villafranca, V. del Campo de Ballesteros en Camarillas, V. del Cid en Iglesuela, V. del Lledó en Castellón, V. del Llosar en Villafranca del Cid, V. de la Muela en Drieves, V. de Sales en Sueca, V. Trobada en Monferrer, V. de las Vacas en Ávila, etc.

[13] Leyendas de hallazgo en el mar o en el río, p.e.:V. de la Barca en Mugía, V. del Bon Sucés en Sagunto, V. de la Consolación en Jerez, V. del Far en Arrupit, V. de la Font en Villalonga, V. de la Gracia en Ampurias, V. de Lluch en Alcira, V. de la Ola en Pinseque, etc.

[14] Leyendas de aparición en batallas, p.e.: V. de Almatá em Balaguer, V. de la Asunción en Gerona, V. del Castillo en Bisueca, V. de Cigüela en Torralba, V del Coll en Ozor, etc.

[15] reproducidas en cortezas de arbol, etc, p.e.. V. de Botoa en Badajoz, V. de los Lirios en Alcoy, etc.

+ realizadas por ángeles, por artistas peregrinos, reproducidas por impresión portentosa,...; o pintadas por San Lucas, esculpidas por Nicodemo [16];

+ semovientes, expresivas, manando de ellas lágrimas, sudor o sangre, dirigiendo miradas, extendiendo brazos y manos, dirigiendo mensajes, etc o que se hacen enormemente pesadas, o inmóviles, o que por el contrario se hacen livianas y fáciles de transportar; [17]

+ salvadas de incendios, de inundaciones, de hundimientos, de terremotos, de destrucciones y profanaciones, etc.[18];

+ donadas por personas prestigiosas [19],

+ traídas de los santos lugares (Oriente, Roma, etc.) por autoridades eclesiásticas, peregrinos, [20] etc.

• rescatadas o huidas de tierras de moros, o de herejes, etc.[21]

En realidad no se trata en absoluto de una enumeración exhaustiva sino meramente ilustrativa de una amplia variedad de motivos que en todo caso no es ilimitada, sino que éstos se presentan de modo más frecuente en unas áreas o en otras y si fuera posible determinar con precisión las fechas de elaboración, probablemente algunos fueran más frecuentes que otros en determinados periodos. Casi ninguna leyenda sea estrictamente singular e irrepetible, sino que en la mayoría de los casos siguen modelos repetidos, clichés. Pero la variedad de motivos es un recurso discursivo que contribuye a proporcionar a cada una de ellas el aire de singularidad con el que los creyentes revisten a las imágenes concretas con las que están vinculados. Y del mismo modo, iconográficamente hablando, la variedad de figuras es lo suficientemente amplia, aunque igual-

[16] Leyendas de realizadas por ángeles o dejadas por misteriosos peregrinos, p.e.: V. de las Angustias en Granada, V. de la Antigua en Sevilla, V. de Bruis en Palo, V. del Coro en Lérida, V. del Cristal en Vilanova, V. de los Desamparados en Valencia, etc.

[17] Leyendas de imágenes expresivas, p.e.: V. del Capítulo en Trasovares, V. de Castil Viejo en Medina de Rioseco, V. del Claustro en Guisona, V. de la Compasión en Sariñena, V. de la Estrella en Sevilla, V. de los Huertos en Jerez, V. de la Leche en Zaragoza, V. de Loreto en Muchamiel, V. del Milagro en Cocentaina, V. de Monteagudo en Antequera, V. de Tobet en Tobet, etc.

[18] Relatos legendarios de imágenes salvadas de incendios o de hundimientos, p.e.: Purísima Concepción en Zuera, V. del castell en Agres, V. de Gracia en Fraga, V. de la Piedad y Buen Suceso en Antequera, etc.

[19] Relatos sobre imágenes donadas por personajes ilustres, p.e.: V. de Gracia en Gandía, V. de las Injurias en Callosa d'en Sarriá, V. de las Fiebres en Canet d'en Berenguer, V. de Luz en Navajas, etc.

[20] Relatos sobre imágenes traídas por de los santos lugares, p.e.: V. del Castell en Cullera, V. de la Ermitana en Peñíscola, V. del Oreto en L'Alcudia, etc.

[21] Relatos sobre imágenes rescatadas de herejes, p.e.: V. del Alumbramiento en Madrid, igl. de S. Martín, V. de Belen en Antequera, V. de la Luz en Almonacid de Zorita, V. del Mar en Olalla, V. de los Remedios en Albalate, etc.

mente limitada y sujeta a modelos, como para reforzar ese aire de singularidad. El sistema de advocaciones, de denominaciones, reproduce la misma pauta, pero la amplitud de la variedad de los nombres de la Virgen[22] que está conexionada en buena medida a los motivos, es aun mayor, aunque también esté sujeta a modelos, con lo que se intensifica la percepción de singularidad.

Además, y a pesar de la impresión de reiteración que puedan tener un conjunto de leyendas, por ejemplo centradas en el hallazgo de la imagen en un árbol o en una cueva, -por citar dos de los motivos más comunes-, si se atienden a elementos descriptivos menores que no pocas veces van asociados a los motivos centrales, la variedad se incrementa y con ello la caracterización de singularidad queda más marcada. Por ejemplo, la Virgen de Begoña apareció en las ramas de una *encina* y a quienes la hallaron la imagen les dijo "begoña", es decir "quietos los pies" para fijar allí donde deseaba que se le construyese una ermita; la Virgen de Botoa (Badajoz) se apareció a unos pastores en una *encina* cuyas bellotas llevaban en la corteza la imagen en miniatura; la del Carrascal (Plenas, Aragón) fue hallada en medio de un bosque de *encinas* por un pastor junto a una imagen de S. Francisco; la del Cubillo (Aldeavieja) fue hallada por un pastor puesta en un cubo colgado de las ramas de una *encina*; la de la Encina (Ponferrada) la hallaron los leñadores que talaban leña para construir el castillo de los Templarios en el corazón de una *encina* y el golpe del hacha le hizo una señal en la frente; la de la Esperanza (Durón) fue hallada por un pintor en una *encina*; la del Remedio (Lierta) fue hallada en la *encina* que estaba delante de la ermita de S. Esteban; la de Valentuñana (Sos) en una *encina* de cuyo pié salía una fuente; la de la Encina (Macotera) se apareció a unas esclavas en tiempos de la Reconquista y se marchó a tierra de moros a luchar contra ellos, pero éstos la apresaron y le cortaron la cabeza y las manos, las esclavas las consiguieron recuperar y vinieron con ellas a la población, la imagen fue compuesta sólo con la cabeza y las manos rescatadas, etc.

Pero las leyendas no hablan sólo de imágenes, sino también de grupos humanos, de poblaciones y aún más de poblaciones radicadas en lugares determinados, de forma que los lugares en muchas de ellas se convierten en focos temáticos relevantes. En la serie de motivos antes enunciada se habrá observado que imágenes, lugares y poblaciones se encuentran más o menos predominantemente implicados por unos o por otros. No todos los motivos reseñan "invenciones" de imágenes, algunos dan por supuesta la existencia de la imagen y reseñan más bien sus desplazamientos hasta encontrarse en un lugar preciso o su resistencia a moverse de un lugar determinado[23]. Y no

---

[22] Las advocaciones marianas han sido estudiadas por VESGA CUEVAS, J., *Las advocaciones de las imágenes de la Virgen María veneradas en España. Ensayo de una teología popular mariana en España,* Valencia, CESPUSA,1988.

[23] Relatos sobre desplazamientos o resistencias de las imágenes a ser trasladadas se narran, p.e., de: V. del Concilio en Ayerbe, V. del Coro en Barcelona. V. de la Corona en Ventué, V. de Gracia en Rubielos, V. de Riansares en Tarancón, etc.

pocas leyendas combinan ambas cosas, es decir, invención y desplazamiento o resistencia[24]. La variedad de motivos se corresponde en parte con la variedad de poblaciones y de entornos ambientales en las que se encuadran, pero sobre todo es precisamente el juego de recursos con el que atender a la exigencia de singularidad que conllevan las implicaciones entre imágenes, poblaciones y lugares. Tales implicaciones pueden leerse en términos de territorialización, pero especialmente revelan algo más profundo, la voluntad de apropiación[25] que las poblaciones despliegan hacia las imágenes, sus símbolos sagrados.

Primariamente las leyendas son dotaciones de sentido para objetos especiales reconocidos como imágenes de los cuales predican el carácter de "sagrado". El conjunto de motivos con los que se hilan las leyendas remiten a las categorías de constitución de lo "sagrado"[26], estableciendo a la vez un contraste inequívoco por un lado entre las imágenes cristianas y los ídolos paganos y por otro entre los objetos de culto y las meras elaboraciones del arte.

Entre las primeras leyendas sobre imágenes que se difunden dentro del Cristianismo aparecen dos categorías de constitución de lo sagrado: la arqueropoiesis y la reproducción fiel de los modelos originales. Durante la controversia iconoclasta en Oriente, los defensores del culto a las imágenes hicieron valer como argumentos definitivos que determinados iconos "no habían sido hechos por mano humana", y emplearon el término *arqueropoiéticas* para designarlas. Presumiblemente ya antes del s. VI circulaban relatos sobre dos iconos de Cristo, cuyo rostro se había impreso en lino sin intervención ninguna de mano humana. También en el siglo VI se difundieron relatos sobre iconos marianos, la Hodegetria, que aseguraron su autoría a cargo de San Lucas[27]. Debe recordarse que la arqueropoiesis y la reproducción fidedigna de los originales estrictamente respondían a, y contrarrestaban, las descalificaciones clásicas con las que los propios primeros cristianos habían rechazado la adoración a los ídolos o a las imágenes de los emperadores. Siglos después y en España no pocas leyendas insistían

---

[24] Esta combinación de motivos es muy frecuente y se presenta en muchas leyendas de hallazgo de imágenes en zonas agrestes o lejanas a poblaciones. La secuencia de episodios ya tuve oportunidad de analizarla en: VELASCO, H.M., "Las leyendas de hallazgos y de apariciones de imágenes. Un replanteamiento de la religiosidad popular commo religiosidad local", en C. Alvarez Santaló, M.J. Buxó y S. Rodríguez Becerra (comp.), *La religiosidad popular*. Barcelona, Ed. Anthropos, Fundación Machado, t. II (1989) pp. 401-410.

[25] El concepto de apropiación ya fue desarrollado en: VELASCO, H.M., "La apropiación de los símbolos sagrados. Historias y leyendas de imágenes y santuarios (siglos XV-XVIII)", *Revista de Antropología Social*, nº 5 (1996) pp. 83-114.

[26] Los procesos de constitución de lo sagrado en el Cristianismo fueron analizados por BROWN, P., *The Cult of the Saints: Its Rise and Function in Latin Christianity*. Chicago, Chicago University Press, 1981.

[27] Vid. BELTING,H., *Likeness and Presence. A History of the Image before the Era of Art*. Chicago, The University of Chicago Press, 1994, p.73 y ss.

que las imágenes habían sido dejadas por ángeles en los lugares donde se hallaron, o insinuaban que habían sido dejadas por Ntra. Sra. tras haber desparecido su visión (la distinción entre hallazgo y aparición en algunos casos no es muy clara) o habían sido fabricadas por artistas misteriosos (¿peregrinos?, ¿ángeles?) que se habían ofrecido a hacerlo en lugares cerrados. El mismo rasgo de la arqueropoiesis es el que se encuentra en relatos posteriores sobre pintores o escultores que no son capaces de rematar las imágenes hasta que no reciben una especial visión o incluso que habiéndolas dejado inacabadas aparecen finalmente completas, mientras ellos dormían. Algunas apreciaciones que añaden los comentaristas de las leyendas que se detienen en analizar el material de las imágenes (como el P. Espinosa en el caso de la Virgen de la Candelaria[28]) concluyendo que se desconoce ese tipo de material, completan los aspectos de la arqueropoiesis. Todos ellos elevan las imágenes por encima de la categoría de signos y las postulan como creaciones de lo alto donadas a poblaciones determinadas.

La atribución de los retratos pintados a San Lucas o de las imágenes esculpidas a Nicodemo, o como con el el caso de la Virgen de la Almudena a ambos, hacía incuestionable la fidelidad de la reproducción, aunque obligara a las leyendas a justificar a veces artificiosamente los traslados y los portadores para explicar que se hallen en tierras españolas[29]. Tal fidelidad no sólo es fundamento para la legitimidad del culto (con la implicación de rechazo de falsas representaciones) sino el presupuesto de lo que varios autores han señalado[30] como eficacia simbólica de la representación de lo sagrado, trascendiendo la materialidad del significante e induciendo la presencia del ser sobrenatural.

Otros motivos parecen estar apoyados en estas dos categorías principales contribuyendo a proporcionar prestigio, relevancia o distinción a las imágenes. El reconocimiento de la antigüedad de las tallas o el relato más o menos minucioso de proveniencia de Roma, de Antioquía o de los santos lugares aprovechan el refuerzo que la tradición otorga, marcando así las poblaciones la continuidad del culto que iniciaron sus antepasados y su permanente e incluso revitalizada adscripción cristiana. Muchas leyendas de hallazgos de imágenes lo son de restauración de un culto temporalmente interrumpido por

---

[28] ESPINOSA, Fr. A. de, *Del origen y milagros de la Santa Imagen de nuestra Señora de Candelaria, que apareció en la Isla de Tenerife, con la descripcion de esta Isla.* Sevilla en casa de Juan de Leó, 1594, reimpresión en Santa Cruz de Tenerife, Goya Ediciones, 1952, especialmente el cap. 13.

[29] La leyenda sobre la V. de la Almudena pretende, además, que la imagen fue traída por Santiago; una exposición de esta leyenda en FRADEJAS, J. "La Virgen de la Almudena", VV.AA. *Vírgenes de Madrid*, Madrid, Instituto de Estudios Madrileños, 1966, pp. 33-46.

[30] Entre otros BELTING, H. *o.c.*, cap. IV; pero esta cuestión es especialmente tratada en los estudios sobre los iconos, OUPENSKY, L. *Theology of the Icon.* Crestwood. St. Vladimir's Seminary Press, 1992.

la invasión de los árabes reafirmando con ellas la doble autenticidad de los objetos de culto y de la devoción que suscitan en las poblaciones[31].

No obstante, una gran parte de los motivos que aparecen en el corpus de leyendas parecen orientarse en otra dirección de constitución de lo sagrado bien distinta del perfil de las viejas categorías de la arqueropoiesis y la fidelidad de la representación. Dos tipos de factores distintos podrían apuntarse a la hora de considerar la relativa limitación de estas categorías: por un lado, la extrema multiplicación de imágenes y la proliferación de santuarios que se produjo entre los siglos XII al XVII y lo que Christian ha llamado la recarga de significación [32], la recarga de "gracia" periódicamente exigida para estimular e intensificar la actitud religiosa dentro del Cristianismo y especialmente dentro del Catolicismo; por otro, la creciente autonomía del arte en las sociedades europeas peculiarmente propuesta y desarrollada desde y después del período que en Occidente reconocemos como Renacimiento.

En las antiguas leyendas sobre iconos de la Iglesia Oriental y sobre todo en las leyendas medievales sobre imágenes frecuentemente aparecían motivos que las atribuían movilidad, actividad. Los prodigios que se relataban de ellas les caracterizaban a veces como imágenes animadas, desplazándose de los lugares de culto para ayudar a los que las invocaban en las batallas contra los infieles o los que solicitaban su auxilio en algún peligro, o recriminando con miradas y gestos a los pecadores, o a ingratos devotos, etc.... [33] Todo ello parece implicar una categoría distintiva de constitución de lo sagrado, la de la imagen-persona. La indistinción antes mencionada entre aparición y hallazgo que se trasluce más o menos en muchas leyendas se entiende mejor bajo esta categoría, que fundamentalmente redefine el culto focalizado hacia la imagen como una relación interpersonal, que da mayor trascendencia al modelo que representa que al objeto-imagen y que con la radicación de ésta en un lugar afirma su presencia entre y en relación a la humanidad en general y a poblaciones determinadas en particular. A lo largo del tiempo y pese a las continuas advertencias de los teólogos y las autoridades eclesiásticas sobre la condición de estricta representación que conceden a las imágenes[34], los creyentes diri-

[31] Los relatos de hallazgo que sitúan el acontecimiento en los tiempos de confrontación entre cristianos y moros, a veces se completan y complican con racionalizaciones "históricas" que justifican la existencia de culto a la imagen antes de que fuera obligadamente ocultada para que no pudiera ser profanada por los moros. Y por lo mismo llegan a localizar su procedencia en Oriente y a postular su transporte a cargo de Santiago o de los evangelizadores, fundadores de las iglesias locales, etc. Así de la V. de Guadalupe, de la Almudena, de Montserrat, etc.

[32] La idea de recarga de "gracia" está expuesta en CHRISTIAN, W.A., *Moving Crucifixes in Modern Spain*, Princeton, Princeton University Press, 1992.

[33] Uno de los estudios mas esclarecedores sobre la intervención "milagrosa" de las imágenes se debe a: WARD, B., *Miracles and the Medieval Mind*. Trowbridge, Redwood Burn, 1987.

[34] Sobre la teoría de la imagen en la Iglesia Cristiana: BELTING, H., *o.c.* especialmente los cap.8 y 20. También WIRTH, J., *L'image medievale. Naissance et développements (VIe-XVe siècle)*. Paris, Méridienes Klincksieck, 1989.

gen su vista y sus oraciones hacia ellas con la convicción de que son escuchados y de que les devuelven sus miradas, como si establecieran con ellas una relación interpersonal.

Diferentes motivos en las leyendas dan las caracterizaciones de la imagen-persona:

1. MOVILIDAD:

en su versión más básica, numerosas leyendas de hallazgos de imágenes de la Virgen en lugares apartados enlazan el motivo del traslado desde el lugar donde se produjo hasta algún otro aparentemente más adecuado, pero las imágenes retornan prodigiosamente a aquel lugar, lo que se interpreta como señal de su voluntad de que sea allí donde se le erija un templo para el culto[35]. Pero también en algunas leyendas se narra el desplazamiento hacia otros lugares, como si huyeran o escaparan de los anteriores[36]. Otros relatos refieren el testimonio de quienes advirtieron que a veces los nichos donde se encuentran en los templos aparecen temporalmente vacíos, coincidiendo con intervenciones de auxilio que proporcionó Ntra. Sra. a un devoto, o bien mostrando la extrañeza del santero al advertir en la visita de la mañana la humedad o los granos de arena adheridos al vestido de la imagen como si hubiera salido del templo[37].

2. CAPACIDAD DE COMUNICACIÓN:

no son pocas las versiones de leyendas de hallazgos que incluyen como motivo los mensajes verbales que la imagen dirige a los "inventores" y por medio de ellos a las poblaciones indicándoles qué han de hacer, qué pueden esperar o cómo han de reconducir sus vidas en adelante. Y no sólo mensajes unidireccionales, sino que las leyendas registran en ocasiones un diálogo de entendimiento entre la imagen y los a veces dubitativos y temerosos inventores que continúa posteriormente cuando éstos retornan decepcionados por no haber sido creídos por la gente[38].

[35] P.e.: V de la Abellera en Sta María de Prades, V. de Baldós en Montañana, V. de la Cabeza en Andújar, V. del Camino en Grañena, V. de Ciérvoles en Os de Balaguer, V. del Coll en S. Lorenzo de Motunys, V. de las dos Aguas en Nonaspe, V. de la Fuensanta en Huelma, V. del Haya en Tarazona, V. del Lladó en Valls, V. de la Sierra en Herrera, V. de Torrellas en Mallén, V. de Villaviciosa en Córdoba, etc.

[36] P.e.: V. del Camino en Pamplona, V. de Magallón en Alcubierre, V. de Salas en Huesca, V. de Tocón en Langa, etc.

[37] P.e.: V. de la Candelaria en Tenerife, etc.

[38] P.e.: V. de Begoña en Bilbao, V. del Brezo en Cervera de Pisuerga, V. del Camino en León, V de Carramiá en Abella, V. de Chilla en Candeleda, V. de la Fuensanta en Córdoba, V. de la Granja en Junquera, V. de Guadalupe en Guadalupe, V. del Henar en Cuellar, V. de Pallaroa en Monesma, V. de los Pueyos en Alcañiz, etc.

3. EXPRESIVIDAD:

de muchas imágenes se refieren cambios en sus rostros reflejando el pesar que les produce situaciones de desgracia en las poblaciones, o que mueven sus ojos en dirección hacia los devotos que le suplican, o que miran hacia el Niño que está en sus brazos intercediendo por ellos, o por el contrario, que apartan su mirada, que vuelven el rostro como muestras de reprobación por el comportamiento indebido de otros[39]; en algunas versiones los motivos que aparecen se refieren a fluidos reconocidos como lágrimas, sudor o sangre provenientes de las imágenes que se interpretan provocados por situaciones de sufrimiento y de desastres de las poblaciones o como reacciones ante la maldad humana o el apartamiento de la religión; otras versiones aún relatan movimientos corporales de la imagen retornando después a la posición inicial o incluso quedan fijados posteriormente y que se interpretan como reacción a determinadas acciones humanas[40].

4. RESISTENCIA A LA DESTRUCCIÓN INTENCIONADA O NO INTENCIONADA:

las leyendas relatan cómo las pinturas quedaron indemnes tras incendios o inundaciones, o las esculturas se salvaron de derrumbamientos o del impacto de los rayos; y unas y otras de acciones de destrucción llevadas a cabo por profanadores; otras versiones refieren la resistencia a ser transformadas, por ejemplo el rostro no admite la pintura o no admite el trabajo reparador del pintor[41].

Y, puesto que como se dijo anteriormente, las leyendas no hablan sólo de las imágenes sino también de las poblaciones vinculadas con ellas, parece necesario incluir entre estas caracterizaciones de la imagen-persona otras dos reveladoras de los modos de la vinculación:

5. RESIDENCIA:

son muchas las leyendas que refieren a través de diversos motivos la determinación de las imágenes por recibir culto en templos ya construidos o en templos nuevos construidos específicamente para ser alojadas; otras versiones relatan la resistencia a ser trasladas a otros lugares,... Nótese que se trata precisamente de relatar la determinación atribuida a las propias imágenes y no tanto a las poblaciones que se supone pretenden y desean la radicación.

---

[39] P.e.: V. de la Estrella en Sevilla, V. de la Leche en Zaragoza, etc.

[40] En nota anterior (17) ya fueron reseñadas algunas de las imágenes con relatos de sudor, llanto o derramamiento de sangre.

[41] P.e.: V. de Begoña en Bilbao, V. del Claustro en Solsona, V. del Milagro en Alcorisa, V. del Milagro en Madrid, etc.

La fijación de lugar hace en buena medida a las imágenes habitantes no sólo de la Tierra, sino de lugares determinados en ella convertidos en santuarios[42].

6. IMPLICACIÓN EN INTERCAMBIOS:

en las leyendas se narra mediante el enlazamiento de varios motivos la vinculación entre imágenes y poblaciones a través de intercambios. Intervenciones atribuidas en los momentos posteriores del hallazgo muestran la voluntad de atención y protección por parte del ser sobrenatural para con las poblaciones y la respuesta de éstas instaurando romerías y erigiendo los templos. Las leyendas subrayan así la voluntad de permanencia y de regularidad de una relación establecida por tiempo indefinido, mantenida por medio de intercambios no estrictamente obligados, sino basados en la reciprocidad gratuita y en la fidelidad[43]. (Pero no puede olvidarse que muchas leyendas han sido reelaboraciones retrospectivas, tal vez coincidentes con la revitalización de cultos temporalmente debilitados o irregulares).

Son estas caracterizaciones las que confieren a determinadas imágenes un plus de entidad diferenciada, la de imagen-persona. Contribuyen en principio a singularizarlas, a proyectar sobre ellas alguna destacable distinción, separándolas definitivamente de la material condición de escultura, y diferenciándolas entre el conjunto profuso de imágenes religiosas en las que predomina la función de ornamento de los templos. Pero además se constituye con estos motivos a tales imágenes como símbolos "sagrados". Un concepto complejo y necesario con el cual los grupos humanos, las poblaciones abordan y también manipulan la transcendencia.

---

[42] El concepto de residencia aparece como evidencia no sólo en la denominación generalizada de los santuarios como "casas" de la Virgen sino explícitamente marcado por medio de rituales periódicos de "visita" de los fieles ya colectivamente en romerías o por grupos para expresión de su devoción. Este concepto está además vinculado al de "territorio" como han señalado: CHRISTIAN, W.A. *Religiosidad local en la España de Felipe II*. Madrid, Edit. Nerea, 1991, AGUDO, J., *Las hermandades de la Virgen de la Guía en los Pedroches*. Córdoba, Caja Provincial de Ahorros, 1990, RIVAS, A.M., "Mediación divina y negociación ritual en los conflictos de identidad". *Revista de Antropología Social*, nª3 (1994), pp. 27-45, VELASCO, H.M., "La apropiación de los símbolos sagrados…"

[43] Los intercambios son el tema central de los numerosos libros de milagros. Y están intencionadamente subrayado en las ofrendas y exvotos. Vid. VELASCO, H.M. "Sobre ofrendas y exvotos", en *Es un voto. Exvotos pictóricos en La Rioja*. Logroño, Fundación Caja Rioja, 1996, pp. 19-116.

DE LA OBEDIENCIA DEBIDA:
RELIGIOSIDAD Y NORMATIVA EN LA ARCHIDIÓCESIS HISPALENSE DURANTE LA EDAD MODERNA

Mª LUISA CANDAU CHACÓN
Universidad de Huelva

> "Todo lo que un cristiano ha de saber se suma en tres cosas, que responden a las tres virtudes principales (que llaman teologales), Fe, Esperanza y Caridad. La primera es lo que ha de creer, la cual se declara en el Credo, que contiene los artículos de nuestra Santa Fe Católica; la segunda lo que ha de obrar, que esto enseñan los mandamientos de la Ley de Dios y de la Iglesia. La tercera, lo que ha de desear y pedir a Dios; lo cual contiene la oración del Pater Noster, y las demás oraciones"[1].

1. DE LA OBEDIENCIA DEBIDA: RELIGIOSIDAD Y NORMATIVA

Fe, Esperanza y Caridad: creer, obrar y desear. Ante la dificultad que supone el adentrarme en mundos tan complejos y anónimos como los de las creencias y las aspiraciones, inaprehensibles aquí por su propia reglamentación, generalidad y sencillez -"lo que ha de creer, lo que ha de aspirar"-, estas reflexiones marcharán por el camino de sus **concreciones**: la práctica de una religiosidad ordenada y establecida, sus cauces, y sus frutos, reflejo, no tanto de una espiritualidad personalizada cuanto de una tradición heredada y de una obediencia debida. **Religiosidad, sí, pero una religiosidad controlada y modelada por la normativa**; por tanto, susceptible de ser infringida.

---

[1] *Constituciones del Arçobispado de Sevilla, hechas i ordenadas por el Ilustrísimo i Reverendísimo Señor Don Fernando Niño de Guevara, Cardenal i Arçobispo de la Santa Iglesia de Sevilla, en la Synodo que celebró en su Cathedral, año de 1604, i mandadas imprimir por el Deán i Cabildo, Canónigos In Sacris, Sede Vacante. En Sevilla, Año de 1609.* Libro Iº, Título Iº "De Summa Trinitate et Fide católica".

"Lo que ha de obrar". Estas páginas demostrarán el provecho y los caminos de los afanes post-tridentinos, el aire de la Contrarreforma y sus fórmulas de modelación y control; al fin, el cumplimiento de los objetivos conciliares en su vertiente disciplinar: la obediencia debida y la corrección de las costumbres; costumbres en su sentido amplio, *es decir todo el comportamiento humano que afecta a la propia salvación (lo que respecta a Dios y a los hombres), de ahí que abarque planteamientos morales y jurídicos"*[2].

Me ceñiré al espíritu de los mandatos eclesiásticos; puesto que las obras del cristiano venían reglamentadas por los Mandamientos -su observancia habría de colmar sus esperanzas-, atenderé aquí a algunos de ellos: los referentes al cumplimiento de los preceptos dominical y pascual, a la guarda del ayuno y a la observancia de las fiestas, cuestiones tocantes a la práctica externa del culto. Me guiaré por las que considero fueron las dos fuentes más importantes de la normativa eclesiástica, vigentes en nuestra archidiócesis: el *Catecismo Romano para los párrocos, catecismo tridentino o de San Pío V*[3], y las ya citadas *Constituciones Sinodales Hispalenses*, impresas en 1609 y vigentes para toda la Modernidad[4], ambas lógica plasmación de los esfuerzos de Trento. Preceptos y observancias. Recordemos la normativa. Nuestras reflexiones enlazan con cuatro de los cinco *Mandamientos de la Santa Madre Iglesia*, a saber, y por orden: *"oír misa entera los domingos y fiestas de guardar, confesar a lo menos una vez dentro del año, o antes, si se espera peligro de muerte o se ha de comulgar, comulgar por Pascua Florida y ayunar cuando lo manda la Santa Madre Iglesia"*[5]. El quinto, y no menos importante -pagar diezmos y primicias- se justificaba en leyes y consideraciones antiguas, que enlazaban con interpretaciones bíblicas y evangélicas, tanto como en las necesidades peren-

---

[2] BENLLOCH POVEDA A., "La Jurisdicción eclesiástica en la Edad Moderna: el proceso", en MARTÍNEZ RUIZ E., y PI CORRALES M., (coords.) *Instituciones de la España Moderna*. Ed. Actas. Madrid, 1996. T° 1°. Pág. 124.

[3] Siguiendo los decretos del Concilio en sus sesiones XXIV y XXV, y los trabajos realizados por la Sagrada Congregación desde 1563, los pontífices romanos posteriores, San Pío V y, más tarde, Clemente XIII, por los breves "Pastorali Officio" de 1566 e "In Dominico agro" de 1761, conformaron primero y ratificaron después el llamado Catecismo de San Pío V. El primero, recogiendo la labor efectuada al tiempo del Concilio e incentivada por su antecesor -Pío IV-, a fin de contrarrestar los efectos de sucesivos catecismos de inspiración calvinista. El segundo, intentando hacer lo propio frente a los "errores" del Jansenismo. Sus objetivos, en uno y otro tiempo, son los del Concilio: instruir a párrocos y a fieles *"aun en lengua vulgar"* acerca de la *"eficacia y uso de los mismos sacramentos"* y de las verdades de la fe, *"dejando a un lado cuestiones inútiles"* e instruyéndoles *"en la ley del Señor"*.

[4] Corresponden al Sínodo celebrado en 1604, cuyas disposiciones recogen y en las que late toda la normativa diocesana reorganizada tras las sesiones tridentinas. Divididas en cinco libros y éstos, a su vez, en títulos y capítulos, las Constituciones de 1604 son las vigentes para los restantes Tiempos Modernos. El cambio de criterios pastorales excluyó la realización de nuevas sinodales en los siglos venideros e incluso las posteriores de 1860 serían una reimpresión de aquéllas.

[5] *Constituciones Sinodales Hispalenses.. Op. Cit.* Lib. 1°. Tit. 1°.

nes de mantenimiento de la iglesia y de sus ministros; de su observancia, se cuidaba la normativa: pechar el diezmo doblado era la pena impuesta a sus transgresores, si bien el perdón administrado en la Penitencia se reservaba al obispo; no era, por tanto, una cuestión menor. Tampoco las anteriores, pese a que sus correcciones no precisaban de absoluciones impartidas por las jerarquías; competían de lleno a la potestad de confesores con licencia.

Pero la obediencia debida requería de explicaciones. La Teología Moral, imperante en la formación barroca de los clérigos y los párrocos, y el avance de la casuística dominaban el espíritu de la normativa; por ello la exposición de los Mandamientos citados encontraba su lugar en Catecismos y Constituciones. Veámoslo.

El cumplimiento del precepto dominical requería de *"oír misa los tales días entera, desde que el sacerdote comienza hasta que toda se acabe, y no es menester oír las palabras que el sacerdote dice, baste asistir, no distrayéndose de propósito notablemente"*. Preocupaba la gravedad de la falta y del pecado, razón por la cual, a las intencionalidades del feligrés -*"no distrayéndose de propósito"*- se añadía el concepto de observancia en su globalidad:

"El que oyere la mayor parte de la misa, de manera que sea poco lo que le faltare, como si oye desde la epístola o deja de oírla, en acabando de consumir, cumplirá con el precepto, y no pecará mortalmente, mas pecará venialmente porque no la oye entera"[6].

Los preceptos pascuales especificaban el deber de confesión anual, en cuaresma, estando en peligro de muerte y al tiempo de la comunión; las características propias de un régimen demográfico de corte antiguo hacían necesaria su observancia a las parturientas. De otro lado, la comunión anual encauzaba la recepción del Sacramento en tiempo y lugar, en tanto que el necesario control parroquial requería del cumplimiento en la collación propia del feligrés:

"Se ha de saber que desde el Domingo de Ramos hasta el Domingo de Quasimodo (que es el primer domingo después de Pascua), el que en uno de estos quince días no comulgare, pecará mortalmente, si no fuere cuando el confesor le ordenare que dilate la comunión. Y ha de saber que esta comunión que está obligado por Pascua, ha de ser en su parroquia, y de mano de su cura, y si fuere de mano de otro ha de ser con su licencia"[7].

Los niveles de observancia solían ser amplios, tanto más en las comunidades pequeñas, donde maduraban celo y vigilancia. Los resortes ejecutivos

---

[6] *Ibidem.*
[7] *Ibidem*

eclesiásticos proporcionaban uno de los sistemas más eficaces para su control: la elaboración de *"padrones de confesión y comunión"*, tarea de los beneficiados con cura de almas, cuyas relaciones constituían libros en los que anotar la porción de la feligresía correspondiente a cada curato o parrochato. Su finalidad -la constatación de cumplidores e incumplidores del precepto- precisaba de indagaciones y recorridos: casa por casa, calle por calle, eran visitadas y anotadas las personas de cada collación en edad de *"discreción"* -en clara alusión al juicio necesario para la recepción de los sacramentos-, y su registro y anotaciones pertinentes demostraban el cuidado de los curas en comprobar componentes, familias, cambios y mudanzas. Confeccionados los padrones, la presentación de las correspondientes *"cédulas de confesión y comunión"* por parte de los parroquianos constituía la prueba de su cumplimiento, en tanto que la vigilancia se extremaba allí donde morasen forasteros o recién llegados.

Las señales anotadas en sus márgenes, diferentes normalmente según la personalidad de sus realizadores, venían a indicar la obediencia o la omisión del mandamiento eclesiástico. Como recogí en otro lugar[8], la cruz, simple o doble, y una o dos "C", según confesara, o confesara y comulgara, anotadas a la izquierda del nombre del feligrés, significaban el cumplimiento u omisión de ambas obligaciones o de una sola. Igualmente otras expresiones -*"dementado", "impedido", "pensador"*- aludían, por lo común, a consideraciones indicativas de incumplimiento del precepto.

El cuarto Mandamiento, el ayuno obligatorio a partir de los veintiún años, contemplaba, bajo pena de pecado mortal, un extenso número de días localizados en los tiempos de Cuaresma, pero no sólo en ellos. Las llamadas "vigilias de ayuno" y su inclusión en las cuatro "témporas" del año ampliaban considerablemente su observancia, razón por la cual la normativa eclesiástica incluía en sus Constituciones un catálogo específico al efecto.

Poseían vigilias de ayuno fiestas claves como la Natividad, la Pascua de Resurrección, la Ascensión, la Pascua de Pentecostés y El Corpus Christi, pero algunas de ellas incluían también, los dos días siguientes[9]. El ayuno se extendía a otras tantas fiestas de santos o advocaciones de vírgenes, a saber: la vigilia del apóstol san Matías, en 24 de febrero, las de San Juan Bautista y Santos Pedro y Pablo, en 24 y 29 de junio, la del apóstol Santiago, en 25 de julio, de San Lorenzo, en 10 de agosto, la Asunción de Nuestra Señora, en 15 de agosto, las vigilias de los apóstoles Mateo, Judas y Simón en 21 de septiembre y 28 de Octubre, respectivamente, la de Todos los Santos y de San Andrés, en 1 y 30 de noviembre; por último, la de Santo Tomás, el 21 de diciembre. Según quedó mencionado, el catálogo añadía la Cuaresma y las cuatro témporas del

---

[8] "Écija a fines del XVII: el control de una sociedad por la Iglesia del Antiguo Régimen", en *Actas del I Congreso sobre Historia de Écija*. Écija (Sevilla), 1989. Págs. 21-60. *Idem., El clero rural de Sevilla en el siglo XVIII*. Sevilla, 1994. Págs. 103 y ss.

[9] Así, los próximos a Resurrección, Ascensión y Pentecostés.

año, localizadas éstas los días siguientes al tercer domingo de adviento, primero de cuaresma, pentecostés y fiesta de la exaltación de la Cruz[10].

Ayunos y abstinencias. La prohibición de tomar ciertos alimentos en días específicos, esencialmente la Cuaresma, complicaba la observancia, tanto más cuanto que los productos vedados se extendían a determinadas combinaciones: no era sólo la carne, o el pescado, los huevos, la leche o el queso fresco, en fiestas señaladas, sino las uniones carne y pescado, por ejemplo, o el consumo de partes concretas de algunos animales, con sus excepciones. Como si de esbozos de naturalezas muertas se tratase, los detalles de la normativa permiten observar hábitos alimenticios, aun situándonos en la otra "orilla": la de las prohibiciones. He aquí un fragmento de los manjares "de grossura" permitidos y vedados en los sábados:

"Por costumbre inmemorial está introduzido y muy assentado en estos Reinos de la Corona de Castilla, que los sábados, que no fueren vigilias o días de ayuno, se pueda comer grossura, que es cabeças, pies i intestinos de los animales. I porque somos informados, que juntamente con esto se come parte de la carne, casi de la misma suerte i manera que en los demás días de la semana en que se pueden comer, en gran ofensa a Dios i escándalo del pueblo. Por ende, S.S.A. declaramos que los días de sábado (que no fueren vigilias, ni de ayuno), se puedan comer las cabeças de los animales, pies, manos i vientre i todos los intestinos; i de las aves, los pescuezos, alones i pies, con los demás intestinos, conforme a la costumbre inmemorial; pero mandamos, so pena de excomunión mayor, que no se coma parte ninguna del pescuezo, ni pestorejo, braçuelos, cola, solomo, ni tozino, gordo ni magro, porque estas cosas están prohibidas i en ninguna manera se pueden comer. I declaramos que aunque en los dichos días no se puede comer el tozino gordo (como está dicho) pero que se puede echar en la olla para guisarla, i darle sabor, como la dicha costumbre lo tiene introduzido, con que en el dicho día no se coma"[11].

Tantas reglamentaciones y prolijidad de detalles requerían de avisos continuados desde el púlpito. Consciente de su amplitud -y de su complejidad- la institución eclesiástica y las jerarquías previeron un recordatorio constante -y semanal- a la feligresía al ofertorio de la misa mayor de los domingos:

"Otrosí, porque el pueblo sepa los días que tiene obligación de guardar i de ayuno, mandamos a los curas se los notifiquen los domingos antes

---

[10] Según consta en *Constituciones Sinodales Hispalenses. Op. Cit.* Lib 1º, Tit."De feriis et observatione ieiuniorum". Las témporas añadidas al margen.

[11] *Constituciones Sinodales Hispalenses. Op. Cit.* Lib.1º. Tit."De feriis...". Cap. XX.

que caigan al tiempo del ofertorio…, amonestándoles asimismo observen los ayunos…"[12].

Labores, de nuevo, encomendadas a curas y beneficiados. En las escasas omisiones conocidas -esto es, denunciadas-, las faltas de observancia nacerían en las confusiones -fiestas, vigilias, ayunos, abstinencias- de los propios pastores y párrocos. En caso contrario -inobservancia de ayuno y abstinencia en días señalados-, la normativa preveía multas y penalizaciones económicas destinadas a la parroquia en sí y a la autoridad que lo delatase: entre seis reales y un ducado, dependiendo de autoridades y reincidencias.

Las excepciones nacían en la concesión de bulas y licencias, y éstas en casos precisos motivados por enfermedades, razón por la cual eran otorgadas previa autorización del "médico espiritual y corporal". Aun así, la necesidad de guardar las formas y la apariencia incluía en la normativa términos como "moderación", "recato" e incluso apariencia de "hastío" en su consumo:

> "I exortamos a los que comieren carne con licencia i necesidad en los dichos días vedados, la coman con mucha moderación y recato, sin dar nota ni mal exemplo (…) que ninguna persona… coma juntamente en una comida (en los días vedados) carne i pescado, aunque tenga licencia para comer carne, si no fuere la cantidad del pescado muy poca, i comiéndola con algún hastío i necesidad"[13].

Entre los Mandamientos de la Ley de Dios, la observancia de las fiestas -tercero de sus preceptos- recordaba a los feligreses la obligatoriedad de santificarlas. La actualización de la antigua ley -"acuérdate de santificar el día del sábado"- y su traslado al primer día de la semana, en recuerdo del de la Resurrección de Cristo -y de las interpretaciones bíblicas de la creación[14]- no habían alterado ni espíritu ni significado[15]. Si la celebración del sábado requería de la cesación de obras y trabajos, según las explicaciones del Éxodo[16], la santificación de las fiestas -domingo u otras- suponía la prohibición expresa de obras y trabajos serviles, respetando en ello la esencia de la ley antigua:

---

[12] *Ibidem.* Cap. III.

[13] *Constituciones Sinodales Hispalenses. Op. Cit.* Lib1°. Tit. "De feriis…". Caps. VIII y IX.

[14] Génesis, I, 3.

[15] *Catecismo Romano. Op. Cit.* Parte Tercera, capítulo IV, 7: *"…y dispusieron los apóstoles dedicar para el divino culto el que es el primero de entre aquellos siete días, al cual llamaron día del Señor (o sea, domingo). Y así San Juan hace mención del domingo en el Apocalipsis, y el Apóstol manda hacer colectas el primer día de la semana…".* Las referencias son al Apocalipsis, I, 10 y a la I Carta de San Pablo a Los Corintios, XVI, 2, así como a los Hechos de Los Apóstoles, XX, 7.

[16] *Exodo*, XX, 8 y 11.

"Los seis días trabajarás y harás todas tus labores. Mas el día séptimo es sábado o fiesta del Señor, Dios tuyo. Ningún trabajo harás en él, ni tu hijo, ni tu hija, ni tu criado, ni tu criada, ni tus bestias de carga, ni el forastero que habita dentro de tus puertas. Por cuanto en seis días hizo el Señor el cielo y la tierra, y el mar, y todas las cosas que hay en ellos, y descansó en el día séptimo, por esto bendijo el Señor el día del sábado y lo santificó"[17].

Pero la cesación en labores y trabajos se hallaba íntimamente unida a su dedicación al culto externo debido a Dios; de manera que, enlazando con el primero de los preceptos de la Iglesia, su inobservancia se agravaba si, por atender a cuestiones materiales -aquéllas que las Sinodales definían como *"las que se hacen para ganar de comer"*[18]- se descuidaba el objetivo principal, recogido en el Tridentino: la obligación que tenían todos los fieles de concurrir a su parroquia a oír en ella la palabra de Dios[19]; por tanto, difícil era entender el cumplimiento por separado de uno y otro precepto. Considerando ser los puntos básicos de encuentro y de adoctrinamiento -parroquia y fiestas de guardar-, resultaba comprensible la importancia otorgada a ambos mandamientos, tal y como recordaba el Catecismo Romano:

"Y compréndase cuánto importa a los fieles guardar este precepto, por el hecho de que, guardándolo exactamente, se hallan más dispuestos a cumplir los demás preceptos de la ley. Porque, como entre las demás cosas que deben hacer los fieles en los días festivos, tienen necesidad de acudir al templo, para oír la palabra de Dios, estando bien instruidos en los divinos preceptos, conseguirán también observar la Ley del Señor de todo corazón"[20].

Intereses que la institución eclesiástica habría de defender, con aliados. Aquí las sabidas colaboraciones barrocas del Altar y el Trono se materializaban en las conocidas exhortaciones al auxilio del brazo secular. No siempre era preciso. La práctica cotidiana de la normativa había creado una figura clave en delaciones, denuncias, correcciones y avisos: el "alguacil eclesiástico", conocido en algunos lugares como "alguacil de vara", personaje que el tiempo y las circunstancias habría de convertir en profesión -ella también- vigilada[21]:

---

[17] *Catecismo Romano para párrocos. Op. Cit.* Parte tercera, capítulo IV. Citas basadas en el Génesis II, 2, Exodo, XX, 8 y 11 y Deut. v, 12 a 15.

[18] Libro 1º. Título 1º.

[19] *Concilio de Trento.* Sess. XXIV. De reform. cap. IV.

[20] Parte Tercera. Cap. IV, 2.

[21] Junto a los médicos, parteras, maestros y taberneros. Sobre ello, CANDAU CHACÓN Mª L., *Iglesia y Sociedad en la Campiña Sevillana:la vicaría de Écija (1697-1723).* Sevilla, 1986.

"… Mandamos que para este effecto, en todos los lugares de nuestro arçobispado, se nombre un alguacil, i executor, que haga guardar las fiestas. I porque somos informados, que nuestros alguaziles se conciertan por un tanto con los que quebrantan las dichas fiestas, i les permiten por esto que trabajen; i aún lo que peor es, les dan licencia para ello, como si lo pudiessen hazer, con gran peligro de las almas de los unos i de los otros, i escándalo de todo el pueblo… I mandamos que de aquí adelante no lo hagan so pena de privación de oficio i excomunión mayor latae sententiae… i encargamos i mandamos a nuestros visitadores… se informen muy en particular de lo que los alguaziles en esto hizieren, i nos embíen relación dello, para que nos lo mandemos castigar"[22].

En los casos de inobservancia de éste, como de los restantes mandamientos, la jerarquía eclesiástica secular usaba de medidas coercitivas. La potestad temporal de la Iglesia, esto es la capacidad jurídica que le permitía castigar con penas temporales cuestiones de índole espiritual, a veces cuestionada en los llamados delitos de fuero mixto[23], no parecía discutida en asuntos tocantes a la práctica de estos mandamientos referidos al culto y a sus obligaciones consecuentes. De menos a más, las actuaciones de curas y párrocos preveían, en primer lugar, amonestaciones y avisos a omisos o refractarios. Siguiendo el espíritu de Trento, los pastores habrían de usar *"del rigor con mansedumbre, de la justicia con misericordia, y de la severidad con blandura"*, aplicando primero *"fomentos suaves a las enfermedades de sus ovejas, y proceder después, quando lo requiera la gravedad de la enfermedad a remedios más fuertes y violentos"*[24]. A tal fin, tras fracasar las correcciones fraternas, respondían las amonestaciones a los fieles en los ofertorios de las misas de mayor concurrencia, tarea en la que colaboraban los predicadores y regulares encargados de los sermones de Cuaresma. Acabado el plazo, los avisos desde el púlpito variaban de carácter, convirtiéndose en acusaciones particulares las amonestaciones que, hasta entonces, habían sido declamadas con carácter general[25]. He aquí las correspondientes a los incumplidores del precepto pascual:

" … y contra los que pasado el domingo de quasimodo se hallaren que no han cumplido con el precepto de la Iglesia, mandamos se proceda de esta manera, que declarando los curas en la misa, como fulano i fula-

---

[22] *Constituciones Sinodales Hispalenses. Op. Cit.* Libro 1º. Título "De feriis…". Cap. V.
[23] DOMÍNGUEZ ORTIZ A., *Las clases privilegiadas en la España del Antiguo Régimen.* Istmo. Madrid, 1973. Págs. 394 y ss. Referencias a estos conflictos en PÉREZ-PRENDES MUÑOZ-ARRACO J.M., "El Tribunal Eclesiástico (sobre el aforamiento y la estructura de la Curia Diocesana de Justicia", en MARTÍNEZ RUIZ E., y PI CORRALES M., (coords.)., *Instituciones… Op. Cit.,* Tº 1º., págs 143-171. *Idem.,* "El procedimiento inquisitorial. Esquema y significado", en *Inquisición y Conversos.* Toledo, 1994.
[24] *Concilio de Trento.* Sess. XIII. De Reform. cap. I.
[25] CANDAU CHACÓN Mª L., *El clero rural… Op. Cit.* Págs. 105 y ss.

no no han cumplido, se les amoneste caritativamente tres veces que lo hagan. La primera monición se haga en la segunda dominica; la segunda en la tercera; la tercera en la cuarta después de Pascua; i si llegada la quinta no uvieren obedecido, les declare en el mismo día por descomulgados i lo asienten en la tablilla..."[26].

Amonestaciones, multas -a comienzos del XVII de un ducado- y excomuniones. Lo que era, en teoría, considerado como el castigo mayor -"*nervio de la disciplina eclesiástica*", según Trento-, sería arma vulgarizada en la Modernidad, de frutos lejanos a los previstos. Su uso y abuso por nimiedades -de los que ya había prevenido el Concilio[27]- dejó sin efecto, pese al rigor de sus fórmulas, a censuras tan poderosas; de los contumaces había tratado el tridentino:

"El excomulgado empero, qualquiera que sea, si no se reduxere después de los monitorios legítimos, no sólo no se admita a los Sacramentos, comunión ni comunicación de los fieles, sino que, si ligado con las censuras, se mantuviese terco y sordo a ellas por un año, se pueda proceder contra él como sospechoso de herejía"[28].

Sin complicaciones tan temidas -Tribunales Inquisitoriales de por medio-, la Justicia eclesiástica contaba con otros caminos, asimismo ejemplares: sumarias, procesos y causas judiciales incoados por los ordinarios diocesanos contra detractores y omisos, una vez agotadas las posibilidades de conversión. Sus formas se ajustaban al sistema procesal, agilizado -proceso sumario frente al solemne- desde la gran reforma de Clemente V y los posteriores ajustes tridentinos[29]. A ellos me referiré a continuación.

2. DE OBSERVANCIAS E INCUMPLIMIENTOS: ACUSACIONES, CALUMNIAS, FUGAS Y CARCELERÍAS

Procesos judiciales y modelos de incumplimiento. Pese a las semejanzas -en esencia respuestas al ejercicio en sí de la jurisdicción eclesiástica, a su potestad, a la práctica de la justicia o a la protección de sus inmunidades-, los pecados/delitos aquí contenidos y las sumarias consiguientes reflejan, también en ellos[30], unos procedimientos judiciales, en mi opinión, arbitrarios. Así, usos

---

[26] *Constituciones Sinodales Hispalenses*. Lib. V. Título "De penitentiis et remissionibus". Cap. X.

[27] Sess. XXV. De reformat. cap. III.

[28] *Ibidem*.

[29] Especialmente los capítulos sobre la reforma de las sesiones XIII, XXIII, XXIV y XXV. Sobre la evolución del proceso canónico, vid. artículo citado de A. Benlloch Poveda.

[30] CANDAU CHACÓN Mª L., *Los delitos y las penas en el mundo eclesiástico sevillano del XVIII*. Sevilla, 1993.

y veredictos -justicia, al fin- podían diferenciarse; ello en función de considera-raciones personales de jueces, fiscales y provisores relacionadas con el reo y, hemos de suponer, con sus intencionalidades o propósitos de enmienda. Pero, al no constar siempre, documentalmente, tales mecanismos mentales de quienes poseían la capacidad y el poder de juzgar y, por ende, de absolver o condenar, sus silencios pudieran aparentar una personalización de las sentencias.

No sólo en su final. Bien que los mecanismos judiciales fuesen idénticos -desde la apertura de sumaria hasta la emisión de la sentencia-, las particularidades propias de la vida cotidiana, las historias, las relaciones, los trabajos o las excusas -al fin las personas y sus vidas- singularizan procesos y "justicias". Pero no los principios que las sustentan. Los delitos y sus penalizaciones, tanto como las personas y las instituciones con poder para juzgarlos, reflejan el sistema de valores imperante en la sociedad, de cuya defensa, aquí y ahora, se habría de encargar la Iglesia, con sus correspondientes ayudas seculares, no tanto en señal de favor o alianza, cuanto de colaboración ante un proyecto de convivencia y sociedad común, cuyos sistemas jurídicos tenían idénticos intereses en proteger.

Sin entrar en un recorrido de las formas judiciales sumariales[31], trataré de algunas cuestiones contenidas en ellas, que resumiré en los siguientes conceptos: **sobre el deber de delación, sobre las manifestaciones y diligencias de la jurisdicción eclesiástica, sobre los reos -defensas y confesiones-, sobre los tiempos de la justicia, y sobre su ejemplaridad**.

En cuanto al **deber de delación**, las protecciones previstas por la normativa demostraban, una vez más, la primacía otorgada por la Justicia Penal -y no sólo la diocesana- al capítulo de las vigilancias internas. Las facilidades otorgadas a delatores y denunciantes, y a sus informes, y los apremios a las conciencias convertían a vecinos y feligreses en auxilios eficaces de los planes disciplinares. Sin recurrir a las "personas de informe" -institución conocida en las parroquias de entonces-, la práctica de la convivencia de las comunidades pequeñas y la obediencia debida podían ser suficientes. Delaciones, por tanto, impulsadas en el deber y amparadas por el secreto: al no poder acceder a las informaciones sumarias, los acusados desconocían delatores, testigos y caminos de la acusación:

"...estatuimos y ordenamos que en las acusaciones de los delictos, nuestro Fiscal, i los Notarios de nuestros tribunales, i de las visitas, **no muestren a los tales acusados, por sí, ni por terceras personas, las dichas informaciones, ni les digan los nombres de los testigos**, so pena de privación de officio... i quando el tal acusado pidiere traslado de la información sumaria,... se les den sin el nombre de los testigos"[32].

---

[31] CANDAU CHACÓN Mª.L., *Los delitos y las penas... Op. Cit.* Págss. 33-87.
[32] *Constituciones Sinodales Hispalenses*. Lib. 2º. Tit. "De Iudiciis et Officio Ordinarii". Cap. XIII.

Ello no excluiría los temores de quienes, en la mayoría de las ocasiones se veían forzados a la acusación. En la Sumaria contra Domingo García y sus hijos, vecinos de la aldea de Campofrío, incoada en 1735, por *"quebrantador del primer mandamiento de la Santa Madre Iglesia"*, esto es, por no acudir a la misa dominical, el cura del lugar informaba del temor de los testigos:

> "...que algunos de los testigos que han depuesto lo han executado con temor de que el reo, o vecinos desta aldea sepan quién son i sus nombres; mas yo les aseguré que nadie sabría quién eran ni sus nombres para que no se odiase con ellos el reo, ni su familia, y así libre y voluntariamente declararon la verdad..."[33].

Deberes y secretos: como en las restantes jurisdicciones, al promover la protección de delatores, la Justicia Penal Diocesana cimentaría sus frutos en la indefensión del reo. Hasta siete testigos depusieron contra el citado quebrantador, en paradero desconocido al tiempo de la apertura de sumaria, demostrando conocimientos puntuales y directos, y reacciones que desvelan actitudes de obediencia asumida y consecuente identificación con los mandatos eclesiásticos y los preceptos post-tridentinos. He aquí la supuesta extrañeza de una joven ante la omisión del reo, extrañeza mantenida en posteriores interrogatorios y encuentros:

> "Dixo que conoce de vista, trato y comunicación común a Domingo García de la Copa y que sabe es vecino y parroquiano desta parroquial iglesia; y que vio y sabe que el susodicho no oió misa el domingo veinte y tres del presente mes de octubre, y que todo el tiempo que duró el decirse la misa mayor, que es la única que se dixo aquel día en dicha iglesia, respecto que no ai más que un cura en ella, estuvo dicho Domingo García, **sin hacer cossa alguna en un cercado**..., y que, habiendo visto oi, veinticuatro del corriente a Santiago García, hijo del dicho Domingo García, le preguntó si su padre estaba enfermo, y le respondió que su padre Domingo, gracias a Dios, estaba bueno y sano y no enfermo..."[34].

"Sin hacer cosa alguna en un cercado"; la aclaración no era vanal. La realización de ciertos oficios, aun serviles, bien que prohibidos, poseían, de ser urgentes o necesarios, la comprensión de las autoridades eclesiásticas; para ello la concesión de bulas y licencias, o los permisos de los confesores, permitían el oficio. Que no era vanal parecía evidente, habida cuenta que ésta y

---

[33] Carta del bachiller, D. Jerónimo López Infante, cura de la aldea de Campofrío, en la cabeza de proceso contra Domingo García, del barrio de la Copa. 1735. Sección Justicia. Serie Pleitos. Legº 197. Archivo General del Arzobispado de Sevilla, en adelante A.G.A.S.

[34] Declaración de María Vázquez en el proceso contra Domingo García. *Ibidem*.

otros tres declarantes en cuestión, vieron al acusado porque ellos mismos -dicen- no pudieron observar y cumplir con el precepto; pero tenían excusa: trabajo y licencia. Tres de ellos -jóvenes de diecisiete, trece y once años, respectivamente- pastoreaban cerdos, el cuarto ayudaba en una cerca de la iglesia. Oigamos algunos testimonios:

> "...y que esto lo vio y sabe porque dicha María Vázquez no oió dicho día missa por no poder dexar de guardar unos cerdos que pastoreaba en una guerta de su madre...";

> "... que sabe que el día ocho de septiembre, día de fiesta de guardar en el año passado de mil y setecientos y treinta y cuatro estuvo el susodicho antes de missa maior... aiudando a derribar una pared desta parroquial iglesia, que se derribaba, con dispensación que dio el cura... para alargar dicha iglesia, que tuvo noticia que dicho Domingo no oio missa dicho día..."[35].

Las precisiones de los testigos, detallando días y fechas -veintitrés de octubre, ocho de septiembre-, demostraban, de un lado, la consciencia del delito; de otro, su reincidencia; aún habría más: ante la apertura de causa y las instancias del cura de la aldea, algún declarante intentaría recordar las omisiones de, prácticamente, toda la vida del acusado:

> "...y que sabe muy bien que en el tiempo que la declarante ha vivido frente de las cassas de dicho Domingo García (que son treinta y siete años, poco más o menos), en cada un año se ha quedado sin oír missa algunos domingos y fiestas de guardar..., sin causa ni razón alguna, y estando sano y bueno de cuerpo; y que ha habido año, de los treinta y siete, desde que tuvo uso de razón la declarante, que sabe y le consta que en seis días domingos o fiestas, poco más o menos, se ha quedado sin oír missa el referido Domingo; y que en los demás años desde que la declarante tuvo uso de razón, hasta poco ha, no se acuerda quántos días abrán sido cada año de dichos treinta (que es el tiempo que ha que lo conoce), más sabe cierto que algunos domingos en cada un año, de dichos treinta, no la ha oído, sin causa ni motivo alguno..."[36].

Testimonios que reflejan que, pese a las distancias de las aldeas, los proyectos disciplinares eclesiásticos fructificaban: consideremos, empero, que habían transcurrido casi dos siglos desde la reunión del Concilio.

---

[35] Declaraciones de María Vázquez y Alonso Navarro del Cabezo. *Ibidem.*
[36] Declaración de Ana Domínguez, mujer de Alonso Vázquez. *Ibidem.*

Las declaraciones de vecinos y feligreses se convirtieron, según vemos, en pieza esencial en los planes de vigilancia y corrección diocesanas. Si la vecindad y las cercanías constituyeron caminos claves del conocimiento de faltas y delitos, los confesonarios las impulsaban; pero en cuestiones tan directamente relacionadas con las prácticas externas del culto, el deber de delación recaía, por fuerza, en las figuras instituidas a tal fin: el aguacil eclesiástico en las cuestiones de inobservancia de fiestas y el cura correspondiente en los asuntos de incumplimiento del precepto pascual.

Sin embargo, en las primeras, dependiendo del tipo de trabajos -y de sus consecuencias- las acusaciones podían ampliarse y, por ende, complicarse. Junto a delaciones protagonizadas por alguaciles en inobservancias tales como "*andar trabajando, echando estiércol en un haza de tierra en días festivos*" o "*hallar trasquilando públicamente un pellejo blanco*"[37], el quebrantamiento del precepto por parte de algunos polaineros y tenderos del barrio sevillano del Baratillo, sería cuestión denunciada, en 1766, por sus compañeros de oficio, y extendería la causa a otros tantos incumplidores que perjudicaban a los demás agremiados. Aquí las acusaciones serían interesadas y el proceso se dilataría por siete años, implicando a justicias civiles, arte y oficio de polaineros, zapateros y sayaleros, y jurisdicción eclesiástica. Independientemente de la cuestión moral o de la observancia y santificación de las fiestas, la pérdida de ganancias y los perjuicios alargaron la sumaria, promovieron reuniones del sector y despertaron un debate -peticiones al arzobispo incluidas- acerca de las posibilidades de ejercer el oficio en determinadas horas de los días festivos. Pero veamos acusadores y testigos:

"Que el domingo próximo pasado, que se contaba catorce del corriente, bien asegurado el testigo que en el sitio que llaman de los polaineros, las tiendas de ropas hechas que en ellas ai, están siempre abiertas y venden todo el año sin distinción de días, pasó el que depone a ellas... y vio que Piñuela, Serrano, Luque y Secundino vendían las ropas que les pedían desde sus respectivas tiendas...";

"...y el declarante ha visto que las tiendas de esta especie de ropas logran mayores ventas en los días más festivos y para ello tienen a los muchachos a las puertas llamando y metiendo dentro a los forasteros, sin distinción de días y sin darles cuidado alguno, aunque ven que otros cierran las puertas, y por esta razón vienen los forasteros y otros del pueblo, porque saben que dichas tiendas siempre están abiertas";

"... Dixo que, como tal mercader de lienzos que fue con tienda al sitio de los polaineros, en su tiempo y aún en el presente, siempre vio que

---

[37] Acusaciones contra seis criados y sirvientes de Don Felipe de Silva y contra Francisco Cabezas, maestro botero. Sección Justicia, Serie Pleitos. Leg°. 166. A.G.A.S.

las tiendas de estas ropas hechas celebran mayores ventas, tratan y contratan más en los días de riguroso precepto; en ellos toman medidas y cortan ropas a los forasteros y reciben y pagan otras hechas que les traen... Vende también en su tienda un mercader rico de lienzos, llamado Don Gaspar López; éste, en los días más solemnes, se pone a la puerta, detiene y llama a los marchantes, a quienes despachan en la trastienda los cajeros "[38].

En casos como éstos, las delaciones y denuncias iniciaban sumarias complejas, habida cuenta la relación existente entre observancia de fiestas y cumplimiento del precepto dominical, tanto más si, por guardar el oficio, se impedía una correcta asistencia al templo. Que los acusadores pretendieron extremar la gravedad del delito era evidente ante acusaciones extendidas a los trabajadores contratados, cajeros y aprendices:

"...y sabe el declarante, porque sus mismos cajeros lo publican, les hacen levantar aun antes del alba, y oyen misa y, si se detienen, les riñen ...";

"...y, por esto, oyen misa deprisa los cajeros al alba..."[39].

Delaciones interesadas. No así las nacidas del incumplimiento del precepto pascual. Aquí la ausencia de las correspondientes cédulas de confesión y comunión, a entregar por los feligreses al tiempo de la Pascua, iniciaba un camino de amonestaciones y avisos. Como primer celador, los beneficiados curados protagonizaban la apertura de expediente, anotaban a los inculpados en la tablilla de excomulgados, públicamente en los portones de los templos, y remitían a los Tribunales Diocesanos la lista de los refractarios. He aquí un ejemplo, referido a incumplidores de la collación sevillana de Santa Ana de Triana -barrio hispalense en donde encuentro mayor frecuencia de este tipo de procesos-, correspondiente a uno de los padrones del año de 1765:

"Digo que como se ajusta de la certificación que presento en la debida forma, dada por uno de los curas de la parroquial de Nuestra Señora Santa Ana de Triana, las personas que en ella se relacionan se hallan puestas en la tablilla de los excomulgados por no haber cumplido este año con el precepto anual de Nuestra Santa Madre Iglesia, y muchas de ellas en el pasado, y anteriores, con total abandono de la obligación de

---

[38] Declaraciones de Juan de Silva, Antonio Areces e Ildefonso de la Hera, en el proceso contra varios polaineros del barrio del Baratillo. 1766. Sección Justicia, Serie Pleitos. Leg° 53. A.G.A.S.

[39] Declaraciones del mercader Ildefonso de la Hera y del apreciador de muebles, Francisco Osuna. *Ibidem.*

cristianos y de sus conciencias, menospreciando las censuras en que han incurrido..."[40].

La querella contenía, como anunciaba, un listado de quince excomulgados -primaban solteros y viudos- remitidos por el cura más antiguo de Santa Ana, especificando hallarse expuestos *"en el sitio público acostumbrado"*, con especificación de estados y vecindades, estas ultimas para facilitar las labores de alguaciles y alcaldes:

"Pedro de Páez, casado, junto a San Jacinto, en el corral que llaman de Chaves;
Juan de Viña, soltero, en una taberna en el Altozano;
Simón el gallego, casado, en la callejuela de la pastelería, en el corral de la Trinidad;
María de Espinosa, que pasó a la tablilla, por no aver cumplido el año pasado, como éste, en la calle de San Juan, es viuda;
Juan el viudo; estaba en la antecedente, en tablillas por no aver cumplido el año pasado, ni en éste; en la calle del Duende, en el corral;
Juan del Toro, casado, en la calle de la cava nueva, corral de la Encarnación;
Joseph de Platos y Antonia Moguer, su mujer, con advertencia que el dicho Platos tampoco cumplió el pasado; en la cava nueva, junto al convento de religiosas mínimas;
Juan Hurtado, viudo, también se puso en las tablillas el año pasado, porque tampoco cumplió. En la calle de san Juan;
Antonio de Amaya, casado; en la calle de san Juan en el corral de Los Remedios;
Severino Suárez, soltero, junto a la cruz;
Francisco Aguilar, soltero, en la calle de Cadenas, en la casa que llaman de la Imagen;
Juan González, soltero en la calle de Carreteros, en el horno de los azulejos;
Pedro Blanco, viudo; no ha cumplido hasta cinco años; en la calle de la Cruz, en un corral;
Cristóbal Navarro, segun(do) año de no aver cumplido, en dicha calle del Corral".

Promovidas las sumarias, tras las delaciones y las declaraciones de los testigos de la acusación -innecesarias en los procesos contra incumplidores del precepto pascual-, los hitos claves del **ejercicio de la jurisdicción eclesiástica** se manifestaban en direcciones diversas en función de la gravedad del

---

[40] Querella del Fiscal General del Arzobispado en el proceso contra varios incumplidores del precepto pascual. Sevilla, 1765. Justicia, Pleitos. Leg°.53. A.G.A.S.

delito, y del nivel de reincidencia. Ante las omisiones en el cumplimiento del ayuno, del precepto dominical o en la observancia de las fiestas, las amonestaciones y avisos infructuosos culminaban con la imposición de multas que, en el XVIII, variaban entre los seis reales de vellón por omisión de ayuno o abstinencia, y un ducado por día de trabajo en fiestas de guardar y de precepto[41]. Las medidas eran castigos conocidos; en el proceso contra el ya citado Domingo García -Campofrío, 1735-, las declaraciones de los testigos las referían:

> "Y que sabe la que declara que por este pecado y culpa ha sido dicho Domingo García corregido muchas veces de mí, el cura desta aldea de Campofrío, y que en una ocasión lo fue del vicario de Aracena porque no oía missa; y que sabe mui bien han multado y llevádole dinero a dicho Domingo por faltar a oir missa los días de fiesta por mi orden y mandato"[42].

Serían, al fracasar tales medidas coercitivas y punitivas, cuando las formas de la jurisdicción eclesiástica iniciarían autos y diligencias principales; a saber: "secuestros de bienes y carcelerías". Los primeros repetían actuaciones comunes entre acusados y familiares: afirmaciones acerca de ser mínimas las pertenencias de los encausados y una pobreza, casi generalizada, de los procesados. Algunos enseres de ajuar y ropa doméstica, vieja y gastada, constituían la mayoría de sus propiedades, a veces sin embargar dada la categoría de las mismas; con una excepción: las prendas tomadas de los mercaderes mencionados del Baratillo.

Las segundas diligencias -las carcelerías-, encaminaban a los reos a las cárceles -los sótanos- del Palacio Arzobispal Hispalense, a sus humedades y a las enfermedades consecuentes, atestiguadas por certificados de cirujanos y médicos. Hacia allá marcharon los incumplidores del precepto, omisos y refractarios, una vez hallados: en la mayoría de las sumarias incoadas por este tipo de pecado/delito, los tiempos se alargaban en función de las diligencias de búsqueda de los acusados; y no sólo en capturas. En el proceso citado contra omisos de Triana -1765-, las diligencias efectuadas por alguaciles y notarios toparon con los nervios, la picaresca y el siempre presente *"mal de corazón"*; un ejemplo: el intento de apresamiento del matrimonio formado por Juan de Plata (o Platos) y Antonia Moguer. He aquí el relato de unos autos que se dilataron -sólo en la captura- desde agosto de 1765 hasta abril de 1766, el tiempo que las autoridades tardaron en poder apresarlos:

> "Que habiendo tenido noticia de que Juan de Plata y Antonia, su mujer, tenían su fija morada al sitio de la Cava Nueva, junto al horno de los leones...

---

[41] Seis reales había impuesto el cura de Villanueva de San Juan, Don Juan Sánchez Macero a sus feligreses, por creer qué habían desobedecido el mandato de ayuno el día de Santiago. Proceso contra idem, Osuna, 1711. Justicia, Pleitos. Legº 1137.

[42] Declaración de Ana Domínguez. Doc. cit. A.G.A.S.

y, habiéndoles traído presos, y entrado en el puente, le dio a la citada Antonia mal de corazón, tirándose en el suelo, del cual se le recogió por cinco veces, y en vista de lo cual y que no era dable el traerla a ésta a la cárcel del palacio arzobispal, dispuso el citado teniente, luego que se alivió, el que se retirase con dicho su marido a sus casas y, ante mí, le requiriró que en el día de mañana, catorce del presente, viniese en presencia de su señoría el señor provisor a darle razón de lo que se le preguntare..."[43].

Los accidentes se continuaron en los días siguientes -*"basta tres veces fuertemente, de suerte que no éramos bastantes para sujetarla"*-, razón por la cual se le destinaría su casa por cárcel.

Búsquedas, embargos y carcelerías. Las diligencias precisas al efecto requirieron, en no pocas ocasiones, de los auxilios seculares. Aquí Justicia civil y eclesiástica colaboraban.

Señalaré algunos ejemplos: el primero de ellos refiere las diligencias realizadas, motu propio, del alcalde de Campofrío en los asuntos citados de omisiones del precepto dominical; ante las sospechas de incumplimiento, iniciaría investigaciones al efecto, interrogando a vecinos y confirmando rumores:

"Y, habiéndose informado, le aseguró y dixo una hermana soltera de Juan de Lara... que, estando ella enferma de una pierna en casa de Blas Esteban, vecino desta aldea, cuya casa está en frente de la casa de dicho Domingo García, en el barrio de la Copa, vio que este dicho Domingo, mientras se dixo la missa y principalmente quando alzaron a Dios Nuestro Señor, se estuvo en el dicho barrio de la Copa sin oír missa, y también le aseguró por cierto todo lo dicho, Juan, hijo de Juan Mateo de Azabuchal..., el cual vio que dicho Domingo García no oió missa dicho día ocho de septiembre del treinta y cuatro, pues, estando enfermo actualmente, había empezado a oír missa dicho día y, habiéndole entrado calentura, se salió de la iglesia, a tiempo que ya estaba medio dicha la missa, y vio en el barrio... a dicho Domingo, bueno y sano, y mas vio... que un hijo de Domingo García, llamado Santiago, de edad de doce a catorce años, mientras se decía la missa, estaba en una guerta que está junto a la fuente... y que no oio missa el dicho Santiago dicho día, como tampoco su padre..."[44].

Averiguaciones y diligencias que se plasmarían un año después en la apertura de sumaria, en donde, como él, otro antiguo alcalde confirmaría las omisiones del encausado. Sus testimonios serían claves en la formación de cabeza de proceso.

[43] Diligencias de prisión de Juan de Plata y Antonia Moguer. Doc. cit. A.G.A.S.
[44] Declaración de Alonso Navarro del Cabezo, testigo quinto, *"que ha sido alcalde"*. Doc. cit. A.,G.A.S.

Un segundo ejemplo de encuentro de competencias partiría del asunto de los polaineros y de las denuncias consiguientes de los compañeros de oficio. Pero los roces no cuestionarían las parcelas de la jurisdicción eclesiástica -que al fin todos defendían la observancia- sino la autonomía gremial y la capacidad de las artes y oficios de imponer multas -hasta diez ducados- a quienes trabajasen en días festivos[45]. Reiterando ser asunto de exclusividad del cabildo, según recogerían las actas municipales del dieciocho de noviembre de 1772, el espíritu de los acuerdos respetaba las decisiones eclesiásticas: la prohibición de trabajar en días festivos y, no siendo de riguroso precepto[46], la posibilidad de tener las tiendas abiertas *"a media puerta"* durante ciertas horas, una vez celebrada la misa mayor de la Iglesia Catedral. La prohibición, que excluía las tiendas de comestibles o de artículos de primera necesidad, seguía a la letra los edictos arzobispales de 1753 y 1766.

Ejemplos de colaboraciones precisas y prácticas se demostraban a la hora de las diligencias de capturas de los acusados: rondas constituidas por autoridades eclesiásticas y auxilios seculares certificaban las operaciones de búsqueda, fuesen, o no, exitosas. He aquí una de ellas, que utilizaré como modelo: ante el mandato de prisión decretado desde palacio contra los omisos del precepto pascual el año de 1765, en el barrio de Triana, las diligencias fueron protagonizadas por *"Don Nicolás de Araujo, teniente de alguacil mayor de la dignidad arzobispal, asistido por el presente notario, auxiliado de Alonso de Andrade, cabo de vuelta y ronda de la jurisdicción real, con un criado del Justicia"*. Todos ellos pasaron a Triana *"solicitando y buscando a Juan Viña, nacional francés, contenido en el mandamiento... y no lo encontraron en ninguna de las tabernas de dicho barrio"*[47].

Denuncias y jurisdicciones. Hora es de conocer las posturas y argumentos de sus protagonistas. Las actitudes de los **reos -fugas, defensas y confesiones**- reflejan, en cualquier caso, salvo excepción, el conocimiento y aceptación de los valores vigentes, pese a las omisiones, en el fondo motivadas más por dejadez o apatía que por verdaderas posturas de rebeldía; en las situaciones de fuga, sería el temor al castigo, una vez iniciado el proceso, la base misma de su continuidad.

Para sus defensas, los reos usaban de argumentos lógicos y generalizados; en los asuntos de incumplimiento del precepto pascual, las confesiones y las súplicas hablaban de *"confusiones y calumnias"*. Confusiones por altera-

---

[45] Tal decisión había sido tomada por el conjunto del gremio de los polaineros, reunidos al efecto en la capilla del Baratillo de Nuestra Señora de la Piedad.

[46] Según edicto del cardenal de 2 de octubre de 1766, serían fiestas de riguroso precepto los primeros días de las tres pascuas de Navidad, Resurrección y Espíritu Santo y los días de la Epifanía, Ascensión, El Corpus, La Encarnación, la Asunción, Santos Pedro y Pablo, Santiago y Todos los Santos.

[47] Proceso contra varios omisos del precepto pascual. Triana, 1765. Justicia, Pleitos. Legº 53. A.G.A.S.

ción de domicilio y error en los apellidos argüía Juan Soler -también conocido como Juan Viña- desde las cárceles arzobispales, dos días después de su apresamiento, el 20 de marzo de 1766 y tras varios intentos de captura, iniciados en agosto de 1765:

> "Dice que el motivo de su prisión es atribuirle no haberse empadronado ni cumplido con los preceptos de Nuestra Santa Madre Iglesia en el año pasado, en el que se le supone no haber confesado ni comulgado; en lo que debe hacer presente que en dicho tiempo estaba el suplicante sirviendo en una taberna en el barrio de Triana, y en la ocasión del padrón, estaba el suplicante fuera della, y supo después cómo lo habían empadronado, pero con el supuesto apellido de Juan de Viña, cuya equivocación dio motivo a que el suplicante, cuando cumplió con la Iglesia, no llevó las cédulas a la parroquia. Y, habiendo venido a servir a la calle del Aire, donde él se halla actualmente y, habiéndose empadronado este año en presencia de varias personas, sacó las cédulas del año pasado que todavía conservaba en su poder, y después de haberlas manifestado, las rompió, contemplando en todo no cometer delito, pues siempre ha vivido temeroso de Dios y como fiel cristiano, observando cuanto manda Nuestra Santa Madre Iglesia, en cuya atención, y que está padeciendo, inocentemente, **nacido de la equivocación de su supuesto apellido**, suplica a V.S. se sirva mandarle soltura, pues, en caso necesario, está pronto a justificar cuanto se ha expresado, hasta con el mismo confesor que confesó en la ocasión referida..."[48].

Asimismo confusiones alegaría Nicolás de Coca -o de Lías-, también preso en julio de 1721[49], como confusiones -esta vez de parroquia- demostraron ser los motivos de apresamiento de Pedro Pelán, de *"nación extranjero"*, errores que él calificaría como *"calumnias"*, en su memorial remitido al Provisor General:

> "Pedro Pelán, de nación extranjero, puesto a los pies de V.Sª., con todo rendimiento y veneración, pido y suplico a la grandeza de Vuestra Señoría me favoresca, pues me hallo preso en esta cárcel harsobispal por calumnia que me han levantado de no aber cumplido con la Iglesia, siendo así pues en el tiempo que ize la diligencia de christiano me hallaba enfermo en el ospital del Amor de Dios..."[50].

---

[48] Memorial de Juan Soler. Doc. cit. A.G.A.S.
[49] Justicia, Pleitos. Leg° 166. A.G.A.S.
[50] Folios sueltos del Proceso contra Pedro Pelán. Sevilla, 1723. Justicia, Pleitos. Leg° 166. A.G.A.S.

Errores fáciles de entender ante la naturaleza foránea de los inculpados, condición que les hacía vulnerables, primero en las diligencias de empadronamiento -nadie parecía responder de ellos-, segundo en los apellidos; ellos se quejaban de algo más: un trato discriminatorio por parte de las autoridades eclesiásticas, que les hacían permanecer en prisión, pese a la comprobación - y la reiteración- del cumplimiento del precepto. ¿La razón?: el suponerles fortuna, imponiéndoles multas como condición de soltura; tal refería el irlandés Pedro Pelán:

" …y, reconosiendo que era de plaser para mi alma lo que me pedían, e hecho la diligencia en dicha cársel, de lo qual tengo sertificasión del padre capellán que nos dize missa en dicha cársel, y habiéndose hallado otros presos por la misma dependensia, les han puesto en libertad sin pagar más que el carselaje, y yo, por ser extranjero, me piden diez ducados para salir de dicha prisión, pues me dizen que V.Sª me echó dicha sentencia i e sabido que a V.Sª le 'an insinuado que tengo dinero, siendo supuesto, pues no ha más de cinco o seis semanas que salí de dicho ospital y me hallo en esta cársel, peresiendo de hambre, pues si los presos no me dan un poco de pan, no tengo con qué comprallo y, como dichos presos se hallan padesiendo, no me pueden auidar y estoi pasando mil nesedidades y, por tanto, me valgo de la grandesa de V.Sª, pues soi pobre sin tener más bienes que la ropa que tengo en el cuerpo…"[51].

Errores y acatamientos. Para salir de prisión todos los inculpados debieron volver a cumplir con la Iglesia, bien que en la documentación conservada consta, en los tres expedientes mencionados, certificado de haber observado las *"diligencias y deberes de cristianos"*.

La situación de "paradero desconocido", al tiempo de las diligencias, y la conservación de expedientes incompletos[52] impiden conocer la posición y defensa de bastantes inculpados por incumplimiento del precepto pascual o dominical. De algunos, la situación de fuga hablaba por ellos. Tal era la historia de un acusado sevillano, de quien ni siquiera constaba el nombre completo al comienzo de la sumaria -*"un hombre llamado Pablo Joseph"*-, cuyos únicos bienes hallados se limitaban a *"un colchón viejo y una almohada"*, y a quien ni los avisos de su propia esposa habían convencido del cumplimiento del precepto. Sus escasas pertenencias fueron embargadas, pero las diligencias de busca y captura fueron infructuosas, al menos al tiempo del proceso conservado: en, de nuevo, Triana, durante el verano de 1722[53].

---

[51] *Ibidem.*

[52] Cabeza de proceso contra Sebastián Marruecos, Joseph Antonio Noriega, Francisco Gómez y Pascual Gaspar Álvarez. 1765. Justicia, Pleitos. Leg° 53. Dos folios sueltos.

[53] Proceso contra *"un hombre llamado Pablo Joseph"*. Triana, 1722. Justicia, Pleitos. Leg° 166. A.G.A.S.

Ignoro la causa de la ausencia de la mayoría, siendo de vecindad conocida. En el proceso citado contra los quince refractarios de Triana -1765- los procedimientos se centraron en tres de ellos, en tanto que parecían olvidar los deberes y las prisiones -pese a existir mandamiento de carcelería contra todos- de los restantes. Obediencias seguidas y sentencias cumplidas no les eximirían de aparecer y constar en los expedientes. En los conocidos, la vuelta al redil, a los certificados y a las cédulas pondrían fin a sus carcelerías. En otros, el pago de multas y las costas del proceso alargarían el proceso y añadirían, antes del fin, nuevos escritos y alegaciones de pobreza de solemnidad.

Frente a las defensas individuales, las colectivas. En el asunto de los polaineros, luego extendido a sayaleros y zapateros, sus posturas alargaron, en cinco años, la sumaria comentada, continuando un debate que, a juzgar por la referencia a los edictos arzobispales de 1753 y 1766, permanecía sin resolver: acerca del carácter de los trabajos prohibidos en las fiestas de precepto. Aun después de ser condenados -multas que oscilaban entre uno y dos ducados por día trabajado-, los memoriales persistieron. Conocemos su final: el permiso de apertura en días de no riguroso precepto, a media puerta, en horas determinadas *"después de aver alzado en la Sancta Iglesia Cathedral desta ciudad"*[54]. Pero veamos sus argumentos y sus consideraciones en torno al carácter de los oficios serviles:

" que son de otra distinta clase, como son el carpintero, albañil y otros a este tenor, en que se requiere trabajo personal, usando en él de herramientas…, pero el vender en las tiendas que llegan a personas forasteras, o a los hortelanos de las huertas, que sólo en tales días se les permite holgar, o venir a vestirse a casa de sus huéspedas, sin poder dejar sus ministerios en ningún día de trabajo…, como tanmbién los ganaderos que vienen en los días festivos a buscar tratos y les precisa volverse con sus ganados…, a todos éstos es preciso atenderles, y no puede haber reparos que a éstos, en tales días…, se les venda, porque si sólo en el día de trabajo pudieran comprar…, perderían su trabajo como el jornalero su jornal…"[55].

Consideraré ahora los **tiempos de la justicia**. Los ritmos y tiempos de la justicia eclesiástica eran lentos, no tanto por las tardanzas en las aperturas de causa o admisiones de querella -que en ello incidía la distancia de los lugares de origen de los encausados, con las consecuentes tardanzas en la remisión de los expedientes-, cuanto por las diligencias de búsqueda y captura. Las averiguaciones de domicilio y las rondas solían espaciarse, de forma que, entre

---

[54] Sentencia de 15 de junio de 1773. Doc. cit. A.G.A.S.
[55] Defensa y memorial de los polaineros. Doc. cit. A.G.A.S.

fracaso y fracaso, pasaban los días. Los procedimientos empleados en el caso de los omisos de Triana no incluyeron más de una diligencia de captura cada dos meses, por término medio, y los trabajos de alguaciles y justicias se dilataron: para apresar al matrimonio formado por Juan de Plata y Antonia Moguer, se precisaron casi nueve meses, pero en ellos, desde el auto de prisión, declarado en 30 de julio de 1765 hasta el encarcelamiento del marido, efectuado el 16 de abril de 1766, no se hicieron más de cinco rondas, esparcidas como sigue: 9 de agosto, 3 de septiembre y 7 de octubre de 1765, y 23 de marzo y 16 de abril de 1766. Una vez preso -ella en su casa por cárcel- los tiempos se acortaron: en sólo tres días tuvieron sentencia: absolución "ad cautelam", una vez comprobada la nueva observancia del precepto, y el pago de las costas que ascendieron a 205 reales de vellón y 24 maravedís, especificándose una distribución que refleja claramente cargas y procedimientos[56].

En tanto que los tiempos eran lentos, **las sentencias**, según vemos, no tardaban en dictarse. Una vez producidas, las solturas, caso de haber auto de prisión, dependían del cumplimiento de las penas -aquí multas y costas- por parte de los condenados; señalaré que, en los procesos analizados, ninguno de los encausados resultó ser absuelto. La presentación de sus anteriores certificados o la realización de otros nuevos por parte de los capellanes, curas y confesores que garantizaban su observancia al tiempo de la Pascua no les eximiría de la "cautela" y de las costas del proceso.

En los capítulos de observancias de las fiestas, los tiempos podían dilatarse -polaineros, 1766-1773-, pero no existían carcelerías, y los casos restantes se resolvieron con el pago de unas multas cuya tasación variaba, sin parecer tener en consideración inflaciones ni tiempos, más bien reincidencias; a Francisco Cabezas, procesado en 1722, por inobservancia de fiestas, se le multó con cuatro ducados, por ser reincidente, y a don Felipe de Silva, cuatro años más tarde, por mandar a seis de sus sirvientes a trabajar en día festivo, en dos ducados y las costas[57]. Cuarenta años después, los roperos del Baratillo fueron multados en dos ducados o embargados con prendas de valor equivalente.

Pero el objetivo de las sentencias traspasaba el mundo de las penalizaciones y las multas: cada sumaria en sí no era sino un pequeño eslabón en el amplio proyecto de la ejemplaridad.

---

[56] Fueron distribuidos del siguiente modo: 52 reales, 16 mrs. al alguacil, 46 a los ministros reales, 42 al notario, 35 a los criados de la Justicia, 2 al cura, 6 al fiscal, 2 al relator y 1r.16 mrs. al provisor.

[57] Docs. cits.

3. RECAPITULACIÓN: DE LA EJEMPLARIDAD.

Como en las restantes jurisdicciones, los procesos penales eclesiásticos incoados por los tribunales diocesanos perseguían formas y sentencias ejemplares. Como recogí en otro lugar[58], independientemente de los castigos, de las fugas -o precisamente en ellas-, las pretensiones judiciales eclesiásticas alcanzaban regularmente sus objetivos: la inculcación progresiva del respeto a la normativa y el temor a las instituciones. Desde los secuestros de bienes, a las rondas de captura y las carcelerías, hasta los efectos del castigo mayor -la excomunión-, el mundo que rodeaba al ejercicio de la justicia eclesiástica se bastaba sin necesidades de penalizaciones severas. Ya lo eran los miedos generados, las estancias en prisión y sus penalidades, las angustias vividas, aquellos reales o fingidos *"males del corazón"*, y el descrédito -*las calumnias*- consecuentes. Ya lo eran las cédulas que por escrito atestiguaban del cumplimiento del precepto, la desconfianza de la vecindad, recogida en sus testimonios y en sus actitudes de sospecha y vigilancia. Lo era el deber de delación, como las obediencias debidas; y lo era en mucha mayor medida que los procesos conservados. El memorial de Pedro Pelán, remitido desde la cárcel arzobispal, en junio de 1723, refería la existencia de *"otros presos por la misma dependencia"*: personajes silenciados por el tiempo que pudieran ser agregados aquí.

[58] Los delitos y las penas en el mundo eclesiástico sevillano del XVIII. Sevilla, 1994. Págs. 362 y ss.

Los Mundos Devotos
en la Huelva del Antiguo Régimen:
Perfiles y Contextos

Manuel José de Lara Ródenas
Universidad de Huelva

Resulta difícil adentrarse en el mundo de las devociones personales con la intención de ir algo más allá de lo evidente. Es indudable que el mundo devoto fue un *collage* compuesto, fundamentalmente, de santos canonizados o sin canonizar, de vírgenes y nazarenos que pasaron de mano en mano en láminas y estampas, colgaron de las paredes de las alcobas y sostuvieron frente a las complejidades de la vida un discurso sencillo y consolador: una religiosidad directa y sin grandes problemas morales, que apiñó referencias emotivas por salvar su horror al abismo teológico.

Pero el modo en que se resolvió sentimentalmente esta religiosidad moderna es complicado de reconstruir respecto a vivencias y convicciones individuales. Por lo general, perdemos de vista las raíces personales de la vinculación religiosa en cuanto éstas se adentraron en las hondonadas silenciosas de lo íntimo, aunque también es cierto que, en el exterior, solieron adoptar formas muy poco originales. Normalmente, la religiosidad tomó cauces colectivos tan pronto como salió a superficie y se objetivizó, disolviéndose la mayor parte de las aspiraciones personales en un conjunto de formas previstas que hicieron del sentimiento religioso, en suma, una emoción más social que individual.

Salvo en el caso de la mística, cuyo camino directo a Dios anulaba los fundamentos comunitarios de la Iglesia, ésta se asentó necesariamente sobre su papel de intercesora e intérprete de lo divino, semejante en la tierra al que en el cielo llevaban a cabo la Virgen y la corte de santos y ángeles. No es extraño, pues, que los movimientos de exaltación religiosa más intensos y masivos de toda la Edad Moderna tuvieran que ver con la Virgen y los santos antes que con el mismo Cristo. De hecho, de todos estos movimientos de religiosidad exaltada, el más curioso por sus contenidos, su extensión social e incluso por la violencia de sus formas y prácticas fue naturalmente el del concepcionismo.

La Historia era antigua. Por la devoción de su vecino Cristóbal Dorantes, la villa de Huelva contó con una parroquia dedicada a la Concepción desde 1515 (una de las primeras de tal dedicación), y con un hospital con el mismo título -luego de la Caridad- desde 1522. En 1521, ya el convento de clarisas de Cumbres Mayores se había fundado bajo el mismo nombre, y, andando el tiempo, surgirían en la actual provincia de Huelva otros establecimientos religiosos con similar dedicación: las parroquias de Alcalá de la Alameda, Castillejos, Corteconcepción, Cumbres Mayores, Galaroza y Zufre, los conventos de carmelitas de San Juan del Puerto (1529) y Paterna (1537) o el de clarisas de Ayamonte, éste ya en 1639. Tales titulaciones concepcionistas, junto con la implantación franciscana de Moguer, Bollullos, Palos, Escacena, Lepe, Ayamonte y Huelva (amén de las clarisas de Moguer, Cumbres Mayores y Ayamonte) sirvieron de punto de referencia para un inmaculadismo militante que, de todos modos, concentraría en los primeros años del siglo XVII su mejor época.

En efecto, arrastrados por la querella concepcionista sevillana -particularmente intensa desde 1615-, prácticamente todas las poblaciones onubenses quedaron inmersas en el fragor de la disputa teológica, que alcanzaba a ojos vista una inusitada dimensión popular. La difusión de la devoción a la Inmaculada parece rápida y fácil desde esas fechas, aunque en localidades colonizadas por los dominicos, como Aracena, el debate religioso terminó derivando en batalla campal. En verdad, la villa de Aracena era -como Niebla, Lepe, Gibraleón, Rociana y, después, Almonte- lugar de asentamiento privilegiado para religiosos dominicos, que ejercían tranquilo dominio sobre la devoción local mediante una Virgen del Rosario que el cronista José Gutiérrez Marmonje definía como "la imagen más peregrina y devota, sin que se haya visto ser más puro; debo decir que, de no ocultarla las montañas de la sierra, en toda España ninguna merecería más atención"[1]. El encontronazo de la Virgen del Rosario con la de la Concepción, defendida localmente por los carmelitas, no tenía por qué ser más grave en Aracena que en Lepe, en cuyo término cohabitaban franciscanos y dominicos, pero sí resultó a la postre más ruidoso. En 1616, mientras una delegación española debatía en Roma sobre el asunto, ya en la Sierra onubense -según contaría el propio Gutiérrez Marmonje- se había llegado a los desórdenes callejeros:

"Cuando se trataba en Roma se decidiese este punto, se estaba formando en el Consejo causa sobre las discusiones, alborotos y escándalos que habían producido los contrarios de este misterio, a instancia de varios pueblos, entre los cuales Aracena aducía la acusación de las

---

[1] GUTIÉRREZ MARMONJE, José: *Antigüedad y Estado de Aracena*, 1782. Copia manuscrita de Manuel Fuentes y Escobar, de 1868.

varias pedradas que habían recibido los que cantaban públicamente las coplas de la Concepción, y que los dominicos andaban vestidos de armas ofensivas por las calles sin que pudiesen aquietarlos"[2].

Insuficientes serían esas armas para que los dominicos pudiesen resistir la invasión concepcionista. En 1617, recién emitido el breve pontificio en que se prohibía combatir el misterio de la Inmaculada, el Cabildo de Aracena decidía obligarse a creerlo y defenderlo, en voto solemne, en nombre de toda la vecindad. Era un voto muy temprano. Comúnmente, los compromisos de las demás localidades onubenses se retrasaron un poco más en el tiempo, no siendo hasta 1653 cuando tuvieron lugar, entre otros, los de las villas de Almonte y Huelva. El 21 de septiembre de ese año pronunció el suyo el Ayuntamiento de Huelva, aunque ya desde 1646 el Duque de Medina Sidonia había colocado un triunfo de la Inmaculada en la plaza de la Merced[3]. En la introducción al texto del voto, el propio Cabildo onubense hacía unas cuantas consideraciones:

"Aviendo entrado el mes de septiembre de mil y seisçientos y çinquenta y tres años, y con él en esta muy noble y muy leal villa de Huelva un fervor general en todos sus veçinos de çelebrar el misterio de la Inmaculada Conçepçión de la Soberana Virgen María, Nuestra Señora, devoçión mui propria de Huelva, en que ninguna otra a sido inferior, y superior a muchas, como an hecho notorio al mundo las demostraçiones en la defensa y çelebridad de este misterio, erigiéndole templo, y aviéndose començado en la corte de España la nueba piedad y devoçión con que la Majestad Católica del Rei, nuestro señor, Don Felipe Quarto el Grande, que Dios guarde, y las sagradas órdenes militares an jurado solemnemente de sentir y defender este misterio, no quiso Huelva detener más los impulsos que sentía a solemniçar la pureça de la Conçepçión de la Reina de los Ángeles desde el instante primero de su ser con esta religiossa acçión y nuebo culto de juramentarse a su defensa y obligarse a sentirlo aun antes que la Yglesia obligasse a ello, crédito grande del misterio y de la fineça de la devoçión que çelebra"[4].

---

[2] GUTIÉRREZ MARMONJE, J.: *Op. cit.*

[3] HERNÁNDEZ DÍAZ, José: "Aportaciones para la historia artística de Huelva". *Rábida*, enero de 1929, Huelva, p. 7.

[4] "Forma del juramento que haçe la mui noble y siempre leal villa de Huelva en el convento de Nuestra Señora de la Mersed Descalsa, Redenpción de Captibos de dicha villa, de afirmar, creer y defender el misterio de la Conçepçión Purísima de María Santíssima, Nuestra Señora". Texto del voto concepcionista de Huelva, fechado a 21-9-1653 e inserto en el tomo de actas capitulares tras el acuerdo de 13-9-1653. Archivo Municipal de Huelva (A.M.H.), Secretaría, leg. 8, fol. 222 r.

Ya para entonces había pinturas de la Inmaculada en todos los Cabildos del Condado de Niebla[5] y los cargos municipales estaban obligados a prestar juramento de defender "en público y en secreto que la Virgen Santa María, Nuestra Señora, fue concebida sin pecado original en el primero instante de su santísimo ser". En adelante, no faltaría cofradía y fiesta anual de la Concepción en ninguna localidad, celebrándose de forma multitudinaria los paulatinos avances registrados en el reconocimiento del misterio por parte de la sede papal o el nombramiento de la Inmaculada, en 1760, como patrona de los Reinos de España.

Pese al ardiente revuelo suscitado por el concepcionismo y su triunfo oficial en la querella, no puede decirse que su introducción en las formas de la devoción popular fuese tan profunda ni, por supuesto, tan avasalladora. De momento, tanto por nuestras propias investigaciones como por las de González Cruz nos consta la extraordinaria frialdad de los testamentos onubenses de los siglos XVII y XVIII ante el misterio de la Concepción. El fenómeno es llamativo: en la protestación de fe que el testamento recoge en el conjunto de sus cláusulas piadosas, ni un solo otorgante de los cuatro mil analizados en la Huelva de esos doscientos años declara explícitamente creer en el misterio concepcionista, mientras que prácticamente todos lo hacen respecto del de la Santísima Trinidad (99,7% en la segunda mitad del XVII y 98,8% en la primera del XVIII) y alguno -aunque muy aislado- respecto al de la Encarnación (0,1% en ambos períodos)[6].

Si examinamos los testamentos de Gibraleón, Moguer y Niebla en unas fechas intermedias como 1695-1699, los resultados son similares. Hay que acudir a las cláusulas testamentarias de petición de intercesión celestial -que aluden casi exclusivamente a la intermediación de la Virgen- para encontrar formulado el misterio de la Concepción, aunque no con la regularidad que sería esperable. Curiosamente, en esta cláusula sí aparecen variaciones respecto al marco local en que el testamento está otorgado: si en una población como Moguer, colonizada en exclusiva por los franciscanos, el 99,3% de los testadores que solicitan intercesión ante Dios a fines del XVII dicen creer en la Inmaculada Concepción de la Virgen, en Gibraleón y Niebla -localidades de asentamiento dominico- las cifras son muy distintas. En Gibraleón, donde

---

[5] Referencia contenida en la provisión, fechada en Valladolid a 20-9-1654, por la que el Duque de Medina Sidonia Don Gaspar Alonso Pérez de Guzmán nombra al pintor de Huelva Juan Fernández Pinto alguacil mayor del Santísimo Sacramento, en recompensa por "renovar las pinturas de Nuestra Señora de la Consepción que están en las cassas del Cavildo en los lugares [de] mi condado". Inserta en acta capitular de Huelva de 25-11-1654. A.M.H., Secretaría, leg. 8, fol. 196 v.

[6] LARA RÓDENAS, Manuel José de: *Contrarreforma y bien morir. El discurso y la costumbre de la muerte en la Huelva del Barroco*. Diputación Provincial de Huelva, Huelva, en prensa, y GONZÁLEZ CRUZ, David: *Religiosidad y ritual de la muerte en la Huelva del Siglo de la Ilustración*. Diputación Provincial de Huelva, Huelva, 1993, p. 163.

tenían su sede dos conventos dominicos y uno carmelita, sólo el 8,9% defiende que la Virgen fue concebida sin pecado original; en Niebla, donde sólo existía un convento dominico, nadie lo declara[7].

Pese a lo notorio de estas diferencias, no son las cláusulas piadosas de los testamentos los mejores índices para medir las transformaciones de la sensibilidad devota. Por su naturaleza notarial, el testamento arrastró en su formulario demasiadas inercias como para confiar en su transparencia como transmisor de estas vibraciones de la religiosidad. Normalmente, las fórmulas de fe reprodujeron las consignadas en los manuales de escribanos al uso y hoy nadie duda de que, lejos de representar al individuo que las suscribe, reflejan un cuerpo de doctrina codificado socialmente y que va evolucionando con lentitud y con retraso. Aunque ese hecho no anula su validez para el análisis histórico, pues al fin y al cabo es la propia sociedad la que se reconoce en esos códigos y discursos consolidados, parecen más interesantes para estudiar la intensidad y extensión de las distintas devociones los datos pertenecientes a las misas encargadas por esos testadores.

Llama la atención, inicialmente, la escasísima media por otorgante que presentan las misas celebradas por las devociones particulares, sorprendiendo aún más un cierto retroceso numérico que, desde 1665, parece estar relacionado con una pérdida de referentes devotos por parte del testador. Esa pérdida de abigarramiento celestial en la concepción religiosa de la sociedad onubense fue prolongada y se aceleró incluso una vez entrado el siglo XVIII, y las últimas voluntades no son reacias a demostrarlo. Para la Huelva del siglo XVII, las 3.776 misas de devoción que hemos registrado en los testamentos suponen una media de 1,9 sufragios por testador, mientras que, para el siglo XVIII, las 319 misas devotas que únicamente encontró González Cruz arrojan una media de 0,2[8]. El descenso, en números absolutos, resulta abrumador y también lo parece en cifras relativas: los testadores onubenses del siglo XVIII solicitan casi diez veces (9,5) menos misas de devoción que los del XVII, en tanto que multiplican por 1,6 las misas por su alma[9].

Las misas de devoción, pese a todo, sólo suponen el 2,6% del total de sufragios registrados en los testamentos onubenses del XVII y no es eso lo que cabía esperar de un individuo que la literatura nos ha retratado rodeado de tantos santos taumaturgos e intercesores: "ciento y tantos abogados suyos" dice Quevedo que tenía el ama de Pablos en Alcalá[10], mientras que las criadas del ama de *La niña de los embustes* se dilataban en devociones "por el calendario adelante: a San Dionisio, ayunaban por el dolor de la cabeza; a

[7] LARA RÓDENAS, M. J. de: *Op. cit.*

[8] *Vid.* GONZÁLEZ CRUZ, D.: *Op. cit.*, pp. 566 y ss.

[9] *Vid.* GONZÁLEZ CRUZ, D.: *Prácticas religiosas y mentalidad social en la Huelva del siglo XVIII*. Tesis doctoral mecanografiada. Universidad de Sevilla, 1992, p. 739.

[10] QUEVEDO Y VILLEGAS, Francisco de: *Historia de la vida del Buscón, llamado don Pablos, ejemplo de vagamundos y espejo de tacaños*, 1626. Ed. de Aguilar, Madrid, 1986, p. 339.

Santa Lucía, por la vista; a Santa Polonia, por las muelas; a San Blas, por la garganta; a San Gregorio, por el dolor de estómago; a San Erasmo, por el de vientre; a San Adrián, por las piernas; a San Antonio Abad, por el fuego; a San ·Vicente, mártir, por las fiebres; a San Antonio de Padua, por las cosas perdidas; a San Nicolás, obispo, por remediador de doncellas, y, finalmente, a San Crispín, por la duración de su calzado"[11]. Hubo testadores, no obstante, que sí siguieron el modelo. En 1657, Doña Dorotea Manuela dedicó "a el ángel San Miguel, a San Juan Bautista, a la Santa Crus, a San Felipe, a Santa Dorotea, a Santa Jertrudes, a Santa Teresa de Jesús, a Santa María Jesíaca, a Santa Juana, a Santa María Madalena, a señora Santa Ana, a lo Apóstoles San Pedro y San Pablo, a el glorioso San Francisco una misa [a] cada uno de los santos referidos, resada", además de "una misa cantada a señor San Diego"[12]; en 1675, el Ldo. Francisco González de Paula recorría más detalladamente aún el santoral:

> "Es mi voluntad se digan una missa a cada santo de los siguientes: a la Santíssima Trinidad, de la Passión de mi Señor Jesuchristo, al Espíritu Santo, diez en las festividades de Nuestra Señora con la de los Siete Dolores, tres a la invençión, exsaltaçión y triunpho de la Santa Cruz, a los Santos Ángeles Custodios, al gloriosso Arcángel San Miguel, al señor San Joseph, a señora Santa Ana, al glorioso apóstol San Pedro, y al vaso de elecçión San Pablo, a señor San Juan Baptista y al señor San Juan Evangelista, al mártir San Lorenso, al angélico doctor Santo Thomás, a San Eleázaro mártir, a San Francisco de Sales, al señor San Blas, a Santa Leocadia, a Santa Catalina mártir, a Santa Dorotea, a Santa Matildis, a Santa Lucía, a Santa Apolonia, las quales missas se servirán deçir los señores clérigos por mi deboçión y a los tres santos patriarcas Francisco de Assís, Francisco de Paula y Pedro Nolasco dirán sus religiossos en sus conventos"[13].

Haciendo cuentas, de todas las misas de devoción solicitadas por los testadores onubenses, la mayor parte va dedicada a los santos (52,9%) y a la Virgen (34,8%), en tanto que Cristo sólo recibe un escaso 9,7% y otras personas y elementos teológicos (entre los cuales están el propio Dios Padre y el Espíritu Santo) un residual 2,6%. Realmente, es casi el mismo reparto que presenta en conjunto la iconografía barroca, tal como la hemos examinado en Huelva: sin ir más lejos, de los 1.135 cuadros y láminas que declaran poseer

[11] CASTILLO SOLÓRZANO, Alonso de: *La niña de los embustes. Teresa de Manzanares, natural de Madrid*, 1632. Ed. de Aguilar, Madrid, 1986, p. 354.

[12] Testamento de Doña Dorotea Manuela, otorgado en Huelva el 7-5-1657 ante Francisco López Machado. Archivo Histórico Provincial de Huelva (A.H.P.H.), Protocolos Notariales de Huelva (P.N.H.), leg. 370, fol. 94.

[13] Testamento cerrado del Ldo. Francisco González de Paula, otorgado en Huelva el 19-11-1675 y abierto el 23-12-1676 ante Diego Díaz. A.H.P.H., P.N.H., leg. 656, fol. 461.

los testadores onubenses en el siglo XVII, nos consta la temática de 199, de los cuales el 48,2% dibujan a los santos, el 27,2% a la Virgen y el 24,6% a Cristo. El escalonamiento de esta jerarquía era previsible y, en el fondo, no resulta ajeno al propio significado de la religiosidad, que funcionó precisamente como un sistema de ideas y creencias interpuesto como un puente entre Dios y los hombres.

Aun así, hay movimiento en este reparto global de misas, fundamentalmente porque, a lo largo del siglo, los santos van cediendo en favor de la Virgen. El proceso es lento, pero entre 1650 y 1699 parece continuo: si en 1650-1674 el predominio de los santos sobre la Virgen es de un 58,5% sobre un 32,5%, ya en 1675-1699 es sólo de un 47,4% sobre un 41,8%. A fines de siglo, la Virgen, con el 53,3% del total, encabezará el destino de las misas testamentarias de devoción. La religiosidad colectiva, a vista de pájaro, semeja ir comenzando a alterar sus referentes y protagonistas, y la tendencia no es aislada. La segunda mitad del siglo XVII es un momento de expansión del culto mariano en el entorno y la fundación tras la peste de 1649-1651 de poderosas hermandades dedicadas a la Virgen y el desarrollo de nuevos patronazgos locales parecen confirmarlo: entre 1648 y 1703 se fundan, por ejemplo, hermandades marianas tan características y potentes de la actual provincia de Huelva como la de la Virgen del Rocío de Almonte (1648), Virgen de la Bella de Lepe (1666), Virgen de las Virtudes de Paterna (1670), Virgen de las Mercedes de Bollullos (1671) o Virgen de la Coronada de Calañas (1703).

Analizando las 1.311 misas dedicadas a las imágenes y devociones marianas que consignaron los testadores onubenses, resulta que es la Virgen del Rosario la que concentra la mayor parte de ellas (20,1%), seguida por la Virgen de la Soledad (18,4%) y la de la Concepción (17,3%), encontrándose ya a distancia la Virgen de la Cinta (7,4%), la de la Merced (6,2%) y la de los Reyes (5,7%) y quedando por debajo otras 29 vírgenes. Para el siglo XVIII, según datos aportados por González Cruz, las cosas variarían en algo, aunque las cifras no resultan tan significativas por cuanto el número total de sufragios solicitados descendió abruptamente: en las 138 misas de dedicación mariana por él anotadas, la Virgen de la Consolación -por la devoción a la imagen de Utrera más que a la de Cartaya- ha saltado al primer lugar (15,9%), siendo seguida por la Virgen de la Cinta (15,2%), la de la Concepción (10,1%), la de la Bella (8,7%) y la del Rosario (8,0%)[14].

Es fácil apreciar que el reparto de devociones solía seguir de cerca la oferta de la imaginería local y -en segundo término- comarcal, sin que aparezcan demasiadas alusiones a advocaciones y misterios sin plasmación iconográfica cercana. En el Moguer de finales del XVII y principios del XVIII, que hemos estudiado en colaboración con González Cruz, es la Virgen de Montemayor la gran acaparadora de misas marianas consignadas en los testa-

---

[14] Vid. GONZÁLEZ CRUZ, D.: *Religiosidad y ritual...*, p. 567.

mentos, con el 41,2% del total, siguiéndole muy de lejos la Virgen del Rosario (14,1%), la de la Soledad (9,3%), la del Carmen (7,6%) y la de Guía (4,9%)[15]. Estas aproximaciones a la devoción mariana onubense, con ser muy fragmentarias, nos dibujan un panorama que contrasta, desde luego, con algunos lugares comunes arraigados hoy.

Grandes devociones marianas como la Virgen de la Peña o de Piedras Albas no tuvieron presencia en el siglo XVII en los testamentos de una población, como Huelva, no tan lejana de Puebla de Guzmán o Castillejos; la Virgen de la Bella de Lepe (0,5%), Montemayor de Moguer (0,3%), Clarines de Beas (0,2%), Coronada de Calañas (0,1%), Milagros de Palos (0,1%) o incluso Rocío de Almonte (0,1%) mantuvieron sentimientos muy discretos. Por mencionar más en concreto a la Virgen del Rocío ya vemos que su influencia en los testamentos parece haberse mantenido en escalones notoriamente bajos: en la Huelva del siglo XVII sólo se acordó de ella un testador de entre 2.029; en la del XVIII, cuatro de entre 1.933[16].

Por lo demás, causa perplejidad la relativamente tibia implantación en Huelva de la Virgen de la Cinta -que ya en 1634 había sido destacada por Rodrigo Caro como "una imagen muy devota, y de muchos milagros"[17] y de la que Mora Negro diría que era "venerada por Patrona del Pueblo"[18]- y también sorprende la lentitud con la que, como vimos, se impuso la devoción concepcionista pese a las apariencias oficiales: aunque ya sabemos que Huelva contaba con parroquia con tal titulación desde 1515 y el 21 de septiembre de 1653 juró el Cabildo el voto solemne de "çelebrar el misterio de la Inmaculada Concepçión de la Soberana Virgen María, Nuestra Señora, devoçión mui propria de Huelva"[19], sólo muy tardíamente, en el último cuarto de siglo, comenzó a encabezar las devociones marianas onubenses, aunque no por su propia consolidación (pues pasó de concentrar el 15,8% de las misas marianas en 1650-1674 al 11,1% en 1675-1699) sino por el brusco retraimiento de la Virgen del Rosario (del 24,9% al 9,1%) y de la Soledad (22,0% al 8,8%). En esencia, toda la segunda mitad del siglo XVII enmarca en las misas marianas de testa-

---

[15] LARA RÓDENAS, M. J. de, y GONZÁLEZ CRUZ, D.: "Piedad y vanidades en la ciudad de Moguer. Un modelo de mentalidad religiosa y ritual funerario en el Barroco del 1700". *Huelva en su Historia*, 2, 1988, Universidad de Sevilla, Huelva, pp. 539 y s.

[16] *Vid.* GONZÁLEZ CRUZ, D.: *Religiosidad y ritual...*, p. 567.

[17] CARO, Rodrigo: *Antigüedades, y Principado de la Ilustríssima Ciudad de Sevilla, y Chorographía de su Convento Iurídico, o Antigua Chancillería*. Imp. de Andrés Grande, Sevilla, 1634, fol. 297 r.

[18] MORA NEGRO Y GARROCHO, Juan Agustín de: *Huelva Ilustrada. Breve Historia de la Antigua, y Noble Villa de Huelva*. Imp. de Jerónimo de Castilla. Sevilla, 1762, p. 168.

[19] "Forma del juramento que haçe la mui noble y siempre leal villa de Huelva en el convento de Nuestra Señora de la Mersed Descalsa, Redenpción de Captibos de dicha villa, de afirmar, creer y defender el misterio de la Conçepçión Purísima de María Santíssima, Nuestra Señora". Texto del voto concepcionista de Huelva, fechado a 21-9-1653 e inserto en el tomo de actas capitulares tras el acuerdo de 13-9-1653. A.M.H., Secretaría, leg. 8, fol. 222 r.

mentos una doble tendencia enlazada: una muy notable reducción del número absoluto de sufragios y una ampliación igualmente importante de las advocaciones y misterios a los que van dirigidos.

Si este mismo análisis lo hacemos con las devociones a los santos, los resultados serán más homogéneos local y cronológicamente. De las 1.999 misas dedicadas a ellos en el siglo XVII, el 22,3% se corresponde con sufragios dirigidos a San José, con diferencia la devoción más difundida en los testamentos de Huelva (pues sus 446 misas superan en mucho incluso a las 264 de la Virgen del Rosario, la segunda en cifras). Muy por debajo de San José están San Miguel (9,8%), San Francisco de Paula (9,2%), San Antonio de Padua (6,8%) y San Francisco de Asís (6,2%). El Moguer de 1700 ofrece pocas variaciones a este esquema básico: San José sigue contando con una primacía muy claramente definida (33,1%), y tras él se encuentran San Miguel y San Antonio de Padua (ambos con un 12,7%)[20]. Por lo que se ve, dominan los abogados de la buena muerte -San José y San Miguel, presentes en el tránsito y en el juicio particular-, a los que rodean los santos titulares o más caracterizados de las órdenes religiosas, pues tanto San Francisco de Paula como San Francisco de Asís y San Antonio de Padua están en clara relación con el convento mínimo y los franciscanos de Huelva y Moguer. Una limitación, empero, a esta relación aparentemente estrecha entre devoción testamentaria y presencia de regulares: San Pedro Nolasco, fundador de la orden de La Merced -presente en Huelva desde 1605-, sólo recibe el 0,5% de las misas de santos.

Con todo, el *status quo* entre los santos más presentes en los testamentos onubenses del siglo XVII no es inmóvil: San José asiste a un proceso de afirmación devota prácticamente imparable, que parte de niveles mínimos (3% en 1600-1604 y 0% en 1625) y que llega en 1685-1689 a alcanzar el 43,5% de los sufragios destinados a los santos. Esta cima, lejos de ser aislada, supone la culminación de una verdadera subida a tren: en 1650-1674, acapara el 21,3% de las misas; en 1675-1699, el 27,5%. La expansión de la devoción josefina a lo largo del siglo es bien conocida y ya veíamos cómo responde a ella la evolución onomástica de los testadores. "La estrella de San José -recuerda Martínez Gil- brilló con gran fuerza a partir de la segunda mitad del siglo XVI" y su triunfo "ilustra a la perfección la plena imposición de un modelo de morir, el que aquí se ha llamado *de la buena muerte*"[21].

Su expansión coincide en el tiempo con el leve apagamiento de San Miguel, conductor y distribuidor de almas, cuyo culto en España, según afirma William A. Christian, culminó en el siglo XIII[22] y fue perdiendo poco a poco intensidad. En los testamentos de Huelva, ya hemos comprobado el rele-

---

[20] LARA RÓDENAS, M. J. de, y GONZÁLEZ CRUZ, D.: *Op. cit.*, pp. 541 y s.

[21] MARTÍNEZ GIL, Fernando: *Muerte y sociedad en la España de los Austrias*. Siglo XXI, Madrid, 1993, p. 270.

[22] CHRISTIAN, William A.: *Apariciones en Castilla y Cataluña (siglos XIV-XVI)*. Nerea, Madrid, 1990, p. 141.

vante papel que aún juega el arcángel en el siglo XVII, aunque bien puede decirse que representa una devoción en retroceso: en 1650-1674 recibe el 11,4% de las misas de santos y sólo queda por detrás de San José; en 1675-1699, desciende al 6,8% y también cede ante San Francisco de Paula. Es el principio de una caída al vacío. En el siglo XVIII, ni una sola misa se celebrará en honor de San Miguel[23]. El dato es significativo y nos pone sobre la pista de transformaciones que operan a profundidad en las concepciones de tipo escatológico: San Miguel es un superviviente de un más allá judicializado, que hasta el siglo XIV dominó iconográficamente las representaciones del destino del alma en la otra vida, pero que desde entonces comenzó a perder vigor. En el siglo XVII, la visión judicial sobrevive, "pero ha perdido su popularidad -dice Ariès- y realmente ya no es bajo esa forma como imaginan luego el fin último del hombre"[24].

Por su parte, el capítulo de las 368 misas dirigidas a Cristo (68 menos que a San José) resulta, como cabía esperar, bastante más apagado. A falta de imágenes con advocaciones tan específicas como las marianas o de personalidad tan definida como las de los santos, suelen abundar en Huelva las referencias imprecisas a devociones pasionistas y, en especial, a nazarenos, que dominan las cifras de misas testamentarias junto al Santísimo Sacramento. Si las misas a Jesús Nazareno se refieren en concreto a la imagen sita en el convento onubense de La Victoria (cosa que no nos consta), ésta sería, con el 15,5% de las misas, la devoción a Cristo más arraigada en los testamentos de Huelva durante el siglo XVII. Si esta identificación no fuera correcta, la más extendida sería la del Cristo de la Columna colocado en el trascoro de la parroquia de San Pedro, figura "de pasta pero muy vieja" según decía el visitador arzobispal en 1697[25]. A él se dedica el 9,8% de las misas de Cristo, siguiéndole el de los Remedios de Moguer (8,4%), el de Veracruz y el de Jerusalén (con el 4,6% cada uno), crucificados ambos.

En el Moguer del tránsito del XVII al XVIII es precisamente este Cristo de los Remedios el que alcanza la primacía incontestable, con nada menos que el 63,2% de todas las misas, dejando muy lejos a la segunda devoción moguereña de Cristo: el Jesús Nazareno de la ermita de San Sebastián (25,8%)[26]. Este Cristo de los Remedios, *Ecce Homo* venerado en su ermita de Moguer, constituyó a lo largo de toda la Edad Moderna la imagen de Cristo de devoción más extensa en la Tierra Llana onubense; no en vano, como veremos más tarde, fue la única de su naturaleza destacada a principios del siglo XVIII por el *Libro de La Rábida*, y la que protagonizó una leyenda que, si no fue demasiado original (pues incidió en su recogida por las redes de los marineros de Moguer

---

[23] *Vid.* GONZÁLEZ CRUZ, D.: *Religiosidad y ritual...*, p. 568.

[24] ARIÈS, Philippe: *El hombre ante la muerte.* Taurus, Madrid, 1983, p. 95.

[25] Visita pastoral a la vicaría de Huelva de José Morales Varejón, 1697. Archivo Arzobispal de Sevilla (A.A.S.), Visitas pastorales, leg. 1.343, s/fol.

[26] LARA RÓDENAS, M. J. de, y GONZÁLEZ CRUZ, D.: *Op. cit.*, p. 538.

en las aguas de la Tuta y en su disputa con los de Huelva), sí encontró al menos fijación escrita[27].

Todo este mundo de devociones puede seguirse a través de otras fuentes, sin que las apreciaciones más genéricas resulten especialmente alteradas. Entre éstas, los lienzos y láminas reseñados en los testamentos también pueden constituir, como hemos señalado, un buen ojo de cerradura para atisbar en las preferencias devocionales de la población, y establecer así algunas ideas básicas. Lamentablemente, sólo contamos para ello con nuestros propios datos de investigación, sólo en parte publicados y circunscritos una vez más a la Huelva del XVII. De todos modos, y asumiendo la soledad de un estudio al que falta el acompañamiento de otros trabajos locales, las cifras son significativas. Inventariando los 199 lienzos y láminas de tema religioso especificado que aparecen en los testamentos onubenses del siglo XVII, los motivos referentes al Santísimo Sacramento y a Jesús Nazareno son los que más se repiten en el conjunto de alusiones a Cristo (ambos con un 12,2% del total); la Virgen de la Soledad y la de la Concepción entre las imágenes marianas (14,8% cada una), y San José (11,5%) y San Francisco de Asís (9,4%) entre los santos. Nada que no conozcamos, pues.

También los estudios onomásticos podrían resultar de interés a este respecto, si es que los padres o padrinos reproducían a la hora del bautismo de hijos y ahijados su propio universo devoto. En principio no lo creemos así del todo. Al menos en el caso onubense y en el grueso de las cifras, los nombres de los individuos -tanto hombres como mujeres- del Antiguo Régimen reproducen antes los esquemas comunes de la onomástica española que el *puzzle* disperso de las devociones locales. Esta afirmación tiene sus límites: la onomástica varía en efecto geográficamente y existen, con mayor frecuencia en los femeninos que en los masculinos (por razón de las advocaciones marianas locales), nombres endógenos que pueden ser fácilmente advertidos en las fuentes documentales del Antiguo Régimen. Pero, asumiendo el riesgo de generalizar demasiado, la creación de una onomástica localista muy visible parece en estas zonas un fenómeno más contemporáneo que moderno.

Los ejemplos de ello son fáciles de establecer en Huelva. Quizás el más significativo sea el encontrar una sola María de la Cinta en los testamentos onubenses de la segunda mitad del XVII, y dos en los de la primera mitad del XVIII, lo que suma tres Cintas en casi dos mil mujeres. En mil varones onubenses del XVII, hallar únicamente 20 Sebastianes y dos Roques (los patronos tradicionales de la villa) no parece apuntar en otra dirección. Ni una sola María de Montemayor testó en Moguer entre 1695 y 1699, que es el período de que

---

[27] *Libro en que se trata de la antigüedad del convento de Nuestra Señora de la Rávida y de las maravillas y prodigios de la Virgen de los Milagros.* Manuscrito del siglo XVIII. Archivo de la Provincia Bética Franciscana, Convento de San Buenaventura de Sevilla. Transcripción publicada por David Pérez. Ayuntamiento de Palos de la Frontera, Huelva, 1990, fols. 99 r. y s.

disponemos de datos. Ni una sola María del Pino lo hizo en Niebla; ni un solo Walabonso[28].

Globalmente considerada, la onomástica onubense repitió modelos muy codificados y las variaciones locales no resultaron especialmente llamativas: de ahí que el análisis de los nombres en Huelva no nos aproxime suficientemente al mundo de las devociones religiosas, lo que es muy evidente entre las mujeres. De hecho, las once devociones marianas y de santos más difundidas entre los onubenses del siglo XVII, según las misas testamentarias, sólo nombran al 13,2% de las mujeres estudiadas, sin que aparezca en una sola ocasión entre mil ninguna María del Rosario ni María de la Soledad, que responden a las dos advocaciones marianas más arraigadas. En su mayor parte, pues, la onomástica en Huelva se resume en una nómina rígida y estrecha. Entre los hombres, todo un 18,6% se llama Juan; si a Juan se le suma, por estricto orden, Francisco, Diego, Pedro y Alonso se llega al 51,6%; si se le añade Manuel, Antonio, José, Cristóbal y Bartolomé se alzanza el 67,1%, es decir, los dos tercios. Con las mujeres sucede exactamente lo mismo: María se llama el 16,8%; sumándole Catalina, Juana, Isabel y Ana se nombra al 52,6%; añadiéndole Francisca, Leonor, Beatriz, Josefa e Inés se llega al 74,6%, es decir, los tres cuartos[29].

Éstos eran los nombres castellanos y tal reparto onomástico -que nunca se vio excesivamente afectado por particularismos devocionales- no debió de ser muy diferente en otros marcos locales. Para la Huelva del siglo XVIII, el esquema trazado permanecería prácticamente invariable en lo esencial, aunque los datos de González Cruz permiten registrar un fuerte incremento de José y Josefa a lo largo de todo el siglo; no en vano, los José pasan del octavo puesto del XVII al tercero de la primera mitad del XVIII y al primero de su segunda mitad, mientras que las Josefas pasan del noveno del siglo XVII al segundo de la primera mitad del XVIII[30]. Salvo este proceso imparable, que prefigura en el siglo XVIII la onomástica onubense -y española- de nuestros días (con el debilitamiento paralelo de los Diego y los Alonso), el mundo de los nombres en la Huelva moderna no da la impresión de que sea especialmente complejo ni particularizado. El aspecto de conjunto es el de una tradición genérica poco permeable a las devociones locales y, si cabe, poco original. Si era el reflejo de un mundo devoto, no cabría duda entonces de que la religiosidad de los onubenses del Antiguo Régimen se movió más en la esfera de lo común y abstracto que de lo particular y concreto.

Eso, a pesar de la extensión y arraigo de las grandes devociones genéricas, no parece responder del todo a la realidad histórica. Conocemos el papel desempeñado por ciertas imágenes -particularmente marianas- en la religiosi-

---

[28] LARA RÓDENAS, M. J. de: *Estructura social y modelos culturales en la Huelva del siglo XVII. Ayuntamiento de Córdoba, Córdoba, 2000.*

[29] LARA RÓDENAS, M. J. de: *Estructura social...*

[30] GONZÁLEZ CRUZ, D.: *Religiosidad y ritual...*, pp. 547 y ss.

dad sentimental de la Huelva moderna y también sabemos que, a menudo, las devociones locales fueron el fácil resultado de las propuestas iconográficas. Para asomarnos a la imaginería devota y al *corpus* maravilloso que la adornó y legitimó resulta especialmente útil el *Libro en que se trata de la antigüedad del convento de Nuestra Señora de La Rávida y de las maravillas y prodigios de la Virgen de los Milagros*, manuscrito del siglo XVIII que, entre otras cosas, es la obra principal que recoge y unifica, de mano de Fray Felipe de Santiago y Guzmán, todo el aparato legendario que rodeó a las principales imágenes de devoción de la actual provincia de Huelva. En concreto, además de la propia titular del convento, son once Vírgenes onubenses y un Cristo los que merecen, por su especial relevancia, estar recogidos en esta compilación: Virgen de Clarines de Beas, Virgen de España de Calañas, Virgen de la Cinta de Huelva, Virgen de Montemayor de Moguer, Virgen de la Peña de Puebla de Guzmán, Virgen de Piedras Albas de Castillejos, Virgen del Pino de Niebla, Virgen de la Bella de Lepe, Virgen de Coronada de Calañas, Virgen de la Luz de Lucena, Virgen de los Remedios de Villarrasa y, finalmente, Cristo de los Remedios de Moguer. Las leyendas reseñadas pertenecen, por tanto, a imágenes de un ámbito geográfico que engloba la Tierra Llana y el Andévalo, quedando claramente al margen las de la Sierra.

Vuelven a sorprender algunos huecos en este entorno, siendo el más llamativo el de la Virgen del Rocío de Almonte, que no aparece en esta relación a pesar de encontrarse por entonces en los momentos álgidos de su expansión devocional y de poseer también su leyenda, que quedaría fijada en 1758 en edición impresa[31]. Pero, para cuando escribió su relación el fraile de La Rábida, también había otras vírgenes onubenses con leyendas recogidas por escrito: en 1633, Juan de Ledesma reseñaba la aparición de la Virgen de los Ángeles de Alájar en su obra sobre las imágenes marianas andaluzas y extremeñas[32]; Fray Rodrigo de San José redactaba en 1698 el milagroso origen de la Virgen de las Virtudes de Paterna en un relato reproducido luego por José Alonso Morgado[33] y un manuscrito anónimo del siglo XVIII narraba la aparición de la Virgen de Luna de Escacena y la muy posterior fundación de su convento[34].

---

[31] *Descubrimiento de la Milagrosa Imagen de María Santísima del Rocío, y tanto de la Regla que la Ilustre Hermandad de la villa de Almonte formó para culto de dicha Señora, como Patrona que es de dicha villa, en atención a los muchos favores que experimentan sus devotos*, 1758.

[32] LEDESMA, Juan de: *Imágenes de María Santíssima Nuestra Señora en esta ciudad de Sevilla y su reynado, y distrito de Andaluzía y Estremadura, dónde están estos sanctuarios y algunas noticias de Sevilla y de su Sancta Yglesia*, 1633.

[33] MORGADO, José Alonso: "La antigua y prodigiosa imagen de Nuestra Señora de las Virtudes, patrona de la villa de Paterna del Campo, venerada en su iglesia parroquial de San Bartolomé". *Sevilla mariana*, vol. VI, 1884, Sevilla, pp. 463-471.

[34] *Vid.* GONZÁLEZ GÓMEZ, Juan Miguel, y CARRASCO TERRIZA, Manuel Jesús: *Escultura mariana onubense*. Diputación Provincial de Huelva, Huelva, 1981, p. 368.

No fueron sólo éstas las imágenes que contaron en la Edad Moderna con leyendas alusivas a su invención o aparición, aunque las demás permanecieron mayoritariamente recluidas en el acervo tradicional de sus localidades y perduraron de forma oral hasta ser puestas por escrito en fechas relativamente recientes. Consta que contaron con tradición legendaria oral en el Antiguo Régimen -al margen de las ya mencionadas- al menos las vírgenes de la Aliseda de Cumbres de San Bartolomé, de las Angustias de Ayamonte, de la Blanca de Villablanca, de la Cabeza de Puerto Moral, de la Estrella de Chucena, de la Hermosa de Almonte, de las Mercedes de Bollullos, de la Piedad de Cortegana, del Prado de Higuera, de la Rábida de Sanlúcar de Guadiana, de las Reliquias de Villalba, de la Tórtola de Hinojales y del Valle de Manzanilla.

Este cuerpo de leyendas milagreras -casi exclusivamente marianas, como puede comprobarse- es producto de una imaginación religiosa muy expresiva, pero también muy codificada. Sus esquemas compositivos y narrativos parecen fácilmente exportables de unos casos a otros, y nunca nos sorprenden por su originalidad. Al contrario, todos los relatos desembocan antes o después en unos lugares comunes muy previsibles, y que sirven para explicar *a posteriori* el surgimiento de una advocación y asentar sobre ella sentimientos de tipo localista, frecuentemente frente a poblaciones vecinas. No parece éste un lugar para hacer un análisis antropológico de estas manifestaciones, pero sí para realizar, al menos, un comentario sobre su esquematización y sencillez de imágenes y contenidos.

Uno de los elementos más sugerentes en la mayoría de estas leyendas religiosas es la concepción del tiempo histórico que incorporan y en que se desarrollan los hechos. En concreto, muchas leyendas relativas a las devociones de la Huelva moderna están organizadas sobre un triple marco temporal muy característico: antes, durante y después de la invasión musulmana, sin que aparezcan otros hitos cronológicos que presten consistencia verosímil a los sucesos narrados y sirvan para sostener una línea argumental más compleja. La leyenda, por tanto, suele organizarse en un tríptico que dobla sobre los goznes de la presencia sarracena, único elemento histórico reconocible y que otorga al conjunto su particular carga de dramatismo y exaltación de la fe cristiana. Esta articulación en tres partes, herencia o recuerdo quizás de una división en escenas, actúa dotando al conjunto de la leyenda de un marco formal excesivamente rígido, no siendo extraño, pues, que la apariencia de ésta sea mayoritariamente la de un relato adaptado.

El argumento de este relato se compone de imágenes muy sencillas, que con frecuencia pueden resumirse en estos términos: un artista devoto pintó o esculpió una imagen de particular belleza, a la que sus fieles, en tiempos de la invasión musulmana, ocultaron en un lugar apartado que no fue accesible a los sarracenos pero sí a los cristianos, que la encontraron milagrosamente una vez reconquistado el territorio. En esencia, hay poco más. Este armazón, sobre el que se construyeron directamente muchas de estas leyendas, estaba tan bien trabado en su abstracta simplicidad y era una composición intelectual tan fina y estudiada que rara vez hubo una imagen que no pudiera ser explicada satisfactoriamente de esta manera. A través de este esquema -que varió según las necesidades y no siempre alcanzó íntegramente su desarrollo-, las imágenes cobraban el prestigio de la antigüedad, la validación milagrosa, la justificación de su lugar de culto y, en la mayoría de las ocasiones, el sentido de su nombre. Naturalmente, estos dos últimos factores -lugar de culto y nombre, a veces coincidentes- fueron los que impulsaron concretamente la adaptación formal del relato, y los que forzaron su versión definitiva.

Lo más variable en este esquema normalizado es siempre el primer acto. Basta con colocar al artista devoto en un marco cronológico anterior a la conquista musulmana para garantizar la antigüedad de la imagen y exaltar su permanencia en el entorno local a pesar de las dificultades. A veces el autor es un artista de palacio (Virgen de España), un venerable asceta como San Simón Estilita (Virgen de los Remedios) o hasta el mismísimo evangelista San Lucas (Virgen de los Milagros); en otras ocasiones un simple pastor (Virgen de Clarines) o incluso un pobre recogido por caridad (Virgen de la Cinta). Quien la encuentra, en cambio, es casi siempre un individuo que transita normalmente por el campo, aunque curiosamente nunca resulta ser una mujer -probablemente por la dificultad de justificar su permanecia en soledad por parajes inhóspitos- salvo en la leyenda de la Virgen de las Virtudes de Paterna, encontrada por una niña caída inocentemente en un pozo; por lo general es un pastor (Virgen de la Aliseda, de la Blanca, de la Cabeza, de Clarines, de Coronada, de la Estrella, de las Mercedes, del Prado, de la Rábida), un cazador (Virgen de España, de la Peña, de Piedras Albas, del Pino), un mayoral de toros (Virgen de la Cinta), un guarda de heredad (Virgen de Montemayor), un labrador (Virgen de la Piedad), un arriero (Virgen de Luna) o incluso un calderero desorientado (Virgen de la Hermosa), si bien en alguna ocasión el narrador termina de definirse sobre este punto, pues la Virgen del Rocío fue hallada, según decían las reglas de su hermandad de Almonte en 1758, por un hombre "que, o apacentaba ganado o había salido a cazar"[35].

En verdad, eso importa poco. Más importa el lugar del hallazgo, porque ese detalle explica la localización de su ermita y, en muchas ocasiones, el sentido de la propia advocación, que es a veces muy fácil de establecer (Virgen de Montemayor, de la Peña, de Piedras Albas, del Pino). Si el nombre de la imagen, por el contario, no porta ya en sí su propia explicación, la leyenda obligatoriamente debe introducir otros elementos complementarios. Es lo que ocurre con la Virgen de Clarines, que se cuenta que fue ocultada sobre una higuera por sus fieles cristianos y encontrada hacia 1300 -después de más de cinco siglos en que, según el *Libro* de La Rábida, los musulmanes no la vieron aunque cogían los higos del árbol- por un pastor de Beas que escuchaba, como era de esperar, sonido de clarines:

---

[35] *Descubrimiento de la Milagrosa Imagen...*

"Por los años de mil trescientos, pastoreando su ganado Juan Bautista García por los valles o tierras benedictinas, oía con gran melodía tocar clarines y, movido de admiración, registraba de día el sitio donde le parecía los oía, y no veía cosa alguna hasta que, en una ocasión, subiendo de grado la admiración de ver ser aquél el sitio donde sonaba tanta alegría, exclamó diciendo: Válgame la Virgen Santa María, y oyó que le decían: Yo soy contigo, Juan Bautista, acércate. Y, levantando la vista, vio la sacratísima imagen y, adorándola con muchas lágrimas, decía: Señora, de dónde a mí tanta dicha. Y, hablando la Señora, dijo: anda y dile a todo el pueblo que me hagan aquí templo, que seré amparo de esta tierra. Y replicó: Señora, dirán que es mentira. Anda y toca en mí esa mano y te quedará sana y limpia. Era manco de la mano derecha, y tenía llagas que le cogían hasta el brazo, y, llegando con toda reverencia y devoción, quedó sano. Y esto fue por el mes de agosto de dicho año. Y con este milagro entró por el lugar dando altas voces con abundancia de lágrimas, que con esto se conmovió todo el pueblo, y por ser muy conocido y atestiguado con el milagro de que todos dieron crédito, y adoraron todos la sacratísima Virgen María, y le dieron título de Clarines. Y esta Señora está sentada y tiene el Niño sentado al lado izquierdo sobre la ropa, y el Señor tiene un libro en la mano. Y esta Señora era de la iglesia antigua de este lugar, y fue hecha por un pastor llamado Juan, que era de santa vida. Y en la total pérdida de España fue ocultada por los católicos, por más no poder, en parte tan pública como sobre una higuera, y en tan largo tiempo nunca la vieron los sarracenos, y también dicen que nunca pudieron cometer en tal sitio barbaridad alguna, y con sus higos sentían alivio y remedio en sus enfermedades, y de aquí le llamaron árbol santo y tenían puestas penas al que lo cortaba o hacía algún daño"[36].

Por arte de la leyenda, pues, tenemos una imagen que se atribuye interesadamente a tiempos visigodos o aun romanos -como la Virgen de la Cinta y la de España- y una explicación más o menos forzada del por qué del emplazamiento de su ermita y el título de su advocación. Otras veces no hace falta tanto. Dos "mancebos" -se supone que ángeles- fueron los que, sin más intermediarios, llevaron la Virgen de la Luz al monasterio jerónimo de Lucena y confiaron a un vecino de Villarrasa la hechura de la Virgen de los Remedios, y los mismísimos arcángeles San Miguel, San Gabriel y San Rafael, que a la sazón navegaban "en una lancha muy hermosa" por el Terrón, entregaron directamente a los franciscanos de Lepe la imagen de la Virgen de la Bella[37]. No debían de ser los arcángeles inexpertos marineros, pues otra leyenda -esta

---

[36] *Libro en que se trata...*, fols. 88 v. y s.
[37] *Libro en que se trata...*, fols. 93 r. y ss. y 96 r. y ss.

vez ayamontina- los sitúa al mando del barco que aprovisionó de madera la obra de la parroquia de las Angustias[38].

Como fácilmente se comprenderá, la entrega directa de la imagen era el sistema más seguro y fiable para iniciar un culto. Cuando la figura no aparecía en el campo o a manos de los propios ángeles o arcángeles, sino que era extraída del mar por las redes de los pescadores -que era otra posibilidad para los núcleos costeros-, la cosa normalmente se complicaba, entrando a competir por ella poblaciones vecinas que se arrogaban derechos marítimos. Así sucedió con la disputa de Palos y Huelva por la Virgen de los Milagros, la de Moguer, Huelva y otras localidades por el Cristo de los Remedios, y la de Ayamonte y Castro Marim por la Virgen de las Angustias, imágenes todas que, según cuentan los relatos, fueron encontradas en el agua. Estos conflictos, de difícil solución, solían dejarlos las leyendas al arbitrio de las propias imágenes, que tenían bastante claro el emplazamiento donde querían permanecer y cómo demostrarlo. Unas veces la imagen prefirió quedarse en la localidad de donde eran vecinos los marineros que la extrajeron (Virgen de las Angustias), pero en otras ocasiones hizo obviedad de ese detalle y optó por la población a la que pertenecían jurídicamente las aguas (Virgen de los Milagros).

Por supuesto, leyendas de este tipo no debieron de faltar donde hubo imágenes de devoción extendida, aunque no siempre alcanzaron fijación escrita. Por las que sí la alcanzaron sabemos que el *corpus* legendario que acompañó a todas esas imágenes onubenses estaba plenamente delimitado, al menos, ya a principios del siglo XVIII, si es que el propio Fray Felipe de Santiago no intervino directamente en la composición de estas versiones definitivas al mismo tiempo que las seleccionaba. En todo caso, bajo su aparencia inocente, estas leyendas fueron portadoras de mensajes teóricos muy poderosos en su sutileza, que dieron lustre a las devociones comarcales más populares y funcionaron como acicates sentimentales para la conformación de un mapa devoto que aún entonces estaba en formación y que hasta la exaltación localista de fines del XIX no iba a terminar de consolidarse.

La manera, sin embargo, en que las imágenes de mayor devoción terminaron imponiéndose sobre las demás, expandiendo su influjo sobre un radio supralocal y monopolizando a veces su atención devota constituye una Historia que aún no está hecha, aunque podría hacerse. A pesar de lo que pudiera parecer, hubo muchos elementos objetivables en estas evoluciones sentimentales y no fue raro que, en más de una ocasión, el triunfo de una devoción sobre un entorno geográfico respondiera a actos y fechas muy concretas.

Bien puede relacionarse, por ejemplo, el impulso registrado por la devoción a la Virgen del Rocío, patente desde la primera mitad del siglo XVII, con el hueco sentimental dejado por el traslado a Sevilla en 1602 de la Virgen

---

[38] DÍAZ SANTOS, María Luisa: *Ayamonte. Geografía e Historia.* Diputación Provincial de Huelva, Huelva, 1990, p. 138.

de Morañina de Bollullos, hasta entonces la verdadera protagonista de la religiosidad mariana del Condado[39]. Mejor establecido cronológicamente, incluso, está el arranque de la devoción del Condado de Niebla a la Virgen de la Caridad, que fue impuesta como patrona de sus estados, en 1618, por el Duque de Medina Sidonia Don Manuel Alonso Pérez de Guzmán[40], aunque, salvo pervivencias como la de Puebla de Guzmán, el patronazgo y la devoción acabaron cediendo antes de mitad de siglo. Otras veces el origen de una devoción respondía a circunstancias mucho más casuales. Es lo que sucedió con la devoción en Almonte, desde 1744, a la Virgen de la Granada, que, antes que responder al influjo devoto de Moguer o de Niebla, fue el azaroso resultado de un sorteo de advocaciones en toda regla. Eso era, al menos, lo que rezaba en la peana de la Virgen:

"Se advierte que el nominarse esta Señora de la Granada fue porque, ignorando el común su advocación original y tradisión, se advitró por acuerdo ante tres sacerdotes y algunos prinsipales de este pueblo sortear qué advocación sería la del agrado de esta Señora, para lo qual se hizieron diferentes cédulas con distintas advocaciones y, repitiendo por mano de un sacerdote por tres veces sacar sédula, en todas ellas no salió otra que de la Granada. Todo lo qual acaezió el día 11 de agosto de 1744"[41].

Comúnmente, la mayor parte de los procesos de consolidación y expansión de las devociones locales estuvo en relación directa con su mayor o menor capacidad reconocida de influir en la escala de las vidas diarias. Esta paradójica unión de intereses entre lo sublime y lo cotidiano fue invocada repetidamente en votos y patronazgos y adquirió su sentido más completo en el seno de un mundo concebido como carente de leyes físicas, presto a la excepcionalidad y al rompimiento de gloria y moldeable, en fin, por el poder matérico de la voluntad espiritual. No en busca de otra alianza era por lo que una sociedad, convocada y presidida por sus autoridades, desfilaba en rogativa pública, esperando que la misericordia celeste cambiase el curso natural de los acontecimientos. Las rogativas fueron demostraciones continuas de una esperanza colectiva -más o menos institucionalizada y ritual, pero eficaz- en el prodigio y la maravilla, siempre sublime pero nunca sorprendente, y de ello, en el marco de la Huelva del XVII, hemos publicado un breve estudio. Un total de 17 rogativas hemos podido contabilizar en la villa onubense a lo largo del siglo XVII, de las que ocho

---

[39] GONZÁLEZ GÓMEZ, J. M., y CARRASCO TERRIZA, M. J.: *Op. cit.*, p. 299.

[40] INFANTE GALÁN, Juan: "La Caridad Guzmana y el Condado de Niebla". *ABC* (Sevilla), 22-8-1965.

[41] Cit. en HERNÁNDEZ DÍAZ, J.: "Nicolás de León, entallador". *Archivo Español de Arte y Arqueología*, vol. XI, 1935, Madrid, p. 11.

fueron por causa de sequía, cinco por peste, tres por los buenos sucesos del Duque de Medina Sidonia y sólo una por guerra[42]. Por cierto, que Arroyo Berrones, en su obra sobre Ayamonte y la Virgen de las Angustias, transcribe un acta del Cabildo ayamontino especialmente vistoso, el del 20 de agosto de 1674, al describirnos el proceso desencadenante de una rogativa contra la langosta y sus felices resultados:

"En este Cabildo se acordó que, por cuanto a principio de este año se mostró en todo el campo y término de esta ciudad tan grande fuerza de langosta que ocasionó mucho temor a los vecinos de esta ciudad y su comarca por la mucha ruina que amenazaba tan grande plaga, y aunque se procuró extinguir y matar a la langosta por medios humanos saliendo al campo muchos vecinos con la justicia, se reconoció no habrá de tener efecto; por lo cual este Cabildo, por sí y por los demás vecinos, recurrió a la Poderosa y Divina Majestad de Dios, por medio de la Poderosa Reina y Señora María Santísima de las Angustias, para que por su medio e intercesión, Nuestro Señor permitiese aplacar su ira y librarnos de la plaga. Y se sacó en procesión de su casa y se llevó su imagen a la parroquial de Nuestro Señor San Salvador de esta ciudad, donde se hizo octavario de misas mayores, sermones y vísperas, en cuyo tiempo se reconoció la muerte y ruina de dicha langosta, y se volvió a traer a Su Majestad a su casa con la festividad y aclamación debida a tan prodigioso milagro; deseando con sus fervores hacer lo que debían, se acordó que se haga fiesta de toros y la misa cantada con sermón y música, y toda la mayor celebridad que se pueda, dando la cera necesaria para ello, y que cuiden la limpieza de la plaza"[43].

Fue el del Antiguo Régimen un mundo de patronos, de intermediarios, de santos taumaturgos y especialistas. No todos actuaron con la misma diligencia ante las súplicas de sus fieles, ni -claro está- todos entendieron de lo mismo. En la villa de Huelva, la figura de San Ginés, titular de la hermandad de los vendimiadores, era sacada en rogativa cuando las viñas sufrían la plaga del pulgón: el 11 de abril de 1741, por ejemplo, el Cabildo de Huelva acordaba que, "hallándose este pueblo fatigado y en la maior conternasión con la epidemia de pulgón que Dios, Nuestro Señor, a sido servido cargar en las viñas", se mandara "hacer una fiesta a señor San Ginés y disponer se saque en prosessión al santo"[44]. Por su lado, las cuestiones de la lluvia competían par-

---

[42] LARA RÓDENAS, M. J. de: "Religión barroca y coyuntura: rogativas públicas en la Huelva del siglo XVII". *Cuadernos de INICE*, 32-33, 1990, Instituto de Investigaciones Científicas y Ecológicas, Salamanca, pp. 267-273.

[43] Cit. en ARROYO BERRONES, Enrique R.: *Ayamonte y la Virgen de las Angustias*. El Monte. Huelva, 1992, p. 222.

[44] Acta capitular de Huelva de 11-4-1741. A.M.H., Secretaría, leg. 17, s/fol.

ticularmente en Huelva a la Virgen de los Reyes, para cuyo culto tenían fundada cofradía los labradores, siendo rara la primavera en que su imagen no salía en procesión en petición de aguas. En 1616, el Ayuntamiento de Huelva hizo novedad en la convocatoria de las rogativas, y solicitó los buenos temporales a la Virgen de la Cinta. Avanzado ya abril, y sin esperanza de nubes, el propio Cabildo tuvo que corregir el error:

> "En este Cabildo se trató que, atento que el tienpo está tan adelante y en los trigos se echa de en falta del agua y que se teme que el año va con muy gran riesgo de que sea malo y, atento que se an dicho las nueve missas a Nuestra Señora de la Sinta con todos los clérigos y frayles de los conventos, que para ello se conviden y se diga una missa a Nuestra Señora de los Reyes en la iglesia de San Pedro mañana martes, día del señor San Isidro"[45].

Era el peligro de rogar por la agricultura a la abogada de los marineros. Las poblaciones onubenses -como todas las católicas- se cargaron pronto de abogados y patronos oficiales, nombrados por los cabildos en momentos de exaltación religiosa e institucional, si bien a menudo dejaban de cumplirse los juramentos de celebrarles fiestas y se olvidaban con el tiempo los patronazgos. Como protectores de la peste, apenas hubo localidad que no se encontrara bajo el patrocinio de San Roque y San Sebastián, aunque a sus pies se apiñó un cúmulo de patronos secundarios a los que se rindió culto y se mantuvo devoción según épocas y circunstancias.

En Huelva, que mantuvo efectivamente a ambos santos como patronos principales, también actuaron como tales en el siglo XVII San José, San Juan Bautista, San Vital y Nuestra Señora de la Caridad y en el siglo XVIII, a raíz del terremoto de 1755, se añadieron a ellos San Francisco de Borja y San Felipe Neri, protectores contra seísmos. En Aracena, en cambio, que tenía tradicionalmente como abogada a Nuestra Señora de los Remedios, se propuso con ocasión de la peste de 1649 el patrocinio de San Blas, San Sebastián, San Roque y San Ginés e incluso en 1692 los cabildos secular y eclesiástico establecieron por votación secreta su orden de primacía, saliendo "electo -según recordaba el propio arzobispado- por primero y principal patrono San Ginés confesor, por segundo San Blas obispo y mártir, por tercero San Sebastián y el cuarto lugar San Roque confesor". Democracia inútil, puesto que la Santa Sede terminaría excluyendo de entre los patronos de Aracena a San Ginés por no estar contemplado en el Martirologio Romano y a San Roque por no encontrase aún canonizado; en 1700, una bula papal establecería definitivamente, después de estos descartes, a "San Blas como primer patrono, y como segundo menos principal San Sebastián"[46].

[45] Acta capitular de Huelva de 11-4-1616. A.M.H., Secretaría, leg. 5, fol. 47 v.
[46] Cit. en GUTIÉRREZ MARMONJE, J.: *Op. cit.*

Según se ve, que el intercesor no estuviera canonizado no era un dato de especial importancia para los vecindarios a la hora de invocar un patronazgo. Otras veces, por el contrario, ni siquiera contando con un santo local en los altares había seguridad de que éste fuera adoptado como intermediario oficial: a San Walabonso de Niebla, sin ir más lejos, el Ayuntamiento de su villa no se hubiera preocupado de nombrar como patrono y celebrar fiesta de no mediar, en 1624, una orden expresa del Cabildo Catedralicio de Sevilla[47].

Las cosas de los intermediarios celestes nunca estuvieron del todo claras y multitud de patronos iban y venían en el favor de las poblaciones hasta que algunos fueran fijados definitivamente por las tragedias del tiempo, entre las que la guerra con los portugueses, las pestes de 1602-1603 y 1649-1651 y el Terremoto de 1755 resultaron ser las más decisivas. La guerra de Portugal oficializó el patronazgo de San Benito sobre la población de El Cerro, "pues, habiendo llegado el enemigo hasta las inmediaciones de los alegres campos que circundan su santa y hermosa ermita, nunca pasaron a esta villa, ni entraron en ella, adonde havían conducido en sus hombros los vecinos de aquí la milagrosa imagen", según cuenta un manuscrito del siglo XVIII[48]. Más turbadora que la guerra, la peste de 1649-1651 sirvió a la Virgen del Rocío para ser nombrada, dos años más tarde, patrona de la villa de Almonte[49] y el Terremoto de 1755 impuso en Ayamonte el patrocinio de la Virgen de las Angustias y San José sobre el de San Diego de Alcalá, que era patrón desde 1603 por causa de la peste de aquel año[50].

Estas infidelidades con los viejos patronos eran moneda corriente. En 1738, el Cabildo de Huelva -que no parecía estar muy al tanto de sus compromisos tradicionales- hacía tabla rasa del resto de su santoral para votar únicamente "por patrono de esta villa, por sí y en nombre de los vesinos de ella, al señor San Sevastián, para que se le tenga e guarde como tal patrono"[51], quedando definitivamente relegado San Roque y los demás protectores a los que se había declarado por tales, efímeramente, para siempre jamás. Uno de ellos

---

[47] Acta capitular de Niebla de 29-4-1624. Archivo Municipal de Niebla, Órganos de gobierno, leg. 3.

[48] *Obra para noticia, govierno y notoriedad en lo venidero de las personas descendientes y que tienen derecho a las fundaciones del patronato de legos, de la prevenda para estudiar en la Universidad de la Ciudad de Salamanca y la capellanía que en la parroquial de esta villa fundó la buena memoria de el Yllustrísimo Señor Don Lucas Domínguez Delgado y García, Deán de la Santa Yglesia del Cuzco y electo Ovispo de Cartagena.* Relación manuscrita realizada a iniciativa de Don Bartolomé González Delgado y Peral, vecino de El Cerro, hacia 1764. Fondo documental privado de Antonio Pérez Vázquez (Valverde).

[49] FERNÁNDEZ JURADO, Jesús, y FERNÁNDEZ JURADO, Eduardo: "El Rocío: del mito a la realidad". En *Huelva y su provincia*, vol. IV. Tartessos, Cádiz, 1987, p. 264.

[50] Acta capitular de Ayamonte de 12-11-1603. Archivo Municipal de Ayamonte, Órganos de gobierno, leg. 3.

[51] Cit. en DÍAZ HIERRO, Diego: *Patronato en Huelva del Señor San Sebastián.* Parroquia de San Sebastián, Huelva, 1990, pp. 26 y s.

había sido San Vital, nombrado entusiásticamente patrono de la villa de Huelva, en 1605, a raíz de un curioso milagro realizado por una reliquia suya, donada a la parroquia de San Pedro por el Conde de Olivares:

"En este Cavildo se acordó que se escriva al Conde de Olivares agradeciéndole a Su Excelencia la merced que hizo a esta villa en mandar la reliquia de señor San Vital a la yglesia de señor San Pedro. En este Cabildo se acordó que, por quanto esta santa reliquia, aviéndose traído y antes hecho grande proçesión por el agua y estuvo más de tres noches y no llovió, y el proprio día que la truxeron de la çiudad de Sevilla, en sábado dies y nueve de febrero, aquella noche llovió mucho, y aviéndole traído en proçeçión el domingo veinte del dicho mes y predicando sus alabanças, acabado de predicar sin aver señal de agua llovió mucho, y después acá, de que se entiende fue gran yntercesor con Nuestro Señor, de que nos manda el agua, este Cabildo lo toma por patrón para sienpre en nonbre desta billa, y promete en nonbre de ella todos los años el día que fuere suyo una fiesta con bísperas muy solenne proçeçión y sermón con toda solenidad, y para que se tenga sienpre esto en la memoria, en este Cabildo se ponga en medio pliego del papel fijado en la pared deste Cabildo esta razón para que no se pase de la memoria"[52].

Ignoramos si llegó a ponerse el medio pliego de papel en la pared del Cabildo onubense, pero es seguro que el hecho sí se pasó de la memoria, pues las fiestas a San Vital -de haberse llegado a celebrar- y San Vital mismo debieron de quedar pronto en el olvido, pues incluso, en 1700, el propio arzobispo Palafox, que se encontraba en Huelva en visita pastoral, tuvo que mandar "que la reliquia que dio el señor Conde de Olivares se ponga y coloque", al menos, en un altar[53].

Estos patronazgos oficiales, cuando no eran tan efímeros, y las dotaciones particulares de fiestas votivas otorgaron al sentimiento religioso una carga formal y cultual y garantizaron el ensanchamiento social de la devoción y su perduración en formas masivas. Bien conocidas en lo que supusieron son la fundación de capellanía en la ermita del Rocío, en 1587, del sevillano vecino de Lima Baltasar Tercero[54] y la institución de fiesta y procesión a la Virgen de la Cinta, en 1759, del onubense residente en México Francisco Martín Olivares[55]. A través de éstas y otras fundaciones, financiadas con dinero privado -y, como vemos, usualmente procedente de Indias-, las devociones loca-

---

[52] Acta capitular de Huelva de 25-2-1605. A.M.H., Secretaría, leg. 4, fol. 335 v.

[53] Segunda visita personal a la vicaría de Huelva del arzobispo de Sevilla Don Jaime de Palafox y Cardona, 1700. A.A.S., Visitas pastorales, leg. 1.342, fol. 334 r.

[54] *Vid. El Rocío*, vol. II. Anel, Granada, 1981, pp. 92-97.

[55] DÍAZ HIERRO, D.: *Historia de la devoción y culto a Nuestra Señora de la Cinta, patrona de Huelva*. Huelva, 1967, pp. 252-259.

les tomaron los modelos visibles con que llegaron a la Edad Contemporánea, generando un conjunto multiforme de fiestas y romerías. Muchas de estas romerías, en sus formas campestres, nacieron emparentadas con los mercados agrarios, de cuyos privilegios se favorecieron. Así sucedió con la fiesta de la Virgen del Valle, en Manzanilla, a cuya hermandad concedió Felipe V en 1719 la celebración de una feria y la mitad de las alcabalas cobradas en sus transacciones[56], o con la propia fiesta del Rocío, a la que el Duque de Medina Sidonia dio en 1747 franqueza de alcabalas "para que por este medio se consiga el mayor culto" y, en 1772, licencia "para poder celebrar una feria o mercado todos los años, perpetuamente, en los cuatro días contados desde la víspera de Pascua de Espíritu Santo, hasta el martes, último día de esta Pascua"[57].

Esta coincidencia entre fiesta religiosa y feria comercial era relativamente frecuente y no fue raro que el mercado local tomara como emplazamiento el de la ermita de mayor devoción (que fueron, además de los citados, los casos de Alájar o El Cerro) o que adoptara al menos el calendario de las celebraciones patronales (San Bartolomé de la Torre o Encinasola). De la feria de Alájar, coincidente con las fiestas de la Virgen de los Ángeles, decía el párroco a fines del siglo XVIII que "el concurso es numerosísimo de gentes que vienen del Andévalo, Extremadura y de toda esta serranía a visitar a Nuestra Señora y proveerse de lo necesario", según anota Núñez Roldán[58].

Que el ambiente de estas celebraciones religiosas masivas fue mixto y plural y que lo devoto estuvo rodeado en todo momento de un denso halo profano -y no sólo económico- es evidente. La exaltación religiosa compartió papel con muchos otros elementos festivos muy poco místicos, y fue normal que las autoridades eclesiásticas y civiles intervinieran activamente para cercenar ciertas efusividades del espíritu y aun de la carne. Apenas hubo fiesta religiosa sin que la Iglesia vigilante advirtiera en sus formas y costumbres algún peligro de sensualidad o heterodoxia, y apenas hubo procesión o ceremonia solemne sin que la habitual expresividad de los fieles degenerase pronto en irreverencias, tensiones o altercados. Cofrades contra cofrades, frailes contra frailes, clérigos seculares contra clérigos seculares e incluso poblaciones contra poblaciones[59] dieron tono a desfiles procesionales de toda especie,

---

[56] Traslado de la Real Provisión conteniendo el Privilegio de la Feria del Valle, 1719. Archivo Municipal de Manzanilla, Órganos de gobierno, Disposiciones, leg. 22.

[57] ÁLVAREZ GASTÓN, Rosendo: *Almonte y El Rocío*. Editorial Católica Española, Sevilla, 1978, pp. 102 y s.

[58] Cit. en NÚÑEZ ROLDÁN, Francisco: *En los confines del Reino. Huelva y su Tierra en el siglo XVIII*. Universidad de Sevilla, Sevilla, 1987, p. 414.

[59] Por ejemplo, las disputas entre los Cabildos de Ayamonte y Villablanca, a principios del siglo XVII, por encabezar la procesión de la Virgen de la Blanca. Traslado hecho por el escribano público Alberto Romero del Alamo de una resolución del Marqués de Ayamonte sobre ciertas pretensiones de Ayamonte de tener jurisdicción sobre la de Villablanca, considerarla aldea suya y querer que sus alcaldes vayan con vara alta en la procesión que suelen hacer a la ermita de Nuestra Señora de la Blanca, 1629. Archivo Municipal de Villablanca, Órganos de gobierno, Provisiones, órdenes y pragmáticas, leg. 40.

aunque quizás ninguno resultó nunca tan violento como el que, en 1755, se celebró en Trigueros en honor a San Antonio Abad[60]. Violencias aparte, que fueron disculpadas en una sociedad esencialmente tensa, las fiestas y romerías religiosas fueron común escenario de muchas y muy variadas conductas, a menudo contrarias a la moralidad vigente, aunque usualmente admitidas por los concurrentes con una mayoritaria naturalidad.

A corregirlas y extirparlas, en sus vertientes menos devotas, se dedicaron no pocos esfuerzos a lo largo de la Edad Moderna. En 1723, las reglas de la hermandad de Nuestra Señora de los Milagros de Palos obligaban a sus miembros "a celar que no se toquen instrumentos en los ranchos, ni se cante ni se baile ni se den carga, porque esto ha de ser una feria espiritual y no pasatiempo, ni en la fiesta no se permitan danzas"[61]. Pero esta vigilancia, obviamente, a quienes en mayor medida competía era a los visitadores arzobispales, que incluso llegaron a veces a prohibir las veladas festivas. Así ocurrió en 1717 con la que, en Moguer, se hacía a la Virgen de Montemayor y el Santo Cristo de los Milagros, si bien de la ineficacia de tal prohibición da buena cuenta el que, en 1738, la visita correspondiente volviera a disponer "que por quanto la hermita de la Virgen de Montemayor se halla en despoblado y en el día de su fiesta y octava se an experimentado notables escándalos en tener de noche abierta la dicha hermita, mandó su merced que sólo la víspera y su día hasta el toque de ánimas esté abierta la dicha hermita, y por las madrugadas el día de la Virgen se abra a las dos de la mañana, y los demás días sólo al romper el día, serrándose a la oración"[62].

De todas formas, aunque los visitadores fueron especialmente puntuales en esta tarea censora, también fue usual que los corregidores, sin duda más preocupados por cuestiones de orden público que por asuntos de compostura religiosa, se arrogaran esa iniciativa en la segunda mitad del siglo XVIII, redactando y publicando bandos admonitorios. Realmente, esa vigilancia ya venía ejerciéndose a través de las órdenes de buen gobierno, en cuyas disposiciones nunca faltaron conminaciones contra blasfemos, irreverentes o amancebados. En las órdenes onubenses de 1770 se prohibía tajantemente "que ninguna persona diga ni oyga cantares torpes ni deshonestos, ni eche equívocos provocativos ni digan chanzoletas ni sátiras a las mugeres ni las acompañen en las romerías"[63]. Dentro de este contexto se encontró el bando que el corregidor de Huelva, en 1792, mandó imprimir con advertencias a los que concurrieren a la velada de la Cinta, y que, entre otras cosas, establecía la medianoche como hora límite de estancia para personas de ambos sexos y vendedores de bebidas y comestibles. Al año siguiente, 1793, el mismo corregidor endurecería notablemente las condiciones de la romería de la Cinta:

[60] Archivo Municipal de Trigueros, Órganos de gobierno, Disposiciones, leg. 52.

[61] *Libro en que se trata…*, fol. 81 v.

[62] Cit. en GONZÁLEZ GÓMEZ, J. M., y CARRASCO TERRIZA, M. J.: *Op. cit.*, p. 439.

[63] Orden de buen gobierno del corregidor de Huelva, fechada a 14-3-1770. A.M.H., Histórico, leg. 854.

"En la villa de Huelva a cinco de septiembre de 1793 años. Don Martín Barrera y Álvarez, Corregidor e Justicia Mayor. Digo, primero: Que todas las personas sujetas a mi jurisdicción (...) y las demás que con algún motivo se hallaren en ella en la víspera y día de Nuestra Señora la Virgen de la Cinta, que en su paseo y velada no causen alborotos, quimeras ni profieran palabras torpes y obsenas, conduciéndose a la devoción y diversión con aquel recato que exigen los deveres del Christianismo (...).

Segundo: Que los que vayan en bestias se conduzcan sin atropellamiento ni carreras.

Tercero: Que los carreteros que lleven familias en sus carretas hayan de ir delante de los bueyes con proximidad a ellos, sin separarse del recinto camino.

Cuarto: Que los que vendan licores, frutas y sarandajas puedan permanecer en sus puestos con luces hasta la hora de las diez, en la que deverán apagarlas y dirigirse a el pueblo, dándosele de término a los revendedores y ventilleros una para que desalojen sus puestos y lleguen a el pueblo, en cuya hora deverá recogerse toda la gente sin quedar en la Ermita, circunsferencia, camino ni campo persona alguna que no esté con algún destino u ocupación, de manera que a las once de la noche estén todos recogidos en el pueblo, pues ha acreditado la experiencia que de la permisión de estas veladas en toda la noche se ofende el honor de ambas Magestades"[64].

Estos bandos, de un rigor novedoso, comportaban una prudencia política bastante comprensible para las fechas que eran, y revelaban, por lo demás, que las veladas y acampadas al descubierto servían a menudo para algo más que para mantener un culto. Estas veladas estaban ya prohibidas por las constituciones sinodales del arzobispo Niño de Guevara, que en 1604 daban instrucciones concretas de no permitir que en las ermitas "se hagan velas, o vigilias de noche, ni se coma, ni beba, ni canten cantares deshonestos, o profanos, ni se hagan otras cosas prohibidas"[65], aunque, naturalmente, estas manifestaciones de religiosidad ambigua siguieron dándose. En verdad, la ambigüedad de la religiosidad era parte constitutiva de su propia naturaleza, y prácticamente desde el Concilio de Trento y el triunfo teórico de las formas barrocas ni siquiera la Iglesia institucional estaba ya en condiciones de saber separar del todo el grano de la paja. Por todas partes, las devociones

---

[64] Cit. en DÍAZ HIERRO, D.: *Historia de la devoción...*, pp. 262 y ss.

[65] *Constituciones del Arçobispado de Sevilla, hechas i ordenadas por el Ilustríssimo i Reverendíssimo Señor Don Fernando Niño de Guevara, Cardenal i Arçobispo de la S. Iglesia de Sevilla, en la Synodo que celebró en su Cathedral, año de 1604, y mandadas imprimir por el Deán i Cabildo, Canónigos in sacris, sede vacante.* Imp. de Alonso Rodríguez Gamarra, Sevilla, 1609, fol. 142 v.

locales habían generado o adoptado expresiones festivas más amplias, y en su amalgama de contenidos y sensaciones lo religioso acabó siendo tan sólo un elemento cimentador.

En el fondo, sobre todas estas expresiones mestizas (fiestas patronales, romerías, cruces, resumidas todas en el Corpus), la Iglesia consolidó y fijó un programa de penetración social sin apenas precedentes. Renunció para ello a ciertos afanes de profundización intelectual a cambio de intereses expansivos y combatió contra el poder disgregador del individualismo místico a mandobles de demostración comunitaria. Era, en definitiva, cambiar las unidades de longitud por las de superficie, y esto no pudo ser más que el resultado de un mayoritario pesimismo existencial. La ambigüedad de las formas religiosas garantizó, en cierto modo, su triunfo, pero condenó a las cosas de Dios y los hombres a navegar sobre aguas indefinibles.

RELIGIÓN Y FIESTAS EN ANDALUCÍA
REFLEXIONES METODOLÓGICAS[1]

SALVADOR RODRÍGUEZ BECERRA
Universidad de Sevilla
Fundación Machado

"En una pequeña villa de Jaén [La Guardia de San Sebastián], celebraron los vecinos de aquel pueblo con jaranas y con tiroteos la memoria de un Santo [San Sebastián] a quien profesan particular devoción, en quien ponen su confianza en las epidemias y habituales tribulaciones de la vida, y en fin, a quien tienen por patrón y protector de sus dioses penates. Así entiende la religión el pueblo bajo. *¿Si será porque no se la enseñarían bien?*" (Publicado en *El Artista* (1870-1873) por Manuel Caballero Venzalá, La Guardia de San Sebastián (1808-1871).

El problema de los vecinos de La Guardia no era tanto que no le hubiesen enseñado bien la religión, sino que habían construido su religión a partir de la tradición y las enseñanzas recibidas reelaborándolas, adaptándolas a su peculiar forma de entender la sociedad y su entorno en el devenir histórico, es decir, pasándolas por el filtro de su propia experiencia cultural. Esta concepción, que explicaría desde la institución eclesiástica la "heterodoxia" de la religión popular como consecuencia de una mala trasmisión, es errónea aunque ha sido hegemónica hasta el presente, pues como dice L. Millones refiriéndose al Perú y a otros países hispanoamericanos: "sus bases culturales hacen que la percepción del mensaje cristiano, que llegara en el siglo XVI, sea diferente" (1997: 11)

---

[1] Con motivo de la celebración de las VIII Jornadas de Etnología en Granada (1998), tuve ocasión de exponer, a petición de la Comisión Andaluza de Etnología, un balance esquemático sobre la aportación de la Antropología sociocultural en los últimos 25 años a los campos religioso y festivo en Andalucía. En este artículo ofrecemos una versión más amplia de las ideas allí expuestas. En este mismo año la Signatura. Ediciones de Andalucía, publicará un libro con este mismo título que recoge mis escritos sobre estos temas en los últimos años.

La religión, entendida como fenómeno que va más allá de las necesidades básicas constituye un reto que necesita ser abordado desde la ciencia. Es cierto que la religión, como los demás aspectos de la cultura, sólo la podemos conocer por lo que el hombre dice o hace: creencias, ritos y símbolos, lenguajes humanos al fin. Éstos son trascripciones humanas de una realidad que permanece oculta pero con la cual el hombre se relaciona, de lo que deducimos que lo sagrado es fundamentalmente una relación, en la que hay que distinguir lo que el hombre recibe por imposición o acepta por convencimiento y la expresión que ofrece de ello.

Tengamos también en cuenta que sólo podemos captar lo sagrado a través de las respuestas elaboradas por el hombre desde su condición de inferioridad en un tiempo y en un espacio dados, expresado a través de las culturas. Recordemos, en cualquier caso, que "La Antropología no se propone estudiar la religión como algo verdadero, falso o erróneo, ni como una etapa de la evolución histórica, ni en fin, como un producto de la conciencia individual. La Antropología considera la religión como un fenómeno social y cultural que, como los otros fenómenos del mismo orden, analiza aplicando un método de observación directa" (Mallart, 1981) ; en otras palabras un antropólogo no aborda la religión como un teólogo, filósofo o psicólogo, y está muy cercano a ciertos historiadores. ·

La fiesta es una de las ocasiones privilegiadas, aunque no la única, en la que se expresa más claramente la religión y otros tantos aspectos de la cultura. A través de la fiesta, observando atentamente, puede aprenderse cómo se organiza una sociedad: bases económicas, clases, grupos, movilidad social, asociaciones, individualismo, familia, valores, creencias, sin olvidar la arquitectura de la fiesta a través de las plazas, calles, casetas, etc.; todo ello de forma ritualizada y a través de elementos simbólicos.

La estrecha relación entre fiestas y religión es tan obvia que no necesitaría justificarse, recordemos, no obstante, la vinculación de las fiestas a las estaciones buscando la protección de las cosechas y los ganados; el que casi toda fiesta colectiva tiene una motivación religiosa y que el calendario anual esta segmentado en espacios que preparan o culminan la celebración de una conmemoración religiosa; y no olvidemos que la canonización de un santo lleva aparejada la fijación de un día de fiesta en el calendario cristiano, y que ésta, hasta muy recientemente, contemplaba la celebración de la víspera o vigilia -la fiesta profana- y la fiesta religiosa, que a su vez estaba conformada por toda una serie de elementos profanos que, entre otras funciones, tenía la de atraer a las gentes.

La religión y la fiesta no han sido estudiadas en nuestro país adecuadamente; ha faltado el debido distanciamiento; han estado muy presentes los prejuicios ideológicos y ni siquiera se han tenido en cuenta los factores caracteriológicos del investigador. Además, en el mundo occidental han existido hasta muy recientemente, constricciones sociales, ideológicas y mentales que han impedido, o al menos dificultado, abordar la aproximación a las mismas y al conjunto de la sociedad y la cultura. Estas constricciones son externas pero también internas o de la propia personalidad. Esta situación ha sido especialmente drástica en nuestro país donde la confesionalidad del estado, sin olvidar la vuelta atrás que supuso la instauración del régimen surgido de la Guerra Civil (1936-39), -el llamado nacionalcatolicismo-, no ha favorecido ni la comparación ni la deseada objetividad. Tampoco la ha favorecido la ideologización marxista y en otros casos nacionalista que acompañó la lucha por las libertades en el tardofranquismo.

Se dan hoy, creemos, las mejores circunstancias para abordar su comprensión, dado el clima de libertad de conciencia y expresión, nunca dados anteriormente, que se vive en nuestro país. La religión sigue siendo entre nosotros, a pesar de todo, una realidad muy viva en la que el monocorde sonido católico se ha diversificado en un amplio abanico de nuevos grupos que hacen más fértil el laboratorio de estudio. Del mismo modo las fiestas siguen siendo un aspecto que no sólo no ha decaído o desaparecido, como ha ocurrido en otros países europeos, sino que muy al contrario han crecido en interés y participación. A esto habría que unir la necesidad de dar profundidad histórica, metodología no abordada en muchos casos y que consideramos imprescindible, si queremos afrontar con seriedad estas expresiones culturales; la abundantísima información existente, especialmente en el caso de la religión que, aunque sesgada, permite leerla desde una óptica científica, favorece este planteamiento.

El panorama hermenéutico de la Antropología en las últimas décadas ha estado dominado por la huida o relegación de los estudios al comportamiento religioso, los ritos y las instituciones, dejando de lado el intento de explicación última de la experiencia social y personal del hombre con lo que llamamos religión. "Esta perspectiva pragmática -dice Turner citando a Geertz- evita la indagación directa acerca de las raíces últimas de la fe de un individuo o una comunidad y prefiere centrarse en la cuestión de 'cómo cuenta en este mundo con el apoyo de unas formas simbólicas y unos ordenamientos sociales' " (Turner, 156: 409). Arnold Van Gennep está en la base de este nuevo acercamiento y por ello, "Le corresponde el mérito de haber hecho de la antropología la clave para un conocimiento más profundo de la condición humana que el aportado por el funcionalismo, el estructuralismo o el materialismo dialéctico" (Turner, 156: 410). La clave está en el concepto de 'liminalidad', que estableciera Van Gennep en sus *Ritos de paso* (1909), que tiene numerosas implicaciones cuando es directamente relacionada con las etapas cruciales de la experiencia humana. Es decir, que en ciertas circunstancias, durante la fase liminal se suspenden las clasificaciones culturales, las categorías sociales, las normas y las sanciones. "Lo que antes 'importaba', ya no importa, y lo que importará en adelante se está creando en el ámbito de la separación liminal que supone una segregación del mundo ordinario y cotidiano" (Turner, 156: 410)

Estas afirmaciones que están pensadas fundamentalmente para los ritos de iniciación, son también aplicables a los ritos festivos recurrentes y estacionales con fases liminales públicas que incluyen el juego, la rivalidad, el exceso y que implican la suspensión de normas, valores, inversiones simbólicas de categoría social, género, edad, etnia, orden temporal, etc. La liminalidad expresa más que factualidades, potencialidades, deseos, posibilidades y es por ello que expresan mejor lo sagrado, los símbolos de una realidad superior, los mitos de creación, de las aparición de figuras enmascaradas y monstruosas, etc. En la liminalidad también se producen cambios por cuanto que, junto al rigor de los ritos, queda un espacio para la reflexión, pueden proponerse nuevos modelos para la vida social que se legitima en los estados alterados propios del chamanismo, la obsesión, el trance, pero también y frecuentemente "como una especie de creación espiritual popular en el curso de la liminalidad pública de los grandes ritos cíclicos". (Turner, 156: 413).

Durante este período se eliminan graduaciones y distinciones creándose una *communitas*, que aunque tiene carácter efímero es capaz de generar consecuencias sociales y culturales de largo alcance. No es sólo la ausencia o lo contrario de situaciones positivas y por tanto capaz de generar nociones "supersticiosas" y actividades fetichistas sino que en el ámbito de la *communitas* es capaz de generar claves aplicables a la religión no fácilmente accesibles desde la perspectiva del pensamiento abstracto y descontextualizado; los ritos serían portadores de los mensajes capitales de las religiones y no sólo como mero reflejo de la estructura social, que se nos presentaría como una "mentira", como un residuo de la experiencia liminal, como "desechos" de los procesos de crecimiento significativos de los momentos de transición en la existencia de grupos y personas. "El proceso ritual revela que la religión religa desligando (de las estructuras sociales), ya que la fuente de la unidad (o no dualidad) están en la anti-estructura, aunque es también la fuente y el sostén de las múltiples estructuras de la naturaleza, la mente, la cultura que aún encadena a la humanidad. Pero al final las disuelve o destruye" (Turner, 156: 415). La fiesta, caracterizada por el colorido de los espacios y las personas, la música y los bailes, el comensalismo, la sociabilidad, entre otros aspectos, cumple una función, pocas veces tan profundamente sentida, como es la confirmación de la pertenencia a la *communitas*. La fiesta es también la ocasión privilegiada en que la mayoría se hace presente en un lugar y en un tiempo precisos. Esta concurrencia, que pocas veces pueden garantizar los organizadores de actividades culturales o políticas, ofrece enormes posibilidades y facilidades de observación para el antropólogo. A su vez la religión y la fiesta se constituyen como una de las claves de la configuración cultural de un pueblo, lo que ha dado en llamarse etnicidad, aspecto al que se ha prestado mucha atención desde ciertos grupos de investigación en Andalucía, mediatizadas por una carga ideológica que, desde nuestro punto de vista, ha oscurecido sus aportaciones (Aguilar, 1957: 108).

Tengamos en cuenta, asimismo, que las relaciones de cada sociedad con lo sobrenatural, y las fiestas como marco que las temporaliza, se configuran de una especial manera en función de las circunstancias históricas y medioambientales entre las que creemos pertinente destacar: la sensación de "eternidad"de lo religioso, tanto en cuanto a las instituciones, los principios doctrinarios, los rituales, y las leyes, como a los edificios con su monumentalidad y centralidad urbanísticas (iglesias parroquiales, torres con reloj, conventos, retablos y cruces callejeras, etc.). Esta sensación, establece una estrecha conexión del presente con el pasado, y está fortalecida por la teología y pastoral de la Iglesia católica que afirma su permanencia en el tiempo. Asimismo, la religión y la fiesta favorecen a otro nivel la identificación que hace cada grupo frente a los demás: *nosotros frente a ellos*; produciendo o dando sentido al enfrentamiento por profesar diferentes religiones, visiones diferentes dentro de la misma religión, e incluso entre grupos ortodoxos por cuestiones menores. Porque la religión refiere a seres no naturales con los que el hombre establece una especial relación de amor/temor y de los que se pueden recibir beneficios pero también prejuicios; es por ello que hay que agradarlos, propiciarlos, rehuirlos o someterlos para recibir favores y/o evitar infortunios.

LA FIESTA COMO CONMEMORACIÓN RELIGIOSA

El interés por la fiesta probablemente por su excepcionalidad y recurrencia anual, pero siempre por su ruptura de lo cotidiano, tiene unos precedentes muy lejanos en el tiempo, recordemos, por sólo citar el ejemplo más conocido, el calendario festivo romano. En el siglo XVI ya la concepción de la fiesta incluía en primer lugar, la celebración de determinados tiempos litúrgicos, domingos y días de los santos con asistencia a los rituales religiosos, dejando las actividades profanas y productivas, y en segundo lugar, aunque probablemente el primero para muchos, el recreo y la diversión. Así, pueden encontrarse en los anales de las ciudades numerosas referencias a fiestas, significando, por un lado la celebración de un ritual religioso (fiesta propiamente dicha en el lenguaje de la época) y, por otro, diversos actos profanos (velada o víspera), ya sea con ocasión de un suceso único, tal que el nacimiento de un príncipe, la canonización de un santo, acción de gracias por un terremoto, victoria militar, inauguración de una iglesia, etc., pero sobre todo por su recurrencia: la fiesta del Corpus, la Semana Santa, o la Inmaculada Concepción. Fiesta y velada, ritual religioso y goce festivo forman un todo difícilmente disociable, aunque la segunda estuviera en función de la primera y que, por tratarse de una manifestación popular, fuese con frecuencia censurada o controlada por los detentadores del poder civil y/o eclesiástico.

ANTECEDENTES HISTÓRICOS

El atractivo por las fiestas ha sido una constante en los cronistas, ya la *Crónica* del Condestable Iranzo recogía la narración de una fiesta de moros y cristianos celebrada en Jaén en el siglo XIV, organizada para su propio solaz;

posteriormente, los eruditos sienten la necesidad de dejar constancia de los acontecimientos que tienen lugar en las ciudades y plasman las festividades que presencian o que pueden reconstruir a través de documentos. Sirvan de ejemplo la descripción de dos fiestas separadas por casi 500 años y que aún se celebran en Sevilla, la conmemoración de la muerte del rey Fernando III y la velada de Santa Ana de Triana. En primer lugar veamos la conmemoración del aniversario de las exequias de Fernando III, ya canonizado, el 30 de mayo de 1260, tal como nos lo cuenta el cronista Ortiz de Zúñiga (1667): "...era más solemnidad de su gloria, que plegaria de su descanso...Y guardábase como *festivo el día y su víspera*, en que no abriesen (dice la Crónica) tiendas algunas, ni los menestrales no hiciesen alguna cosa. Erigíase en la Iglesia majestuoso túmulo, concurrían los pueblos de la comarca con sus pendones, que ante él abatían, *que tenía más visos de romería que de funeral*, ... *eran los días de mayor concurso y regocijo que en aquellos tiempos tenía Sevilla*: sus caballeros los festejaban con ejercicios militares, el pueblo con danzas, y todos con la festiva aclamación de Santo, Santo..." (Ortiz de Zúñiga: 1975-76, I: 233). En segundo lugar, la Velada de Santa Ana de Triana en 1742. "Se habían hecho ya muy notables *los excesos de las que llamamos veladas, nombre derivado de las vigilias nocturnas que en honor de los santos celebraban los fieles las vísperas de sus festividades*: entre otras era muy célebre la de Santa Ana en Triana, a que daba *más libertad* el despoblado Arenal y orillas del río, lugar de la concurrencia; y *deseando evitar en cuanto se pudiera los desórdenes, que la oscuridad de la noche no podía ocultar*, el celoso Coadministrador [Arzobispo auxiliar] las prohibió... a quien auxilió el Asistente [Presidente del cabildo civil] con su autoridad..." (Matute y Gaviria: 1887, II: 46).

COSTUMBRISTAS Y FOLCLORISTAS

En el siglo XIX vendrán los escritores costumbristas, que guiados por un interés fundamentalmente literario van a utilizar las fiestas como pretexto de sus escritos y los folcloristas finiseculares que van a plantear un nuevo acercamiento a las fiestas lejos del pretexto literario, como expresión de un modo de ser y de un carácter nacional; nace con ellos la ciencia aplicada al estudio de las fiestas y de las creaciones humanas; es éste un período fértil para la producción de obras de estudio sobre fiestas, citemos a Serafín Adame Muñoz, Luis Montoto y Alejandro Guichot en Sevilla y a Miguel Garrido Atienza, Antonio Joaquín Afán de Ribera y Francisco de Paula Valladar en Granada, que van a producir textos costumbristas o de trasfondo histórico de las principales fiestas de sus respectivas ciudades.

Una clara diferenciación marcará el camino entre costumbristas y folcloristas; baste señalar que la intencionalidad era muy distinta, los primeros partían del hecho singular que describían mientras que los segundos pretendían construir un edificio científico que yendo del nivel local llegara al regional y nacional o "programa para estudios literarios, artísticos y etnográficos", para alcanzar el conocimiento de los "caracteres, estados sucesivos y tendencias de razas y de pueblos, según el grado de expresión que aquéllos alcancen en las fiestas, espectáculos y costumbres de la vida pública; manifestaciones colectivas y externas, todas ellas, que parece no conservan siempre paralelismo con las de la vida doméstica y la llamada de clase" (Guichot, 1888:5). Partían estos últimos de unos cuestionarios y esquemas que homogeneizaban la recogida de datos, principal preocupación de este movimiento en la primera fase. Sirva de ejemplo para insistir en la diferencia entre ambas posiciones la afirmación que hace Afán de Ribera en el colofón de sus *Fiestas populares de Granada* (1885): "Mi objeto es, que se conozcan verdaderamente nuestras festividades populares, y el espíritu religioso y poético que las anima". Veamos por el contrario la actitud de los folcloristas; en el folleto publicado por Alejandro Guichot y Sierra, fundador con Antonio Machado y Álvarez de la sociedad *El Folk-Lore andaluz*, titulado *Ensayo recordatorio de las fiestas, espectáculos, principales funciones religiosas y seculares y costumbres de la vida pública, que se verifican y observan actualmente en Sevilla* (1889), precisamente en la celebración de la fiesta del 1º de mayo; el título, aunque un poco largo, resulta descriptivo y marca claramente la distinción que se había producido a nivel taxonómico, pues a nivel real probablemente siempre existió, entre fiesta y espectáculo, es decir entre participación activa y mera observación, entre fiestas y funciones religiosas y seculares, estas últimas constituyen rituales en los que el común de la gente es espectador, aunque se produzcan efectos que van más allá del mero goce del espectáculo. Así en el guión de trabajo de la fiesta de la Cruz (3 de Mayo), dice: "La invención de la Cruz; la procesión, el *Lignum Crucis*. Historia, tradiciones, supersticiones. Las cruces tradicionales. Costumbres infantiles. La fiesta en el corral; decoración y arreglo, farolillos y flores, altares; baile, coplas y oraciones; el vino y el bizcocho; en plena fiesta. La fiesta en la plaza del barrio; arcos y altares, postulantes y donativos; la rifa pública, frases y equívocos; la puja, celos, estímulos, derroches; inversión de lo recaudado. Conclusión de la fiesta." (Guichot, 1888: 13). A pesar de las diferencias metodológicas, entiendo que las aportaciones de ambos grupos llenaron un vacío, pues todos tenían conciencia de estar aportando materiales al entonces llamado 'carácter de nuestro pueblo', pues como decía Valladar en el prólogo del citado libro de Afán de Ribera: "... llena un gran vacío, mucho más que las sociedades *folklóricas* buscan con interés cuantos rasgos y detalles puedan caracterizar al pueblo, de cuya historia, en verdad, hay escritas muy pocas páginas en nuestras crónicas y códices" (1885:23)

LOS ANTROPÓLOGOS ANDALUCES

En Andalucía, si exceptuamos el intento frustrado de Machado y Álvarez en el último tercio del pasado siglo, no han existido folcloristas ni eruditos recopiladores de las formas de la llamada cultura popular y por tanto de fiestas y religiosidad popular, como ocurriera en otras regiones españolas con mayor o menor conciencia regionalista o nacionalista, y en otros estados europeos. En el interregno, sólo la figura destacada de Julio Caro Baroja dejará un par de artículos sobre la semana santa de Puente Genil (Córdoba) y la romería de la virgen de la Peña de la Puebla de Guzmán (Huelva), trabajos que tendrán una influencia, aún no valorada adecuadamente, en el desarrollo de la Antropología y las ciencias sociales en Andalucía. Habrá que esperar a los años setenta para que de nuevo surja el interés por esta expresión de la cultura que llegará de la mano de los antropólogos andaluces y más recientemente de los historiadores.

Los estudios de religión y fiestas fueron sin duda a los que mayor y más temprana atención prestaron los antropólogos andaluces, tanto los del núcleo sevillano como posteriormente los del granadino; es prácticamente imposible localizar un antropólogo de las llamadas segunda y tercera generación que no haya estudiado alguna fiesta o ciclo festivo. "El campo de la fiesta y de los rituales, recuperados en su versión de explosión de libertad, de espontaneidad y de identidad colectiva se convierte en uno de los temas por excelencia de los antropólogos andaluces" (Aguilar, 1993: 105). La ópera prima de la antropología andaluza, *Propiedad, clases sociales y hermandades en la Baja Andalucía* (1972), de Isidoro Moreno, monografía sobre un pueblo del Aljarafe sevillano, constituye un referente de la literatura antropológica en España durante años, y que al decir de la profesora Encarnación Aguilar, "va a crear un marco referencial más complejo donde se inserta el tema de la religiosidad popular y los rituales festivos, un marco que lo subsume, y que de otro lado nos parece el más paradigmático de la investigación antropológica andaluza en los últimos años, nos estamos refiriendo al de la identidad" (1993: 106), opinión que matiza el también profesor de Sevilla, Elías Zamora, cuando afirma que es excesivo considerar esta monografía como "...el origen de toda la antropología posterior. Por ejemplo, la antropología de la religión en Andalucía quizás tenga sus inicios en los trabajos de algunos investigadores granadinos y en las investigaciones de Salvador Rodríguez Becerra, y no en la citada monografía" (Zamora, 1993: 47) El trabajo citado del profesor Isidoro Moreno, que constituyó su tesis doctoral, elaborado con una metodología marxista, pone de relieve la estrecha dependencia entre el sistema de propiedad de la tierra y el modelo de 'mitades ceremoniales' que divide a la comunidad horizontalmente, neutralizando o al menos mediatizando la estratificación vertical del sistema de clases.

En los años setenta, al amparo del sistema democrático y de la organización autonómica del Estado, va a surgir un interés por el conocimiento de las diversas culturas regionales que en cierta manera justificara el mapa autonómico; la fiesta aparece como el primer recurso a este efecto y la demanda social empieza a plasmarse en ofertas editoriales y en apoyos de las instituciones autonómicas recién creadas. Fruto de esta circunstancia es la publicación pionera de un libro de conjunto que, bajo el título de *Los andaluces* coordinara Ignacio Romero de Solís, semejante a los publicados sobre otros pueblos de España, reunía un conjunto de temas clásicos en estas publicaciones dedicados al territorio, la historia, el arte, la literatura, la música y la arquitectura, a los que se unían otros más novedosos, como fueron la lengua, la arquitectura y la música populares, y el titulado "Cultura popular y fiestas". Este último trabajo realizado por nosotros, planteó por primera vez una tipología formal de las fiestas desde el punto de vista 'emic', caracterizándolas y contextualizándolas en el marco cultural de Andalucía (Rodríguez Becerra, 1980). Poco después vería la luz la *Guía de fiestas populares de Andalucía,* primera obra de este tipo en el panorama español, dirigida por nosotros, que ofrece datos etnográficos iniciales de esta manifestación cultural -recuérdese que la cultura andaluza era una gran desconocida a niveles de investigación/divulgación y en la que sólo algunos monotemáticos tópicos, tal que el Rocío o la Semana Santa sevillana o malagueña eran de general conocimiento por tradición oral, prensa escrita o audiovisual- e hizo un balance descriptivo de las fiestas que incluye todos los núcleos de población. Como obra de conjunto hay ciertos desequilibrios entre provincias y algunos errores, alcanzándose en algunos casos como en Córdoba un alto grado de exhaustividad (Rodríguez Becerra, 1982). Poco después, el autor de este trabajo recogió varios de sus artículos sobre esta temática en un libro titulado, *Las fiestas de Andalucía. Perspectivas desde la Antropología cultural* (1985) que contribuyó a divulgar aspectos fundamentales del fenómeno festivo: naturaleza, funciones, significados y relaciones con el ecosistema desde la perspectiva de una disciplina, la antropología, a la que se negaba el pan y la sal, en un mundo intelectual anclado en el positivismo historicista y en la casuística.

En el campo religioso es digno de mención la publicación de *Exvotos de Andalucía* (1980) de Rodríguez Becerra y Vázquez Soto, que aunque estudia el fenómeno a partir del objeto motivo de la ofrenda -el exvoto- y no del oferente, abrió un campo inexplorado en las relaciones del hombre con lo sobrenatural. La publicación del libro de conjunto *La Religión en Andalucía* (1985) coordinado por Castón, que reunió a los expertos vinculados al Centro de Estudios de Tradiciones Religiosas de Andalucía de la Facultad de Teología de Granada, supuso la divulgación del trabajo que venía desarrollando este grupo de teólogos. Miembros de este grupo habían llevado a cabo la primera recopilación bibliográfica sobre esta temática en Andalucía que editaron en la revista teológica *Proyección* que junto con *Communio*, de los dominicos de Sevilla, expresan el interés de sectores eclesiásticos por acercarse a la religiosidad popular (Briones y Castón, 1977 y Duque, 1986)

Pero sin duda el hecho de mayor relevancia que se ha producido en nuestra comunidad autónoma fue la convocatoria por la Fundación Machado del "I Encuentro sobre Religiosidad popular" celebrado en Sevilla en 1987 y cuyos resultados quedaron plasmados en la obra *Religiosidad popular* (Álvarez, Buxó y Rodríguez Becerra, 1989), elenco de materiales con importantes aportaciones metodológicas y etnográficas cuya trascendencia en el mundo de habla hispana ha podido ser corroborada en diversos encuentros regionales de antropólogos e historiadores. La Fundación Machado a través de su Área de Antropología centrada en la documentación e investigación en la Religiosidad popular ha llevado a cabo dentro del proyecto sobre "Catalogación de los exvotos de Andalucía", iniciado en 1979, la publicación de varias obras: *Exvotos de Andalucía* (1980), de S. Rodríguez y J. Mª Vázquez y *Exvotos de Córdoba* (1990), de J. Cobos y F. Luque y *Exvotos de Consolación de Utrera* [1998], de M.ªC. Medina. Y ha iniciado un proyecto de edición de un *corpus* sobre "Apariciones marianas en Andalucía" con técnicas históricas y antropológicas.

En la década de los ochenta, la fiesta y su principal soporte en la Andalucía occidental, las hermandades y cofradías, va a continuar siendo uno de los temas prioritarios de investigación de los antropólogos andaluces; el modelo de hermandades semicomunales que aportara I. Moreno fue probado en otros tanto lugares para conocer los factores que los determinaban; en esta línea deben situarse los trabajos de Aguilar (1983) sobre Castilleja de la Cuesta, y González Cid (1984) sobre Setenil, concluyendo que las razones históricas en el primer caso y el enfrentamiento entre los sectores de propietarios agrícolas y comerciantes en el segundo eran las que explicaban la existencia de otras tantas cofradías semicomunales; sobre esta línea, pero aplicada a hermandades comunales y supracomunales y al asociacionismo religioso, girarán los trabajos de Plata (1987) sobre la campiña cordobesa (Lucena, Moriles, Cabra y Baena), los de Escalera (1987) sobre el Aljarafe, Martín Díaz (1989) sobre Arcos de la Frontera, García Benítez (1989) sobre Cantillana y Agudo (1990) sobre los Pedroches. Estos trabajos tendrán continuidad en un amplio proyecto sobre rituales festivos y su relaciones con la identidad y la sociabilidad en un significativo número de poblaciones de toda Andalucía, cuyos resultados finales aún no han sido publicados.

Mención aparte merece, por la trascendencia que ha tenido entre los estudiosos de las hermandades andaluzas dentro y fuera de la Universidad, la publicación del libro de I. Moreno, *Hermandades andaluzas* (1ª ed. 1974), en la que se aportó un modelo estructural de tipologías basado en la combinación de tres criterios: el grado de exclusivismo (abiertas/cerradas), el tipo de integración (vertical/horizontal) y el nivel de integración simbólica (grupal/semicomunal/comunal/supracomunal), factores que combinados producen una tipología útil, pero que no siempre se corresponde con la realidad. Recientemente, esta problemática ha sido tratada por J. Rodríguez Mateos (1997) en un libro que puede considerarse la más importante obra sobre las hermandades y cofradías de Sevilla, en la que ha realizado una revisión crítica de esta tipología estructural y en la que pone de manifiesto los profundos cambios producidos en estas instituciones que ganan vigencia día a día en el panorama sociocultural andaluz.

De cualquier manera, el fenómeno festivo sigue interesando a los científicos sociales y buena prueba de ello son el monográfico titulado "La utopía de Dionisos", coordinado por Ariño dedicado por la revista *Antropología* de Madrid (núm. 11, marzo de 1996) que aportan nuevos acercamientos a esta problemática. Tal es el caso de J. Escalera (1996) que, a partir de la comparación entre algunas de las fiestas tradicionales de la ciudad de Sevilla y ciertos acontecimientos que se ha pretendido revestir de carácter festivo: Exposiciones Universales, Juegos Olímpicos, Bodas Reales, defiende la necesidad de reservar el concepto de fiesta para aquellas manifestaciones festivas rituales y simbólicas imbricadas en la sociedad y la cultura y diferenciarlo claramente de esos otros acontecimientos o "anti-fiestas", tal como las llama este autor, que no serían sino un producto espúreo de los poderes públicos y fácticos.

Simultáneamente, el primitivo núcleo de antropólogos granadinos agrupados en torno a la Asociación Granadina de Antropología primero y la Universidad de Granada después, trabajará en un proyecto de investigación, auspiciado por la Casa de Velázquez, que incluía las provincias orientales de Andalucía, en el que intervinieron P. Gómez, R. Briones, D. Brisset, A. Casado, F. Checa, y J. García Castaño, y cuyos resultados parciales fueron expuestos en el Coloquio Internacional "La fiesta, la ceremonia y el rito" celebrado en Granada en 1987 (Córdoba y Ètienvre, 1990) y en la obra de conjunto *Fiestas y Religión en la cultura popular andaluza* (1992), coordinada por P. Gómez. Este mismo autor había recogido en una obra personal un conjunto de trabajos en los que religión y fiestas son el lugar común de reflexión, a partir de los casos estudiados en el proyecto anteriormente referido, a la luz del concepto de mesianismo cristiano y en el marco de la cultura andaluza (Gómez, 1991). La obra de Briones, con influencias teológicas y fenomenológicas, incluye varios trabajos sobre las asociaciones religiosas en Priego de Córdoba, aunque está inédita la obra que constituyó su tesis doctoral y que recientemente ha obtenido el Premio Marqués de Lozoya (Briones, 1979 y 1985).

No quedaría completo el panorama que estamos dibujando si no nos refiriéramos a dos publicaciones periódicas y a las instituciones que las soportan, nos referimos a la Fundación Machado, fundada en 1985 con el preciso objetivo de paliar el grave déficit de conocimiento de nuestra cultura tradicional andaluza -cultura en sentido antropológico- que a través de ayudas a la investigación, cursos, exposiciones, libros y, sobre todo, de la revista *Demófilo* (anteriormente *El Folk-Lore andaluz*), dirigida por el prof. Rodríguez Becerra, ha ofrecido en las más de siete mil páginas y en los 30 números publicados hasta la fecha trabajos sobre fiestas y religiosidad andaluza y ha creado un *corpus* de datos y un foro de análisis sin precedentes en la historia cultural de Andalucía. La Asociación Granadina de Antropología ha venido publicando, no sin grandes esfuerzos, la revista *Gazeta de Antropología* de la que van publicados catorce números y en la que se recogen no pocos artículos sobre esta temática. Su actual director y verdadero motor de esta publicación ha sido el profesor Pedro Gómez que ha contado con la colaboración de los profesores Alejandro Casado, Rafael Briones y José A. González Alcantud de la

Universidad de Granada, Demetrio Brisset de la de Málaga y Francisco Checa de la de Almería[2].

Mención aparte hemos de hacer de la serie televisiva "Fiestas de Andalucía" que promoviera Canal Sur Televisión, y que constituye el caudal de imágenes más importante de rituales festivo-religiosos grabados en vivo, teniendo el cuenta el triple criterio de la tipología, el ciclo festivo anual y el equilibrio entre comarcas y provincias. Esta serie, de la que se grabaron 52 programas de 25 minutos, emitida total o parcialmente en varias ocasiones, inauguró una sistemática de trabajo novedosa en la televisión regional por cuanto se constituyó un equipo de dirección el que formaban parte el realizador, el representante de programas culturales del ente y un asesor científico; este último proponía al equipo el programa de fiestas a grabar en cada etapa, aportaba la documentación, estaba presente en las grabaciones y visualizaba los programas antes de su definitiva edición. La serie fue dirigida y realizada con gran acierto por Francisco García Novell, que a sus dotes profesionales une su capacidad para captar la singularidad de cada fenómeno festivo, estuvo asesorada por nosotros y contó con la colaboración de Armando Cáceres de Canal Sur y María del Carmen Medina como documentalista. El prof. I. Moreno también se ocupó ocasionalmente de estos fenómenos culturales en la serie "Andalucía, un pueblo con legado" promovida también por Canal Sur.

En la serie "Fiestas de Andalucía" no se buscaba el exotismo, ni la Andalucía insólita, aunque hemos huido de la monotonía y por ello hemos buscado la singularidad de cada una de ellas, teniendo siempre presente el dicho muy repetido por los observadores superficiales de que "las fiestas de los pueblos son todas iguales". En todos los momentos del rodaje mostramos absoluto respeto a la fiesta y a sus actores, nunca hemos buscado la representación ni alterado el curso normal de desarrollo de la fiesta, recogiendo la interpretación de los actores y la opinión cualificada de expertos; expresando nuestra posición a través de la voz en off. En cada capítulo hemos destacado una idea central que define a la fiesta: La máscara frente al disfraz homogeneizante, en el carnaval de Fuentes de Andalucía; el protagonismo de una familia gitana en la romería de Cabra; el dirigismo de la autoridad municipal en la fiesta de los juanes en Vejer de la Frontera; la añoranza del emigrante y la imitación del modelo sevillano en la Feria de Abril de Cataluña. Hemos contado la fiesta en su integridad, aunque en ocasiones hubimos de seleccionar algunos aspectos o fases significativos de la misma, por ejemplo, la complejidad de la Semana Santa de Baena nos indujo a sólo hablar de coliblancos y colinegros.

En síntesis, el diagnóstico sobre la situación actual de los estudios de religión y fiestas en Andalucía puede expresarse en los siguientes puntos:

---

[2] A partir de este número *Gazeta de Antropología* se edita en Internet (http://www.ugr.es/local/pwlac).

1. En los últimos veinticinco años se ha producido un amplio desarrollo de los estudios de hermandades y cofradías, centrados en el asociacionismo, la estructura social, las estrategias de poder, y la sociabilidad. Los estudios de un sector dentro de la disciplina han estado dominados por una concepción marxista de la religión que ha evolucionado hacia metodologías más comprensivas. Entiendo que ha habido un olvido significativo, el de que las creencias religiosas están en el fondo de la existencia de las hermandades, que aunque son asociaciones que cumplen unas funciones sociales, no podrían explicarse sin el contenido religioso, a pesar de que el grado y las formas de participación de la mayoría de los hermanos sea muy peculiar y en ocasiones alejado de la heterodoxia. Desde esta postura se parte del presupuesto de que los andaluces que participan en estas asociaciones se comportan *como si* no creyeran en los seres sobrenaturales y en la trascendencia; de esta forma las vírgenes y los cristos dolorosos no son sino metáforas del sufrimiento humano y no representaciones simbólicas de seres considerados divinos.

2. La existencia de un importante *corpus* de descripciones de fiestas, situación que es deseable, pues partíamos en Andalucía de un desconocimiento de la cultura tradicional/popular que no resistía la comparación con la mayoría de comunidades autónomas. Actualmente existen fondos documentales obtenidos por trabajo de campo en el Departamento de Antropología Social de la Universidad de Sevilla, en la Fundación Machado de Sevilla y en el Laboratorio de Antropología de la Universidad de Granada.

3. Escaso interés en los modelos que los andaluces utilizan para relacionarse con lo sobrenatural. La importancia de la fiesta en esta relación, considerada desde la visión de los devotos es la mejor ocasión para establecer este diálogo, expresado fundamentalmente a través de la promesa y el exvoto. Estas expresiones no pueden invalidar otras formas de "experiencia religiosa ordinaria", tales como la oración, la recepción de sacramentos, cumplimiento de normas eclesiásticas, aunque esta claro para nosotros, que la cultura popular hace una distinta valoración y uso de estas formas, llegando en la práctica a excluir algunos de estos ritos de su práctica vital.

4. La insuficiente valoración del pasado en la conformación del presente. No podemos olvidar que nuestra cultura es letrada y que durante muchos siglos nuestra sociedad ha formado parte de unidades políticas y administrativas superiores con fórmulas políticas, bases económicas, jurídicas, y filosofía similares, por lo que debe ponernos en guardia sobre las 'singularidades' a las que se propende desde las comunidades locales y regionales.

5. El inadecuado estudio de la religión y de la fiesta como unidades aisladas y separables del contexto sociocultural que las produce, mantiene o abandona y siempre transforma. Es necesario poner en relación las devociones a ciertas imágenes y las fiestas a ellas consagradas con grupos de poder y órdenes religiosas; años buenos o malos en la producción agrícola como consecuencia de plagas, inundaciones o sequías; sistemas de propiedad, hábitats, medios ecológicos y poblamiento; así como, disposiciones y actitudes emana-

das de los concilios generales y provinciales, de las autoridades civiles, liderazgos, misiones populares, etc.

6. Finalmente, entendemos que ha llegado el momento de pasar de considerar a la religión y a la fiesta como un medio privilegiado de acercamiento a la realidad social y simbólica de una sociedad a considerarla y estudiarla como fin en sí misma, momento ya iniciado, con la publicación del libro *Tiempo de Fiesta* (1982) que coordinara H. Velasco, en donde por primera vez se aborda el estudio de la fiesta en sí y para sí misma "sin las puritanas reticencias ilustradas, ni los reduccionismos folclorizantes al uso" (Ariño, 1996:6), y como expresión de unos contenidos fundamentales en el hombre. Por todo ello no podemos asumir la opinión de que: "La religiosidad popular y la fiesta aparecen estancados como objeto de estudio, y en su contra quizás opere el exceso de descripciones y compilaciones realizadas por los eruditos y asimilados" (González Alcantud, 1993: 65). Creemos que aunque ciertos caminos puedan estar cerrados, hay que buscar otras vías, algunas de las cuales se han expuesto en este rápido balance. En todo caso, siempre habremos contribuido, unos con datos veraces y otros con análisis, a mejor conocer nuestra realidad cultural en sus expresiones festivas y religiosas, aspectos indisolublemente unidos a la sociedad y la cultura; las explicaciones, siempre circunstanciales y temporales, aunque necesarias, vienen de la mano de quien puede y cuando se puede, porque como decía Engels: "La historia de las ciencia es la historia de la eliminación progresiva del error, es decir, de su sustitución por un error nuevo, pero cada vez menos absurdo"

BIBLIOGRAFÍA

AGUDO TORRICO, J. *Las hermandades de la Virgen de Guía de los Pedroches*. Córdoba, Caja de Ahorros Provincial, 1990.

AFÁN DE RIBERA, A. J. *Fiestas populares de Granada*. Granada, La Lealtad, 1885.

AGUILAR, E.: *Las hermandades de Castilleja de la Cuesta. Un estudio de Antropología cultural*. Sevilla, Ayuntamiento, 1983.

AGUILAR, E.: "Del Folklore a la Antropología". *Demófilo*, (1993), núm.10.

ÁLVAREZ, C.; BUXÓ, M. J. ; RODRÍGUEZ BECERRA, S. *La Religiosidad popular*, Barcelona, Anthropos / Fundación Machado, 1989, 3 vols.

ARIÑO, A. (Coord.) "La Utopía de Dionisos. Las transformaciones de la fiesta en la modernidad avanzada". *Antropológica* (1996) núm. 11 (monográfico).

BRIONES, R.; CASTÓN, P. "Repertorio bibliográfico sobre Religiosidad popular". *Communio*, (1997), tomo X, p. 155-192.

CARO BAROJA, J. "Dos romerías de la provincia de Huelva". *R.D.T.P.* (1957), tomo XIII.

CARO BAROJA, J.: "Semana Santa en Puente Genil". *R.D.T.P.*(1957), tomo XIII.

CARO BAROJA, J.: *La estación de amor. Fiestas populares de mayo a San Juan*. Madrid, Taurus, 1979.

CASTÓN, P.: *La religión en Andalucía*. Sevilla, Editoriales Andaluzas Unidas, 1985.

COBOS RUIZ DE ADANA, J.; LUQUE ROMERO ALBORNOZ, F. *Exvotos de Córdoba*. Córdoba, Fundación Machado / Diputación Provincial, 1990. (Prólogo de S. Rodríguez Becerra).

CÓRDOBA, P.; ÈTIENVRE, J. P. (Coords.) *La Fiesta, la ceremonia y el rito*. Granada, Casa de Velázquez / Universidad de Granada, 1990.

DEMÓFILO. REVISTA DE CULTURA TRADICIONAL. Índices, núms. 1 a 25. Fundación Machado, 1998.

DUQUE, J. "Claves bibliográficas de la Religiosidad popular andaluza". *Communio*. (1986), tomo XIX, núm. 2, p. 227-238.

ESCALERA, J. *Sociabilidad y asociacionismo. Estudio de Antropología social en el Aljarafe sevillano*. Sevilla, Diputación Provincial, 1990.

GARCÍA BENÍTEZ, A. "Pastoreños y asuncionistas: semiseñas de identidad y cronología de un sistema dual". En: ÁLVAREZ, C.; BUXÓ, M. J.; RODRÍGUEZ BECERRA, S. *La Religiosidad popular*. Barcelona, Anthropos / Fundación Machado, 1989, tomo III, p. 557-568.

GARRIDO ATIENZA, M. *Antiguallas Granadinas. Las fiestas del Corpus*. Granada, Universidad de Granada, 1990 (1889).

GAZETA DE ANTROPOLOGÍA. 13 números publicados. Granada, 1998.

GÓMEZ GARCÍA, P. *Religión popular y mesianismo. Análisis de cultura andaluza*. Granada, Universidad de Granada, 1991.

GÓMEZ GARCÍA, P. (Coord.) *Fiestas y religión en la cultura popular andaluza*. Granada, Universidad de Granada, 1992

GONZÁLEZ ALCANTUD, J. A. "La Antropología social en Andalucía oriental". *Demófilo*, (1993), núm.11, p. 57-70.

GONZÁLEZ CID, M. L.: "Estructura social, sistemas de poder y cofradía en Setenil (Cádiz)". En RODRÍGUEZ BECERRA, S. *Antropología cultural en Andalucía*. Sevilla, Junta de Andalucía, 1984, p. 373-382.

GUICHOT Y SIERRA, A.: *Ensayo recordatorio de las fiestas, espectáculos, principales funciones religiosas y seculares y costumbres de la vida pública, que se verifican y se observan actualmente en Sevilla*. Sevilla, Ateneo y Sociedad de Excursiones, 1888.

MALLART, L.: "Antropología religiosa". En VALDÉS, R. (Ed.). *Las razas humanas*. Barcelona, Cía Internacional Editora, 1981, tomo I, p. 189-215.

MARTÍN, E. "Las hermandades de la Semana Santa de Arcos de la Frontera". En: ÁLVAREZ, C.; BUXÓ, M. J.; RODRÍGUEZ BECERRA, S. *La Religiosidad popular*. Barcelona, Anthropos/Fundación Machado, 1989, tomo III, p. 569-579.

MATUTE GAVIRIA, J.: *Anales eclesiásticos y seculares de la muy noble y leal ciudad de Sevilla. Metrópoli de Andalucía*. Sevilla, 1887, 3 vols.

MILLONES, L.: *El rostro de la fé. Doce ensayos sobre religiosidad andina*. Universidad Pablo de Olavide. Sevilla, 1997

MORENO NAVARRO, I.: *Propiedad, clases sociales y hermandades en la Baja Andalucía*. Madrid, Siglo XXI, 1972.

MORENO, I: *Las hermandades andaluzas. Una aproximación desde la antropología*. Sevilla, Universidad de Sevilla, 1974

ORTIZ DE ZÚÑIGA, D.: *Anales eclesiásticos y seculares de la muy noble y leal ciudad de Sevilla, Metrópoli de Andalucía*. Sevilla, 1975-96 (Madrid, 1667).

PLATA, F. "Grupos sociales y rituales festivos en la campiña cordobesa". En: LUNA, M. *Grupos para el ritual festivo*. Murcia, Editora Regional, 1987, p. 41-52.

RODRÍGUEZ BECERRA, S. "Cultura popular y fiestas". En: ROMERO DE SOLÍS, I. *Los andaluces*. Madrid, Istmo, 1980, p. 447-494.

RODRÍGUEZ BECERRA, S. *Fiestas de Andalucía. Una aproximación desde la antropología cultural*. Sevilla: Editoriales Andaluzas Unidas, 1985.

RODRÍGUEZ BECERRA, S. *Guía de Fiestas de Andalucía*. Sevilla, Junta de Andalucía, 1982.

RODRÍGUEZ BECERRA, S.: "De ermita a santuario: Reflexiones a partir de algunos casos de Andalucía" En FRAGUAS, A.; FIDALGO SANTAMARÍA, X.R.; GONZÁLEZ REBORE-DO, X. M. *Romarías e peregrinacións*. Santiago, Consello da Cultura Galega, 1995, p.111-121.

RODRÍGUEZ BECERRA, S. "Creencias, ideología y poder en la religiosidad popular. El ritual del 'Toro de San Marcos' en Extremadura y Andalucía" *Ibérica*, "Fêtes et divertisse-ments" N.S. (1987), núm 8, p. 124-142 (monográfico).

RODRÍGUEZ BECERRA, S. Y GÓMEZ MARTÍNEZ, E.. *Demófilo*,"Santuarios andaluces" (1995-1996), núms. 16 y 17 (monográficos).

RODRÍGUEZ BECERRA, S. Y VÁZQUEZ SOTO, J. M. *Exvotos de Andalucía. Milagros y promesas en la religiosidad popular*. Sevilla, Editorial Argantonio, 1980.

RODRÍGUEZ MATEOS, J. *La ciudad recreada. Estructuras, valores y símbolos de las hermandades y cofradías de Sevilla*. Sevilla, Diputación Provincial, 1997.

TURNER, V. "La religión en la actual antropología cultural". *Concilium* (19), núm.156, p. 409-415.

VALLADAR, F. de P.: "La cruz de mayo". *La Alhambra* (1984), tomo I, núm. 10.

VELASCO, H. (Coord.): *Tiempo de fiesta*. Madrid, Tres, catorce, diecisiete, 1982.

ZAMORA ACOSTA, E. "Mitos de origen, justificaciones académicas y desarrollo de la Antropología andaluza". *Demófilo* (1993), núm 11, p. 41- 56.

El vuelo de la alondra[1]
(Las fiestas religiosas de Andalucía, entre la imagen y el orden, el ocio y el negocio.)

Pedro A. Cantero
Fundación Machado
Universidad de Sevilla (GISAP)

"El universo del periodismo es un campo sometido a los constreñimientos del campo económico a través de los índices de audiencia. Y este campo tan heterónomo, tan tremendamente sometido a las imposiciones comerciales, se impone a su vez sobre todos los demás campos, en tanto que estructura".

Pierre Bourdieu
Sobre la televisión

a Álvaro,
luminoso entre todos

En preliminar creo oportuno advertir que considero la fiesta como una ruptura en la que toda medida se difumina. El mismo tiempo deja de ser lineal, la fiesta está inscrita en el calendario y en algún modo fuera de él, tiene su propia temporalidad; si es cierto que lo puntualiza, no lo es menos que se configura al exterior de la linealidad numérica. Aparece como un paréntesis en el que las cifras pierden la función estricta, no sólo el cronómetro minucioso capaz de desdoblar la medida en segundos y décimas, y ni siquiera el minutero, cumplen una misión necesaria, sino que las horas pierden su rigor y hasta

---

[1] Esta ponencia se ha construido a partir de una reflexión sobre los factores de cambio en las fiestas de Andalucía, que fue mi contribución a la mesa redonda sobre la religiosidad popular de las VIII Jornadas Andaluzas de Etnología (Granada 1997). Me siento deudor con

el mismo día ensancha su orla. Dado que el tiempo lineal es la medida indiscutible de las sociedades desarrolladas, la fiesta queda atrapada en esta paradoja fundamental: se acota su tiempo de márgenes blandas, prefiriéndole el más ajustado de los espectáculos festivos.

Guy Debord en *La sociedad del espectáculo*, ya afirmaba que: "Toda la vida de las sociedades en las que reinan las condiciones modernas de producción se anuncia como una inmensa acumulación de espectáculos. Todo lo que era vivido directamente se ha alejado en una representación" (1971, 9). La naturaleza del tiempo que esta acumulación impone es útil y constringente, contrariamente a la temporalidad gratuita y gratificante de la producción festiva. Lo propio del espectáculo[2] es su construcción formal economicista, su duración por efímera que sea, debe de ser rentable[3]. La prensa y aún más la televisión aceleran el fenómeno[4]. Con la dimensión telemétrica segundos y minutos adquieren un precio astronómico. El tiempo se precipita en la trama horaria haciendo del ayer un pasado remoto y del presente una urgencia acelerada que implican, por una parte, la producción cautivadora -captadora de espectadores-, entendiendo lo evidente como meta de producción, y por otra, obligándose a lo sensacional como a una trampa sin fondo. El espejuelo entonces es la única forma dramática de innovación: un resplandor fugaz altamente valorado. Tanto más que es de lo fútil de donde se puede sacar mayor valor añadido (noticiarios, magazines, efemérides, competiciones, concursos, reality shows, culebrones,...[5]). En este contexto se tratan los hechos como un producto, el lenguaje se acorta hasta el esquema en las horas punta y se diluye hasta la banalidad en los tramos de baja audiencia. El boletín de

Juan Carlos González Faraco por su constante amistad, puedo decir que si me fue dado conocer la romería del Rocío a él y a Michael Murphy lo debo principalmente. Le agradezco en esta ocasión la lectura atenta de lo aquí expuesto y algunas precisiones oportunas. El texto es una elucubración no acabada que se inscribe en un proceso de reflexión iniciado dentro del GISAP, sobre la fiesta y la ingeniería festiva. El título tiene voluntad metafórica: El vuelo de la alondra aparece en su verticalidad como un juego alegre y estático donde el alborozo se consume en el canto. Pero esa alegría me hace recordar el dicho: le miroir aux allouettes, expresión francesa que indica una ilusión tramposa. El espejuelo atrae a la alondra, dejándose cazar por un resplandor fatídico. El abundante aparato de notas muestra la provisionalidad del conjunto, con la esperanza de refundir todo, algún día, en un cuerpo liso. Ataja y lee sin obligarte, lector, a tanta parafernalia. Como en un juego de muñecas rusas, puedes manejar la lectura a tu antojo.

[2] "El lenguaje del espectáculo está constituido por signos de la producción reinante, que son al mismo tiempo la finalidad última de esta producción". (Debord 1971, 12).

[3] Tratada en términos de productividad, tanto si procura dinero como poder o prestigio, bucle de un mismo sistema, prestigio acarrea poder, poder dinero y viceversa, dinero acarrea prestigio, prestigio dinero, dinero poder, etc., etc.

[4] No ya por sí mismas sino por estar al servicio de un sistema de mercado y convertir en mercancías todas sus producciones.

[5] Pienso "diario", espolvoreado de anuncios publicitarios.

noticias reemplaza a los informativos. La puesta en escena es más importante que su contexto. La catástrofe se transforma en evento, el relumbrón en historia, lo cotidiano en fenómeno, el goce en celebración.

En esta lógica, ocurre que la gala[6] aparezca como la mejor manera de festividad, haciendo de lo tópico la forma privilegiada de toda expresión. Dada la rapidez de los medios de comunicación, y su instrumentalización esquemática, para ser actuales estamos condenados al récord y al cliché. Dado su precio, la mejor imagen es la más eficaz[7] -la que más vende-. Dado su costo, el lenguaje se amolda a la más amplia audiencia, el halago y el impacto son la regla, creando un formidable sistema de opresión simbólica (Bourdieu, 1997). La misma fiesta queda prendida en esas redes, hasta sucumbir, a veces, en el vórtice de lo espectacular, y en todo caso, haciendo del efecto visual fácil y de lo típico las claves del entramado festivo.

Si antaño la fiesta era un paréntesis radical[8], que implicaba una metamorfosis del tiempo, de las mercancías y de los modos, en la actualidad ese paréntesis es tanto más tenue cuanto el fasto, el dispendio y la diversión aparecen en una posible continuidad al alcance de todos. Lo festivo puede producirse en cualquier momento con tal de contar con los ingredientes que el mercado propone.

Sin embargo, no basta la diversión, la multitud, el dispendio y el fasto para que haya fiesta. La fiesta implica un paréntesis insólito de euforia colectiva, en el que se aúna simbolismo, exaltación, prodigalidad y anomalía. En suma, una celebración excepcional, un momento extraordinario de convivialidad, erotismo, gracia y desarreglo, un tiempo de entusiasmo, gratuidad, y desinhibición. La fiesta conlleva siempre una querencia colectiva, una dimensión simbólica que fragua al estar juntos en un mismo lugar para celebrar y celebrarse. Expresión de una comunidad determinada, es vivida como el drama unitario que, al asumir estados de ánimo intensos, rompe con la ordinaria abstención sentimental. A la inversa de la moral económica que gestiona con parsimonia el material afectivo, la intensidad de la fiesta desvahe todo en el acto mismo (Maffesoli, 1985, 27).

---

[6] Concebida como acto público constituido en espectáculo multitudinario.

[7] En el aforismo 4 de La Société du Spectacle, Debord advierte: "El espectáculo no es un conjunto de imágenes, sino una relación social entre personas, mediatizada por imágenes". (1971, 10).

[8] La expresión dionisíaca de la fiesta nunca fue bien vista por el poder, dado el difícil control que puede ejercerse sobre esos momentos de tamaña efervescencia. Desde la Antigüedad es conocida la aversión de la república romana hacia las bacanales, prohibidas en 186 a de J.C., bajo el pretexto de que ese movimiento popular ponía en peligro el orden establecido. Se temía el alto grado de promiscuidad sexual, la emergencia exultante de vicios polimórficos, figuras fantasmáticas que amenazaban el espíritu marcial. Temor, reflejado en las actas de acusación, que veía peligrar las virtudes guerreras de Roma (Johnson 1990, 75).

Ahora bien, cabe preguntarse si en el nuevo orden económico hay lugar para ella. Manifestación de gran fragilidad entre los pueblos desarrollados, muchas culturas han perdido la capacidad de generarla, aun recurriendo a los dispendios y proezas de la ingeniería festiva[9]. No basta estar juntos, ni siquiera la voluntad de festejar, la fiesta necesita una razón simbólica[10] compartida que la motive y conduzca, sin ella puede que tan sólo se haga un festejo, un juego o un puro esperpento. Si en Andalucía la fiesta aparece como un elemento central de la cultura, y si pocos dudan de su vivacidad, no por eso podemos afirmar que esta será eterna, por tan sólo formar parte de nuestro acervo cultural. Como expresión de la comunidad, y aunque no toda sociedad permite su emergencia, trasunta la sociedad que la produce. La fiesta puede perecer tanto en aras de una concepción rigorista, que segrega lo lúdico de lo sagrado, o bajo la profusión de centelleos y proezas técnicas, que alejen a los actores del acto festivo. Los nuevos medios de comunicación promueven y venden espectáculo[11], hasta de la misma vida cotidiana, haciéndonos espectadores compasivos de nuestra existencia[12]. Tienden a alejar al ciudadano de la producción orgiásmica de la que habla Maffesoli, convirtiéndonos en virtuales consumidores del portento novedoso, o de la banalidad magnificada. Nos hacen acudir, sin más, allí donde el estar es noticia.

Momentos históricos vendidos como "irrepetibles"[13], actos de pura ingeniería festiva, o paréntesis de cartón piedra, donde se paga por experimentar "sensaciones extremas". Los unos al servicio de celebraciones civiles o religiosas de gran difusión mediática en los que basta engancharse a la pantalla para estar[14]. Los otros promovidos por potentes consorcios como espacios donde a

[9] La ingeniería festiva convierte a los mismos "hacedores" en espectadores; aun cuando "actúen", lo hacen como elementos pasivos al servicio de una estrategia espectacular.

[10] No basta con beber o colocarse, es preciso un desencadenante simbólico que alumbre la expresión unitaria. Un fermento lúdico y celebrador, pánico, religioso, erótico o subversivo, cuando no una conjunción de varios, o todos a la vez.

[11] "El espectáculo no puede comprenderse como el abuso de un mundo de la visión, el producto de las técnicas de difusión masiva de imágenes. Es más bien una Weltanschauung que se ha hecho efectiva, traducida materialmente. Es una visión del mundo que se ha objetivado". (Debord 1969, p.10).

[12] A veces en nombre de la tradición y de la imagen evocadora, los productores televisivos inyectan secuencias y manipulan actitudes y cadencias con el fin de que la imagen esté en acorde con el tópico. Esa "realidad" inventada por el sesgo del periodista se convierte, a veces, en referente para los coleccionistas de fiestas típicas y para los propios agentes, tanto más que se han visto así reproducidos una y otra vez por la cansina reprogramación de documentales.

[13] Desde el matrimonio de un famoso al nacimiento de un príncipe, hasta el seguimiento en directo de una agonizante tragada por el lodo, poco importa el tema con tal de tener buen mercado.

[14] En los mismos lugares donde ocurre las pantallas gigantes permiten "seguir en directo" el acto como si se estuviera sentado frente al televisor, haciendo del primer plano el objeto central de la "ceremonia".

diario se escurre el bulto de la realidad, portentosos corrales de atracciones, emporios de baratija, en los que se nos propone consumir ilusión siempre que el aburrimiento nos cierna. El festejo se vende como una mercancía más. Dos grandes quimeras penetran el entramado de nuestra civilización: podemos alcanzarlo todo, podemos disfrutar de todo. Íntegro o en porciones, aunque tan sólo sea desde la tarde hasta media noche, entre la merienda y el sueño. Esta ficción mantiene el orden económico basado en el aprovechamiento; de una parte, haciéndonos creer que el lujo, el goce y la abundancia están a nuestro alcance, y por otra, afinando la propuesta siempre renovada y sustentada por todo tipo de encuestas sobre la calidad de vida[15]. Sin contar con la intensificación de las formas de control de este inmenso torneo que pretende convertir las relaciones sociales en un espectro.

A primera vista sólo quedaría indemne lo religioso, pero la fe no basta para generar la fiesta, ésta no se crea con la simple aglomeración devota, prueba de ello son las celebraciones "morbosas" de Lourdes o de Fátima, o la mera reproducción de ritos solemnes -válganos como ejemplo el espectáculo de los viajes pontificales, o el Corpus de Sevilla que perdió ya hace tiempo su dimensión de fiesta (Lleó Cañal 1980, Escalera 1996)-. Es preciso algo más, la conjunción de un fermento simbólico, de la efervescencia gozosa y de un espacio creador en el que la colectividad se exprese.

Pese a que la Religión se viva como algo inmanente[16] pese a que la Iglesia tenga vocación de eternidad, lo religioso no escapa al proceso de control mediático. En la actualidad, por una parte, las representaciones de lo sacro se han modificado de forma inexorable, y por otra, hoy todo objeto de veneración se debe espectacular.

La sociedad de la Abundancia, y la cultura del Ocio que ella implica[17], conllevan el desencanto. Sólo queda espacio para lo portentoso, proezas y alardes que infiltran también lo sagrado.

Las representaciones de lo festivo han sufrido una transmutación irreversible, afianzándose lo espectacular sobre lo orgiástico. La Cultura de la

---

[15] En las que al fin de cuentas se nos impone un modelo y lo que es o no opinable.

[16] Siempre hubo factores que incidieron en la mutación de las expresiones festivo-religiosas; reflejaban los cambios sociales o las mismas modas estéticas, transformándose fondo y forma sin cesar.

[17] El cotilleo sideral, el turismo, la facilidad de desplazamiento (vehículos rápidos, red viaria desarrollada, autovías de la información), nos han vacunado contra el embeleso. Hemos visto todo, estamos de vuelta de todo, hemos consumido más que lo que nos es dado imaginar, neutralizando nuestra capacidad de asombro y de ensoñación. Hemos seguido en directo el Apocalipsis entre el aperitivo y el postre, mientras tomábamos el café hemos asistido a la agonía de ancianos venerables, a las apariciones de vírgenes en torbellinos encendidos, al encuentro de santos patriarcas, en la alta noche hemos penetrado los fastos de palacio, seguido en directo las bacanales de Río, las solemnidades romanas, las bodas y los funerales reales, el asalto a la Reja del Rocío, o el primer instante de cada nuevo año desde el mismísimo reloj de la Puerta del Sol.

Abundancia, los medios de comunicación y los agentes normalizadores[18], se cuentan entre los factores decisivos del cambio. Aunque parezca paradójico los tres están en conexión con las artes y las mañas del espectáculo como única forma de reproducción cultural. Los dos primeros por esa lógica de la aceleración que hace de lo espectacular una producción segura y rentable[19], en cuanto a los agentes normalizadores porque como tales siempre prefirieron la articulación del espectáculo a la efervescencia informal de la fiesta[20]. El espectáculo es la representación del orden, como la fiesta lo es del caos -en cierto modo emparentados-.

En cuanto a las representaciones de lo sagrado, en una civilización de la imagen digital que acerca las más variopintas ceremonias -desde las "magnas solemnidades" hasta las apariciones y los milagros-, los medios de comunicación juegan un papel trascendental. Lo sagrado y lo festivo se ven reconfigurados por el filtro de los media, configuración canalizada por el imperativo que les gobierna; lo sensacional, lo espectacular, la exclusividad[21]. Privilegiando el impacto de la imagen al contenido, el conocimiento al placer, el espectáculo a la fiesta[22], sacralidad y orgía tienen estrecha cabida en el marco que esta ley nos reserva.

El goce, el entusiasmo y el éxtasis, quedan a la zaga. Tengo la impresión de que, en esta situación, nuestras fiestas, aun las religiosas, estén abocadas cada vez más al ojo del cíclope[23], en detrimento de la emoción creado-

---

[18] Garantes de una norma asumible, éste no es un factor nuevo sino el que de antiguo siempre se opuso a la fiesta como acto de desbordamiento generalizado.

[19] Sin arriesgar tiempo y dinero. En las sociedades tecnológicamente avanzadas, el tiempo como mercancía altamente preciada ya no pertenece al individuo, y ni tan siquiera a la comunidad, como polvo áureo ya se contabiliza en centésimas de segundo y puede que pronto se vulgarice en fracciones aún más pequeñas. Dimensión a todas luces del dominio de la técnica. En esa temporalidad la fiesta sería un dispendio impensable. La moral economicista lo consideraría como un derroche perverso.

[20] La televisión es un instrumento idóneo para determinar comportamientos. Por primera vez un medio permite actuar en brecha sobre el imaginario y proponer modelos de acción o reemplazar la dinámica actuante por la expectante. Esta ventana abre cada hogar a los propagandistas de todo tipo que pueden modificar las representaciones en cadena. Lo visto en la tele tiene valor de realidad, comprendido esto por los agentes normalizadores, el control de los media se convierte en una estrategia de poder. En el contexto festivo, la utilización de la televisión permite ordenar la informalidad actuando sobre los mismos movimientos espontáneos con formas de obligada reproducción, ya que terminan por imponerse como idóneos, adecuados a cada tipo de fiesta y absolutamente indisociables de ella. Aun si los imperativos que los imponen son de orden puramente estético, doctrinario o simplemente de audiencia.

[21] La misma información está sometida a esta ley, aun corriendo el riesgo de la desinformación -cuando no fomentándola-, concebida como instrumento de poder.

[22] Cabría preguntarse si el espectáculo está excluido de la fiesta. Puede ser parte de ella, puntuarla, incluso ser uno de sus momentos álgidos, pero en ningún caso resumirla.

[23] Atraer los medios de comunicación, conseguir que nos retransmitan nuestra propia

ra; que existe una carrera irreversible por alcanzar las cámaras, en menoscabo de la exultación activa. Paradójicamente la repetición festiva se deslavaza, se vuelve monótona. Como lastre, la necesidad apremiante de "colocarse" antes de subir el telón, sólo mezclas cada vez más explosivas[24] pueden hacer vivir el "milagro" de la experiencia excitante.

Los mismos agentes de normalización que pretenden detentar las normas de lo tradicional, como forma de control y contrapeso de la aceleración, están necesitados de una escena en la que todo ocurra, recurren o se someten a los medios de comunicación con el fin de afirmar su imagen y sustentar su autoridad.[25].

Tres síntomas resumen la deriva:

I *El calendario festivo se ha precipitado.* Cualquier momento vale. Las fiestas tienden a semejarse, calcándose a las más prestigiosas[26].

II *Para no banalizar la fiesta: la plusmarca.* Es necesario batir el último récord, estar a la altura de nuestros propios triunfos, atraer cada vez más público. Ser un producto turístico vendible[27].

---

fiesta se ha convertido en un imperativo para los comisiones de fiestas, técnicos de cultura, alcaldes y oficinas de desarrollo. Qué mejor escaparate para nuestras ciudades y pueblos que la fiesta en la tele. Se vende una imagen lugareña de la que todos esperan si no un maná, al menos el ser vistos y así reconocidos en el ojo del gran cíclope.

[24] El efecto debe ser súbito, no es admisible la espera, o ni siquiera el deslizamiento progresivo, el resultado debe ser inmediato. Frente a la embriaguez el pelotazo.

[25] La Autoridad Civil -o en su lugar otros blanqueadores culturales-, por necesitar el voto de los telespectadores para perpetuarse, y hasta la misma Iglesia o la "Academia", para no perder un prestigio que antes se sostenía con sus propias cariátides -el espectáculo fue siempre necesario al poder "Es la más vieja especialización social, la especialización del poder, la que está en la raíz del espectáculo. El espectáculo es así una actividad especializada que habla por el conjunto de los otros. Es la representación diplomática de la sociedad jerárquica ante si misma, donde toda palabra está proscrita. Lo más moderno es también lo más arcaico" Debord, 1971, 18.

[26] De ahí una dinámica sin salida, una progresión desproporcionada. Todas las fiestas deben parecerse a las que calendariamente ocupan los medios de comunicación: el Rocío, la Semana Santa y la Feria de Sevilla. Puede que en las aldeas consigan recrear, fuera del circuito economicista, con sus orquestillas en la plaza, sus garbanzás colectivas, y unos pocos tenderetes de dulces y refrigerios que atienden los propios habitantes, el ambiente primigenio de la fiesta compartida. Sin segregaciones, jovenes o viejos, paisanos o forasteros, todos son en los preparativos o en la bulla, en el esfuerzo o en la diversión, en la noche o en el día, en la comida o en los rezos, partes de un todo encarnado en la fiesta.

[27] Por lo referente al turismo, me es triste leer, cuando no escuchar por la radio, comentarios sobre las fiestas religiosas que en nombre de la etnografía no hacen más que incitar al turisteo. Comparto la idea de Barley de que al enseñar el método antropológico puede que no se insista en la dificultad de mirar la vida de los otros, que no se muestre lo bastante como una disciplina del espíritu en la que se desconfía de su propia mirada.

III *El espectáculo se impone sobre lo festivo.* Se privilegia el ver o el escuchar al conjunto de los sentidos, y en especial el tocar -gran proscrito de lo espectacular-.

Pero entonces ¿Qué futuro queda a la fiesta religiosa? No tengo respuesta categórica. Visceralmente quisiera rechazar el veredicto fatalista, pero no creo que se nos augure mayor margen que el que resta en los países altamente desarrollados.

Con el fin de esclarecer lo que acabo de exponer, os propongo varios ejemplos[28].

Podríamos imaginar que deberían ser las fiestas de pueblo[29] las que mejor resistieran al embate de la modernidad, al espectáculo o al mimetismo televisual y que las fiestas patronales serían las más peculiares, las que guardasen más fuerza festiva. Sucede al contrario que sean éstas las más sensibles a la moda, con el fin de no ser menos que la ciudad. Se debe contar con todos los ingredientes de las ferias y fiestas ciudadanas, disponer de un presupuesto importante, contar con gran número de puestos, casetas, potentes sonorizaciones y espectáculos de variedades por lo general mediocres. Bien separadas la devoción de la diversión[30]. Paradójicamente, la juventud lugareña[31] procede cada vez más como en un fin de semana, acude a las discotecas y se "coloca" antes de tiempo, sin apenas participar en la forma o en el fondo del evento. Sólo en la madrugada de la diana, allí donde aún se da, intervienen numerosos, cobrando cierto vigor orgiástico. En cuanto a la juventud visitante[32], he podido constatar como, en pocos años, el litroneo está desplazando las otras formas de consumo. Se transporta en los maleteros de qué "colocarse", sin necesidad de convite, sin necesidad de recorrer casetas o mostradores,

---

[28] La reflexión que hago es fruto tanto de mi propia experiencia en diferentes fiestas profanas o religiosas, como de discusiones dentro del grupo de investigación al que pertenezco (GISAP, Universidad de Sevilla), de intercambios con algunos colegas y del seguimiento de algunos de sus trabajos durante estos últimos años, particularmente los que conciernen a las tierras de Huelva y Sevilla. Sin querer ser exhaustivos debo mencionar especialmente los preciosos análisis sobre El Rocío de J. Mª Comelles, y sobre todo los intercambios con Michael Murphy, Juan Carlos González Faraco, Mary Crain, Juan Fernández Lacomba, Diego Luis Ramirez y Juan Francisco Ojeda, sobre la gran fiesta rociera. La interesante reflexión sobre la fiesta y la antifiesta en Sevilla de Javier Escalera. Los trabajos llevados a cabo por Chema Valcuende en Ayamonte, Esteban Ruiz Ballesteros en Higuera de la Sierra y Río Tinto, así como tantos otro colegas y amigos gracias a los cuales he ido perfilando el sentir y el observar la fiesta andaluza.

[29] Las que se celebran en el interior de la población, fiestas patronales y ferias estivales sin mercado de bestias, ni romería.

[30] A no ser por los puestos y juegos que aún quedan en algunos pueblos alrededor del templo.

[31] Tanto la local como la de los pueblos vecinos.

[32] Me refiero sobre todo a la de los pueblos más alejados y especialmente a los capitalinos que acuden para hacer kilómetros y pueblear.

se ejerce de mirón. Sin obligación de "entrar" en la fiesta, se acude como excusa para el borracheo[33] de fin de semana, fechas a las que se han calcado la mayor parte de las fiestas patronales. La multitud puede darse en las noches del viernes y del sábado, pero a menudo es un gentío pasivo sin capacidad de generar efervescencia festiva, ni ser penetrado por ella.

Frente a esta banalización, aparece cada vez más apremiante el tener su propia romería. Así ocurre que se inventen giras orgiásticas de al menos dos noches, en los pueblos donde no existían romerías locales. Por un lado como mimetismo de las más prestigiosas -para no ser menos-, y por otro con el fin de lucirse a caballo y entregarse a la aventura de las noches jolgóricas -cantar, beber, y rozarse-. Para ello se resucitan viejas tradiciones, o simplemente se inventan advocaciones con el fin de caballear y formar bulla, sin que necesariamente se dé la conexión de edades y sentimientos distintos, aunados en un mismo fermento simbólico[34].

Paralelamente en las romerías existentes se procede a una limpieza de los flecos orgiásticos o de aquello que no procede según un modelo digno. Se intenta ocupar el espacio de la fiesta por inmensas misas de campaña al estilo de la que se viene dando en el Rocío el Domingo de Pentecostés, al mediodía. Así en la Peña de Alájar, romería comarcal de la Sierra de Aracena, el proceso de normalización cultural se ha intensificado, tanto en la ordenación del espacio, como en la formalización tradicionalera, en detrimento de lo orgiástico.

En Manzanilla se celebra, en honor a la Virgen del Valle, la única feria de ganado de la provincia de Huelva que ocurre todavía alrededor de un santuario. En ella los gitanos mantienen vivo el mercado ganadero. Estos últimos acuden de toda la provincia, así como de las de Badajoz y Sevilla. Hace tres años vinieron numerosos y abundó el ganado como no se veía desde hacía tiempo; en 1997, sin embargo, por imperativos de "orden público" la fiesta devota perdió la feria. La Guardia Civil aplicó una estricta prohibición municipal de acampada. Varias semanas antes de la romería se presentaron los primeros gitanos con la intención de instalarse en el lugar, como ya venía siendo costumbre, pero dados los temores de posible "alboroto y desorden" los guardias les desalojaron, y no se vio gitano alguno durante la fiesta. Sin gitanos la feria no tuvo lugar y sin feria la fiesta perdió uno de sus elementos dinamizadores. No creo que esto parezca preocupar mayormente a las autoridades locales, con el tiempo se podrá reemplazar con un concurso caballar como los que pululan por otras antiguas ferias[35].

---

[33] Hubiese preferido hablar de "coloqueo", estado más pasivo que la embriaguez sabática, pero en fin, pongamos que coexisten ambas actitudes, acudiendo cada vez más a la cocaína y a las drogas de diseño como forma extrema de evasión.

[34] Pero puede que eso termine por darse, son diversas las invenciones de este último medio siglo que han cuajado y se viven como si fuesen inherentes a la comunidad.

[35] En Extremadura, muy cerca de la comarca de la Sierra onubense, la Romería de los Gitanos de la Virgen de los Remedios en Fregenal, sufre el proceso de normalización. La

En lo que respecta al Rocío, y a la Semana Santa, las mayores manifestaciones andaluzas donde la religión se hace fiesta, convendría interrogarse sobre ese récord al filo del cénit, sobre la performancia que uno y otra representan. La presión de los media es cada vez mayor, tanto por su presencia perturbadora, como por sus estrategias de audiencia y mercado. Pero es tanto más insidiosa y tenaz la voluntad eclesial de separar la devoción del exceso.

En la Semana Santa sevillana la fiesta resiste a esa doble presión eclesial y de los medios de comunicación gracias de una parte al sentimiento de pertenencia que muchos vecinos de la periferia sienten con los barrios del centro, a esa comunión multitudinaria con sus imágenes[36] y a la expresión de las nuevas barriadas con pasos teatrales de misterio de gran popularidad[37]. Pero ya no es lo que se juega en Sevilla, sin lugar a dudas aún fiesta viva, como la norma grandilocuente que a través del televisor se impone a los pueblos. La insistente retransmisión de las más prestigiosas procesiones malagueñas y sevi-

---

facilidad de acceso ha multiplicado la gente que viene por unas horas en coches y autocares, para asistir a la misa, comprar alguna golosina y echar un rato. Se puede constatar la separación entre culto oficial y la bulla ante el santuario, marginando lo que hasta hace poco fue elemento central de esta fiesta "gitana": la algarada calé -o el cumplimiento "heroico" de promesas-, Para más inri se ha levantado la gran caseta cultural, donde se "oficia" la celebración laica y el flamenco. El espacio está así acotado en detrimento de las expresiones espontaneas, sin que parezca evidente la necesidad de una savia autónoma que emerge por esa conjunción gratuita de ánimos distintos aunados en una sola querencia. La fiesta ha dejado de ser tan concurrida y ha perdido su frescura anterior. Sin contar que buena parte de la comunidad gitana se siente fuertemente atraída por los Aleluya, Iglesia Evangélica que hace de la exaltación la forma de culto; canalizando a su manera el "entusiasmo" religioso, quedan proscritas las formas "paganas" de devoción, de las que ésta es un ejemplo patente.

[36] Continúa siendo válido el comentario a una de las fotos de Luis Arenas que aparece en la antología "Palabra de Luz" de Joaquín Romero Murube:"Nadie es nadie en Semana Santa: disolución en la multitud, cuerpo único de la bulla, comunión ciudadana". 1999, 66-67.

[37] Conducidos expresivamente, atraen a numeroso público que les acompaña y jalea sin cesar. Pasos ninóticos y sin lugar a duda grotescos, enormes caricaturas que juegan a tomar cuerpo en la inmensa escena de calle, contra los cuales "conocedores" y patrimonialistas conducen un combate tesonudo de limpieza esteticista. Antonio Fernández Estévez, Director del Departamento de Patrimonio Histórico Artístico de la Archidiócesis de Sevilla, se erige en abanderado de esta actitud en la entrevista acordada a *Sevilla Información* el 19 de Abril de 1998. Omitiendo denunciar otros pasos de formulación canónica sin gran valor artístico. Se trata una vez más de un juicio que opera la distinción de clase. La desconfianza hacia el "folclorismo cofradiero", del que habla Romero Murube, rige el comportamiento censor de los "altos-guardianes-de-la-estética-sustancial" que se empeñan en una permanencia purista fuera de todo contexto. Desde las jerarquías, eclesiásticas o "literatas" indistintamente, se proponen modelos clasistas de comportamiento, más acordes con el espectáculo de "Dios en la ciudad" que con la dinámica festiva de "Dios-está-en-todos". Tildado esto como grosero o panteísta y valorado aquello como selecto o trascendente: "estética de lo eterno".

llanas, con sus carreras desmesuradas infligen un modelo difícilmente asumible sin riesgo de fractura[38].

En cuanto al Rocío, hoy por hoy, lo religioso y lo festivo se entremezclan hasta formar un todo indisoluble. No sólo la devoción a una imagen da pie a la fiesta, sino que la imagen es el núcleo de lo festivo que, al contrario de otras peregrinaciones, reactiva sin cesar. La imagen más que un pretexto, alimenta los diferentes tiempos y sobre todo es el foco de los momentos álgidos, momentos de entusiasmo[39] y jaleo. El bullicio como forma exaltada de devoción.

Como bien señala el padre Zapata, El Rocío no es Fátima ni Lourdes, allí la devoción se centra sobre la enfermedad y la desgracia, se acude a aquellos santuarios "con la intención de obtener una curación, un favor, (...). Son lugares de gran intensidad religiosa aunque de gran pobreza simbólica. El Rocío, en cambio, aparece en toda su complejidad. Profundamente religioso, vibrando delante de su Señora, es festivo y pagano en su forma. Al Rocío no se va para encontrar en el silencio el misterio cristiano, sino para vivirlo con cuerpo y alma. En el Rocío todo es fiesta, alegría, devoción". (1991, pág. 180)

Sin embargo, la clerecía recela de la devoción bulliciosa[40], y aunque sin gran resultado, fomenta todo tipo de estrategias para ordenar el "caos" devocional. La jerarquía no consigue asumir que la intensidad emotiva[41] caracterice esa forma de devoción. La identificación y comunión con la imagen al ser multitudinaria es causa de tumulto y desorden, pero lejos de ser un alejamiento devocional es su exaltación trepidante. Cada individuo es como un apéndice trémulo de un gran árbol alcanzado por el viento.

La conjunción del fervor religioso, la fraternización, la ruptura del tiempo en un marco "silvestre", la permisividad moral, la música, el vino[42], hacen

---

[38] No es éste el lugar de desarrollarlo, pero cuántos pueblos han visto desaparecer sus formas diferenciadas de fiesta rural en aras de un espectáculo costoso e imposible, sin mayor logro que la de una pobre caricatura.

[39] Nunca mejor dicho: entendido el entusiasmo en su raíz original como transporte divino (thusia).

[40] En la tesis de Álvarez Gastón, éste considera con cierto desaliento el que bullicio y devoción rociera vayan a la par. Monseñor no comprende que lo propio de la fiesta multitudinaria sea la efervescencia afectiva. Al ser el sentimiento el sustrato de lo religioso, éste tiene diversas formas de expresión según se trate de liturgias privadas o públicas, de momentos fríos o álgidos, de manifestaciones individuales o colectivas, siendo inherente al Rocío la devoción jaranera y no menos veraz que la silenciosa y austera; su aparente dislocación o incoherencia, no es impropia de la devoción mariana. El caos que evoca, es una de las manifestaciones del "entusiasmo" ante la Virgen, una vivencia dramática del símbolo, como encarnación de la madre de Dios, que enciende el fervor y da cohesión a la multitud. Ésta, al funcionar de manera simpática con la imagen, libera sus emociones y vive una intensidad sentimental difícilmente reglable fuera del marco devocional.

[41] Que provoca una efervescencia de los afectos, causa del desbordamiento orgiásmico.

[42] Dan Stanislawski (1975) enumera las virtudes del vino, todas ellas propiciadoras de la emergencia festiva: "Procuraba exaltación al místico, el sentido de la unidad del todo y el sentimiento de inserción social al desheredado, la osadía al tímido, la paz al espíritu oscu-

que la fiesta rociera posea una intensidad y diversidad de difícil parangón. El Rocío sirve de modelo a numerosas romerías, sin que ninguna consiga igualarlo, aquí se conjugan una serie de factores que la hacen excepcional y al mismo tiempo la configuran como el prototipo de fiesta religiosa andaluza.

El Rocío posee un vigor superior a cualquier tiempo ocioso, en gran parte también debido a su fuerza erótica tanto más densa que imprevisible, desordenada, y fugaz[43]. El Rocío permite la emergencia de la fiesta, por estar la comunidad simbólicamente reconstituida[44], por esa tácita licencia en todo lugar durante varios días y noches, por esa entera velada con la Virgen en un caos de "entusiasmo" devoto, por el fervor y el goce compartidos. En constante estremecimiento, se está al borde de la ruptura, del agotamiento; situación que procura una sensación de vaguedad que desinhibe y libera.

Sin embargo, muchos van al Rocío como pudieran acudir a otro gran acontecimiento altamente mediatizado, como ya dije, porque el estar "es noticia"[45]. Me temo que hasta los "asaltadores" de la noche de Pentecostés se preparen al asalto no ya sólo para perpetuar una proeza ritual, sino exclusivamen-

---

recido, el népenthès al alma torturada; era un afrodisíaco para el amante, un alivio para quien sufre, un anestésico para el médico y una fuente de alegría para el desgraciado. (...) El vino es convivial y está en el origen de amistades duraderas (...)".

[43] La dimensión erótica de la romería es uno de sus aguijones mayores, a veces el más subversivo, por ser posible el emparejamiento *flotante*, el juego amoroso no determinado de antemano.

[44] Si la comunidad rociera es simbólica y no existe más que para esta ocasión, sin embargo se constituye en cierto modo como comunidad organizada en torno a la devoción, por un entramado de relaciones que facilitan su funcionamiento. Los grupos afectivos y las hermandades permiten esta aglutinación armoniosa. El todo se aglutina desde una compleja red de "reuniones", la mayor parte estructuradas en hermandades, que permiten una fluidez sin parangón en cualquier otra aglomeración tumultuosa de tamañas proporciones. Sin esta coherencia el caos festivo provocaría todo tipo de desarreglos catastróficos.

[45] Las cámaras se hacen testigos de la "lluvia de estrellas" que todo los años recibe la aldea, retransmiten en directo llegadas precipitadas de toreros y copleras, gobernantes, banqueros, futbolistas..., y dan sendas veladas en las casas de algunos pudientes forjando la imagen de lo que debe ser la "reunión" rociera. Así mientras antes las "reuniones" se hacían en la puerta, sentaditos en el porche, ahora se tiende a "celebrarlas" en el salón o en el patio, cerrándose en un círculo restringido. Fenómeno consecuente lo es también esa fiebre acelerada con la que es estos últimos años Almonte busca apellidos nobiliarios, desempolva hipotéticos prohombres, edifica puertas que nunca existieron y construye señales monumentales con el fin de "fijar la historia reinventada" que-confiere-al-pueblo-la-"dignidad"-de-una-villa-con-alcurnia, acorde con la fama que el ojo del cíclope le otorga; con la voluntad de alejar la imagen de pueblo llano y abierto que siempre tuvo. En esta línea de conducta se "reconstruyen" mesones y espacios públicos conformes a la tipificidad de una Andalucía-marismeño-señorial. Las mismas casas rocieras siguiendo esta pauta se alejan de las chozas que hasta no hace mucho componían la aldea para amoldarse a un tipicismo televisivo de rejas, azulejos y maderas, buscando una rusticidad museística de buen ver, a donde se acude para festejar, no sólo durante Pentecostés sino en fines de semana temáticos, que hacen de la aldea un recurso permanente de pasatiempo, perdiendo así su excepcionalidad y poder de encantamiento.

te para que su alarde sea visto en la pequeña pantalla. Prueba de ello es la actitud de los primeros que consiguen llegar a la Virgen: cogen una flor, se la ponen en los labios y se muestran ante las cámaras, como delante de un espejo[46]. Se actúa no tanto para que la comunidad les reconozca como para verse[47]. El ver y el verse ante el espejo pertenecen a la dimensión "espectante".

Pero no es sólo la tele esa gran perturbadora, las agencias turísticas y los mismos antropólogos fomentamos un alejamiento festivo. Las primeras con sus paquetes bien atados cumplen esa función de procurar diversión-a-quien-la-pague-sin-haber-hecho-nada-para-entrar-en-el-cuerpo-del-diablo, exigiendo a cambio que se cumplan las formas del espectáculo "tradicional". En cuanto a nosotros con nuestros análisis vallados damos la llave de los sueños, el pan y la carne del banquete. Antes de haber entrado y experimentar las sensaciones en bruto ya hemos procurado el modo de empleo. Recordando la reflexión de Barley no estoy seguro de que la antropología no haga lo mismo que el turismo, consciente o inconscientemente transforma los otros en accesorios de teatro[48].

Eso dicho, Eros me acuerda la esperanza de la renovación cíclica del milagro festivo, ésa es la fuerza oculta de la vida, su más vigoroso antídoto.

---

[46] Siempre fue público el alarde festivo y esa notoriedad adquirida durante la fiesta formaba parte del juego de la edad, era una forma de afirmar públicamente su mocedad, ser visto y ser reconocido, pero ahora el ojo es distinto, se retransmite cerca y lejos, lo graba para siempre, el allí estuve tiene valor escatológico, vale por sí solo, como acto final.

[47] Es también cierto que esta gente que pocas veces son protagonistas de la vida local aprovechan esa ocasión espectacular para asumir Almonte en su alarde, "siendo" ellos por un momento la comunidad toda de la que habitualmente se sienten excluidos. La gran mayoría son habitantes del Barrio Obrero (o La Kábila), el Barrio de la Constitución (o Las Malvinas), del Perú y de otros aledaños del Chaparral (así como otra juventud del peonaje de la construcción con características sociales similares), lugares y gentes estigmatizados de la sociedad almonteña -los mismos motes con los que se les designa indican la foraneidad con la que se intenta exorcizar la margen donde se les coloca, como demarcados del resto-. "Ellos" no son el "nosotros". Nada de extrañar que en parejas circunstancias no respeten otra estrategia que la de su protagonismo televisual, sin la ayuda del cordón que aislaba a la Virgen de la multitud, los que llevan la imagen dentro del templo la dejan caer presionados por el gentío al que ellos solos resisten, y la hacen madrugar cada año más con tal de que no se les escape el momento cúspide televisual más allá del cual el ojo del cíclope cerraría los párpados.

Un joven almonteño, reaccionando a mi cuestión sobre los Kabileños y la Virgen, exclamaba: "¡....eso' no son cristiano', ni ná! Sólo vienen cuando está la tele, desde que la Virgen está en Almonte no han venío ni un solo día a la Salve".

[48] "Los turistas son la cara odiosa de cada pueblo. ¿Es que son los peores individuos los que hacen turismo, o el estatuto de turista hace brotar lo peor del ser humano?. No se puede impedir el preguntarse si somos parecidos, o si, al menos, los lugareños nos perciben como tales. El turismo transforma los otros en accesorios de teatro que se pueden fotografiar y coleccionar. Y no estoy seguro que la etnografía, en cierta medida, no haga otro tanto". Nigel Barley 1997, 77.

BIBLIOGRAFÍA:

ÁLVAREZ GASTÓN, R.
-1981, *Las raíces del Rocío. Devoción de un pueblo.* Huelva.
ARIÑO, A. (coord)
-1996, La Utopía de Dionisos. Las transformaciones de la fiesta en la modernidad avanzada. *Antropología* nº 11, Madrid.
BACHELARD, G.
-1939, "Instant poétique et instant métaphysique", en *L'intuition de l'instant.* París 1992
BARLEY, N.
-1997, *L'anthropologie n'est pas un sport dangereux. París.* (1ª ed. angl. 1988)
BLANQUER, J.M.
-1996, *Changer d'ère.* París.
BOURDIEU, P.
-1997, *Sobre la televisión. Barcelona.* (ed francesa: 1996, *Sur la télévision, suivi de l'emprise du journalisme.* París)
CANTERO, P. A.
-1994, "De la Virgen la fiesta. Fiesta y devoción en la Sierra de Aracena", en *Anuario Etnológico de Andalucía,* 1992-93. Sevilla, 209-216.
-1996a, "El Rocío. Significados y sentido de un culto andaluz". *Jornadas sobre El Rocío.* Aldea del Rocío, Almonte (Huelva). (Policopiado)
-1996b, "La Peña de Alájar y el Santuario de la Reina de los Ángeles", en: Salvador Rodríguez Becerra (coord.) Santuarios andaluces II. *Demófilo* nº 17. Sevilla. 157-179.
-1998, "Las ferias agrícolas-ganaderas", en Juan A. Márquez Domínguez (coord.), *Artes, Costumbres y Riquezas de la Provincia de Huelva.* Madrid. 565-579.
-1999, "El milagro de la fiesta". en *Anuario Etnológico de Andalucía 1994-1997.* Sevilla (en prensa)
-1999, *La ciudad silenciada.* En colaboración con Javier ESCALERA REYES (y otros). Sevilla. (en prensa)
COMELLES, J. M.
-1991, "Los caminos del Rocío", en Prat y otros: *Antropología de los Pueblos de España,* Madrid. 755-770
-1996, "Rocíos", en: Rodríguez Becerra (coord), *Demófilo* nº 17, Sevilla. 13-38
-1999, "Religiosidad popular y conflictos de identidades: El caso de la devoción rociera", en *1ª jornadas sobre Religiosidad Popular "Sevilla".* (inédito)
CRAIN, M.
-1996, "Transformación y representación visual en el Rocío", en Pedro A. Cantero (coord) Palabra, rituales y fiestas en la provincia de Huelva. *Demófilo* nº 19. Sevilla. 63-83.
DEBORD, G.
-1971, *La Société du spectacle.* París.
DUVIGNAUD, J.
-1973, *Fêtes et civilisation.* Ginebra.
ESCALERA REYES, J.
-1996, "Sevilla en fiestas-fiestas en Sevilla. Fiesta y anti-fiesta en la ciudad de la Gracia", en Antonio Ariño (coord). La utopía de Dionisos. Las transformaciones de la fiesta en la modernidad avanzada. *Antropología* nº 11, Madrid. 99-119.
HERVIEU-LEGER, D. & CHAMPION, F. (et al.)
-1990, *De l'emotion en religion.* París.
JOHNSON, H.
-1990, *Une histoire mondiale du vin.* París. (1989, *The Story of Wine.*)

ISAMBERT, F.

-1982b, *Le sens du sacré. Fête et religion populaire* (París 1982)

LLEÓ CAÑAL, V.

-1980, *Fiesta Grande: el Corpus Christi en la historia de Sevilla*. Sevilla.

MAFFESOLI, M.

-1985, *L'ombre de Dionysos. Contribution á une sociologie de l'orgie*. París.

MURPHY, M. & GONZÁLEZ FARACO, J. C.

-1996a, "Masificación ritual, identidad local y toponimia en el Rocío", en Pedro A. Cantero (coord.) *Economía, espacio y símbolos en la provincia de Huelva*. Sevilla. 101-119.

-1996b, "Fuentes básicas para el estudio del Rocío", en Pedro A. Cantero (coord.) *Economía, espacio y símbolos en la provincia de Huelva*. Sevilla. 195-209.

RODRÍGUEZ BECERRA, S.

-1985, *Las fiestas en Andalucía* (Sevilla).

-1989, "La romería del Rocío, Fiesta de Andalucía", en *El Folklore Andaluz*. nº 3. Sevilla. 147-152.

-1995, Santuarios andaluces I. (coord), *Demófilo* nº 16. Sevilla.

-1996, Santuarios andaluces II, (coord), *Demófilo* nº 17. Sevilla.

ROMERO MURUBE, J. & ARENAS, L.

-1999, *Palabra de luz. Una Antología Apasionada*. Sevilla.

RUIZ BALLESTEROS, E. & DELGADO LÓPEZ, M.

-1993, "La cabalgata de Reyes Magos de Higuera de la Sierra (Fiesta y espectáculo, texto y contexto)", en *Demófilo* nº 11. Sevilla.

RUIZ BALLESTEROS, E. & DELGADO RAMOS, J. M.

-1996, *"La Esquila de Río Tinto"*, en Pedro A. Cantero (coord.) Palabra, rituales y fiestas en la provincia de Huelva. *Demófilo* nº 19. Sevilla. 127-143.

STANISLAWSKI, D.

-1975, "Dionysus Westward: Early Religion and the Economic Geography of Wine", en *The Geographical Review*. (Oct.)

TALEGO VÁZQUEZ, F.

-1992, "Las fiestas de Aroche, Visión antropológica", en *Estudios sobre la Sierra de Aroche*. Aroche 9-75.

-1996, "Jerarquización social, dominación masculina y moral sexual", en Pedro A. Cantero (coord). Palabra, rituales y fiestas, en la provincia de Huelva. *Demófilo* nº 19. Sevilla 37-60.

VALCUENDE DEL RÍO, J. M.

-1996, "Los símbolos de un pueblo. El Padre Jesús y la construcción de la comunidad, la Virgen de las Angustias y la creación de la frontera", en Pedro A. Cantero (coord). Palabra, rituales y fiestas, en la provincia de Huelva. *Demófilo* nº 19. Sevilla. 145-162.

VEBLEN, T.

-1931, The Theory of the Leisure Class. 1970- *Théorie de la classe de loisir*. París.

ZAPATA GARCÍA, M.

-1991, *El Rocío. Estudio psicoanalítico de la devoción mariana en Andalucía*. Sevilla.

Religiosidad Popular en los Lugares Colombinos: Su Proyección Evangelizadora hacia América

Julio Izquierdo Labrado
Ayuntamiento de Palos de la Frontera

La devoción a Santa María de La Rábida, Virgen de los Milagros, en Palos de la Frontera, se remonta a épocas antiquísimas donde la historia se confunde con la leyenda. Según los manuscritos de La Rábida, en su mayoría escritos por Fray Felipe de Santiago en el siglo XVIII, la imagen fue esculpida en los orígenes del cristianismo por el propio San Lucas, y traída al Puerto de Palos por el marino libio Constantino Daniel, como regalo del Obispo de Jerusalén San Macario.

Durante mucho tiempo permaneció en Palos, hasta que la invasión musulmana obligó a los cristianos de estas tierras, en el siglo VIII, a esconderla en algún lugar de la costa, cubierto con los años por el mar. En la decimoquinta centuria, instalados ya en La Rábida los seguidores de San Francisco, unos pescadores de Huelva la sacaron entre sus redes en aguas de Palos. Primero sólo a la Virgen, pero echaron inmediatamente de nuevos las redes y sacaron al Niño.

Al ser los pescadores de Huelva, pero haberse encontrado en término Palermo, los habitantes de ambas villas comenzaron a disputarse la imagen. Solicitada la mediación del Prior del Monasterio de La Rábida, éste tuvo una feliz idea: dejarían a la Virgen sobre una balsa en la desembocadura del Tinto, a fin de que fuera la Providencia la que la llevara hasta el lugar donde debería quedarse. La marea, venciendo la corriente del Tinto, llevó la balsa río arriba hasta La Rábida, y allí permaneció, custodiada por los frailes, y venerada por los vecinos de toda la comarca, que celebraban en su honor una romería el 2 de Agosto, festividad de Ntra. Sra. de los Ángeles y fecha destacada para la comunidad franciscana.

La verdad es que la imagen que hoy conocemos, realizada en alabastro, de unos 50 cms. de altura, data del siglo XV, y es una bellísima muestra de gótico manierista y elegante, que imprime a la figura una singular curvatura, de modo que cambia de aspecto por poco que se varíe la perspectiva. No obstante, para demostrar que detrás de cada leyenda existe algo de verdad, hay que decir que, según documentos existentes en la Parroquia de San Jorge, en una restauración que se le hizo a la imagen de la Virgen en el siglo XVIII, le encontraron restos de sal y limo marino, como si hubiera estado sumergida en el mar.

La misma legendaria nebulosa envuelve los orígenes de Palos que son muy remotos. Los restos arqueológicos encontrados nos confirman un poblamiento ininterrumpido de la zona desde el Paleolítico. Roma dejó una notable huella, hasta el punto que muchos autores clásicos identifican esta ciudad con el mítico Palus Etrephae, ubicando en el lugar de La Rábida, antes llamado Cabezo del Infierno, un templo dedicado a la diosa Proserpina. La zona se cristianizó pronto, y tras los periodos visigótico y musulmán, en el que Palos fue una alquería de Niebla, esta localidad nace a la historia en 1322, fecha en que Juan I de Castilla la dona a Alonso Carro y Berenguela Gómez, su mujer. De esta forma se separa de lo que había constituido el reino almohade de Niebla, al que seguía perteneciendo aún después de su conquista a mediados del siglo XIII.

Palos era por estas fechas, como presumiblemente lo fue en toda su anterior historia, un pequeñísimo núcleo de población que subsistía de la pesca litoral, aprovechando las cualidades que, como puerto interior, al abrigo del viento y los ataques piráticos, ofrecía el Tinto. Álvar Pérez de Guzmán, al que debemos considerar como verdadero padre y fundador de la villa de Palos, contaba sólo catorce años cuando Alfonso XI, en 1379, le concede las villas de Palos y Villalba como compensación por haberle arrebatado las localidades de Huelva y Gibraleón para cederlas a la Duquesa de Medinaceli.

Álvar Pérez consiguió del Monarca el privilegio de eximir de cualquier impuesto real a las 50 primeras familias que se instalasen en Palos acudiendo a su iniciativa de repoblación, estableció con su legislación las bases del ordenamiento jurídico municipal y dedicó las escasas y poco fértiles tierras del término Palermo al cultivo del olivo y la producción de aceite. Después de la prematura muerte de Don Álvar, su viuda, Doña Elvira de Ayala, hija del Canciller de Castilla, prosiguió su labor hasta que murió en 1434.

Cada una de las hijas de D. Álvar y Dª Elvira, llamadas Isabel y Juana, heredaron una mitad de la villa de Palos, que por sus respectivos matrimonios pasaron a ser señoríos, una mitad del Conde de Miranda y la otra del Conde de Cifuentes. Los Miranda enajenaron en 1480 la sexta parte de su señorío en favor de D. Enrique de Guzmán, Duque de Medina Sidonia y Conde de Niebla. Por su parte, los Cifuentes vendieron su mitad de la villa a los Reyes Católicos en Junio de 1492, cuando se preparaba la partida de la expedición colombina[1].

Esta triple fragmentación del señorío de Palos provocó la complejización del ordenamiento municipal y de la estructura interna del Concejo Palermo, pese a la cual -tal vez gracias a ella- Palos fue una villa bien admi-

---

[1] IZQUIERDO LABRADO, Julio, *Palos de la Frontera en el Antiguo Régimen (1380-1830)*. Huelva, 1987. Instituto de Cooperación Iberoamericana y Ayuntamiento de Palos de la Frontera.

nistrada. Sin embargo, esta coyuntura favorable, que hubiese hecho de Palos una importante ciudad, apenas duró unas décadas. El período de mayor auge para la villa fue el de la guerra peninsular entre Castilla y Portugal (1474-1479).

Los Condes de Miranda que tan importante labor realizaron en la organización del pueblo, la construcción del Castillo y de la Iglesia, probablemente fueron también los que trajeron la imagen de la Virgen de los Milagros que hoy conocemos. Durante siglos, según creencia popular, la Virgen protegió a los moradores de estas tierras de toda clase de epidemias y de los ataques berberiscos, amén de beneficiar con multitud de prodigios a sus devotos fieles, en su mayoría relativos a curaciones portentosas de males mortales en la época.

Históricamente destaca porque fue la imagen ante la que oraron los marinos que descubrieron América, incluso determinó la fecha de partida de la expedición. Efectivamente muchos estudiosos se han preguntado por qué, ultimados los preparativos, las naves no salieron hasta el tres de Agosto, dando las más variopintas explicaciones, incluida la de coincidir con la finalización del plazo para que los judíos salieran de España. La razón es mucho más local y lógica, como se ha dicho la romería se celebraba en este siglo el 2 de Agosto, y era muy normal que antes de aventurarse a un arriesgado viaje los marinos palermos quisieran realizar junto a sus familiares este homenaje a su Patrona, partiendo inmediatamente después de haberse puesto en sus manos y haberle rogado su protección.

La imagen muestra señales de diversas fracturas, debido a pasados accidentes y a que, en el siglo XVIII, con gran disgusto de los frailes, fue cortada a fin de vestirla como la moda de entonces exigía. Con el tiempo, dados los especiales vínculos históricos que unieron a Palos de la Frontera y La Rábida, la Virgen de los Milagros se unió especialmente con los palermos. A los pies de Nuestra Señora, con hábito franciscano, mandó que le enterraran Martín Alonso Pinzón, según afirman en los Pleitos Colombinos los numerosos marinos que le acompañaron al final de sus días, apenas regresó triunfante del viaje en que descubrió el Nuevo Mundo.

En cuanto al patrón Palermo, San Jorge, mártir cristiano en el año 303, nació en Capadocia (Asia Menor oriental). Y su vida, para no variar, queda también oscurecida por la leyenda, aunque su martirio en Lydda, Palestina, está considerado como un hecho histórico, testificado por un par de primitivas inscripciones en una iglesia siria y por un documento del papa Gelasio I, fechado en el año 494, en el que ya se menciona a San Jorge como una persona objeto de especial veneración.

Una de las más populares leyendas referidas a él, base de su iconografía habitual, narra su encuentro con el dragón cuando una ciudad pagana de Libia era acosada por este monstruo, imagen del demonio, al que los vecinos habían intentado primero aplacar con un cordero, y después con sacrificios humanos. Hasta que la suerte designó a la hija del rey, símbolo de la Iglesia, para sufrir tan cruel destino. Entonces intervino San Jorge, mató al dragón y toda la comunidad se convirtió al cristianismo. El Concilio de Oxford, en 1222, acordó que su día, el 23 de abril, fuera desde entonces celebrado como fiesta nacional, y desde el siglo XIV ha sido el santo patrón de Inglaterra y de la orden de la Jarretera. También tiene el patronazgo de Cataluña en España y de ciudades como Génova en Italia. En definitiva, San Jorge se caracteriza por ser el santo caballero favorito por los pueblos de aventureros y navegantes, por lo cual no es de extrañar que sea patrón de Palos prácticamente desde los orígenes históricos de la villa, otorgándosele su nombre a la Iglesia Parroquial.

Para completar el cuadro de la religiosidad palerma, hay que decir que la Iglesia de San Jorge tenía tres capillas, una del Bautista, otra del Sr. de la Veracruz, del lado del Evangelio, y al otro una de Nuestra Sra. de la Esperanza. Y otros seis altares de diferentes títulos. Además, tenía siete ermitas en esta forma: al naciente del sol, trescientas varas hacia el lado izquierdo, estaba la ermita de Santa Brígida, camino de Moguer. Y quinientas varas, a poniente, al lado derecho, estaba la de la Sra. de Flores camino de la Rábida, que según la tradición fue fundada por Cristóbal Colón, ya que esta Sra. se le apareció en el mar, navegando:

> "Que mirando a las aguas una mañana le parecía ver flores y en dere-chura mandó ir y que hallaron la santísima imagen con la cabeza fuera del agua. Y cogiéndola la trajo a esta Villa y le hizo ermita, y le puso una buena dotación, que todavía hoy se conserva algo. Y un devoto de la Señora, aunque indigno, viendo la gran indecencia que la santa ima-gen tenía, porque arruinada su casa estaba en un alto, en la iglesia, con otras imágenes, arrumbada, la dio al lugar de Calañas, donde está con más decencia"[2].

Al norte, junto al embarcadero, estaba la de la Sra. de Guía, y al Sur, la del glorioso San Sebastián. Además tenía otra en un alto en medio del lugar, y al mediodía, dedicada a Sta. María Magdalena. Y en la orilla de la ribera, otra dedicada a María Santísima, con el título de Consolación. Más arriba estaba la del Sr. de la Misericordia, que era Crucificado, y era el Hospital de los Pobres de la calle de la Ribera. Según un hombre anciano de Palos, llamado Juan Cuello, él lo había visto llevar al Convento de la Rábida cuando el hospital se hundió, a comienzos del siglo XVIII.

Sobre estas creencias estuvo asentada la religiosidad del pueblo de Palos. Aunque sería muy simplista barajar únicamente estos elementos para entender espiritualmente a unos hombres que, tras unas azarosas vidas en los mares per-siguiendo a las esquivas Fama y Fortuna, poco dispuestos a la más mínima con-templación para quien se cruzara en su camino, acababan su tránsito -para ellos mejor singladura- por este valle de lágrimas, enterrados en la Iglesia de San Jorge

---

[2] DE SANTIAGO, Fr. Felipe, *Nuestra Señora de La Rábida*. Manuscritos del siglo XVIII transcritos por Fr. David Pérez. Ayuntamiento de Palos de la Frontera, 1990.

con un hábito franciscano por sudario. Igual que sus esposas, que, como mujeres de marinos, pasaban sus vidas cual modernas penélopes, esperando el retorno del aventurero consorte y, mientras tanto, se ocupaban de mantener casas y haciendas, criar y educar hijos, transmitir tradiciones y fe.

Para complicarlo todo un poco más, sumemos a esta religiosidad de hombres y mujeres libres la del elemento esclavo, añadido y marginal, soterrado, condenado y sin embargo perturbadoramente absorbido por una sociedad altamente jerarquizada y no poco racista. Un ingrediente que en los llamados lugares colombinos tuvo una mayor relevancia de la que hasta ahora se le ha querido otorgar.

Todo ello en un clima generalizado, durante la primera mitad de la decimosexta centuria, de humanismo cristiano. Tomada Granada y expulsados los judíos, la Inquisición se encarga de velar la pureza de la única fe. Los reyes son sus católicas majestades, Corona e Iglesia caminan juntas hacia el estado moderno y Dios les ha dado un mundo nuevo que evangelizar. En España, todo iba bien.

Y, sin embargo, tal vez como refugio de individualismo y libertad, fue ésta también una época de intimismo espiritual. Por Europa comenzaron a brotar ideas que se propagaban rápidamente, sobre todo en los puertos. Se ha hablado de "San Pablo renovado por el humanismo erasmista", para explicar cómo la metáfora del Cuerpo Místico de Cristo simbolizaba una religiosidad rígidamente estructurada, por analogía con la sociedad que la sustentaba, pero también al germen que acabaría con ella, pues llevaba implícita la aceptación de todas aquellas minorías marginales, residuales, que antaño fueron simplemente eliminadas:

"... pues por todos se puso xpo. en la cruz, y nuestra madre la yglessia sancta no nos excluye, antes nos admite a muchas cosas más que a blancos, pues procedemos de gentiles y xpianos viejos,..." [3].

Verdaderamente, la Iglesia Católica había mantenido siempre la necesidad de evangelizar y catequizar a los esclavos, ofreciendo con ello la mejor de las excusas para justificar el fenómeno esclavista, aunque hay que reconocer que con ello protegió a los cautivos de algunos abusos y palió mínimamente sus desdichas. Por expresarlo brevemente, se podría decir que todos eran iguales ante Dios, aunque no ante la Santa Madre Iglesia.

En teoría, las cofradías debieron ser los cauces de integración y participación de toda la sociedad en rituales y cultos religiosos que permitieran la

---

[3] Archivo del Palacio Arzobispal de Sevilla (A.P.A.). Sección Hermandades, leg. 94. Pleito de la Cofradía de Ntra. Sra. de los Ángeles con la de la Antigua, fol. 14 v. Citado por RODRÍGUEZ MATEOS, Joaquín, "De los esclavos y marginados: Dios de blancos y piedad de negros. La Cofradía de los Morenos de Sevilla". *Actas II Congreso de Historia de Andalucía*, págs. 569 a 582. Universidad de Córdoba. Abril, 1991, pág. 572.

comunión, en régimen de igualdad, de todos los hermanos, fuera cual fuese su condición social, posición económica, sexo o color. Derivándose sus funciones de las estrictamente espirituales hacia parcelas más prosaicas, que incluían la alimentación, el vestido o la vivienda de los cofrades impedidos o enfermos, de enterrarlos en última instancia, y de sus viudas y huérfanos si los hubiere. Sin duda, una gran labor de la que pocas instituciones se ocupaban y que, más o menos, algunos pudieron disfrutar independientemente de su clase social, pero no de su color. El segregacionismo se manifestaba a través de los estatutos de limpieza de sangre, que impedían cualquier veleidad respecto a la mezcolanza racial. Los negros o mulatos, esclavos o liberados, no eran admitidos, y tenían que organizar sus propias cofradías de "morenos":

"… porque, aunque como dize, nuestro señor Jesuxpo. se puso en la + por todos, y nuestra madre la iglessia no los excluye, en ella ay órdenes y grados como los ay en el cielo…"[4].

Ni siquiera así, menguaba la animadversión social hacia los que, por definición, no tenían derechos, o sus descendientes. Sus procesiones eran objeto de todo tipo de burlas y escarnios[5], por lo que la religiosidad popular se incrementaba con unos espectáculos que la mayoría blanca entendió como una divertida parodia, organizada para que ellos pudieran divertirse, aún a costa de incluir en ella creencias y devociones que presumían de respetar y hacer respetar, que ellos mismos habían inculcado, como una obligación, a sus presentes o antiguos siervos.

En Moguer fue la hermandad de la Encarnación, con sede en el hospital del Corpus Christi, la cofradía de los negros. Existente según la documentación, al menos, desde 1606, año del que data su más antiguo documento, un acta de elección de seis mayordomos, en el que escrupulosamente se eligieron, según las reglas, tres blancos y tres negros. La presencia de los blancos se justificaba como una especie de tutela, ya que los morenos, analfabetos, no estaban preparados para ocuparse del inevitable papeleo.

Sin embargo, los hermanos de color de la cofradía denuncian, en carta dirigida al Arzobispado con fecha 3 de Septiembre de 1670, la intención de los hermanos blancos de nombrar una junta rectora exclusivamente de su color. Intención que uno de los testigos justificaba diciendo que:

[4] *Ibidem*, pág. 580.

[5] "… que los cofrades (negros) fueran picados con alfileres" (…) "…y la gente desta dicha ciudad los está aguardando de propósito para reír y mofar della y dizen "aguardemos la cofradía de los primos para reyr", y así save este testigo que quando salen los dichos morenos se hace muncha burla dellos…" (…) "… como gente sin razón y negros boçales munchas personas hacen burla dellos, peyéndoles y diziéndoles palabras que unas vezes los provocan a que se enojen e otras vezes probocan a risa…" (…) "… mucha gente que los está aguardando para silvalles y hazerles otras mofas y escarnios…". *Ibidem*, pág. 582.

"...una cofradía donde hay tanto número de hermanos blancos y personas principales que habían contribuido a aumentar la devoción, no podían ser gobernados por hermanos de color, cuyo número no pasaba de treinta. Por otro lado, añadía, no tenía constancia que los hermanos morenos fuesen viciosos o destemplados, aunque eran poco atentos y carecían de urbanidad, tratando a los blancos con los mismos modos"[6].

Al parecer se trataba de un caso único en el Arzobispado de Sevilla de "convivencia" en la misma hermandad de blancos y negros, según un testigo que abogaba por la supremacía blanca. En realidad, aparece como una cofradía fundada por un negro, para los morenos de la zona que no eran admitidos en otras, pero tutelada por blancos, que, progresivamente pretendieron excluirlos también de ésta, y eso que no fue hasta 1712 cuando adquirió una gran popularidad porque presuntamente el Cristo de la Encarnación sudó sangre en el mes de marzo.

No sabemos qué sudaría el provisor y vicario general, el 5 de febrero de 1671, cuando resolvió el pleito en favor de los antiguos y tradicionales derechos de los hermanos morenos, advirtiendo además a los hermanos blancos que sancionarían el incumplimiento de esta resolución con "la pena de excomunión mayor y doscientos ducados que se emplearían en obras pías"[7], porque una semana después los cofrades blancos recurrieron esta decisión, que hubo de ser nuevamente reafirmada desde el Arzobispado.

Era, en fin, la religiosidad de estos lugares muy similar a la de otros pueblos de la comarca de características semejantes, si acaso, con más lejanas influencias por la condición de marinos de la gran mayoría de sus vecinos, observable por ejemplo en la representación de los santos Getulio y Cereal, que en el templo dedicado a San Jorge, continúan formulando al peregrino el enigma de su presencia en lengua toscana. Lejanas influencias que quedaron empequeñecidas al compararlas con la proyección que los palermos dieron a sus creencias, llevándolas más allá del Atlántico, tal vez, como a veces se ha dicho, porque ignoraban que estos lugares no existían y además era imposible llegar a ellos.

De cualquier forma, cuando se habla del papel que ha desarrollado el pueblo de Palos de la Frontera en la Historia de América, suele pensarse, casi exclusivamente, en los acontecimientos relacionados con la preparación y ejecución del primer viaje colombino. Pero, poco a poco, la investigación y el estudio nos van perfilando múltiples actuaciones en las que los palermos se muestran como destacados protagonistas en la colonización del Nuevo Mundo, siempre pioneros, construyendo los pilares de una nueva sociedad, de una nueva cultura, y participando activamente en la Evangelización.

[6] VÁZQUEZ LEÓN, Antonio, "Hermanos Morenos de la Encarnación de Moguer". *Huelva Información*, 29 de Abril de 1995.

[7] *Ibidem.*

Desde el fundamental apoyo que Fray Antonio de Marchena y Fray Juan Pérez prestaron a Cristóbal Colón cuando su ánimo desfallecía ante la adversidad, el Convento franciscano de Santa María de La Rábida siguió atentamente la evolución de los acontecimientos, erigiéndose en uno de los primeros focos de la evangelización americana. Como es lógico, la influencia del convento rabideño, propició que destacaran especialmente los franciscanos entre los primeros evangelizadores palermos de América, como Fray Juan de Palos, Fray Juan Cerrado, Fray Pedro Salvador, Fray Alonso Vélez de Guevara, Fray Juan Quintero, Fray Thomás de Narváez y Fray Francisco Camacho, que tomaron en su mayoría los hábitos en México y Lima.

Quizás el más conocido sea, Fr Juan de Palos, franciscano lego, natural de esta villa, que fue el último evangelizador incorporado a la expedición encabezada por Fr. Martín de Valencia, en 1524, con destino a México. El Palermo fue uno de los llamados "Doce Apóstoles de México", que iniciaron la evangelización de la Nueva España.

Fr. Juan de Palos poseía buenas dotes para la predicación, lo que demostró enseñando el Evangelio a los indígenas en lengua mexicana. Pero muy pronto los franciscanos se sintieron atraídos por la Florida, hacia donde viajó Fr. Juan de Palos en la expedición capitaneada por Pánfilo de Narváez. No fue nada fácil la evangelización en estas nuevas tierras, debido a la belicosidad de sus habitantes y la insalubridad de la zona. Fr. Juan de Palos murió en la Florida el 21 de marzo de 1527.

También era natural de Palos Fr. Juan Cerrado, que realizó numerosas conversiones en Jalisco, y, siendo guardián del convento de Tzapotla, pidió licencia para ayudar a la reducción de los belicosos chichimecas de la provincia de Zacatecas. En Atotomilco, la muerte le llegó disfrazada de flechas indias a la edad de 28 años. Era el año de 1566.

Fr. Pedro Salvador, Fr. Alonso Vélez de Guevara, Fr. Juan Quintero, Fr. Thomás de Narváez, barbero-cirujano, Fr. Francisco Camacho, Pedro Fernández, Lope Quintero, o Diego Jurado, son algunos otros evangelizadores cuyos nombres quedarán por siempre unidos a los de América y los lugares colombinos, especialmente desde que fueron rescatados por las investigaciones históricas de Diego Ropero Regidor[8].

Pero, sin duda, fue Fr. Juan Izquierdo, obispo de Yucatán, el eclesiástico natural de Palos el que tuvo mayores responsabilidades en la Iglesia americana. Palermo y franciscano, Fray Juan Izquierdo fue obispo de Yucatán entre 1587 y 1602, y un personaje controvertido, pues le tocó vivir momentos críticos de enorme tensión y responsabilidad, logró la consolidación de la iglesia yucateca mediante una acertada reorganización de su obispado y la introducción de importantes innovaciones y reformas.

---

[8] ROPERO REGIDOR, Diego, *Fray Juan Izquierdo: Obispo de Yucatán*. Ayuntamiento de Palos de la Frontera, 1989.

La fundación en su sede de Mérida de un seminario, verdadero centro cultural de la zona; la terminación de la catedral, en cuya cripta yace enterrado; sus frecuentes visitas controlando su obispado; su preocupación porque los misioneros aprendieran el chontal, la lengua nativa, para que fueran más eficaces en su evangelización, salvándola al mismo tiempo del olvido conjuntamente con tradiciones y costumbres de la cultura indígena; su obsesión porque los escasos recursos de una Iglesia ubicada en una tierra pobre y marginada estuvieran mejor distribuidos, nos definen a un Fr. Juan Izquierdo dinámico y efectivo, riguroso y enérgico, preocupado por llevar a cabo siempre las medidas que, a su juicio, iban a redundar en beneficio de la iglesia que le había sido encomendada. Representó la más alta dignidad eclesiástica palerma en la evangelización de las Indias, justo cuando su pueblo natal estaba inmerso en la ruina.

En la segunda mitad del siglo XVIII, después de casi dos siglos de letargo debido a la despoblación en que quedó sumida la villa de Palos por la emigración, la ruina económica y las epidemias que sobre ella se abatieron, surge en Palos la Hermandad de Ntra. Sra. de los Milagros, que en su carta fundacional expone su intención de reanudar las tradiciones y el culto a la virgen como se hizo hasta el siglo XVI.

Desde entonces la Virgen de los Milagros se venera en Palos de la Frontera con creciente devoción. Ha sido nombrada Patrona Canónica y Alcaldesa Perpetua de la Ciudad, hasta que el 14 de Junio de 1993, se cumplió el gran sueño de sus fieles palermos, cuando Su Santidad Juan Pablo II vino a La Rábida para coronarla, con el padrinazgo de Sus Majestades, como Madre de España y América.

Sin duda, esta pequeña imagen de alabastro, concentra y representa la continuidad de la religiosidad popular de Palos de la Frontera y su proyección americana.

Fontes Documentais
para a História da Religião em Portugal:
o Caso do Algarve

João Sabóia
Director do Arquivo Distrital de Faro

INTRODUÇÃO

A preocupação da Igreja com a preservação dos seus documentos é patente nos diversos escritos emanados desde o Vaticano até às autoridades eclesiásticas nacionais.

Como exemplo desta preocupação citaremos um extracto do texto saído da Conferência Episcopal Portuguesa[1] "Para a Igreja, como para qualquer outra comunidade humana, o património é ainda um espaço privilegiado de memória histórica (...) Enquanto memória histórica da Igreja, o património é, ao mesmo tempo, expressão significativa da sua tradição viva através dos séculos e, em certa medida, faz parte do depósito da fé. (...) Papel importante cabe, neste capítulo, aos arquivos eclesiásticos. (...) Os arquivos eclesiásticos, constituídos por elementos seleccionados da comunicação e da certificação que em cada época a Igreja fez de factos da sua vida -e, muitas vezes, no exercício de função supletiva, de factos da vida da sociedade civil- têm importância essencial na vida da Igreja, tanto como preocupação que deve estar presente na selecção e preservação dos documentos, como enquanto parcela inalienável do património eclesiástico".

No que diz respeito ao Algarve já nas Constituições Sinodais do Bispado do Algarve de 1673[2] era clara a defesa da preservação e organização dos arqui-

---

[1] LIMA, Tomás Machado, "Conservação e valorização dos Arquivos da Igreja" *Boletim de Pastoral Litúrgica* núm. 71 (1993).
[2] BARRETO, D. Francisco, *Constituições Synodaes do Bispado do Algarve*. Évora, Impressão da Universidade, 1673.

vos eclesiásticos, no entanto a prática, muitas vezes, não esteve de acordo com estas preocupações e directivas e assim se perderam muitos documentos relativos à História da Igreja no Algarve.

A documentação pertinente para o estudo da História da Religião no Algarve encontra-se, assim, sob custódia de diversos arquivos. Neste trabalho iremos, no entanto, salientar de forma mais insistente os arquivos dependentes do Bispado do Algarve, já que são os menos conhecidos e os menos divulgados.

DIOCESE DO ALGARVE

I

Não nos é possível assegurar com rigor a fundação da Diocese do Algarve, pois a documentação para a sua reconstituição histórica inicial, resume-se às actas de alguns Concílios, podemos, no entanto, informar que por volta do ano 304[3] Ossónoba[4] era sede de Bispado[5]. A testemunhá-lo temos a presença do Bispo Vicente no Concílio Peninsular de Elvira ou Eliberris , próximo de Granada, assinando em oitavo lugar, como *Vicentiius Episcopus Ossonobensis subscripsi*[6].

Durante a ocupação Visigoda [c. 450-713] e depois de um longo silêncio informativo, existem provas da permanência da Diocese de Ossónoba. Testemunham-no, a presença nos Concílios de Toledo dos seguintes Bispos: Pedro em 589, convocado pelo Rei Recaredo; Saturnino em 653; Bellito em 682 ou 683 e Agripio, o último Bispo, conhecido da Diocese de *Ossónoba*, em 693. Para além dos concílios toledinos, o Bispo Ossonobense Exarmo, esteve presente nos concílios Emeritense (666) e de Constantinopla (680)[7].

Aniquilado o domínio dos Visigodos, com a invasão e conquista Árabe (711 a 713) é extinta a Diocese de *Ossónoba*. No entanto os vestígios do culto católico persistem muito se devendo às comunidades moçárabes, então muito poderosas[8].

Com a conquista de Silves, em 1189 por D. Sancho I, é restaurada a antiga Diocese instalando-se agora a Catedral em Silves. O flamengo D. Nicolau

---

[3] Ocupação romana
[4] Estava localizada na actual cidade de Faro.
[5] Sufragânea de Mérida, Capital da Lusitânia
[6] SEVERO, Suplicio, *Chronica*, § 51
[7] LOPES, João Baptista da Silva, *Memórias para a História Ecclesiastica do Bispado do Algarve*. Lisboa, Tipografia da Academia de Ciências, 1848, págs. 81-95
[8] MATTOSO, José (dir), *História de Portugal, vol. I*. [Lisboa], Círculo de Leitores (D.I 1993), pág. 409.

(1189 - 91) foi o Bispo eleito por D. Sancho que lhe doou, entre outros rendimentos, Mafra[9].

Esta conquista foi efémera já que passados dois anos os Muçulmanos reconquistam Silves e cessa novamente o Bispado. A conquista do Algarve deu-se definitivamente no tempo de D. Afonso III (1249), no entanto o restabelecimento da Catedral ficou adiado pelas divergências existentes entre Castela e Portugal sobre a posse do Algarve. Estas disputas terminariam em 1263 e com elas as dificuldades levantadas às nomeações de Bispos[10].

Silves foi durante cerca de 300 anos sede de Bispado, primeiro como sufragânea[11] da metrópole de Sevilha e posteriormente com D. João I[12] foram ajustadas as fronteiras eclesiásticas com as políticas tendo sido criada em 1393 a metrópole de Lisboa da qual Silves passou a depender até 1540, altura em que é incorporada em Évora[13].

O Bispo D. Manuel de Sousa, no início do seu governo (c.1537-38), propôs a D. João III a mudança da Diocese para Faro , alegando que a cidade era *muito doentia*[14]o que não permitia aos cónegos e restante Clero residir nela sobretudo no Verão. Pelo contrário, Faro[15] era próspera, com uma população numerosa e rica, devido às intensas trocas comerciais que se faziam no seu porto[16].

O pedido teve aceitação favorável pelo Papa Paulo III, tendo sido expedida uma bula datada de 29 de Novembro de 1539, no entanto só no governo do Bispo D. Jerónimo de Osório (1564-80) é que a mudança da Sé se efectuou. O Bispo passou o seu Cabido[17] para Faro[18] no dia de 30 de Março de 1577 e estabeleceu a Sé na Igreja de Santa Maria de Faro[19].

---

[9] ALMEIDA, Fortunato de, *História da Igreja em Portugal*, vol. I. Porto, Portucalense Editora, 1930, pág. 93.

[10] *Ibidem*, pág. 94.

[11] Pertencente a uma província eclesiástica e os seus prelados dependendo do metropolita.

[12] Separação das igrejas portuguesas de Castela.

[13] Elevada então a metrópole por Paulo III (COSTA, Padre Avelino de Jesus da, Províncias Eclesiásticas, in *Dicionário de História de Portugal*, vol. II. Porto, Livraria Figueirinhas, 1981, pág. 201. e LOPES, João Baptista da Silva, *Corografia do Reino do Algarve*... Lisboa, Academia Geral das Ciências, 1841, págs. 50-51.)

[14] A sua população tinha diminuído, tendo ficado reduzida a 140 habitantes.

[15] Ainda vila.

[16] LOPES, João Baptista da Silva, *Memórias para a História Ecclesiastica do Bispado do Algarve*. Lisboa, Tipografia da Academia de Ciências, 1848, pág. 311.

[17] Corporação ou comunidade de eclesiásticos duma igreja, catedral ou colegiada. Nas catedrais constitui uma espécie de Senado ou Conselho do Bispo e os seus membros se designam por cónegos ou capitulares (Cabido, in *Grande Enciclopédia Portuguesa e Brasileira*. Lisboa, Editorial Enciclopédia, Limitada, vol. 5. [s.d.]., págs. 270-272.)

[18] Cidade desde 1540.

[19] A Igreja de Santa Maria, hoje Sé Catedral de Faro, tinha pertencido à Ordem de Santiago, foi mandada construir em 1521, pelo Arcebispo de Braga D. João Viegas na qualidade de metropolitano e chefe da igreja católica em Portugal, enviando para esse propósito os domi-

A localização da Diocese em Faro conserva-se até à actualidade.

II

A Diocese, território onde o Bispo exerce os seus poderes, corresponde às delimitações civis do Distrito de Faro (Algarve).

Sobre a divisão eclesiástica desta diocese, antes de 1824, apenas se sabe que, durante a governação de D. Francisco Gomes (1789-1816), existiam 15 vigararias e em 1749 a freguesia de Ferragudo tinha sido desanexada da de Estombar[20].

Entre 1824 - 1834, esta Diocese compreendia 70 paróquias/freguesias, agrupadas em 12 vigararias.

Em 1882 foi efectuada nova divisão Eclesiástica, em conformidade com a Bula de Leão XIII, *Gravissium Christi Eclesiam regendi et gubernandi munus,* de 30 de Setembro de 1881, publicada no Diário do Governo de 15 desse mês e ano, n.º 208. Ficando então a Diocese com 66 paróquias, nove destas com Colegiadas : do Ordinário (Santiago de Tavira, Silves, Portimão, St.ª. Maria de Lagos e S. Sebastião de Lagos); das ordens militares (De Santiago: St.ª. Maria de Tavira, S. Pedro de Faro, S. Clemente de Loulé[21] e De Aviz: Albufeira).

Actualmente a Diocese tem 7 Vigararias e 76 paróquias[22].

III

Para o estudo da Administração da Diocese do Algarve o primeiro documento que nos surge são as Constituições Sinodais de 22 de Janeiro, de 1673. Estas dão-nos a informação de que a Diocese, ainda em Silves, regia-se pelas Constituições de 14 de Janeiro de 1554 elaboradas pelo Bispo D. João de Mello[23]".

---

nicanos Frei Paio ou Pelágio e Frei Pedro. Não sabemos, quando se iniciaram os trabalhos e a primeira referência ao templo já construído, data de 1272. - ROSA, José António Pinheiro, A Catedral e o seu Cabido, in A*nais do Município de Faro*, Câmara Municipal de Faro, 1983, págs. 72-73.

ALMEIDA, Fortunato de, *História da Igreja em Portugal.* Porto, Portucalense Editora, vol.I2, 1930, pág. 17.

[20] OLIVEIRA, Francisco Xavier de Athaíde *Oliveira, Memórias para a História Eclesiástica do Bispado do Algarve.* Porto, Livraria Figueirinhas, 1908.

[21] Dividida em 1891 em duas, S. Clemente e S. Sebastião - OLIVEIRA, Francisco Xavier de Athaíde Oliveira, *Memórias para a História Eclesiástica do Bispado do Algarve.* Porto, Livraria Figueirinhas, 1908, pág. 225.

[22] *Anuário, Calendário e Programa Diocesano.* Faro, Diocese do Algarve, 1999/1999.

[23] "(...) erão (...) tão poucos os volumes, que mal se achava um, com que nem os Prelados, nem os Parocos, nem os mais subditos sabião, o que as ditas constituições ordenavam, e dispunhão; de que resultava um grande dano, de não haver leis gerais. (...) a realização do

A hierarquia era encabeçada pelo Bispo seguido do Provisor e do Vigário Geral[24].

O Bispo possuía, entre outros, os seguintes poderes e competências: - proceder contra os casos de mancebia; - dispensar nalguns casos de irregularidades; - perdoar ou comutar as penas e condenações impostas pelas constituições; - proceder à eleição dos examinadores sinodais; - proceder contra quaisquer pessoas que desrespeitassem as sagradas imagens. Era também da sua competência fazer a eleição dos Pregadores e o provimento das Igrejas Paroquiais. Tinha ainda jurisdição para absolver pecados graves que não podiam ser absolvidos pelos Párocos e outros Confessores; para visitar e inquirir da clausura das freiras e as igrejas dos religiosos; para edificar ou restaurar, já que só com a sua licença podiam ser fundados Conventos ou Colégios.

Ao Provisor, cargo que neste Bispado *andou anexado ao de Vigário Geral*[25], tinha por função, entre outras, as seguintes tarefas: - inquirir sobre a vida e costumes das pessoas que ensinavam a ler e a escrever; - autorizar a abertura de escolas[26]; - inquirir sobre o património de um eclesiástico que se propunha ser promovido a diácono e se os Curas tiravam carta dentro do prazo, a fim de proceder legalmente em caso de irregularidades; - conhecer os impedimentos dos casamentos, remetidos pelos Párocos e dar-lhes despacho; - elaborar as perguntas Matrimoniais, antes do Juízo contencioso; - ver os Róis de Confessados[27] e dar penitência aos maiores de 14 anos que não cumpriram com as obrigações da Quaresma; - passar licença para depois do sol posto se enterrar os defuntos[28].

_____

Concílio de Trento, tornava-o há muito tempo - mais de um século - impreterível, *e como a antiguidade delas era tanta, facilmente se deixa conhecer que muitas estarão alteradas pela disposição do mesmo Concílio, que nenhuma maneira se acomudarão ao estado das coisas presentes* (BARRETO, D. Francisco, *Constituições Synodais do Bispado do Algarve*. Évora, Impressão da Universidade, 1673, págs. 1-2.). Não foi encontrado nenhum exemplar.

[24] BARRETO, D. Francisco, *Constituições Synodais do Bispado do Algarve*. Évora, Impressão da Universidade, 1673.

[25] BARRETO, D. Francisco, "Livro Único do Regimento do Auditório Ecclesiastico do Bispado do Algarve", in *Constituições Synodais do Bispado do Algarve*, Évora, Impressão da Universidade, 1673, pág. 2.

[26] Podia também ser passada pelo Bispo e Visitadores.

[27] "Para que possa constar como todos cumprem com a obrigação de se confessar, e comungar, mandamos que todos os Priores, e Curas de nosso Bispado cada anno", durante a Quaresma façam um Rol, onde se assentam "todas as ruas, bairros e lugares, assentando logo no principio a rua, bairro, ou lugar, e depois as casa de cada hum de per si, que vivem nellas de sete annos para cima; e as que forem de Comunhão (...)declarandose em todos os assentos o estado, e officios das pessoas, para que melhor se conheção (...)", BARRETO, D. Francisco, *Constituições Synodaes do Bispado do Algarve*. Évora, Impressão da Universidade, 1673, págs.118-119.

[28] BARRETO, D. Francisco, "Livro Único do Regimento do Auditório Ecclesiastico do Bispado do Algarve", in *Constituições Synodais do Bispado do Algarve*. Évora, Impressão da Universidade, 1673, págs. 2-4.

O governo diocesano estava alicerçado em três órgãos: a Câmara Episcopal, o Auditório e a Mesa Eclesiástica que exerciam a sua actividade de forma interdependente.

A Câmara Episcopal tinha, para além de outras, as seguintes funções: - registo e expedição de documentos; - guardar os autos em caso de sagração, derrube e edificação de uma igreja; - sumário de todos os procedimentos prévios à edificação, mudança e restauro de um convento e de todos os papéis respeitantes às Igrejas e Mesa Episcopal[29]. Estas tarefas eram desenvolvidas pelo Escrivão da Câmara cujo papel revestia-se assim de grande importância.

O órgão responsável pela justiça eclesiástica era o Auditório[30] onde eram julgados todas as querelas, delitos e crimes do foro eclesiástico. Na Diocese do Algarve, surge pela primeira vez nas Constituições de 1673. Ao Vigário Geral[31], responsável pelo Auditório, para além de outras tarefas, competia-lhe: - averiguar se os oficiais do seu tribunal tinham provisão, se prestaram julgamento e cumpriam com as suas obrigações, podendo actuar em caso de ilegalidades; - tomar conta dos testamentos para no mês dos testamenteiros executar as suas últimas vontades e todas as querelas e denúncias de qualquer crime do foro eclesiástico; - conhecer todos os casos e culpas de visitação[32] e outros casos e demandas contenciosas e civis ou crimes que pertençam ao foro eclesiástico; - devassar os crimes cometidos pelo pessoal eclesiástico e delitos que independentemente da pessoa pertençam ao foro eclesiástico[33]; - mandar executar com brevidade as sentenças - crime e não per-

---

[29] BARRETO, D. Francisco, *Constituições Synodais do Bispado do Algarve*. Évora, Impressão da Universidade, 1673, págs. 374-384.

[30] BARRETO, D. Francisco, "Livro Único do Regimento do Auditório Ecclesiastico do Bispado do Algarve", in *Constituições Synodais do Bispado do Algarve*. Évora, Impressão da Universidade, 1673, pág. 1.

[31] BARRETO, D. Francisco, "Livro Único do Regimento do Auditório Ecclesiastico do Bispado do Algarve", in *Constituições Synodais do Bispado do Algarve*. Évora, Impressão da Universidade, 1673, págs. 1-9.

[32] As visitas pastorais existem desde os primeiros séculos. Na antiguidade são exemplos, St. Agostinho, S. Martinho de Tours, numa altura em que a proliferação do cristianismo se estendia aos meios rurais, e os Bispos não podiam fazer um atendimento personalizado aos fiéis. A rejeição de alguns prelados à realização das visitas pastorais, levam os concílios , onde se inclui o de Braga (572) a definirem regras para as mesmas. O concílio Tridentino, ordena que se façam de dois em dois anos. "Os visitadores costumavam deixar memórias, que se escreviam em livros próprios (...)" - LEITE, Antonio, Visita Pastoral, in *Enciclopédia Luso-Brasileira de Cultura*, vol. 18, págs. 1316-1317. Segundo o actual Código de Direito Canónico, "Os Bispos são obrigados a visitar anualmente toda ou parte da Diocese, de maneira a que ao menos em cada quinquénio a percorram integralmente per si (...)" - GIGANTE, José António Martins, *Instituições de Direito Canónico*, 3ª. Edição, vol. I, Editorial Scienia & Ars. Editorial, 1955, p. 325.

[33] Devassas: estas visitas pastorais, surgem, após o concílio de Trento, como um dos meios de controlar o comportamento das populações e agirem segundo os modelos comportamentais cristãos, aí definidos. "As devaças, e inquirições geraes se fazem dos crimes em

mitir que no Aljube ficassem retidos presos que pela sua condição de pobres não tivessem possibilidades de pagar a pena. O Vigário Geral estava ainda incumbido de substituir o Provisor em caso de impedimento deste[34]. No Auditório também se encontravam outros funcionários como o Escrivão do Auditório, o Meirinho Geral, os Advogados, os Notários Apostólicos, o Inquiridor, o Distribuidor, o Contador, o Aljubeiro e o Porteiro.

O terceiro órgão deste governo, era a Mesa Eclesiástica, recriada pelo Bispo Fr. Lourenço de St.ª. Maria, através da Provisão de 28 de Junho de 1761.

A Mesa surgiu em consequência da acumulação e atraso do trabalho na Câmara Episcopal e no Auditório e tinha como objectivo aumentar a capacidade de resposta e eficácia do governo Diocesano, chamando a si as decisões importantes. Nela tinham assento o Bispo, o Provisor, o Vigário Geral e 3 Desembargadores.

IV

Segundo o Direito Canónico, *"devem os Bispos erigir em lugar seguro e cómodo o arquivo diocesano, em que se conservem, convenientemente dispostos e diligentemente guardados, os instrumentos e escrituras respeitantes aos negócios diocesanos tanto espirituais como temporais"*. (Cân.375, §1)[35].

"Faça-se com toda a diligência e solicitude o inventário ou catálogo dos documentos guardados no arquivo, contendo um resumo breve de cada escritura". (Cân. 375, §2)[36].
"Os Bispos procurem que se façam também, em duplicado, um catálogo ou inventário dos arquivos das igrejas: a) Catedrais; b) de colegiadas; c) paroquiais; de confrarias e lugares pios, ficando um dos exemplares no respectivo arquivo e o outro no episcopal, salvo o disposto nos câns. 470, §3, 1522, n.ºs 2,3 e 1523, n.º 6". (Cân. 383, §1)[37].

---

geral, e tambem se podem fazer em todos, aquelles casos, em que consta de algum crime, ou pecado, sem se saber quem o cómetteo, tambem se pode fazer não havendo fama,,nem indicio contra pessoa alguma (...) Tanto constar ao Vigario geral de se haver commettido algum crime, ou delicto grave, (...) logo comece a tirar a devaça, e inquirição geral po espaço de trinta dias tirando ao menos trinta testemunhas, e acabados os trinta dias dará a dita devaça, e inquirição por acabada (...)" - BARRETO, D. Francisco, *Constituições Synodaes do Bispado do Algarve*. Évora, Impressão da Universidade, 1673, pág. 48.

[34] BARRETO, D. Francisco, "Livro Único do Regimento do Auditório Ecclesiastico do Bispado do Algarve", in *Constituições Synodais do Bispado do Algarve*. Évora, Impressão da Universidade, 1673, págs. 5-9.

[35] GIGANTE, José António Martins, *Instituições de Direito Canónico*, 3.ª ed., vol. I, Editorial Scientia &. Ars Editorial, 1955, pág. 356.

[36] *Ibidem*, pág. 356.

[37] *Ibidem*, pág. 386.

Verificamos a preocupação por parte da Igreja em conservar a sua documentação, mas esta ocorre essencialmente a partir do Concílio de Trento (em 1563), que impõe a obrigatoriedade do registo paroquial e conservação dos documentos eclesiásticos. As constituições Sinodais do Bispado do Algarve (1673) também são claras na defesa da preservação dos documentos da Igreja.

As Constituições Sinodais do Bispado do Algarve, de 1673, são exemplo da aplicação das normas do Concílio no que se refere à salvaguarda dos documentos da Igreja *"todos os papéis das Igrejas, se hão de Guardar na nossa Camera Episcopal para se saber assim dos bens, como das obrigações, creações, sentenças, doações, ou privilegios de cada huma das Igrejas, mandamos que na casa dedicada para a Nossa Camera Episcopal haja um armario fechado com duas chaves, huma das quaes terá o nosso Vigário geral, e outra o Escrivão da Camera, e que nele se recolhão todos os sobreditos papeis, e os mais que peretencerem à meza Episcopal,(...). (...) E porque haver este archivo publico he conforme o Direito, e Constituição do Papa Xisto V. mandamos que inviolavelmente o haja e com pena de excommunhão maior ipso facto, que deste se não tire papel nenhum, nem ainda em tempo de Sé Vacante, e quando ella por morte do Prelado, ou qualquer outra causa suceder, se entregarão as chaves, huma ao Deão, e outra ao Vigario, que for eleito (...)"*[38].

Apesar de todas as medidas já descritas o espólio documental das Igrejas sofreu ao longo dos anos perdas importantes tanto pelo facto da sua Diocese ter mudado por três vezes de localização (Ossónoba, Silves e Faro), como pela inclemência dos Homens e dos factores naturais, vejamos alguns exemplos:

- A 25 de Julho de 1596 a cidade de Faro foi incendiada pelos ingleses que destruíram os cartórios e arquivos antigos , com excepção das Igrejas de S. Pedro e Misericórdia. Pensa-se que a biblioteca do bispo D. Jerónimo Osório, foi nesta altura roubada e levada para a Universidade de Oxford[39].

- Em 1755 o terramoto danificou muitos edifícios da cidade, incluindo o palácio Episcopal e a Sé Catedral[40].

- A República transferiu para o domínio público alguns núcleos documentais, nomeadamente os registos paroquiais, anteriores a 1910[41], bem como as residências paroquiais e episcopais.

Segundo o padre José Pedro, actual Vigário Geral, a Diocese viu-se privada do edifício do Paço episcopal, onde funcionava também a Câmara Eclesiástica, indo os seus prelados habitar uma casa que ainda hoje existe na

[38] BARRETO, D. Francisco, *Constituições Synodaes do Bispado do Algarve*. Évora, Impressão da Universidade, 1673, págs. 386-397.

[39] LOPES, João Baptista da Silva, *Corografia do Reino do Algarve...*, Lisboa, 1841, pág. 325.

[40] *Ibidem*, pág. 329.

[41] Os Livros de Registo de Baptismos, Casamentos e Óbitos só se encontram a partir de 1911, nas Igrejas Paroquiais, devido à lei que determinou o registo civil obrigatório e a recolha dos assentos paroquiais anteriores a 1910 nas conservatórias do registo civil, lei publicada em 1911.

rua do Município, em Faro, e que fora recuperada no tempo do bispo D. António Barbosa Leão. Foi o bispo D. Marcelino (†1955) que conseguiu a restituição de parte do Seminário, para onde transferiu a residência episcopal e demais serviços diocesanos. O arquivo da Diocese ficou instalado numa sala, bastante pequena, com a documentação desordenada até à reincorporação do Paço no património da Diocese, no tempo de D. Francisco Rendeiro (1955-1965). A transferência da totalidade dos serviços da cúria para o Paço, já remodelado, verificou-se com D. Júlio Tavares Rebimbas, altura em que as atenções se canalizaram com mais insistência para o Arquivo Diocesano procurando ainda que de uma forma imperfeita dar-lhe alguma ordem.

FONTES DOCUMENTAIS

I

Arquivos Religiosos

Poucos são os arquivos da Igreja que no Algarve se encontram organizados e com inventários publicados de acordo com as técnicas arquivísticas. Com estas características conhecemos os Arquivos da Paróquia de S. Clemente de Loulé (cidade)[42], da Paróquia de S. Sebastião da cidade de Loulé[43], da Paróquia de S. Sebastião de Salir (Concelho de Loulé)[44], Paróquia de S. Pedro de Faro (cidade)[45] e também da Venerável Ordem Terceira de Nossa Senhora do Monte do Carmo, da cidade de Faro[46].

Actualmente com o apoio e a colaboração das diversas autoridades eclesiásticas o Arquivo Distrital de Faro procede à organização, descrição e publicação de inventários dos diversos arquivos sob custódia da Igreja no Algarve, como são os casos dos Arquivos Diocesano e do Cabido Catedralício.

Também no que se refere às Misericórdias, instituições de assistência aos necessitados que surgiram em Portugal nos finais dos anos 400[47], a orga-

---

[42] SABÓIA, João; CRISTINA, Ana, "Inventário do Arquivo da Paróquia de S. Clemente de Loulé". Al´Ulyā, núm.2 (1993), págs. 259-281.

[43] SABÓIA, João, "Inventário do Arquivo da Paróquia de S. Sebastião", Al´Ulyā, núm. 3 (1994), págs. 231-253.

[44] SABÓIA, João; PEDRO, Serra, "Inventário do Arquivo da Paróquia de S. Sebastião de Salir". Al´Ulyā, núm.5 (1996), págs. 241-264.

[45] SABÓIA, João; LARANJINHA, Natália, "Inventário do Arquivo da Paróquia de S. Pedro de Faro", Anais do Municipio de Faro, núm 26 (1996) [1999], págs. 177-206.

[46] BRITO, Lopes, "Inventário do Arquivo Histórico da Venerável Ordem Terceira de Nossa Senhora do Monte do Carmo. Faro", *Anais do Município de Faro*, núm. 24 (1994), págs. 139-168.

[47] O Compromisso da Misericórdia de Lisboa de 1498, aprovado pela rainha D. Leonor, serviu de paradigma às Misericórdias que se estenderam por toda a parte onde os portugueses passaram.

nização dos seus arquivos é praticamente inexistente. Tendo sido, no entanto, efectuado e publicado um recenseamento inserido no projecto nacional do Inventário do Património Cultural Móvel[48]. Esta publicação não deu, infelizmente, origem à organização física desses Arquivos.

No Algarve existem 21 Misericórdias que, infelizmente, já perderam muito do seu valioso património arquivístico, algumas delas administravam também Hospitais.

Não sendo possível a inclusão neste trabalho de toda a documentação já inventariada e recenseada pelo seu grande volume passamos a exemplificar com a descrição de documentos de algumas das instituições mais significativas que já possuem inventário ou estão em fase de organização.

ARQUIVO HISTÓRICO DA DIOCESE DO ALGARVE

FUNDO: DIOCESE DO ALGARVE (LIVROS)

Livros das Oposições (1673-1741)
Livros Copiadores de Correspondência 1856-1894)
Livros Copiadores de Correspondência (1916-1917)
(da Comissão da Liga de Acção Social Cristã de Faro)
Livros Copiadores de Informações sobre Concursos (1882-1904)
Livros Copiadores de Ofícios (1801-1921)
Livros da Criação e Governo dos Noviços da Nossa Congregação [s.d.]
Livros da Sagrada Congregação sobre Seminários e Universidades (1961)
Livros das Actas da Legio de Mariae (1955)
Livros das Constituições Sinodais do Bispado (1673)
Livros das Contas Gerais da Bula da Cruzada (1881)
Livros das Eleições do Recolhimento de S. José de Lagoa (1763-1863)
Livros de Contas da Administração da Bula da Cruzada (1883-1911)[49]
Livros de Registo de Bispos (1966)

---

[48] BRITO, Lopes; SABÓIA, João (coordenação técnica), Recenseamento dos Arquivos Locais: Câmaras Municipais e Misericórdias: Distrito de Faro, vol. 6, Lisboa, *Inventário do Património Cultural Móvel*, 1997.

[49] "Surge inicialmente, com objectivos de ajudar os reis na luta contra os mouros, do território continental e nos descobrimentos em conquistas (...). Desaparecidas as causas que deram origem à concessão da Bula da Cruzada, procurou-se manter esta, mas dando nova aplicação aos seus rendimentos, o que foi regulamentado pelo acordo de 21.10.1848 entre Portugal e a Santa Sé. Em 856, Pio IX destinou os rendimentos da B. C. à criação de novos seminários e melhoria e sustento dos já existentes e a subsidiar igrejas pobres e obras pias, reservada uma percentagem para a fábrica de S. Pedro. Com ligeiras alterações este sistema manteve-se até Janeiro de 1967" - COSTA, A. de J. , "Bula da Santa Cruzada", in *Enciclopédia Luso-Brasileira de Cultura*, vol. 6, págs. 494-498.

Livros de Actas das Comissões Promotoras de Festas das Igrejas (1928-1934)
Livros de Actas das Conferências Eclesiásticas (1918-1946)
Livros de Actas das Eleições e Sessões de Confrarias (1901-1921)
Livros de Actas das Juntas de Paróquias (1838-1861)
Livros de Actas de Concursos de Provas Públicas (1888-1910)
Livros de Actas de Confrarias (1890-1891)
Livros de Actas do Conselho Director da Congregação da Doutrina Cristã (1908-1919)
Livros de Actas dos Conselhos Paroquiais da Congregação da Doutrina Cristã (1916-1917)
Livros de Alvarás de Libertação de Presos do Aljube (1750-1754)
Livros de Assento de Irmãos de Confrarias (1900-1956)
Livros de Assentos Vários da Igreja de St.ª. Maria de Tavira (1823-1844)
Livros de Cartas Pastorais (1789-1968)
Livros de Cartas da Sé Vacante (1738-1739)
Livros de Catequese (1915)
Livros de Cobrança de Foros das Confrarias (1882-1876)
Livros de Consulta da Junta Geral da Bula da Cruzada (1868-1880)
Livros de Contas da Administração da Bula da Cruzada (1883-1911)
Livros de Contas da Bula da Cruzada (1883-1943)
Livros de Contas da Bula da Cruzada com os Vigários da Vara e Paróquias (1885)
Livros de Contas da Junta Geral da Bula da Cruzada (1882)
Livros de Contas da Mitra (1871-1889)
Livros de Contas das Comutações das Penitencias e Obras Pias (1884-1909)
Livros de Contas das Mesas Episcopal e Capitular (1893-1898)
Livros de Contas dos Procuradores da Bula da Cruzada (1895-1904)
Livros de Correspondência Recebida na Secretaria Episcopal (1914-1918)
Livros de Despesa de Lapsos da Diocese (1682-1742)
Livros de Despesas e Rendimentos da Armação dos Três Irmãos (1842-1866)
Livros de Distribuição das Freguesias (1834-1868)
Livros de Eleições de Recolhimento (1763-1863)
Livros de Eleições e Inventários das Mesas de Confrarias (1804-1885)
Livros de Fianças de Banhos (1774-1788)
Livros de Formulários de Orações e Cerimónias para se Armarem Cavaleiros nas Diversas Ordens e Milícias (1798)
Livros de Índex dos Clérigos [s.d.]
Livros de Instrução Pastoral (1917-1960)
Livros de Instruções Suplementares para a Organização e Funcionamento da Catequese (1915)
Livros de Inventários das Fábrica de Igrejas (1964)
Livros de Matrícula dos Ordenados do Bispado (1844-1901)
Livros de Quitações e Foros das Paróquias (1748-1775)
Livros de Receita (1924-1928)

Livros de Receita e Despesa (1763-1768)
Livros de Receita e Despesa da Casa do Bispo e Seminário (1796-1798)
Livros de Receita e Despesa da Obra da Catequese do Algarve (1916-1923)
Livros de Receita e Despesa das Associações Religiosas (1882-1916)
Livros de Receita e Despesa de Capelas (1743-1911)
Livros de Receita e Despesa de Confrarias (1803-1882)
Livros de Receita e Despesa das Igrejas (1795-1814)
Livros de Receita e Despesa das Mordomias (1646-1744)
Livros de Receita e Despesa de Ermidas (1851-1854)
Livros de Receita e Despesa do Paço Episcopal (1763-1884)
Livros de Regimento dos Oficiais do Tribunal (1750)
Livros de Registo (1886-1887)
Livros de Registo da Câmara Eclesiástica (1684-1969)
Livros de Registo da Câmara Episcopal (1816-1828)
Livros de Registo da Câmara Pontifícia (1741-1789)
Livros de Registo da Chancelaria (1695-1968)
Livros de Registo da Correspondência Oficial do Conselho Director da Obra
    das Catequeses (1910-1930)
Livros de Registo da Cúria Diocesana (1882)
Livros de Registo da Secretaria Episcopal (1886-1887)
Livros de Registo das Devassas (1619-1763)[50]
Livros de Registo das Visitas Episcopais (1550-1941)[51]
Livros de Registo de Exortações ao Clero pelo Bispo (1915)
Livros de Registo de Regimentos das Confrarias (1597)
Livros de Registo de Apelos do Episcopado aos Católicos (1913)
Livros de Registo de Baptismos (1859)
Livros de Registo de Casamentos (1838-1859)
Livros de Registo de Correspondência (1885-1886)
Livros de Registo de Correspondência da Secretaria Episcopal (1889-1911)
Livros de Registo de Correspondência do Paço Episcopal (1920)
Livros de Registo de Correspondência Expedida (1887-1895)
Livros de Registo de Correspondência Expedida e Recebida (1892-1895)

---

[50] Estas visitas pastorais, surgem, após o concílio de Trento, como um dos meios de controlar o comportamento das populações e agirem segundo os modelos comportamentais cristãos, aí defenidos. "As devaças, e inquirições geraes se fazem dos crimes em geral, e tambem se podem fazer em todos, aquelles casos, em que consta de algum crime, ou pecado, sem se saber quem o cómetteo, tambem se pode fazer não havendo fama,,nem indicio contra pessoa alguma (...) Tanto constar ao Vigario geral de se haver committido algum crime, ou delicto grave, (...) logo comece a tirar a devaça, e inquirição geral por espaço de trinta dias tirando ao menos trinta testemunhas, e acabados os trinta dias dará a dita devaça, e inquirição por acabada (...)" - BARRETO, D. Francisco, *Constituições Synodaes do Bispado do Algarve*. Évora, Impressão da Universidade, 1673, pág. 48.

[51] Os livros de visitas contêm para além dos autos de visita também legislação eclesiástica tais como os Registos Pastorais, as Provisões e os Decretos de Visitas.

Livros de Registo de Correspondência Expedida pela Secretaria Episcopal (1911-1912)
Livros de Registo de Correspondência Oficial (1904-1907)
Livros de Registo de Correspondência Oficial da Secretaria Episcopal (1895-1901)
Livros de Registo de Correspondência Oficial do Vigário Geral (1914-1918)
Livros de Registo de Discursos dos Bispos (1893-1905)
Livros de Registo de Dispensa de Matrimónio (1945-1969)
Livros de Registo de Dispensas de Bulas (1928-1931)
Livros de Registo de Elogios Fúnebres (1956)
Livros de Registo de Estatutos das Confrarias (1600)
Livros de Registo de Foros das Igrejas (1784)
Livros de Registo de Foros de Capelas (1678-1758)
Livros de Registo de Foros do Paço Episcopal (1837-1883)
Livros de Registo de Foros e Juros das Confrarias (1901)
Livros de Registo de Foros e Termos de Confrarias (1893-1895)
Livros de Registo de Informações Recebidas na Secretaria dos Negócios Eclesiásticos (1887-1911)
Livros de Registo de Irmandades (1731-1911)
Livros de Registo de Irmãos de Confrarias (1731-1911)
Livros de Registo de Legislação Laica (1911)
Livros de Registo de Legislação Religiosa (1743-1851)
Livros de Registo de Matrículas dos Confrades de Confrarias (1881-1886)
Livros de Registo de Missas Deixadas em Testamento a Esta Distribuição (1683-1747)
Livros de Registo de Produtos dos Indultos Pontifícios (1910-1917)[52]
Livros de Registo de Provisões (1790)
Livros de Registo de Relatório e Contas dos Indultos Pontifícios (1927-1936)
Livros de Registo do Inventário do Património Móvel das Fábricas das Paróquias do Algarve (1885)
Livros de Registo dos Compromissos das Irmandades (1640-1774)
Livros de Registo dos Papéis do Bispado (1770-1772)
Livros de Registo dos Termos de Óbitos (1802-1840)
Livros de Registos Paroquiais (1911-1919)
Livros de Regulamentos para a Administração dos Indultos (1961)
Livros de Róis de Confessados (1672-1826)[53]

---

[52] Surgem com o Papa Bento XV, 31.12.1924, e vieram substituir a Bula da Cruzada.

[53] Os Róis de Confessados são censos, elaborados durante o período da Quaresma, dos habitantes maiores de sete anos, residentes numa determinada paróquia, agrupados por ruas e fogos. Nestas listas o pároco registava o nome e morada de todos os seus paroquianos, bem como a sua actividade profissional, estado civil e sobretudo se tinha confessado e comungado pela Páscoa.
(SABÓIA, João; CRISTINA, Ana, "Inventário do Arquivo da Paróquia de S. Clemente de Loulé", Al'Ulyã, núm. 2 (1993), págs. 262-264.)

Livros de Roteiro Litúrgico da Peregrinação de Relíquias (1961)
Livros de Termos da Câmara Pontifícia (1754-1767)
Livros de Termos das Colações e Benefícios (1738-1834)
Livros de Termos de Exame e Qualificação nos Concursos das Igrejas (1848-1888)
Livros de Termos de Exames de Ordens (1938-1956)
Livros de Termos de Exames de Repetição (1942-1958)
Livros de Termos de Exames para Confessores (1885-1909)
Livros de Termos de Missas (1870-1961)
Livros de Termos dos Culpados nas Visitas Episcopais (1676-1694)
Livros do Movimento da Câmara Eclesiástica (1905-1936)
Livros do Movimento das Associações Religiosas (1910)
Livros dos Associados das Associações Religiosas (1887)
Livros dos Compromissos das Confrarias (1620-1848)
Livros dos Depósitos da Câmara Pontifícia (1753-1759)
Livros dos Estatutos das Ordens [s.d.]
Livros dos Mapas das Dioceses do Reino (1882)
Livros dos Privilégios, Isenções e Franquezas dos Mareantes (1716)

ARQUIVO HISTÓRICO DO CABIDO CATEDRALÍCIO

FUNDO: CABIDO CATEDRALÍCIO

Livro dos Títulos da Capela de João Rego	1778 - 1809
Livro do Treslado dos Autos do Prazo Lameira	1765 - 1777
Livro do Tombo da Capela do Pedro Ribeiro Câmara	1640 - 1743
Livro de Escrituras dos Foros da Capela do Cónego Pedro Ribeiro da Câmara	1683 - 1686
Livro de Títulos (e mais papéis) do Senhor Jesus - Sé	1773 - 1768
Livro do Celeiro de Martinlongo	1826
Livro do Celeiro de Loulé	1826
Livro do Relatório das Propinas da Cera	1828 - 1837
Livro da Prebenda	1762
Livro do Relatório do Dinheiro que Pertenceu às Prebendas	1754 - 1774
Livro do Relatório das Folhas de Dinheiro	1775 - 1774
Livro de Contas da Vedoria	1642 - 1865
Livro das Contas Correntes dos Rendeiros das Rendas de Bordeira e Carrapateira, freguesias de Vila do Bispo, Sagres e Raposeira	1715 - 1753
Livro do Relatório dos Frutos Que Pertencem às Prebendas nos Três Celeiros de S. Bartolomeu, Loulé e Faro	1754 - 1782

Livro de Rematação das Rendas	1707
Livro de Benesse da Taboa	1775 - 1793, 1823
Livro de Arrecadação das Sisas dos Bens da	
Vila de Alcoutim	1779 - 1793
Livro de Benesse	1742 - 1758
Livro das Rendas que Pertencem às Mesas Episcopal e Capitular	1802
Livro da Taboa	1824 - 1851
Livro das Rendas que não vão ao Relatório e que	
se Cobram Pela Vedoria	1813
Livro Copiador de Recibos	1817 - 1820
Livro de Caixa	1817 - 1820
Livro de Despesas da Mitra	1679 - 1704
Livro do Contador da Fazenda	1640 - 1641
Livros de Registo de Receita e Despesa	1626 - 1872
Livros de Registo de Acórdãos	1667 - 1825

ARQUIVO HISTÓRICO DA VENERÁVEL ORDEM TERCEIRA DO CARMO DE FARO

FUNDO: VENERÁVEL ORDEM TERCEIRA DO CARMO DE FARO

Livro dos Estatutos da V. O. T. C.	1710 - 1712
Livro do Tesouro Carmelitano	1712
Livro de Várias Lembranças de Provisões, Alvarás	
e Acórdãos	1712 - 1766
Regra e Catecismo da V. O. T. C.	1977
Colecção de Diplomas Regulamentares	1720 - 1862
Colecção de Licenças Eclesiásticas	1809 - 1955
Livros de Actas de Eleições da Mesa	1712 - 1910
Livros de Actas das Sessões da Assembleia Geral	
de Irmãos	1911 - 1952
Livros de Acórdãos da Mesa	1713 - 1875
Livros de Actas das Sessões da Mesa	1879 - 1985
Correspondência Expedida	1721 - 1985
Correspondência Recebida	1716 - 1985
Orçamentos e Conta da Gerência	1910 - 1932
Receita e Despesa	1712 - 1984
Despesas	1720 - 1985
Receita	1719 - 1950
Livro do Tombo das Escrituras do Rendimento da V. O. T. C.	
de Faro	1732 - 1772
Inventários	1714 - 1979

Livros de Foros, Escrituras e Testamentos	1714 - 1849
Cadernos de Foros	Séc. XVIII - XIX
Escrituras, Testamentos, Procurações, Certidões	1510 - 1960
Sentenças, Autos Cíveis, Inventários de Partilhas	1608 - 1828
Colecções de "Escritos"	1700 - 1757
Plantas da Igreja do Carmo	s/d
Admissão e Profissão de Irmãos	1715 - 1927
Registo de Irmãos (M/F)	1712 - 1956
Falecimento de Irmãos (M/F)	1833 - 1912
Livros de Resumo e Lembranças das Pensões de Missas	1786 - 1823
Mapas de Horários de Missas	1867 - 1987
Agendas de Registo das Actividades da Igreja do Carmo	1964 - 1985
Livros de Distribuição de Sepulturas do Cemitério do Carmo	1758 - 1784
Livros de Óbitos do Cemitério do Carmo	1867 - 1913
Índices dos Livros de Óbitos do Cemitério do Carmo	[s.d.]
Pautas de Distribuição de Irmãos para o Serviço de Exéquias do Cemitério do Carmo	1830 - 1835
Livros de Eleições da Mesa da Santa Teresa de Jesus da Ordem do Carmo de Faro	1742 - 1844
Livros de Receita e Despesa da Santa Teresa de Jesus da Ordem do Carmo de Faro	1741 - 1793

ARQUIVO HISTÓRICO DA PARÓQUIA DE S. CLEMENTE DA CIDADE DE LOULÉ

FUNDO: PARÓQUIA DE S. CLEMENTE

Estatutos da Corporação Fabriqueira Paroquial	1929
Colecção de Legislação Eclesiástica	1850-1911
Livros de Registo de Correspondência Recebida	1975-1988
Livros de Registo das Visitas da Ordem de Santiago à Igreja de S. Clemente	1565-1827
Livros de Registo das Visitas do Ordinário à Igreja de S. Clemente	1675-1965
Livros de Róis de Confessados	1835-1908
Livros de Registo de Baptismos	1911-1992
Livros de Índices de Baptizados	1806-1987
Registo de Documentos Relativos a Baptismos	1914-1919
Livros de Registo de Crismados	1783-1993
Livros de Registo de Casamentos	1911-1992
Livros de Índices de Casamentos	1920-1990

Livros de Averbamentos de Casamentos para Nubentes cujos Termos de Baptismo não existam no Cartório Paroquial de S. Clemente	1945-1981
Livros de Registo de Óbitos	1911-1992
Livros de Índices de Óbitos	1920-1985
Livros de Registo da Distribuição[54]	1701-1854
Livros de Registo de Relatórios e Mapas das Obras Religiosas	1925-1972
Livros de Registo de Benesses[55]	1874-1968
Livros de Registo de Dinheiro do Culto	1921-1967
Livros de Róis de Lançamento da Derrama para a Côngrua do Pároco[56]	1910-1911
Livros de Registo das Verbas Testamentárias da Freguesia de S. Clemente	1639-1787
Registos de Documentos Relativos a Foros	1691-1784
Livros de Receita e Despesa da Fábrica da Igreja Paroquial de S. Clemente	1934-1947
Livros de Registo das Obras da Matriz	1929-1934
Livros de Contas das Festas na Freguesia de S. Clemente	1921-1946

Fundo: Confraria das Almas

Livros do Compromisso da Confraria das Almas do Purgatório	1647-1718
Estatutos da Confraria das Almas	1916-1940
Livros de Actas	1940
Livros de Registo dos Irmãos da Confraria	1717-1990
Relação dos Juizes e Mordomos	1897-1906
Livros de Registo das Eleições	1815-1887
Tombos da Confraria	1616-1950
Livros de Registo do Orçamento e Contas	1918-1928
Livros de Receita e Despesa	1663-1927
Livros de Caixa da Obra Pia para Sufrágio das Almas do Purgatório	1894-1908

---

[54] Os Livros de Registo da Distribuição registavam as missas que eram entregues por testamento para serem oficiadas nos prazos definidos pelo testador. (SABÓIA, João; CRISTINA, Ana, "Inventário do Arquivo da Paróquia de S. Clemente de Loulé", Al`Ulyã, núm. 2 (1993), pág. 279.)

[55] Os Livros de Registo de Benesses registavam as receitas, como por exemplo as dos peditórios das missas e enterros.

[56] "Rendimento do benefício paroquial, constituído pelos bens imóveis do benefício (pasal), pelas ofertas dos paroquianos (folar e outras dádivas) e direitos de estola. (…) "- BIGOTTE, J. Quelhas, Côngrua, in Enciclopédia Luso-Brasileira de Cultura, vol. 5, pág. 1390.

OUTROS FUNDOS:

- Confraria da Nossa Senhora da Conçeição (1742-1982)
- Confraria do Santíssimo Sacramento (1802-1948)
- Associação de S. Vicente de Paulo da Freguesia de S. Clemente (1922-1949)
- Apostolado da Oração de S. Clemente (1925-1961)
- Associação de Santa Terezinha do Menino Jesus (1927-1948)
- Associação da Pia União das Almas do Purgatório (1934-1971)
- Vigararia de Loulé (1921-1964)
- Liga de Acção Católica Feminina (1934-1947)
- Liga Independente Católica Feminina (1941-1945)
- Juventude Católica de Loulé (1924-1927)
- Juventude Operária Católica Feminina (1935-1950)

ARQUIVO HISTÓRICO DA SANTA CASA DA MISERICÓRDIA DE FARO

FUNDO: SANTA CASA DA MISERICÓRDIA DE FARO

Constituição e Regulamentação (Provisões e Alvarás Régios;
  Bulas e Breves Apostólicas; Licenças eclesiásticas: Carta
  de redução de missas e requerimento para dispensa de
  10 000 missas; Compromisso antigo e regimento dos ofi-
  ciais da Confraria da Misericórdia)   1516 - 1806
Órgãos de Governo (Livros dos Acórdão da Mesa e de
  eleições)   1686 - 1847
Expediente   1720 - 1969
Gestão de Pessoal (Registos de Irmãos)   1753 - 1945
Gestão Financeira (Livros de Receita e Despesa incluindo os
  do Hospital)   1664 - 1951
Gestão Patrimonial   1500 - 1976
Obras e Instalação (Livros de Registo de Obras no Hospital e
  processos de obras)   1747 - 1915
Função Cultual (Livros de Distribuição de Missas e ofícios;
  Livros de Capelas e Obrigações dos Capelães)   1681 - 1781
Hospital (Livros de Registo de Entradas e saídas; de óbitos e
  Enterramentos; de Despesa com os Doentes; de Despesa
  da Botica)   1685 - 1960
  1685 - 1960   .
Saúde e Assistência Social (Livros de Entrada dos Expostos na
  Roda; de Registo de Dotes para Órfãs; de Instruções para
  Distribuições de Esmolas)   1720 - 1877

II

Outros Arquivos

A publicação que foi citada sobre o recenseamento das Misericórdias[57] também incluiu os Arquivos das Câmaras Municipais do Algarve. Estes arquivos possuem documentação não só das próprias Câmaras como de outras instituições como são os casos dos Administradores dos Concelhos[58] e das entidades religiosas.

Também o Arquivo Distrital de Faro[59] tem documentação relevante para a História da Religião no Algarve ao incorporar documentos de instituições tais como das Conservatórias do Registo Civil[60], do Notariado[61], da Direcção de Finanças do Distrito de Faro, do Governo Civil e da Assembleia Distrital de Faro.

Vejamos alguns exemplos:

ARQUIVO HISTÓRICO MUNICIPAL DE LOULÉ[62]

FUNDO: CÂMARA MUNICIPAL

Livros de Autos de Correição	1619 - 1678
Livros de Actas de Vereações	1384 - 1931

[57] BRITO, Lopes; SABÓIA, João (coordenação técnica), Recenseamento dos Arquivos Locais: Câmaras Municipais e Misericórdias: Distrito de Faro, vol. 6, Lisboa, Inventário do Património Cultural Móvel, 1997.

[58] Com a reforma administrativa do Estado Liberal, decorrente da Lei de 25 de Abril de 1835 e do decreto de 18 de Julho do mesmo ano, surge o cargo de Administrador do Concelho (MATTOSO, José, História de Portugal, vol. 5, (S.l.): Editorial Estampa, (s.d.), pág. 174. As suas funções como magistrado administrativo e chefe da administração activa do concelho exerciam-se através da informação, inspecção e execução de diversos serviços de interesse público e como autoridade policial do concelho. (SABÓIA, João, "Inventário do Arquivo Histórico Municipal de Loulé", Al`Ulyã, núm. 1 (1992), pág. 111.)

[59] De acordo com o Decreto-Lei n.º 149 / 83, de 5 de Abril, são de incorporação obrigatória os documentos das conservatórias do registo civil e os livros de registo paroquiais (art.º 48º do Código do Registo Civil); das conservatórias dos registos do notariado (art.º 50º do Código do Notariado); dos tribunais (art.º 302º do Decreto-Lei n.º 44 278, de 14 de Abril de 1962); de serviços cessantes.

[60] Os documentos paroquiais (Registos de Baptismos, de Casamentos e de Óbitos) são por demais conhecidos não sendo por isso necessário descrevê-los.

[61] Os documentos notariais (Livros de Notas para Actos e Contratos entre Vivos e de Testamentos) são por demais conhecidos não sendo por isso necessário descrevê-los.

[62] SABÓIA, João, Inventário do Arquivo Histórico Municipal de Loulé. Loulé, Al`Ulyã, 1992.

Minutas das Actas de Vereações	1866-1927
Posturas e Regulamentos	1831-1969
Editais	1836-1929
Livros de Actas da Comissão Executiva	1914-1927
Minutas das Actas da Comissão Executiva	1919-1926
Livros de Registo de Correspondência Expedida	1837-1955
Livros de Registo de Correspondência Recebida	1805-1890
Correspondência Geral Recebida	1761-1929
Requerimentos Recebidos	1559-1931
Tombos e Inventários	1738-1890
Livros de Receita e Despesa	1381-1931
Registo de Documentos de Receita e Despesa	1832-1952
Livros de Registo dos Terços das Confrarias	1812-1813
Registo de Documentos Relativos ao Cemitério Municipal	1872-1969
Livros para se Inscreverem todos os Termos de	
Enterramentos Feitos no Cemitério Municipal	1918-1940
Regulamentos, Leis e Ordens Sobre os Expostos	1837-1883
Livros de Registo dos Expostos	1820-1923
Registo das Relações dos Expostos no Concelho	1864-1935
Livros de Registo da Matrícula dos Expostos	1869-1923
Registo de Documentos Relativos à Matrícula dos Expostos	1797-1886
Registo de Documentos Relativos à Entrega dos Expostos às Amas	1703-1920
Registo de Documentos de Receita e Despesa (Expostos)	1703-1929
Livros de Registo da Inspecção aos Expostos	1752-1835
Documentos Relativos a Atestados de Pobreza	1806-1928
Livros de Registo das Matrículas das Crianças Subsidiadas	1881-1904
Cartas de Criação das Crianças Subsidiadas	1884-1886

FUNDO: ADMINISTRADOR DO CONCELHO DE LOULÉ

Registo de Documentos Relativos às Contas das Juntas da Paróquia	1853-1891
Autos de Execução Relativos aos Impostos Paroquiais e Côngruas	1848-1911
Livros de Registo de Casamentos	1834-1911
Livros de Registo de Nascimentos	1834-1911
Livros de Registo de Óbitos	1834-1890
Registos de Documentos Relativos a Óbitos	1903-1910
Registos de Inventários e Relações das Instituições	
Religiosas e dos Eclesiásticos Existentes no Concelho	1834-1910
Registo de Documentos Relativos às Corporações Religiosas	1835-1927
Registo de Documentos Relativos à Misericórdia de Loulé	1839-1887
Livros de Actas da Junta do Lançamento e Derrama das Côngruas	1847-1896
Livros de Registo do Lançamento da Côngrua	1865-1911

Registo de Documentos Relativos ao Lançamento e Derrama das Côngruas	1892
Autos de Abertura de Testamentos	1840-1913
Livros de Registo de Testamentos	1837-1939
Autos de Verificação do Cumprimento dos Testamentos	1631-1909
Autos de Verificação do Cumprimento dos Legados Pios	1747-1937
Registo de Documentos Relativos a Testamentos	1901-1918

ARQUIVO DISTRITAL DE FARO

FUNDO: DIRECÇÃO DE FINANÇAS DO DISTRITO DE FARO[63]

Livros de Registo das Obrigações de Sacristias de Conventos do Algarve	1791 - 1799
Livros de Registo das Pessoas que se Desobrigam da Quaresma	1783 - 1830
Livros de Registo de Arrematação de Bens e Foros de Corporações do Algarve	1889 - 1932
Livros de Registo de Capelas Pertencentes a Conventos no Algarve	1690 - 1833
Livros de Registo de Documentos Relativos a Recolhimentos	1748 - 1783
Livros de Registo de Foros e Outros Bens da Universidade de Coimbra	1773 - 1851
Livros de Registo de Foros e Outros Rendimentos de Capela no Algarve	1606 - 1833
Livros de Registo de Legados de Conventos no Algarve	1699 - 1834
Livros de Registo de Missas	1794 - 1833
Livros de Registo de Ofícios, Avisos e Ordens Recebidos pelos Conventos do Algarve	1820 - 1833
Livros de Registo de Títulos de Bens de Colégios no Algarve	(1568)-1831
Livros de Registo de Títulos de Testamentárias	1777 - 1833
Livros de Registo dos Rendimentos dos Bens da Extinta Inquisição de Évora Localizados no Algarve	1831 - 1854
Livros de Registo dos Rendimentos dos Foros Pertencentes aos Cativos do Algarve	1831 - 1833
Livros de Visitas aos Conventos do Algarve	1782 - 1813
Livros do Tombo e de Inventário de Conventos no Algarve	1500 - 1898

[63] Decreto de 30 de Maio de 1834 enuncia no seu artigo 2º o seguinte: "Os bens dos Conventos, Mosteiros, Collegios, Hospicios, e quaesquer Casas de Religiosos das Ordens Regulares, ficam incorporados nos proprios da Fazenda Nacional" (SERRÃO, Joaquim Veríssimo, *História de Portugal: 1832-1851*, vol. 8, [Lisboa], Verbo, (imp. 1986), págs. 202 - 203.)

Registo de Documentos Relativos às Capelas do Distrito de Faro	1769-1880
Registo de Documentos Relativos a Privilégios e Graças Concedidos a Frades de Conventos	1538-1868
Registo de Documentos Relativos a Recolhimentos	1720-1889
Registo de Documentos Relativos ao Cabido, Fábrica da Sé de Faro e Mitra do Bispado do Algarve	1827-1890
Registo de Documentos Relativos ao Tombo das Corporações	1720-1835
Registo de Documentos Relativos ao Tombo e Inventários de Conventos no Algarve	1440-1896
Registo de Foros e Outros Bens da Universidade de Coimbra	1584-1897
Registo de Inventários Relativos a Câmaras Municipais, Paróquias, Igrejas e Corporações Religiosas do Algarve (Bens de raiz, foros, censos, pensões)	1781-1930
Registo de Processos Cíveis em que são parte Conventos do Algarve	1684-1828
Registo de Receitas e Despesas de Conventos no Algarve	1842-1877
Registo de Títulos de Bens de Colégios no Algarve (Títulos de bens de raiz e móveis, foros, censos, contas, compra e venda de fazendas)	1712-1801

FUNDO: GOVERNO CIVIL DE FARO[64]

Livros de Actas da Comissão de Beneficência	1882
Livros de Actas das Sessões da Comissão de Pensões Eclesiásticas do Distrito de Faro	1911-1920
Livros de Compromissos de Confrarias	1698-1911
Livros de Registo de Alvarás Relativos aos Orçamentos das Confrarias e Irmandades	1841-1859
Livros de Registo de estatutos de Estabelecimentos de Piedade e Beneficência	1866-1909
Livros de Registo de Recibos Notados à Classe de Prestação a Religiosos	1835-1841
Livros de Registo dos Capitais dados a Juros (testamentaria de Bento de Araújo Barbosa)	1803-1848
Livros de registos dos Índices dos Processos de Contas dos Estabelecimentos de Piedade e Beneficência	1858-1911
Livros Para se Lançarem os nomes de Homens e Mulheres a Quem se Dão Esmolas	1814-1831

---

[64] Os Governos Civis tinham funções tutelares sobre as Confrarias e as Misericórdias, bem como sobre outras instituições.

FUNDO: ASSEMBLEIA DISTRITAL DE FARO[65]

Livros de Registo de Contas da Misericórdia de Odeceixe	1716-1866
Livros de Registo de Contas das Misericórdias, Hospitais, Asilos e Confrarias	1920-1932
Livros de Registo de Contas de Confrarias	1708-1869
Livros de Registo de Documentos Relativos aos Asilos Distritais da Infância Desvalida de Tavira (Nª Sra. do Monte do Carmo e Esperança Freire)	1869-1923
Livros de Registo de Importâncias Recebidas para Aprovação de Contas de Misericórdias e Outras Instituições de Beneficência	1920-1932
Livros de Registo de Juros, Foros e Inscrição de Confrarias	1895-1945
Livros do Copiador de Correspondência Expedida pelo Asilo Distrital Infância Desvalida de Nª Sra. do Carmo de Tavira	1882-1895
Processos de Asilados no Asilo Distrital "Esperança Freire" em Tavira	1865-1939
Registo de Documentos de Receita e Despesa da Associação de Beneficência de Olhão	1928-1952
Registo de Documentos de Receita e Despesa de Associações de Assistência à Mendicidade	1888-1950
Registo de Documentos Relativos a Cadastros e Contas de Corporações de Piedade e Assistência	1886-1934
Registo de Documentos Relativos às Contas da Santa Casa de Misericórdia de Portimão	1906-1944
Registo de Documentos Relativos às Contas da Santa Casa de Misericórdia de Monchique	1906-1946
Registo de Documentos Relativos às Contas da Santa Casa de Misericórdia de Faro	1910-1946
Registo de Documentos Relativos às Contas da Santa Casa de Misericórdia de Tavira	1911-1946
Registo de Documentos Relativos às Contas da Santa Casa de Misericórdia de Silves	1910-1945
Registo de Folhas de Abonos de Vencimentos de Expostos e Crianças Desvalidas ou Abandonadas Maiores de 7 anos nos Diversos Concelhos	1888-1892
Registos de Contas das Confrarias	1859-1939
Registos de Documentos de Receita e Despesa do Asilo Distrital "Esperança Freire" em Tavira	1910-1944
Registos de Documentos de Receita e Despesa das Ordens Religiosas	1865-1937

---

[65] As Assembleias Distritais tinham funções tutelares sobre as Confrarias e as Misericórdias, bem como sobre outras instituições.

Registos de Documentos Relativos ao Asilo da Infância Desvalida de Nossa Senhora do Carmo em Tavira	1870-1914
Registos de Documentos Relativos às Contas da Santa Casa de Misericórdia de Loulé	1895-1946
Registos de Documentos Relativos às Contas da Santa Casa de Misericórdia de Lagoa	1899-1945
Registos de Documentos Relativos às Contas do Asilo de Santa Isabel de Faro	1932-1946
Registos de Documentos Relativos às Contas do Lar das Crianças de Portimão	1942-1944
Registos de Orçamentos de Confrarias	1860-1945
Registos de Orçamentos de Paróquias	1865-1886

CONCLUSÃO

Neste trabalho procurámos dar primazia às fontes documentais que se podem encontrar no Algarve, no entanto, será também útil referir outro tipo de fontes como são a estatuária e a talha que se encontram nas Igrejas. Sobre estas fontes indicamos a publicação - Inventário Artístico do Algarve: a talha e a imaginária, sobre os diversos concelhos do Algarve, de Francisco I. C. Lameira.

Também não podemos esquecer as fontes documentais existentes no Arquivo Nacional Torre do Tombo como são por exemplo as Visitações da Ordem de Santiago[66], os Arquivos da Inquisição[67] e as Memórias Paroquiais.

Por último salientamos a importância de um melhor conhecimento das fontes documentais tanto as do Algarve como as de Huelva já que a existência de uma fronteira deve ser um factor de união e de conhecimento mútuo.

---

[66] LAMEIRA, Francisco e outro [transcrição e notas], Visitações de Igrejas Algarvias da Ordem de São Tiago de 1554. Faro, Associação de Defesa e Investigação do Património Cultural e Natural do Concelho de Faro, 1988; CALAPEZ, Fernando; VIEGAS, António [transcrição, notas e glossário], Visitação da Ordem de Santiago ao Algarve: 1517-1518. Loulé, Al´Ulyã, 1996; CAVACO, Hugo [transcrição e notas], Visitações da Ordem de Santiago no Sotavento Algarvio: 1518-1566. Vila Real de Santo António, Câmara Municipal de Vila Real de Santo António, 1987.

[67] FARINHA, Maria do Carmo Jasmins Dias, Os Arquivos da Inquisição. Lisboa, Arquivo Nacional da Torre do Tombo, 1990

La Devoción Guadalupana Mexicana: Una opinión histórico sociológica

Juan Rodolfo Rivera Pacheco.
Universidad Popular Autónoma
del Estado de Puebla, México

INTRODUCCIÓN

Cuando en 1810 el Cura del pueblo de Dolores, Guanajuato, don Miguel Hidalgo y Costilla, decidió convocar a la muchedumbre para que se le uniera en un improvisado ejército que se levantara en armas contra la opresión de los "gachupines" (españoles nacidos en la Península), portaba un estandarte con la idea de atraer con mucha más facilidad a la plebe. Conocedor de la psicología del pueblo mexicano, Hidalgo necesitaba un símbolo que atrajera la confianza para su peligrosa aventura. El estandarte era una imagen de la Virgen Sta. María de Guadalupe. ¿Qué mejor símbolo para generar la confianza de los mexicanos?

Casi dos siglos más tarde, año a año, los días anteriores al 12 de diciembre las carreteras de México se ven invadidas por cientos de personas que, por distintos medios, avanzan en peregrinación hacia el santuario de Sta. María de Guadalupe ubicado en la ciudad de México, D.F. Algunos caminando durante muchos días, otros más corriendo en relevos, muchos más en bicicletas o motocicletas y cientos más en autobuses o camiones de carga. Los peregrinos van a cumplir una cita anual que congrega a más de cuatro millones de almas en torno a la Basílica de Guadalupe, ubicada en la antigua zona del *Tepeyac*, hoy en el corazón mismo de la superpoblada ciudad de México. En el enorme atrio del templo, la reunión de millones de fieles es compuesta por personas de todas las edades y provenientes de todos los Estados de la República, en un rito que data desde hace varios siglos y que se ha convertido en una auténtica fiesta nacional.

Ciertamente, aunque en la Constitución Política de México no está permitido realizar manifestaciones externas o públicas de cultos religiosos, esta celebración se lleva a cabo puntualmente cada año especialmente en la capital y sede del Santuario, pero también en las decenas de poblaciones que llevan el nombre de "Guadalupe" a lo largo de todo el país y en todas las Parroquias hay misa obligada de conmemoración. Además, la mayoría de Sindicatos que existen en México, incluyen en sus contratos colectivos el acuerdo para que el 12 de diciembre se considere de descanso en sus respectivas empresas y, finalmente, aunque no está incluido -ni permitido- en el calendario escolar como día de suspensión de labores, en muchas escuelas particulares -y aún en las oficiales- se acepta como feriado o bien se tolera la gran inasistencia del alumnado. En México es común escuchar el dicho popular de que "los mexicanos podemos ser liberales o hasta ateos, pero 100 % guadalupanos", resumen irónico del sentimiento tan arraigado de preservar una tradición que va más allá del puro sentido religioso, para convertirse en un verdadero fenómeno sociocultural. En palabras similares se llegó a referir a este hecho uno de los analistas políticos e históricos más agudos y observadores de este siglo en el país, Jesús Reyes Heroles, exsecretario de Estado proveniente de las filas del PRI y Presidente Nacional del mismo en la década de los 70.

Para muchos psicólogos y antropólogos, el fervor guadalupano en México obedece a una serie de rasgos históricos que es necesario analizar, para muchos más es un fenómeno de sugestión colectiva que ha perdurado con los siglos, para otros representa una manipulación histórica proveniente de la jerarquía eclesiástica para mantener controlada y fiel a su grey y para algunos más es una simple mentira piadosa que con el paso del tiempo llegó a convertirse en un culto nacional al que ningún político se atrevería a atacar sin correr el peligro de caer enormemente mal a la mayoría del pueblo mexicano. Para poner un ejemplo de esto último, cabe recordar que la construcción del actual imponente templo que alberga el santuario guadalupano, terminado a fines de los años 70, tuvo el apoyo económico y logístico fundamental por parte del gobierno federal encabezado por el Presidente José López Portillo y el diseño arquitectónico corrió a cargo del arquitecto Pedro Ramírez Vázquez, miembro del gabinete de ese mismo mandatario. ¿Qué político osaría atacar o prohibir el culto guadalupano en México sin ocasionar una reacción imprevisible por parte de buena parte del pueblo? Recordemos que la Historia Mexicana está llena de hechos sangrientos escenificados en cruentas guerras civiles tanto en el siglo pasado como en el actual, muchas de las cuales tuvieron entre sus motivaciones cuestiones religiosas, es decir, de oposición de amplios sectores a la separación de la Iglesia y el Estado o bien por la persecución directa de parte de gobernantes a los sectores católicos. La controversia por la separación de los aspectos civiles y religiosos en el Estado mexicano desató desde el momento mismo de la consumación de la independencia con respecto de España -y sigue desatando- polémicas que pocos están dispuestos a revivir, con mucho y que hoy en día las costumbres y apego a lo religioso estén tan cuestionados tanto en el país como en prácticamente todo el mundo.

Lo cierto es que el fenómeno existe y es susceptible de analizar desde el punto de vista histórico y cultural, observado desde la perspectiva de la comparación entre las características del culto en México y la tradición -y hecho histórico- guadalupana española, es decir, extremeña; y con ello demostrar la enorme influencia de ésta última para el origen de la propia leyenda guadalupana mexicana. El presente, por lo tanto, no aspira a constituir un extenso tratado sobre las principales cuestiones históricas guadalupanas, mucho menos representar un estudio para demostrar la validez o invalidez del llamado "milagro del *Tepeyac*", simplemente es una opinión sobre algunas observaciones comparables entre las dos devociones.

LA DEVOCIÓN GUADALUPANA EN MÉXICO

Como ya hemos afirmado, la devoción guadalupana es un fenómeno que sigue impresionando a no pocos observadores que, al no ser mexicanos, les parece muy difícil entender cómo es posible que en pleno fin del siglo XX puedan darse concentraciones de millones de personas en torno a la rendición de culto a una imagen religiosa. Sin embargo, repito, para un mexicano el ser guadalupano es algo que probablemente no pueda explicar pero que lo sabe y siente presente en la cultura nacional y que es una tradición que debe seguir. Por supuesto, esto último está mucho más arraigado en los habitantes del México rural -aún la proporción mayor del país- que en las grandes ciudades, donde naturalmente este tipo manifestaciones culturales han ido disminuyendo. Recordemos también que el establecimiento de la religión católica en el México de la conquista no fue un proceso fácil, que perduró durante muchísimos años y que el resultado en muchos casos fue un sincretismo religioso que tomó elementos de la peculiar evangelización española y los adaptó -o simplemente se adaptaron con el correr del tiempo- a elementos y costumbres autóctonas de las cientos de tribus indígenas que habitaban el territorio que hoy ocupa la República mexicana. De ahí quizás una de las posibles explicaciones del hecho sociocultural: el guadalupanismo mexicano sólo puede ser explicado y entendido por las circunstancias históricas particulares de la cultura mexicana, tal y como ocurre sin duda con muchas otras devociones a todo lo largo y ancho del planeta. Demos una rápida mirada a la leyenda de las apariciones y al origen histórico de la misma.

ORÍGENES HISTÓRICOS

La fuente documental más antigua de la que se dispone en donde se narra la secuencia de las apariciones de la Virgen (existen varios documentos que hacen referencia al hecho o a la tradición de las apariciones, más adelante hablaremos de la controversia histórica como tal), es el *Nican Mopohua* (titulado así por ser éstas las dos primeras palabras en *náhuatl* con las que comienza), o Leyenda de Nuestra Señora de Guadalupe de México[1]. Atribuido a Antonio Valeriano, ilustrado indígena cristiano que vivió entre los años 1523 a 1605 y que fue discípulo y colaborador de Fray Bernardino de Sahagún en su célebre "Relación de las cosas de la Nueva España" podemos resumir los acontecimientos que contiene en el modo siguiente:

A lo largo de cuatro apariciones, que al parecer comenzaron en los primeros días de diciembre de 1531, el indio mexicano Juan Diego tuvo milagrosos encuentros con la figura de la Virgen María. Primero cuando se dirigía a Tlatelolco (poblado cercano a México-Tenochtitlan, hoy México, D.F., en donde se encuentra céntricamente ubicado Tlatelolco actualmente) a escuchar doctrina de los padres franciscanos y a oír misa. De repente oyó una música suave y una voz que le llamaba en su idioma: "Juanito, Juan Dieguito..." Mirando a una doncella que resplandecía y estaba de pie escuchó: "Sábelo, hijo mío, el más pequeño de todos: yo soy la perfecta siempre Virgen Santa María, Madre del verdaderísimo Dios por quien se vive... Mucho deseo que aquí me levanten mi casita sagrada, en donde lo mostraré, lo ensalzaré al ponerlo de manifiesto..." Y lo mandó a ver al Obispo de México, el franciscano Fray Juan de Zumárraga, para cumplir su deseo. Sin embargo, el *Nican Mopohua* explica que en esta primera entrevista el Obispo no le creyó lo dicho y le pidió regresar en otra ocasión.

Al regresar a su casa encontró gravemente enfermo a su tío Juan Bernardino y por esa razón no acude a ver a la Virgen María en esa ocasión. La madrugada del viernes 12 de diciembre de 1531, Juan Diego salió en busca de un sacerdote que auxiliara a su tío moribundo y procuró evitar a la Virgen, pero ella le salió al encuentro y le dijo: "No es nada lo que te espantó..., que

---

[1] El *Nican Mopohua* fue publicado por primera vez en 1648 por el P. Miguel Sánchez en su Imagen de la Virgen María Madre de Dios de Guadalupe. Posteriormente fue el Bachiller Luis Lasso de la Vega, quien publicó la obra en náhuatl como propia, bajo el título de *Huei Tlamahuizoltica* en 1649. La copia más antigua del documento se conserva en The Public Library of New York. Rare Books and Manuscripts Departament. Astor, Lenox and Tilden Foundation. Fue transcrita y reeditada por el P. Mariano Cuevas en su *Álbum Histórico Guadalupano del IV Centenario* en 1930, México, Escuela Tipográfica Salesiana. También existe una traducción del Lic. Primo Feliciano Velázquez, miembro de la Real Academia de la Historia de Madrid, en 1931, México, D.F., Imp. Patricio Sanz. Finalmente, el Pbro. Jesús García Gutiérrez también transcribe el documento en su "Primer Siglo Guadalupano. Documentación Indígena y Española (1531-1648)", México, 1931, Imp. Patricio Sanz.

no se turbe tu rostro, tu corazón...¿no estoy yo aquí que soy tu madre? ¿No estás bajo mi sombra y resguardo? ¿No soy yo la fuente de tu alegría? ... Que ninguna cosa te aflija, te perturbe; que no te aflija la enfermedad de tu tío... ten por cierto que ya sanó".

Luego la Virgen pidió a Juan Diego que cortara rosas de un cerro cercano (en una época en la que era imposible que se dieran tales vegetales y en una zona demasiado árida) para tomarlas entre sus manos y posteriormente depositarlas en la tilma (prenda indígena tejida de fibras vegetales que se colgaba del cuello y en forma de bolsa, sirviera para llevar consigo frutas o cualquier cosa pequeña para transportar). Asimismo, pidió al indio que sólo delante del Obispo Zumárraga desplegara la tilma. Al estar finalmente (luego de la oposición de algunos sirvientes en dejarle entrar a la casa obispal) frente al Obispo, Juan Diego extendió su *ayate* para enseñar las rosas milagrosas y lo que apareció ante los ojos de Zumárraga y otros sacerdotes testigos fue la imagen de la Virgen María estampada a la tela.

Hasta aquí los hechos narrados en lengua *náhuatl* por Antonio Valeriano que han servido desde entonces para basar toda la leyenda de las apariciones de la Virgen María de Guadalupe. El documento es muy importante, pues es la fuente más antigua en la que se basa prácticamente todo el conocimiento sobre el milagro guadalupano, pero pasemos ahora a la controversia sobre el origen histórico de la aparición y, con ello, entender la existencia de dos grupos perfectamente diferenciados e irreconciliables: los aparicionistas y los antiaparicionistas.

APARICIONISTAS VERSUS ANTIAPARICIONISTAS

Es importante aclarar antes que nada, que el origen tradicional -milagroso para una gran mayoría- de la Virgen de Guadalupe mexicana (como el de todas las apariciones en el mundo a lo largo de la historia) no es materia de fe católica, puesto que no está contenido dentro del cuerpo de doctrina fundamental de esta religión, el cual está constituido según el Concilio de Trento por "los libros escritos y en las tradiciones no escritas que, recibidas oralmente del mismo Cristo por los Apóstoles, o como recibidas de mano de los mismos Apóstoles, a quienes el Espíritu Santo las dictaba, llegaron hasta nosotros"[2]. Ahora bien, la posición de la Iglesia con respecto a apariciones o "revelaciones privadas" quedó formulada por Benedicto XIV quien afirma que "no es obligatorio ni posible un asentimiento de la fe católica, sino sólo de fe humana, según que, conforme a las reglas de prudencia, sean probables y pia-

---

[2] Citado por J. Bravo Ugarte: *Cuestiones Históricas Guadalupanas: I. La Virgen de Guadalupe y su origen histórico*. Colección México Heroico, Editorial JUS, México, 1946. 2ª. Edición, 1966, p. 7

dosamente creíbles dichas revelaciones"[3]. Por su parte, Pío X, hablando de las tradiciones piadosas, afirma: "La Iglesia no asegura la verdad del hecho, limítase a no prohibir creer en ellas, salvo que falten argumentos de credibilidad"[4]. Por lo anterior, dentro de los "antiaparicionistas" (no antiguadalupanos) ha habido incluso católicos convencidos y practicantes, que sin embargo han intentado demostrar la carencia de fundamentos históricos de las apariciones del *Tepeyac*. Todo lo anterior me parece oportuno citarlo para que el presente trabajo no provoque confusiones ni hiera sentimientos tan arraigados en un pueblo y un conglomerado religioso tan tradicional como lo es el mexicano. Además, el fenómeno religioso y enorme fe de los mexicanos hacia la figura de la Virgen de Guadalupe es tan respetable como cualquier hecho de devoción colectiva en donde intervienen cuestiones en las que es posible emitir opiniones, nunca ataques ni mucho menos burlas irrespetuosas.

Entre los principales argumentos utilizados por el grupo de autores antiaparicionistas, se encuentran los estudios realizados por Joaquín García Icazbalceta[5], eminente historiador católico que entre otros, expone en primer lugar la ausencia de fuentes escritas sobre las apariciones después de un siglo de ocurrido el hecho. Es decir, como se mencionó antes, el único testimonio escrito que se tiene sobre el milagro ocurrido a Juan Diego data de 1648, por lo que García Icazbalceta (y muchos antiaparicionistas más) se pregunta ¿cómo fue posible que ningún cronista de la época y sobre todo, ni el mismo Fray Juan de Zumárraga, hayan dejado testimonio de tan excepcional acontecimiento? Pero además de los documentos de García Icazbalceta se encuentran (mismos en los que también se basó el propio historiador) la obra de Juan Bautista Muñoz[6], cronista real de las Indias, quien en 1794 escribió su Memoria impugnando la historicidad de las apariciones usando los argumentos después usados por Icazbalceta; o la de Fray Servando Teresa de Mier[7], cura liberal y rebelde que después sería famoso por su inclusión plena en actividades políticas proindependentistas y dentro de las pugnas posteriores entre federalistas y centralistas en México. El mismo argumento ha seguido siendo utilizado por autores con-

---

[3] Benedicto XIV: *"De Servorum Dei", 1.3 c. 53 n. 15.* Reediciones de Ed. Paulinas, México, 1980.

[4] Pío X: *"Enc. Pascendi"*, AAS 40, 640. 1907. Citado por Bravo Ugarte, *Ob. cit.*, p. 8

[5] Las dos principales obras de García Icazbalceta al respecto son su *Biografía de Don Fray Juan de Zumárraga*, México, 1891; y su famosa *Carta acerca del origen de la Imagen de Nuestra Señora de Guadalupe de México*, México, 1888

[6] BAUTISTA MUÑOZ, J.: *Memoria sobre las apariciones y el Culto de Nuestra Señora de Guadalupe de México*, Madrid, 1817. Citado en "Guadalupe!", folleto E.V.C. , No. 410, México, 1990.

[7] TERESA DE MIER, S.: *Cartas al Dr. Muñoz sobre la aparición de Nuestra Señora de Guadalupe*, publicada en México en 1879, aunque realizada desde 1794, producto de un sermón pronunciado en la Colegiata de Nuestra Señora de Guadalupe y por el que el Fraile fue desterrado a España (además por sus actividades políticas).

temporáneos, destacando Luis González de Alba, historiador mexicano que en numerosos artículos periodísticos ha insistido -demasiado- en el tema.

En segundo lugar, los antiaparicionistas afirman que la imagen es de origen extremeño, pues es conocida (en México realmente por muy pocos) la existencia del Santuario de la Virgen de Guadalupe en el poblado extremeño del mismo nombre, en donde se venera a Santa María de Guadalupe, que está representada en una talla de madera que data del siglo XIII y de la que existe una fervorosa devoción en toda la zona, de la que justamente salieron los principales protagonistas de la conquista militar y religiosa de México.

Sobre este punto es oportuno ahondar algunos datos recabados en la visita de quien esto escribe al propio Monasterio de la Puebla de Guadalupe en la provincia de Cáceres, Extremadura (enero de 1999). El hecho de la relación entre el culto guadalupano extremeño y el mexicano es claro para los antiaparicionistas, máxime cuando se sabe que Hernán Cortés visitó en varias ocasiones el Santuario extremeño y que en 1528 incluso dejó como exvoto un escorpión de oro en agradecimiento a la Virgen por numerosos favores recibidos; el hecho es recogido por tres códices que transcribimos en su texto original:

"El Marqués del Valle de Huaxaca, en Indias de la Nueva España, don Fernando Cortés, Capitán General de la Nueva España, vino de las Indias a visitar esta Santa Casa en el 1528, y ofreció a Nuestra Señora un rico alacrán de oro, hecho de manos de indios, y tiene unas esmeraldas de mucho valor; ofreció otras cosas de pluma hechas, que están en la sacristía; y antes de esto, había enviado el anno 1524 una lámpara de plata muy bien labrada, la cual pesa veinte marcos, para que ardiese delante de la imagen de Nuestra Señora"[8]

"Don Fernando Cortés, Conquistador, Gobernador y Capitán General del Imperio Mexicano, ofreció en este santo templo de Nuestra Señora una lámpara de plata que se puso en el crucifixo y quedó dar renta para el azeite della. El año de 1529 dio la madre del dicho Sr. Marqués mill maravediés y no pareze aver dotado ésta lámpara ni aver dado otra cosa"[9].

Todavía hay otros testimonios de la devoción particular de Cortés a la Guadalupe de Extremadura. En 1520, el conquistador envió en un navío que partió desde Veracruz a España sesenta marcos de plata para labrar tres lámparas, una para Santa María de Guadalupe, otra para San Francisco de Medellín y la tercera para Nuestra Señora de la Antigua de Sevilla. Este dato se encuentra en el registro del navío:

[8] Archivo del Monasterio de Guadalupe (A.M.G.): Códice 90, folios 20 r. y 51 r. Citado por Sebastián García, O.F.M. en "Guadalupe de Extremadura en América", Comunidad Franciscana de Guadalupe, impreso en Gráficas Don Bosco, Arganda del Rey, Madrid, 1991.

[9] A.M.G.: Códice 85, folio 69.

"Plata LX marcos. Registró el dicho que lleva sesenta marcos de plata para ciertas lámparas de ciertos monasterios, que son Nuestra Señora de Guadalupe, San Francisco de Medellín y Nuestra Señora de la Antigua de Sevilla"[10].

Con respecto a la visita de Cortés a la Puebla de Guadalupe en Extremadura en 1528 hay un testimonio más, perfectamente histórico, por parte de Bernal Díaz del Castillo en su "Verdadera Historia de los sucesos de la Conquista de la Nueva España"[11]:

"Y luego su majestad (Carlos V), envió a mandar que por todas las ciudades y villas por donde Cortés pasase, le hiciesen mucha honra; y el Duque de Medina Sidonia de hizo gran recibimiento en Sevilla y le presentó caballos muy buenos; y después que reposó allí dos días, fue a jornadas largas a Nuestra Señora de Guadalupe, para tener novenas...."

Más aún, el mismo Cristóbal Colón fue también un fiel devoto de Santa María de Guadalupe, lo que queda demostrado en sus numerosas visitas al Monasterio en distintas ocasiones y años, cuatro de ellas en el decenio comprendido entre 1486 y 1496. La primera se llevó a cabo el 21 de abril de 1486, fecha en la que tuvo un primer encuentro con los Reyes Católicos, quienes a la postre también se encontraban en Puebla de Guadalupe y en donde también se decretó por Fernando de Aragón la "Sentencia Arbitral de Guadalupe", que suprimía los llamados "seis malos usos" y ponía fin a los conflictos entre señores del Principado de Cataluña. La segunda ocurrió en 1489 y en esta ocasión vuelve a reunirse con los Reyes Católicos para solicitarles apoyo para su empresa descubridora. Una tercera visita la realizó Colón en 1493 al regreso de su primer viaje al Nuevo Mundo, para dar gracias a la Virgen. Y la última visita fue en 1496 al regreso de su segundo viaje a América y en esta ocasión, como ofrenda a la Virgen de Guadalupe, Colón presentó dos indios adultos, quienes recibieron allí mismo el bautismo con los nombres de Cristóbal y Pedro[12].

Otro hecho importante para relacionar la Guadalupe de Extremadura con la "creación" del mito guadalupano mexicano es el hecho de que los principales evangelizadores que arriban a la Nueva España por primera ocasión, los famosos "doce apóstoles" franciscanos requeridos por el propio Cortés para comenzar a difundir la fe cristiana entre los indígenas, provenían justamente de la provincia extremeña de San Gabriel y fueron designados en Belvís

---

[10] Archivo General de Indias, Sevilla. Citado por Carlos Gracia Villacampa en *La Virgen de la Hispanidad*, Sevilla, 1492.

[11] DÍAZ DEL CASTILLO, B.: "Verdadera Historia de los sucesos de la Conquista de la Nueva España", Ed. Porrúa Hnos., México, 1979.

[12] RAMOS, Demetrio: "Las visitas de Colón a Guadalupe y el cumplimiento del voto del viaje de retorno" Revista *Guadalupe*, 674 y 675, 1985.

de Monroy (Cáceres) por Fray Francisco de los Ángeles Quiñones, ministro general de toda la Orden de Frailes Menores, para dirigirse a México. Afirma Sebastián García, O.F.M. que:

"Estos esforzados varones plantaron la Iglesia en Nueva España y a la vez sembraron en el nuevo continente la devoción a Santa María de Guadalupe, entonces la más famosa de España. Lo mismo hicieron en toda América otros muchos misioneros extremeños, de tal suerte que en poco tiempo, bajo el signo evangelizador de Guadalupe, toda América se llenó de templos, ermitas y santuarios dedicados a Nuestra Señora de Guadalupe"[13].

Es curioso remarcar el paradójico hecho de que, en su empeño por demostrar que el original culto guadalupano nació en Extremadura y con ello rescatar y exaltar la importancia de la Guadalupe extremeña, ante el olvido histórico generalizado a nivel mundial de esta realidad, muchos extremeños -de buena fe- han publicado numerosas obras en donde no se cansan de repetir que la primera Guadalupe fue la extremeña y que de ahí surgió -y aportan una gran cantidad de pruebas, entre otras las ya citadas- el culto guadalupano en México y otras partes de América. Pero con ello, han dado -sin querer- más argumentos a los antiaparicionistas para continuar su empeño en demostrar que el mito guadalupano fue creado por los evangelizadores -de por sí ya devotos de la Virgen de Guadalupe- para poder imponer con más facilidad la nueva fe religiosa a los indígenas, muy reacios en esos primeros años de conquista a aceptarla por ser tan radicalmente diferente a sus anteriores creencias.

Uno de los argumentos supuestamente más sólidos para relacionar la Guadalupe mexicana con la de Extremadura, además por supuesto del nombre[14] (que es definitivo que proviene del nombre que ya les era familiar a los evangelizadores), es la propia imagen estampada en el *ayate* del indio Juan Diego. Esta imagen tiene un notable parecido no con la figura principal del Santuario extremeño, que, como ya dijimos, es una talla en madera de la

---

[13] GARCÍA, Sebastián: *ob. cit.,* p. 95.

[14] El nombre de *Guadalupe* proviene del árabe y quiere decir, según diversas opiniones "río escondido, río de lobos o río de luz" y fue el nombre que la tradición popular dio a la Virgen —talla en madera- encontrada a fines del siglo XIII por el pastor Gil Cordero en la zona serrana de Cáceres. Muy ingeniosa, pero sin fundamento documental ha sido la ocurrencia de algunos historiadores como Becerra Tanco (en su obra "La felicidad de México", 1675) de que el nombre de Guadalupe en México proviene del que en náhuatl dieron los indios a la Virgen: *Tequatlanópeuh* (la que tuvo origen de la cumbre de las peñas) o *Coatlaxópeuh o Coatlallópeuh* (la que ahuyentó o la que aplastó a la culebra). Sin embargo, según Bravo Ugarte (*ob. cit.* p. 101) en los documentos de los indios aparece siempre *Guadalupe* y las únicas variables son *Quatalupe* (Anales de Juan Bautista) y *Hualolope* (Anales de Tlaxcala). El historiador Alfonso Junco publicó un extenso artículo sobre el tema en *Novedades* de México del 17 de julio de 1948.

Virgen -de un color muy moreno- cargando al Niño Dios, sino con la Virgen que está colocada en el coro del Templo desde 1499 (talla gótica atribuida a Digante Guilemín, escultor flamenco)[15]; en esta escultura se pueden apreciar notorias semejanzas con la imagen mexicana, entre otras, el color de la túnica de la Virgen, las estrellas que adornan a la misma, los pliegues del vestido, el color moreno del rostro, los rayos que aparecen detrás de la imagen, el estar parada sobre la media luna, el querubín que se sitúa a los pies de la Virgen entre nubes y rayos y la disposición en general de la imagen. Por supuesto, no son idénticas y también existen muy grandes diferencias: la figura de la extremeña aparece cargando a un Niño Dios en los brazos, cosa que no ocurre con la mexicana[16], la posición corporal de la extremeña es de frente y con los brazos cargando al Niño Dios de izquierda a derecha y la mexicana tienen una disposición en general de perfil y con las manos orando cargadas hacia la derecha, la mexicana es un tono de moreno diferente a la extremeña y la túnica en la mexicana está abierta con otro vestido interior mientras que en la extremeña está cerrada y casi no se distingue el vestido interior. Con todo, comparemos ambas imágenes y juzgue el lector por si mismo.

El último argumento de peso que utilizan los contrarios a la tradición de las apariciones es que la imagen es una pintura realizada por un indio y puesta por los franciscanos en el cerro del *Tepeyac*. El origen de esta versión se remonta a un sermón predicado el 8 de septiembre de 1556 en la capilla de San José del convento de San Francisco ante el virrey y la Audiencia y un buen número de fieles, por el provincial de los franciscanos Fray Francisco de Bustamante, quien luego de condenar la devoción guadalupana, afirmó que la imagen de la Virgen de Guadalupe fue "pintada por un indio", que "la había hecho Marcos, indio pintor". Al respecto es interesante saber que el indio Marcos Cípac fue discípulo de los franciscanos en Tlatelolco y destacado pintor en la escuela de Fray Pedro de Gante. El resultado de este sermón constituyó un auténtico escándalo y, promovido por el arzobispo, se le inició un juicio al cura antiaparicionista, aunque no se le pudo condenar por nada[17].

---

[15] GARCÍA, Sebastián: *ob. cit.* p. 129

[16] A decir de Francisco de San José en su *Historia Universal de la primitiva y milagrosa imagen de Nuestra Señora de Guadalupe*, Madrid, 1743, p. 39: "La de México no tiene niño, que es la diferencia que se advierte entre estas dos imágenes, porque además de ordenarlo así la divina providencia, como es Imagen de Concepción, y apareció entre idólatras y recientes en la fe, podía ocasionar su pintura algún engaño, entendiendo ellos, según se les mostraba en la imagen, que María Santísima en su primer instante tuvo el Hijo, como les enseñaban le tuvo el Padre Dios desde abaeterno; y cesa este inconveniente en donde ha echado ya la fe hondas raíces, y sus profesores están bien instruidos en los divinos ministerios; pues aunque María Santísima en su primer instante tuvo la singular gracia de Madre de Dios, saben todos que no concibió a su Hijo hasta la edad competente" (citado por Sebastián García, ob. cit., p. 128)

[17] El hecho del sermón es citado por José BRAVO Ugarte en "La Virgen de Guadalupe y su Origen Histórico", dentro de *Cuestiones Históricas Guadalupanas*, México, 1966, p. 11

Ahora bien, por el lado de los aparicionistas -siempre los más numerosos y también perfectamente informados- existen una serie de argumentos de tanto peso como los del grupo contrario. En primer lugar, continuando con las paradojas, muchos de los datos históricos que utilizan los antiaparicionistas para negar los hechos de Juan Diego en 1531, pueden ser y de hecho han sido utilizados para demostrar que antes de 1648 sí existen testimonios de las apariciones, tanto documentales como orales. El primero de ellos es justamente el mencionado sermón de Fray Francisco de Bustamante que data de 1556. Otro más es la definitiva relación de Hernán Cortés con la figura de la Virgen de Guadalupe que se concretiza en su ferviente devoción a la Guadalupe de Extremadura y que ya hemos mencionado anteriormente, pero más aún sobre este hecho, por la existencia de una carta enviada por Fray Juan de Zumárraga a Cortés en donde se podría entender -aunque se puede prestar a otras interpretaciones- que se menciona el milagro guadalupano. He aquí el texto de dicho volante:

Ilustre Señor y muy dichoso en todo:
Gratias agamus Domino Deo nostro, proponiendo de le servir mucho
más de aquí en delante. Cristóbal de Salamanca llegó en rompiendo el
alba, víspera de la Concepción de la preservada Virgen, en que nos vino
la redención, digo yo en fe y fiesta de la señora Marquesa, para la cual
yo me aparejaba cuanto podía y los trompetas tenía y los detengo. Y V.S.
haya paciancia por la mañana y en la farsa que ordenamos lo pagaré
de la Natividad gozosa de Nuestro Salvador y cuán grandiosa será.
Luego lo divulgué y en saliendo el sol anduve mis estaciones, de San
Francisco primero, de la Iglesia Mayor y de Santo Domingo. Señor obispo de Tascala que predica mañana. Y agora entiendo en mi procesión
y en escrebir a la Veracruz. No se puede escrebir el gozo de todos. Con
Salamanca no hay que escrebir. Al Custodio hice mensajero a
Cuernavaca. A Fray Toribio vaya un indio. Y todo sea alabar a Dios y
hareitos de indios. Y todos laudent nomen Domini. Víspera de la fiesta
de las fiestas.
Diga V.S. a la señora Marquesa que quiero poner nombre a la Iglesia
Mayor título de la Concepción de la Madre de Dios, pues en tal día ha
querido Dios y su Madre hacer esta merced a esta tierra que ganastes. Y
no más agora.

---

y también por Arturo Álvarez en "Guadalupe en América. Cómo y cuándo nació en México", Revista "Guadalupe", 674-675, 1985, pp. 64-73. El documento más antiguo que cita el sermón es la "Información que el Arzobispo de México don Alonso de Montúfar mandó practicar con motivo de un sermón que en la fiesta de la Natividad de Nuestra Señora (8 de septiembre de 1556) predicó en la capilla de San José de Naturales del Convento de San Francisco de México, el Provincial Fray Francisco de Bustamante, acerca de la devoción y culto de Nuestra Señora de Guadalupe", 2ª. Edición, México, Impr. y Encuadernación de Ireneo Paz, 1891.

De V.S. Capellán.
el electo regocijado[18].

Aunque está comprobado que dicha carta es auténtica y fue enviada por Zumárraga a Cortés en 1531, el texto no demuestra claramente la alusión al milagro guadalupano, pero, repetimos, ha sido utilizado como una prueba más del conocimiento de Zumárraga y del propio Cortés acerca de los hechos del *Tepeyac.*

Un dato más que sirve a los aparicionistas para demostrar la existencia de fuentes históricas previas a la aparición del *Nicam Mopohua* en 1648, lo constituyen dos cartas que el monje mandadero o procurador del Monasterio en tierras de Nueva España, Fray Diego de Santa María, envió a Felipe II el 12 de diciembre de 1574 y el 24 de marzo de 1575, en las que se queja del hecho de que en Nueva España se haya erigido una ermita a Nuestra Señora de Guadalupe sin licencia del santuario de Extremadura y pide al Rey se entregue la ermita a los jerónimos para construir allí un Monasterio o que se le quite el nombre de Guadalupe[19]. El monarca a su vez pidió informes sobre los hechos al virrey de Nueva España, don Martín Enríquez, quien contestaba el 23 de septiembre de 1575:

"Lo que comunmente se entiende es aquel año de 55 o 56 estaua allí una hermitilla en que estaua la imagen que ahora está en la iglesia y que un ganadero que por allí andaua publicó auer cobrado salud yendo a aquella hermita y empezó a crecer la devoción de la gente y pusieron nombre a la ymagen nuestra Señora de Guadalupe, por dezir que se parece a la Guadalupe de España."

"para asiento de monasterio no es lugar muy conveniente, por razón del sitio y ay tantos en la comarca que no parece sea sano y menos fundar parrochia como el prelado querría, ni para españoles ni para yindios"[20].

Existen también, como pruebas documentales, dos sermones guadalupanos en lengua *náhuatl*, uno del siglo XVI y otro del siglo XVII, en los que sus autores -misioneros jesuitas probablemente- relatan las apariciones y confirman la tradición. Estos sermones se pueden encontrar en la Biblioteca Nacional en sus manuscritos originales[21].

Muy importantes de mencionar son las fuentes indígenas, que podemos clasificar en 11 anales y 2 mapas, a saber: los Anales de Cuetlaxcoapan (Puebla) de 1524 a 1691; los de Tlaxcala de 1519 a 1720; los de la Catedral de

---

[18] Publicado por el P. Mariano CUEVAS, S.J., en su *Historia de la Iglesia en México,* I, México, 1928, p. 280; y en su *Álbum Histórico del IV Centenario,* México, 1931, p. 32.

[19] Las Cartas se encuentran en el Archivo General de Indias. Sección Quinta, Audiencia de México, legajos 69 y 283. Citado por Sebastián García, O.F.M., *ob. cit.*

[20] Archivo General de Indias, lug. Cit.

[21] Citado por el P. Mariano Cuevas en su *Álbum...,* p. 105

México de 1519 a 1739; los llamados "Noticias Curiosas" desde el primer rey azteca *Acamapichtli*, 1376, a 1738; los de Bartolache que comienzan en 1454 y llegan hasta 1737; los Anales de México y sus contornos; los Anales de Chimalpain de 1258 a 1612, publicados en París en 1889 por Rémi Siméon; los Anales de Juan Bautista que comprenden de 1555 a 1582; los Anales de la Fundación Heye de Nueva York, jeroglíficos de 1407 a 1535 en donde después de la conquista se vé pintada una Virgen que parece ser la de Guadalupe y a su lado, en un cuadrete menor está pintada la misma Virgen como apareciéndose a un indio; los de Tlaxtlatzontli y los del P. Baltasar González, S.J.; además del Mapa de Boturini y el de don Fernando de Alba Ixtlixóchitl. Todas estas fuentes (imposible de incluir sus textos originales) mencionan de una u otra forma el hecho de las apariciones al indio Juan Diego. Por supuesto, todos estos anales fueron hechos en años posteriores por indios que ponían por escrito toda la historia oral que habían recibido de sus familias.

Otro interesante documento es el llamado "Testamento de *Cuautitlán*" (de donde era originario y vecino Juan Diego), con gran valor para la tradición escrita de las apariciones. Adquirido por Boturini en su estancia en Nueva España de 1736 a 1743, pasó después al Archivo de la Colegiata y está fechado en 1559. He aquí el texto original que menciona los hechos de Juan Diego:

> "He vivido en esta ciudad de Cuatitlán y su barrio de S. José Millán en donde se crió el mancebo don Juan Diego y se fue a casar después a Santa Cruz el Alto, cerca de S. Pedro, con la joven doña Malintzin, la que pronto murió, quedando solo Juan Diego. A los cuantos días después mediante este joven se verificó una cosa prodigiosa allá en Tepeyácac, pues en él se decubrió y apareció la hermosa Señora Nuestra Santa María, la que nos pertenece a nosotros los de esta ciudad de Cuautitlán"[22].

Los numerosos investigadores aparicionistas también citan los variados testimonios orales que recogieron la tradición de las apariciones de 1531; así, se menciona la existencia de una buena cantidad de tales testimonios que se recogieron a partir de 1666, cuando el Cabildo Catedral Metropolitano de México decidió hacer las "Informaciones sobre el Milagro del Tepeyac". Estas Informaciones incluyen los testimonios de veintiún personajes -ancianos de hasta 110 años- escogidos entre los vecinos de los lugares más relacionados con los hechos sobre Juan Diego. Todos los testigos afirmaron conocer por transmisión oral de sus padres o abuelos los hechos sobre el milagro del Tepeyac, e incluso varios de ellos afirmaron haber conocido a Juan Diego[23].

---

[22] Citado por el Lic. Primo Feliciano Velázquez, *ob. cit.* y por el Pbro. Jesús García Gutiérrez, *ob. cit.*

[23] *Informaciones sobre la milagrosa Aparición de la Santísima Virgen de Guadalupe, recibidas en 1666 y 1723*, publicadas por el Pbro. Fortino Hipólito Vbera, cura vicario forá-

Finalmente, se puede comentar a favor de los aparicionistas que, aun pensando que hasta bien entrado el siglo XVII se encuentran las primeras fuentes históricas documentales sobre las apariciones (que hemos visto que no es así), es un hecho que para entonces ya estaba profundamente arraigada la tradición guadalupana -por qué si no, ¿para qué hacer investigaciones y relatos de una devoción que se estaba inventando en ese momento? No, más bien, como era una tradición suficientemente madura había que investigar su origen histórico, que, desde mi punto de vista no tiene discusión.

CONCLUSIONES

Como podemos observar, argumentos en pro y en contra de las apariciones sobran de uno y otro lado, aunque los datos sobre la historicidad de los hechos sobre Juan Diego parecen innegables. Lo que más bien ha ocurrido es que muchos historiadores pretenden negar el hecho milagroso porque simplemente no creen en él y están en todo su derecho. Sin embargo, quisiera volver a recalcar que el creer o no en el milagro guadalupano es una cuestión personal que se circunscribe en el terreno -obvio- de la fe y demostrar históricamente la existencia de Juan Diego y los hechos que le ocurrieron en 1531 -milagrosos o no- es otra cuestión muy diferente.

En lo personal, considero válidos los datos sobre la historicidad de Juan Diego y los hechos de su vida. Sobre el hecho milagroso cada cual tiene su mejor opinión.

Lo cierto, y para finalizar, es que en otro orden de ideas, se han llevado a cabo numerosos estudios al *ayate* en el que se encuentra estampada la imagen de la Virgen y aún existen muchas hipótesis y dudas sobre su origen, material, pintura, etc. Además, también se han hecho estudios computarizados sobre los ojos de la imagen de la Virgen (aunque ya un poco atrasados en tecnología para nuestros días)[24] y hay investigadores que aseguran ver en ellos las figuras de Juan Diego, Fray Juan de Zumárraga y otros personajes, preguntándose cómo es posible que en una pintura puedan realizarse trazos de ese microtamaño y con ello demostrar lo milagroso de la imagen. He mirado también esos estudios y debo decir que podrían interpretarse muchas cosas en esas supuestas -o reales- imágenes, por lo que no es una prueba contundente y definitiva. Ojalá y pronto pudieran hacerse nuevos estudios con la tecnología de punta en computación e imágenes digitales para conocer en profundidad lo que pudiera existir en los ojos de la Virgen. Como historiadores, por lo pronto, debemos seguir conformándonos con lo dicho -o no dicho- por los documentos.

neo de Amecameca, miembro de varias Sociedades Científicas y Literarias, en 1889. Imprenta Católica, a cargo de Jorge Sigüenza. Citado por BRAVO UGARTE, J., *ob. cit.* p. 16

[24] ASTE TONSMAN, Dr. José: *Los ojos de la Virgen de Guadalupe. Un estudio por computadora electrónica*. México, 1981, Edit. Diana.

Nuestra Señora de Guadalupe de México. Tepeyac.

Monasterio de Guadalupe. Nuestra Señora de la Concepción. Colocada en el coro en 1499. Talla gótica atribuida a Digante Guillemín, escultor flamenco.

ORÍGENES Y EVOLUCIÓN HISTÓRICA
DE LA DEVOCIÓN ROCIERA

JUAN IGNACIO REALES ESPINA.
Profesor de la U.N.E.D.
Miembro de la Junta de Gobierno
de la P.R.e I. Hermandad Matriz

ORÍGENES

Durante siglos, el origen de la devoción rociera ha permanecido oculto o envuelto por el misterio y la belleza de distintas leyendas y tradiciones.

La explicación es bien sencilla; hasta prácticamente la mitad del siglo XX, El Rocío no despertó el interés de historiadores y el pueblo, que sentía el Rocío en su interior desde varias generaciones, no necesitaba explicación histórico-científica sobre sus orígenes, pues la tradición oral había suplido suficientemente esa posible inquietud, en forma más acorde con épocas anteriores, ofreciendo una explicación de índole sobrenatural, basada sobre todo en una fe sencilla y sincera.

En este aspecto, la devoción rociera no se aparta de otras realidades semejantes en España, de otras devociones igualmente extendidas entre el pueblo cristiano, entre las cuales destaca un común denominador: las imágenes siempre "se aparecían" a un cazador, pastor, pescador o leñador, como bajada del cielo para llegar a un lugar determinado.

Hasta mediados del siglo XX, (y aún hoy sigue siendo la explicación histórica más aceptada y conocida por el pueblo) el origen del Rocío se ha explicado por medio de diversas leyendas, ni siquiera una sola, transmitidas oralmente de generación en generación, de padres a hijos, con variantes según el lugar que se tome como referencia.

Sin embargo, entre las diversas leyendas, la que goza de mayor aceptación y raigambre es la descrita precisamente en el antiguo Libro de Reglas de la actual Pontificia, Real e Ilustre Hermandad Matriz de Nuestra Señora del Rocío, de Almonte. Dichas Reglas son las más antiguas conocidas de la

Hermandad, aunque puede afirmarse que no eran las primeras, y datan del año 1758. En ellas, se hace referencia a la aparición de la Virgen con las siguientes palabras:

"Entrado el siglo quinze de la Encarnación del Verbo Eterno un hombre que ó apacentaba ganado, ó había salido a cazar, hallándose en el término de la Villa de Almonte en el sitio que llaman de la Rocina (cuyas incultas malezas le hacían impracticable a humanas plantas, y solo accesible a las aves y silvestres fieras) advirtió en la vehemencia del ladrido de los perros, que se ocultaba en aquella selva alguna cosa, que les movía a aquellas expresiones de su natural instinto. Penetró aunque á costa de no poco trabajo, y en medio de las espinas halló la Imagen de aquel Sagrado Lirio Intacto de las espinas del pecado, vió entre las zarzas el Simulacro de aquella Zarza Mystica ilesa en medio de los ardores del original delito, miró una Imagen de la Reina de los Angeles de estatura natural colocada sobre el seco tronco de un árbol. Era de talla y su belleza peregrina. Vestiase de una túnica de lini, entre blanco y verde, y era su portentosa hermosura atractivo aun para la imaginación más libertina.
Hallasgo tan precioso como no esperado, llenó al hombre de un gozo sobre toda ponderación, y queriendo hacer a todos patente tanta dicha a costa de sus afanes desmontando parte de aquel cerrado bosque sacó en sus hombros la soberana Imagen a Campo descubierto. Pero como fuese su intención colocar en la Villa de Almonte distante tres leguas de aquel sitio el bello Simulacro, siguiendo en sus intentos piadosos, se quedó dormido a esfuerzo de su cansancio y su fatiga. Despertó y se halló sin la Sagrada Imagen, penetrado de dolor, bolvió al sitio donde la vió primero, y allí la encontró como antes. Vino a Almonte y refirió todo lo sucedido, con la cual noticia salieron el Clero y Cabildo de esta villa, y hallaron la Sta. Imagen en el lugar y modo que el hombre les havía referido, notando ilesa su belleza no obstante el largo tiempo que havia estado expuesta a la inclemencia de los tiempos, lluvias, rayos de sol y tempestades. Poseidos de la devoción y del respeto, la sacaron de entre las malezas, y la pusieron en la Iglesia Mayor de dicha Villa entre tanto que en aquella Selva se labrava Templo.
Hizose en efecto una pequeña Ermita de diez varas de largo, y se construyó el Altar para colocar la Imagen de tal modo que el tronco en que fue hallada le sirviese de peana. Adorándose en aquel sitio con el nombre de la Virgen de las Rocinas".

Esta leyenda, indudablemente bella y llena de sentido para el hombre de la época, carece del apoyo documental suficiente como para ser aceptada sin más por la historia. Sin embargo, recoge fidedignamente el sentir de una época y de un pueblo ferviente y devoto.

No es hasta bien entrada la segunda mitad del S.XX, cuando el Rocío despierta el interés de estudiosos, científicos e historiadores, y especialmente, en lo que respecta a la indagación sobre sus orígenes[1].

Lo cierto es que la historia, tan bella como puedan serlo las distintas leyendas, nos aporta algunos datos fundamentales para encontrar el verdadero origen de la devoción rociera, si bien hemos de reconocer que actualmente quedan aún importantes lagunas o interrogantes sin que hayan encontrado explicación suficiente.

Como a continuación veremos, podemos afirmar que los orígenes del Rocío se remontan a finales del S. XIII, coincidiendo con la conquista de estos territorios por los reyes cristianos; en 1248 Fernando III el Santo conquista Sevilla y poco después, en 1262 Alfonso X el Sabio conquista Niebla, a cuya jurisdicción pertenecía el pueblo de Almonte.

Tras la conquista, comienza la tarea repobladora, lo que favoreció el desarrollo económico de la zona en la que se encuentra la Ermita del Rocío. El lugar concreto de su emplazamiento, quedó reservado a la Corona de Castilla, como cazadero real, por sus inmejorables condiciones cinegéticas.

Para sostener la afirmación anterior, y datar los orígenes del Rocío en esa fecha, nos basamos en los siguientes documentos:

a) Reseña de la reunión mantenida por autoridades de Sevilla y Niebla, en 1335, en el Bodegón de Freile que "estaba en buen uso… cabo de una Iglesia que dicen Sacrita María de las Rocinas[2]".

b) "Libro de las Monterías", célebre tratado de caza escrito por Alfonso XI, en 1340, en el que narrando las distintas artes de la caza, hace referencia a los lugares de mayor interés cinegético. En este tratado, el monarca castellano, al referirse al Cazadero Real de la Rocina, afirma: "… e señaladamente son los mejores sotos de correr cabo de una Iglesia que dicen de Santa María de las Rocinas e cabo de otra Iglesia que dicen Santa Olalla".

c) Testamento de Urraca Fernández, vecina de Niebla, fechado en 1349, que deja dos maravedises "a la obra de Sancta María de las Rocinas".

---

[1] En esta labor investigadora sobre los orígenes históricos de la devoción rociera, destaca el trabajo del historiador y académico D. Juan Infante Galán, maestro durante muchos años en el pueblo de Almonte y colaborador del Diario *ABC* de Sevilla. El mencionado autor, tras largos años de investigación, publica la obra *Rocío: la devoción mariana de Andalucía*, (Sevilla, 1971), obra que por primera vez, aborda con rigor científico el estudio de los orígenes de la devoción rociera, sentando las bases por donde debería discurrir en el futuro la investigación histórica sobre el Rocío.

[2] Archivo Ducal de Medina Sidonia. Sanlúcar. Legajo 347. Año 1335. LÓPEZ TAILLEFERT, M.A., *El Rocío. Una aproximación a su historia*, Editado por la Hermandad Matriz de Nuestra Señora del Rocío, Almonte, 1997.

d) Reseña de la reunión mantenida en la propia Ermita de Santa María de las Rocinas, en 1400, por las autoridades de Sevilla y Niebla, para firmar un acta de fijación de límites entre los términos de Almonte, Villalba, Manzanilla e Hinojos "por amenazar ruina el Bodegón de Joaquín Freyle".

Todos estos documentos nos indican sin lugar a dudas, que ya durante todo el siglo XIV existía la Ermita y la Imagen de Santa María de las Rocinas.

Dichos documentos y el estudio iconográfico realizado a la Virgen por los profesores Carrasco Terriza y González[3], que datan la Sagrada Imagen en las postrimerías del Siglo XIII, nos invitan a pensar que, con toda probabilidad, como afirmábamos anteriormente, fuera el mariano monarca Alfonso X el Sabio, quién allá por el año 1280, conquistada y repoblada la zona, mandara construir una Ermita en la que se diera culto a la Madre de Dios, bajo esta advocación de María Santísima de las Rocinas, nombre que toma del mismo lugar en que se construye la Ermita.

Desde el principio, la devoción a la Virgen del Rocío se fue extendiendo desde Almonte a los pueblos limítrofes, dando lugar posteriormente, a las diversas hermandades rocieras que hoy pueblan toda la geografía española, rebasando algunas, incluso, nuestras fronteras. (Existen actualmente, además de la Hermandad Matriz de Almonte, 96 hermandades "filiales" y otras muchas agrupaciones parroquiales rocieras).

OTROS ACONTECIMIENTOS FUNDAMENTALES PARA LA HISTORIA DEL ROCÍO

A) FUNDACIÓN DE LA CAPELLANÍA.

En el año 1587, el sevillano Baltasar Tercero, emigrante en Perú, deja en su testamento la suma de dos mil pesos de plata, para fundar una capellanía y restaurar la antigua ermita.

Se nombra como patrono de la capellanía al Concejo de Justicia y Regimiento de la Villa, tomando así un inmenso protagonismo el Ayuntamiento de Almonte, en lo concerniente al Rocío, protagonismo que se mantendrá inalterado hasta después de las leyes desamortizadoras, cuando lo tomará la actual Hermandad Matriz, hasta entonces limitada a la organización de algunos cultos.

Dicho testamento se nos presenta como fundamental en la historia rociera, pues desde entonces se produce una enorme expansión de la devoción a la Virgen del Rocío.

[3] GONZÁLEZ GÓMEZ, Juan Miguel y CARRASCO TERRIZA, Manuel Jesús, *Escultura Mariana Onubense*, Huelva, 1981.

B) PATRONAZGO DE LA VIRGEN SOBRE EL PUEBLO DE ALMONTE.

El 29 de junio de 1653, festividad de San Pedro, en la Iglesia Parroquial de Almonte, se lleva a cabo el juramento de la Inmaculada Concepción de María, nombrándose al mismo tiempo a la Virgen del Rocío como Patrona de Almonte[4].

A partir de ese momento, y "no sin mística alusión[5]", se produce un cambio en el nombre de la Virgen, y el pueblo comienza a llamar a la hasta entonces Virgen de las Rocinas, con el título de Rocío. Ello implica una apretada carga de intencionalidad teológica, pues el nuevo nombre, inspirado en la liturgia de la Misa de Pentecostés, compara la acción del Espíritu Santo con la fecundidad del Rocío. También por este motivo se acuerda el traslado de su fiesta del ocho de septiembre, al domingo, solemnidad de Pentecostés.

Con estos acontecimientos el pueblo de Almonte quiso significar que la Virgen del Rocío, desde entonces y para siempre sería la Virgen de Pentecostés, la Virgen del Espíritu Santo, invocándola así al exclamar ¡Viva esa Blanca Paloma! en alusión al Espíritu Santo, en forma de paloma, que preside el palio de su trono.

C) EL VOTO DEL "ROCÍO CHICO".

Con este nombre el pueblo de Almonte conmemora el Voto de acción de gracias[6] realizado en 1813, en agradecimiento a los favores recibidos de su Patrona, con motivo de ciertos acontecimientos vividos en el pueblo, durante la invasión francesa de España.

Ante la amenaza de las tropas francesas de "pasar a cuchillo" a todos los habitantes de la villa de Almonte, el pueblo invocó a su patrona y finalmente el ejército francés que se disponía a cumplir la orden recibida, recibió contraorden, encaminándose hacia otro destino, librándose así el pueblo de Almonte de su fatal destrucción.

[4] Dice así el Acta de Patronazgo: "En nombre de la Santísima Trinidad, Padre, Hijo y Espíritu Santo... estando juntos en la Iglesia Parroquial de Ntra. Sra. de la Asunción de esta dicho Villa, decimos: Que considerando las muchas y grandes obligaciones que esta dicha villa y todas las de su comarca tienen a la Reina de los Cielos Santa María de las Rocinas... votamos por Patrona de esta villa a la Reina de los Ángeles, Santa María de las Rocinas...".

[5] Expresión literal contenida en las primeras Reglas conocidas de la Hermandad Matriz de Almonte, que datan de 1758, para explicar el significado teológico que se atribuye al cambio de nombre de la Virgen del Rocío, antes de las Rocinas.

[6] Acta del juramento del Voto del "Rocío Chico": "... de unánime consentimiento y conformidad, han acordado hacer, como hacen, voto formal y expreso, por sí y en nombre de los que le sucederán en adelante, para siempre jamás, de pasar en la madrugada del día diez y nueve de Agosto de este año y de todos los venideros, a la Ermita de Nuestra Madre y Señora, a cantar una solemne Misa en acción de gracias por el singular favor de haber conservado este pueblo, de las furias y rigor de los satélites del tirano...".

En prueba de gratitud, Almonte sigue renovando el Voto del "Rocío Chico" cada diecinueve de agosto.

D) LOS GRANDES ACONTECIMIENTOS DEL SIGLO XX.

Sólo podemos hacer una breve reseña de los hitos históricos de la devoción rociera en este siglo, plagado de grandes acontecimientos. Destacamos los más importantes.

LA CORONACIÓN CANÓNICA.

Tuvo lugar en 1919 la Coronación canónica de Ntra. Sra. del Rocío. Parte la idea del canónigo de la Catedral Hispalense D. Juan Francisco Muñoz y Pavón, insigne rociero, que hace público su deseo en un célebre artículo, publicado en la prensa andaluza de la época, titulado "*La pelota está en el tejado*". Tras largos esfuerzos, el día ocho de junio el Delegado Pontificio, Cardenal Almaraz, Arzobispo de Sevilla, depositó la corona sobre la Bendita Imagen de la Virgen del Rocío, estallando en ese momento la alegría y el júbilo en todos los allí presentes, según cuenta la Crónica[7] que de tan magno acontecimiento realizó D. Ignacio de Cepeda, Vizconde de la Palma, uno de los artífices de la coronación.

CONSTRUCCIÓN DEL NUEVO SANTUARIO.

En 1969, se inauguró el actual Santuario, siendo bendecido por el entonces Obispo de Huelva D. José María García Lahiguera, el día doce de abril. Atrás quedaron cinco largos años en los que, tras la transcendente decisión de la Hermandad Matriz de derribar la antigua Ermita, la Virgen fue venerada durante el tiempo que duraron las obras, en una capilla provisional construida al efecto.

Cuenta con detalle todos los acontecimientos que rodearon la edificación del actual Santuario, en reciente obra, D. Antonio Millán Pérez[8], Presidente entonces de la Hermandad Matriz.

---

[7] CEPEDA SOLDÁN, Ignacio: *Crónica de la Coronación Canónica de Ntra. Sra. del Rocío*, La Palma del Condado, 1923.

[8] MILLÁN PÉREZ, A, *Memorias de la construcción del nuevo Santuario del Rocío, 1963-1969*, Almonte, 1995.

CLAUSURA DE LOS CONGRESOS MARIOLÓGICO Y MARIANO.

Tuvo lugar el día veintisiete de septiembre de 1992, en el Rocío, la clausura del XVIII Congreso Mariano y del XI Congreso Mariológico, presidida por el Legado Pontificio, Cardenal Martínez Somalo, con la asistencia del Nuncio de Su Santidad en España, Monseñor Tagliaferri, estando representadas con sus Simpecados todas las Hermandades rocieras y con la augusta presencia de SS.MM. los Reyes de España D. Juan Carlos I y Dña. Sofía.

LA VISITA DE S.S. EL PAPA JUAN PABLO II.

El día catorce de junio de 1993 tuvo lugar el acontecimiento más importante de la historia rociera, cuando por primera vez un Papa, S.S. Juan Pablo II, se postra a los pies de la Stsma. Virgen del Rocío para saludar después a los fieles que allí se encontraban con un mensaje que es todo un testimonio de amor a la Virgen y a sus devotos los rocieros, así como el más alto refrendo de la Iglesia Católica, a la devoción a la Virgen del Rocío.

Religiosidad Popular y Desastres Naturales en el Reino de Chile
(ss. XVI al XVIII)

Mª. Eugenia Petit-Breuilh Sepúlveda
Servicio Nacional de Geología y Minería, Chile

Al referirnos a los desastres naturales durante el período colonial chileno necesariamente tendremos que sumergirnos en toda una "caótica" realidad que acompañó a las fundaciones de poblaciones españolas, en las que los habitantes, aparte de convivir diariamente con el problema de la guerra de Arauco, tuvieron que soportar un gran número de inundaciones, terremotos, maremotos y, en menor medida, erupciones volcánicas. Por otra parte, el estudio del "acontecer infausto"[1] o el análisis de cómo las coyunturas afectaron las conductas de la población en cuanto a su reacción frente al desastre es una temática interesante para conocer otros aspectos de la sociedad en cuestión.

Dentro de este período de estudio hubo momentos en que la frecuencia de "desastres" en Chile fue alta. En este sentido expresaba su opinión en 1877 Benjamín Vicuña Mackenna: "la segunda mitad del siglo XVII fue sólo una procesión de calamitosas secas, seguidas de otras tantas procesiones a santos pero ingratos e implacables abogados[2]". Es evidente que no se podía sobrevivir a las fuerzas naturales de un país tan dinámico geológicamente hablando sin que se le aplicaran dosis de inteligencia; de ahí que sufrieran constantemente sus negativas consecuencias.

---

[1] MELLAFE, R., "El acontecer infausto en el carácter chileno: Una proposición de historia de las mentalidades, en Historia Social de Chile y América. Sugerencias y aproximaciones." Santiago de Chile, Editorial Universitaria, 1986, pág. 279.

[2] VICUÑA MACKENNA, B., *El clima de Chile. Ensayo histórico*. Santiago de Chile, Editorial Francisco de Aguirre, segunda edición de 1970, pág. 44.

LA ELECCIÓN DE SANTOS O VÍRGENES PROTECTORAS

Analizando varios casos, y considerando principalmente la historia sísmica chilena y el recuento de sequías e inundaciones, destaca durante el período colonial chileno el sistema de la elección por sorteo. Por ejemplo, algunos meses después de haber tenido lugar el terremoto del 8 de febrero de 1570 -uno de los grandes seísmos que afectaron el sur del Reino de Chile durante el siglo XVI, y que sacudió con fuerza la ciudad de Concepción fundada por Pedro de Valdivia el 5 de octubre de 1550[3], se convocó un Cabildo abierto en la mencionada ciudad de Concepción, en el que participaron la Real Audiencia, el Cabildo Municipal, el clero y el vecindario con el fin de designar abogado protector para aplacar las réplicas del terremoto que ya duraban cinco meses. Precisamente las Actas Capitulares se hacían eco sobre el procedimiento realizado, así como de la elección de la Virgen María en su advocación de la Natividad:

"Por tanto, habiéndonos ayuntado en público cabildo abierto que, para este efecto, se convocó en la iglesia mayor de esta ciudad, el 8 día del mes de julio de dicho año de 1570, (...) vecinos de esta ciudad; y otras muchas personas, vecinos y moradores de ella, (...) habiendo echado a la suerte, como de suso se ha referido; y cupo y cayó la suerte el día de la santísima natividad de Nuestra Señora Virjen María, señora y abogada nuestra; y se prometió de la hacer una ermita de esta advocación en la calle de la Loma, a donde se señaló el sitio y lugar para el dicho efecto; y se puso una cruz para principio de esta santa obra, la cual llevamos a poner en el dicho sitio con una solemne procesión, hasta tanto que el tiempo de lugar para poder edificar la dicha ermita[4]".

Otro ejemplo de ello corresponde a la designación de San Saturnino -mártir romano del siglo IV d. C.-, quien fue elegido como abogado de los terremotos en el año 1576 en Santiago. Para ello se tomaron los nombres de todos los santos y santas cuya festividad no se celebraba hasta ese año en esta capital, se escribieron en papeles y se depositaron dentro de una "ollita" de plata, con objeto de ser repartidos con posterioridad cada uno de ellos entre los miembros del Cabildo Municipal y de la Real Audiencia[5]; de este modo, el

---

[3] *Cartas de Pedro de Valdivia que tratan del Descubrimiento y Conquista de Chile.* Edición facsimilar dispuesta y anotada por José Toribio Medina. Santiago de Chile, Fondo Histórico y Bibliográfico J. T. Medina, 1963, pág. 219.

[4] Actas de un acuerdo celebrado el 8 de julio de 1570 por los vecinos de la Concepción, publicado por primera vez por Carvayo y Goyeneche en su *Historia de Chile*, Tomo 1, pág. 173 y reproducido por AMUNÁTEGUI, L., *El terremoto del 13 de mayo de 1647.* Santiago de Chile, Imprenta Cervantes, págs. 433-434.

[5] Informe del Promotor Fiscal del Obispado sobre las fiestas guardadas en Santiago (1712) en MEDINA, J. T., *Cosas de la Colonia.* Santiago de Chile, Imprenta Ercilla, 1889, pág. 229.

santo más representado en los mencionados papeles tomados por los participantes en el sorteo fue el seleccionado. Esta designación y posterior promesa de los participantes dio como resultado, en 1577, la construcción de una ermita bajo el patrocinio de San Saturnino en las afueras de las ciudad de Santiago.

En la época colonial, se entendía que los santos y vírgenes intervenían como mediadores ante Dios; no obstante, era evidente que no siempre podían detener los "castigos" enviados por la divinidad. De ahí la fama que alcanzaron las imágenes que fueron capaces de superar varias catástrofes naturales, especialmente terremotos. En el caso chileno las órdenes religiosas trataron de influir en las designaciones de abogados protectores presionando a los cabildos municipales con el fin de imponer las advocaciones de las vírgenes y santos que éstas poseían en sus iglesias conventuales, puesto que así podían conseguir una financiación de carácter extraordinario para el mantenimiento del culto y de los clérigos regulares. De esta forma, la orden religiosa que organizaba la procesión del intermediario celestial elegido recibía del Cabildo o de la ciudadanía la totalidad de los recursos necesarios para su celebración (cera, música, adornos del templo, etc.). Esta realidad creó frecuentes pugnas entre mercedarios, franciscanos y los miembros del Cabildo de la ciudad de Santiago.

En Chile, un país donde la geodinámica regional trae como consecuencia que la población y sus infraestructuras se vean amenazadas por desastres naturales como terremotos, maremotos, remociones en masa, sequías e inundaciones, ha existido históricamente una preocupación al respecto en la medida que estos procesos efectaban o no al modelo económico imperante. Tanto es así que el interés por las lluvias fue creciendo en el tiempo especialmente por la necesidad de disponer de agua como un recurso necesario, tanto para la subsistencia cotidiana de un país en continuo crecimiento como para una producción agrícola que tuvo un auge importante en el siglo XIX. Por lo tanto, los largos períodos de sequías o de lluvias torrenciales alteraron el desarrollo de las actividades del país. Como es de suponer, se eligieron también patronos para intentar influir favorablemente en los procesos meteorológicos. Por ejemplo, en el siglo XVI la ciudad de Santiago de Chile nombró a San Antonio como patrono de las inundaciones y protector de la peste, y se le dedicó el retablo del lado izquierdo de la Catedral de la Merced, al menos hasta mediados del siglo XVII. Consta en las Actas del Cabildo de esta misma ciudad que durante los primeros veinte años del siglo XVIII se vivieron años muy secos, en los que se realizaron rogativas públicas financiadas por los fondos propios del Cabildo a causa de la "esterilidad de las lluvias[6]". Lo mismo sucedió con la designación de San Isidro, patrono de las lluvias -indispensables en una agricultura que como la del Reino de Chile era principalmente de secano.

---

[6] Acta del 7 de julio de 1705 del Cabildo de Santiago de Chile en Vicuña Mackenna, B., *op.cit.*, pág. 46.

En 1717 se llegó a recurrir, incluso, a la mediación de San Saturnino, patrono protector de los terremotos, con el fin de que enviase lluvias. Al no dar resultado visible, en esta ocasión, la invocación al santo de los "temblores" y mantenerse la sequía, el Cabildo -en reunión del 6 de marzo de 1718- acordó que se realizara una novena en honor a Nuestra Señora del Socorro como medio para que esta advocación cumpliera con el deseo de los fieles:

"(...) atento a que la esterilidad que se está experimentando, es tal que padecerá esta ciudad gran escasez de mantenimientos este año, respecto de la falta de aguas que se ha notado, y que siendo patrona titulada de esta ciudad Nuestra Señora del Socorro, por cuya intercesión y patrocinio ha experimentado esta ciudad en muchas ocasiones el alivio de la común necesidad y escasez, en esta atención acordaron se costee de los propios una novena a Nuestra Señora en que concurra todo el cabildo, para que mediante este acto de devoción se recabe de dicha reina del cielo el remedio de la fatalidad que se espera en la esterilidad del año presente, para cuyo efecto, no habiendo especial embarazo, se señala el día lunes 9 del corriente".

ORIGEN DE LAS IMÁGENES PROTECTORAS

La mayoría de las imágenes relacionadas con la protección ante los desastres naturales fueron llevadas al Reino de Chile por los conquistadores españoles, y llegaron a ser objeto de culto a consecuencia de la donación realizada por éstos a las iglesias o, en su caso, gracias a adquisiciones efectuadas con cargo al Real Situado, al Cabildo o particulares. Destacan, por ejemplo, la imagen de la Virgen del Socorro, que fue transportada desde la Península por Pedro de Valdivia en 1536[7], así como la Virgen de la Merced que llevó en 1548 el padre Correa -fraile mercedario-. Esta última imagen de gran tamaño fue denominada por los habitantes de Santiago de Chile, a mediados del siglo XVII, como la Antigua. De la devoción que inspiraba esta advocación en los habitantes de Santiago es muestra lo expresado en el acta del Cabildo celebrado el 28 de abril de 1645:

"atento a la mucha devoción que todos tienen a la dicha imagen y a que todas las necesidades que esta ciudad ha tenido y en que la ha invocado, la ha socorrido y favorecido milagrosamente[8]".

---

[7] GAZULLA, P. *Los primeros Mercedarios en Chile 1535-1600*. Séptimo Centenario 1218-1918. Santiago de Chile, Imprenta y Litografía La Ilustración, 1918, pág. 240.
[8] CHCDRHN, Tomo 33, Santiago de Chile, 1914, pág. 28.

Por su parte, el cronista Miguel de Olivares también testimonia la devoción que todos los santiaguinos le profesaban por la fama que había obtenido como protectora de epidemias y sequías. Asimismo, los habitantes de esta ciudad creyeron observar que esta imagen poseía facultades para atajar los efectos de los seísmos tras comprobarse que la Virgen de la Merced resultó ilesa de los terremotos de 1647 y 1790.

En este contexto, desde Lima llegaron al Reino de Chile obras de la escuela Cuzqueña que imitaban modelos europeos. Se observa en estos años de vida colonial la herencia de la costumbre medieval del culto a las reliquias materiales, derivada de un verdadero horror a la descomposición del cuerpo terrenal; se entendía entonces el gran valor que se le atribuía a la incorruptibilidad de los cadáveres de algunos santos[9] o parte de ellos -éste es el caso del dedo de San Saturnino, protector contra los terremotos en la ciudad de Santiago-. Su reliquia que consistía en un dedo de su pie se guardaba en una cajita de plata y, según se creía, fue obsequiado a la ciudad de Santiago por el Obispo Romero. Era tradición que fuera besado el mencionado dedo por los participantes en la procesión que anualmente se celebraba en su ermita en la fecha de su festividad (29 de noviembre).

Existe un solo dato fehaciente de una imagen criolla venerada en Chile por la protección ante los desastres. Se trata del Cristo de la Agonía o "Señor de Mayo", que fue tallado por un padre agustino a principios del siglo XVII. Su fama como abogado de los terremotos comenzó después del seísmo del 13 de mayo de 1647, puesto que según el testimonio del obispo Villarroel esta imagen fue protagonista de un hecho prodigioso:

> "Estaba en el tabique que cerraba el arco, tan fácil de caer, que no tenía que obrar en él el temblor; y caía la nave toda, quedó fijo en sù cruz, sin que se lastimase el dosel. Halláronle con la corona de espinas en la garganta, como dando a entender que le lastimaba una tan severa sentencia; y nos prometimos para lo que quedaba su gran misericordia[10]". (Nadie ha intentado sacarle la corona del cuello, pues dice la leyenda que si se mueve, volverá a temblar).

Desde luego, estas conductas identificadas como respuesta a los fenómenos naturales corresponden a una repetición de los modelos practicados en la Europa Meridional del Antiguo Régimen.

---

[9] HUIZINGA, J., *El Otoño de la Edad Media*, p. 202. Madrid, Alianza Editorial, 1979.
[10] AMUNÁTEGUI, M.L., *op. cit.*, pág. 319,

INTERPRETACIÓN DE LOS DESASTRES NATURALES POR LA SOCIEDAD COLONIAL

Durante el período colonial se vivía constantemente con la idea de la llegada del fin del mundo, sin reconocer que los desastres naturales formaban parte de ciclos repetidos en la historia del territorio. Todo este ambiente de falta de conocimiento, unido a los sermones predicados desde los púlpitos de las iglesias, hicieron pensar a los habitantes que estos "designios sobrenaturales" correspondían al castigo divino enviado por sus faltas y pecados terrenales. Entre los múltiples ejemplos de ello, el cronista Miguel de Olivares[11] reseñaba que el Obispo de Concepción, don Francisco Antonio Escandón, después de suceder el terremoto del 8 de julio de 1730 utilizó la siguiente estrategia con sus fieles:

"movió á sus ovejas á contrición y lágrimas, ponderando como los pecados son la causa de que vengan semejantes castigos y de que Dios ejercite su justicia con los transgresores de sus divinos preceptos".

Otra forma de entender estos desastres naturales fue interpretarlos como avisos de la divinidad para que las personas se arrepintieran. Esto queda registrado, entre otros casos, en el terremoto del 17 de marzo de 1575 que afectó a la ciudad de Santiago:

"(...) Cesó desde á poco, dando gracias á Dios en general por la merced que les había hecho, entendiendo eran avisos que Dios les enviaba para enmienda de su vida[12]".

Con posterioridad, se registró una justificación similar en un Acta del Cabildo de Santiago del 19 de julio de 1730 que se hacía eco del terremoto del 8 de julio de ese año:

"(...) toda la ciudad ha experimentado el fatal golpe que la divina justicia por su gran piedad ha enviado y que por este motivo se halla totalmente arruinada la ciudad, la cárcel de ella y Real Audiencia y casa de Cabildo".

[11] OLIVARES, M., *Historia de la Compañía de Jesús (1593-1736)* Cap. XIII, pág. 218, en CHCDRHN, Tomo VII.

[12] GÓNGORA Y MARMOLEJO, A., *Historia de Chile,* en CHCDRHN, tomo II, Santiago de Chile, pág. 240.

ROGATIVAS, PROCESIONES Y REZOS PARA APLACAR LA IRA DE DIOS

Después de revisar la cronología de los desastres naturales en el Chile Colonial queda de manifiesto que un chileno medio tuvo que pasar durante su vida años de pesadumbre debido a estos acontecimientos, sin considerar los efectos que éstos causaron en la demografía y economía nacional. A la luz de estos sucesos la religiosidad colonial se vio fuertemente influida por un ambiente de rogativas, procesiones y rezos relacionados con la idea de aplacar la "ira de Dios" y, de este modo, reducir la intensidad y la frecuencia de los desastres naturales. Así se expresaba el Cabildo de Concepción el 8 de julio de 1570 a propósito del terremoto del 8 de febrero de este año:

"(...) y perseverando continuamente hasta el día de hoy, por espacio de más de cinco meses, el dicho terremoto y temblores, nos parecía que esta ciudad y república debe ser purificada con penitencia, limosna y oraciones, que es el modo con que la divina escritura, y la santa madre iglesia, nos enseñan a aplacar y prevenir el rostro riguroso del Señor, cuya infinita clemencia se deja solicitar de nuestros miserables obsequios y servicios, y solo pretende que se le expele la maldad, porque, en nosotros, halle disposición para reconciliarnos en su gracia y amor, (...) entendiendo de cuanta eficacia y virtud sea la oración de los justos, e intercesión de los santos para negociar con Dios, a cuya instancia, muchas veces, el Soberano Señor ha tendido su mano, y la ejecución de su justicia (...) y esperamos firmemente que será defendida, y la ira de Dios finalmente mitigada"[13].

Debe notarse que el padre Olivares aseveraba contra el dictamen del obispo Villarroel que el terremoto del 13 de mayo de 1647 fue un justo y merecido castigo por los pecados del vecindario de Santiago.

Lo ocurrido el mismo día del catastrófico terremoto del 13 de mayo de 1647 nos informa sobre lo internalizada que estaba en los habitantes de la ciudad de Santiago de Chile la fórmula de las procesiones y rogativas para aplacar las catástrofes. Llegaron poco después a la plaza, pasando antes por varias calles, dos solemnes procesiones. Una partió de San Francisco, y la otra, de San Agustín. Veamos la narración:

"Trajeron los padres de San Francisco, dice el señor Villarroel, la imagen de Nuestra Señora del Socorro (la que Pedro de Valdivia condujo consigo, y existe hasta ahora en el altar mayor del templo), que ha hecho en esta ciudad muchos milagros. Vinieron azotándose los relijiosos, y de ellos un lego haciendo actos de contrición con tanto espíritu,

---

[13] AMUNÁTEGUI, M.L., *op. cit.*, pág. 432.

y tan bien formado, que yo, como aprendiz en la escuela de la devoción, iba repitiendo lo que él decía. Movió mucho al pueblo este espectáculo; y aunque creció el arrepentimiento, no pudo descrecer el susto, porque temblaba la tierra a cada rato (...)".

"(...) tienen los padres de San Agustín, refiere el mismo señor Villarroel, un devotísimo crucifijo (al que se denomina ahora Señor de Mayo), fabricado por milagro, porque, sin ser ensamblador, le hizo ahora cuarenta años un santísimo relijiosos. Estaba en el tabique que cerraba el arco, tan fácil de caer, que no tenía que obrar en él el temblor; y caía la nave toda, quedó fijo en su cruz, sin que se lastimase el dosel. Halláronle con la corona de espinas en la garganta, como dando a entender que le lastimaba una tan severa sentencia; y nos prometimos para lo que quedaba su gran misericordia. Conmovido el pueblo con su antigua devoción, y este reciente milagro, le trajimos en procesión a la plaza, viniendo descalzos el obispo y los relijiosos, con grandes clamores, con muchas lágrimas, y universales jemidos[14]".

La idea generalizada de que estos fenómenos ocurrían por "conductas pecadoras", tanto de las autoridades como de la población, fue repetida durante todo el período colonial chileno. Por otra parte, al comparar lo ocurrido en Chile con otros territorios americanos detectamos la repetición de dicho pensamiento. A modo de ejemplo, lo anterior se expresa en las procesiones y duras penitencias practicadas durante la erupción del volcán Guainaputina (Perú) el 19 de febrero de 1600:

"(...) Y comenzaron a hacer algunas procesiones y a pedir a Dios misericordia, (...) y se hizo una procesión de sangre en la cual iban todos descalzos, así frailes como seglares, todos con reliquias en las manos porque cada uno tomaba aquello con que más devoción tenía. (...) tantas cadenas, tantos grillos, tantos hombres aspados, tantas penitencias y tan ásperas hubo en esta procesión cuanto jamás ha habido en el mundo[15]".

Para el caso de las sequías tenemos como muestra el convite en verso elaborado con el fin de sacar en procesión por la Plaza Mayor a Nuestra Señora del Rosario, el día 20 de junio de 1791, habiéndose hecho previamente una rogativa con misa y novena por las mañanas y misión y plática y sermón por la noche los días anteriores. Precisamente el texto es el que a continuación se transcribe:

[14] AMUNÁTEGUI, M.L., *op. cit.,* pág. 318-319.
[15] OCAÑA, D., *A través de la América del Sur*. Crónicas de América 33. Historia 16 pág. 207, Madrid, 1987.

"Convite en verso para la rogativa a Nuestra Señora del Rosario con motivo de la Sequía del año 1791.

> De las Aguas la Señora
> la Reina de Tierra y Cielo
> la que nos manda consuelo
> del mundo la Protectora
> del Rosario aquella Aurora
> a quien no hay mano que iguale
> para que mas se señale
> la llubia en nuestro provecho
> (como ya otra vez lo ha hecho)
> de su Trono a Plaza sale.
>
> Y en saludo del cristiano
> que al fin de su rogativa
> sale en procesión festiva
> ese asombro soverano:
> Asiste con cera en mano
> a acompañerle esta vez
> no enviar con esquivez
> tan necesaria salida
> que aquella os daria en la otra vida
> De su costo el interes".

Llovió el quinto día de la novena y la noche del 6 al 7 después de ocho meses en que se carecía de lluvias, y cayó nevada grande en la cordillera[16]".

Las grandes sequías del siglo XVII generaron en la población metropolitana la necesidad de realizar procesiones para combatirlas. Una de las sequías más intensas fue la iniciada en 1637, que llegó a su clímax en junio de 1640. Al respecto no se han encontrado descripciones de estas procesiones, pero de todas maneras la Virgen de la Merced ya había sido nombrada hacia fines del siglo XVI como protectora de la sequía.

GRANDES DESASTRES, GRANDES COMPROMISOS

Se aprecia una relación directamente proporcional entre la magnitud del desastre y la intensidad de las penitencias e importancia de los "ofrecimientos" a corto y largo plazo. Así sucedió con las procesiones realizadas anualmente en Santiago de Chile durante todo el período colonial como recuerdo del

---

[16] Archivo Nacional de Santiago de Chile (ANS), Fondo Varios. Vol. 331. Pieza 28.

catastrófico terremoto del 13 de mayo de 1647[17], para el que muchas personas dejaron legados   para el sostenimiento de esta conmemoración[18]. El Obispo de Santiago de Chile nos dejaba una relación de las acciones adoptadas por los supervivientes un día después de este terremoto:

> "Desde que amaneció el 14 de mayo, se dijeron sucesivamente gran cantidad de misas en el altar de la plaza, y se dio la comunión a una multitud de individuos de ambos sexos. Todos los que estaban enemistados se reconciliaron, y se pidieron mutuamente perdón. Los que vivían en relaciones ilícitas, y podían casarse, prometieron regularizar su situación, y realmente fueron efectuándolo así, a medida que las circunstancias se lo permitieron. Desde el 14 de mayo, hasta el 9 de junio siguiente, se verificaron más de doscientos matrimonios[19]".

En fin, la religión católica a través de las devociones y rogativas llenó un importante vacio en la sociedad colonial chilena en cuanto a la interpretación del origen de los procesos naturales. Por una parte, el mensaje de la Iglesia era que el desastre llegaba por los pecados cometidos, como si se tratase de un castigo divino o una advertencia para indicar que los fieles debían tener un cambio de actitud, aunque al mismo tiempo promovía las "novenas, rogativas, procesiones y penitencias" como una manera de volver a la normalidad habitual.

---

[17] El texto de la esquela del convite para la procesión del Señor de Mayo realizada en Santiago de Chile es el siguiente: "El Coronel de Milicias del Regimiento de Infantería del Rey, Don Domingo Díaz de Salcedo y Muñoz, Alcalde ordinario de 2° voto B. L. M. y suplica a Umd. le honre con su asistencia mañana martes 13 del corriente a las 4 de la tarde a alumbrar la Insignia del Señor de la Agonía, que en Procesión, o Rogativa saca de la Iglesia de San Agustín el Iltre. Cavildo conmemorando los años del Terremoto que padeció la ciudad; favor que tendrá presente". Biblioteca Nacional de Santiago de Chile, Sala Medina.

[18] "Catalina de los Ríos apellidada La Quintrala, quien, en un testamento otorgado el 15 de enero de 1665, fundó para este fin un censo, cuya renta ascendía a doscientos pesos anuales". AMUNÁTEGUI, M.L., *op. cit.*, pág. 449.

[19] AMUNÁTEGUI, M.L., *op. cit.*, págs. 320-321.

Catástrofes Naturales, Santos Protectores y Devociones Religiosas en la Nueva Granada. Siglos XVIII y XIX

Juan Carlos Jurado Jurado
Fundación Universitaria Luis Amigó, Colombia

> "Es dogma de fe católica que Dios produce todas las causas y efectos; y siendo efectos naturales los terremotos, truenos y tempestades, concurre Dios a su producción, como a otro cualquier efecto natural. Cuando se han de tener los terremotos y truenos por sobrenaturales, o causados por su singular providencia, pide un profundo estudio, y más allá de lo que parece." (Cevallos. Censura de las Cartas de Feijoo sobre terremotos).

FAMILIARIDAD CON UNA NATURALEZA INCONTROLABLE

La familiaridad con una naturaleza incontrolable en los siglos XVIII y XIX pudo suscitar en la población, mayoritariamente campesina en la Nueva Granada, un sentimiento de "fatalismo resignado", actitud que también era propia de sociedades agrarias y tradicionales europeas. Los azares y rigores del clima podían ocasionar pérdidas de cosechas, muertes masivas de ganados y animales domésticos y hambrunas colectivas; sucedían de forma periódica y trastocaban la vida de toda la comunidad, afectando con más fuerza a los pobres. Una situación de crisis de sobrevivencia se presentó en la provincia de Antioquía a principios del siglo XIX, según lo registra el historiador Álvaro Restrepo Eusse:

> "Desde mediados de 1807 comenzó a sentirse en la provincia el efecto de un prolongado verano o falta total de lluvias, por escasez de víveres para atender la ordinaria alimentación de sus habitantes; situación que se agravó considerablemente con el consiguiente verano de 1808, pro-

duciendo una calamidad de hambre cuya memoria con todos sus horrores se ha conservado con espanto. A pesar de los filantrópicos esfuerzos que hicieron las autoridades y los ciudadanos, no pudo obtenerse eficaz remedio hasta que se estableció el curso regular de las cosechas"[1].

Frente a estos hechos las autoridades de los cabildos determinaban un control más estricto sobre el comercio de los escasos víveres, para evitar que fueran vendidos por fuera de su jurisdicción y que se desencadenaran alzas exageradas de precios; también, estimularon la agricultura, la entrega de ayudas y limosnas para los más pobres, velaron con mayor celo el orden público y la mendicidad confiriendo permisos especiales para que la ejercieran los más afectados.

Además de estas medidas, sobresale el que estuviera estipulado como norma de acción de los cabildos, decretar y organizar las rogativas públicas en concierto con las autoridades eclesiásticas. Así lo estipulan por ejemplo, las ordenanzas dictadas para la ciudad de Antioquía y la Villa de Medellín a fines del siglo XVIII, por Juan Antonio Mon y Velarde, uno de los más destacados gobernantes borbónicos de la época. En ellas se dictaminaba que el Cabildo debía acordar las rogativas con el vicario, poniéndose de acuerdo para señalar el día y hacer la convocatoria entre los vecinos, "haciendo que todos concurran a pedir el socorro de la Magestad Divina, pues en esto hay poco esmero...", por lo demasiado frecuentes de las rogativas, o por la poca formalidad con que se celebraban.

LOS SANTOS Y EL DESTINO HUMANO

Tales calamidades hacían sentirse a los campesinos a merced de la naturaleza y generaban tensiones y pánicos colectivos, pues resultaba una experiencia terrorífica en esta época la posibilidad de morir repentinamente sin los auxilios sacramentales. Las epidemias de viruela y sarampión, así como las plagas de langostas u otros insectos, también significaron un temido desarreglo de la economía y la vida diaria. De igual forma catástrofes naturales como las inundaciones, largas temporadas de lluvia, vendavales, erupciones volcánicas, terremotos y deslizamientos de tierra y lodo, que podían arrasar con los cultivos y con poblados enteros. Era entonces cuando los sentimientos de precariedad de la vida material se experimentaban con más fuerza, y se recurría con afán a los poderes de la "Divina Magestad" por medio de rogativas, romerías o novenarios, dada la inoperancia de los remedios humanos.

---

[1] RESTREPO, EUSSE., Álvaro. *Historia de Antioquia (Departamento de Colombia) Desde la Conquista hasta año de 1900.* Medellín, Imprenta Oficial, 1903, pág. 99.

Escenas colectivas de terror y pánico, un tanto graciosas y pintorescas a veces, en donde se desencadenaban verdaderas oleadas de fervor religioso en medio del desorden general, componen las descripciones que hasta ahora se conservan sobre estos eventos de la naturaleza. José María Caballero narra de manera jocosa lo sucedido en medio de un temblor de tierra el 18 de noviembre de 1814, en Santafé:

"En esta misma noche tembló como a las diez y media, pero como a las once y cuarto fue más grande, por cuya causa se asustó y alborotó toda la gente, en términos que no quedó uno acostado; todos salieron a las calles y amanecieron en las puertas de las casas y tiendas y en las plazas, rezando a gritos por todas partes. La comunidad de San Francisco dio vueltas por la plazuela, cantando letanías, de suerte que en medio del susto daba gusto ver a todas las gentes por todas partes, porque unos rezaban el rosario, otros el trisagio, otros las letanías de la Virgen, otros las de los santos, unos cantaban el Santo Dios, otros la Divina Pastora, unos gritaban el Ave María, otros el Dulce Nombre de Jesús, unos lloraban, otros cantaban, otros gritaban, otros pedían misericordia y confesión a gritos. En particular, las de mayor alboroto eran las mujeres. Yo me reía a ratos de ver tanto movimiento, sin sino, como locos, pues ninguno sabía lo que hacía; y aun en aquellas personas doctas y de mayor civilización. ¡Válgame Dios, lo que es un susto repentino, y más si viene por la mano del Altísimo!"[2].

Actos de fe manifiestan la certidumbre de la gente en los poderes divinos para restablecer el curso regular de la naturaleza, y los poderes comunitarios de orden mágico-religioso para incidir sobre el mundo natural. Estas expresiones de "religiosidad popular" no fueron exclusivas de la época colonial, y continuaron durante el siglo XIX. Aún continúan con vigor en las sociedades de fines del siglo XX, a pesar de los avances de la ciencia y la tecnología y lo que ello implican en cuanto a un supuesto dominio sobre la naturaleza. Además, variaron de acuerdo con las preferencias de cada grupo social por el santo de su devoción, o de las localidades por su santo patrón, a los que se acudía para restablecer la normalidad de la vida social y natural.

Por ejemplo, los labradores de la Sabana de Bogotá tenían en la iglesia de Monserrate su "santo abogado", al que acudían para calmar la sequía y la falta de pastos. Mientras que en Popayán, hacia principios del siglo XIX, las religiosas de la Orden de la Encarnación, dirigían sus rogativas a una estatuilla del Divino Salvador, "...que se sacaba en procesión para implorar al cielo cambio de tiempo en épocas de lluvia o de sequías muy prolongadas." Pero según el comentario jocoso del Obispo de allí, "...sucede que cuando en la

---

[2] CABALLERO, José María, *Diario de la Patria Boba*. Bogotá, Editorial Incunables, 1986, págs. 165-166.

procesión se pide lluvia, empieza a calentar el sol y si se ruega porque venga el verano se desata tormenta de rayos y centellas"[3].

En el caso de la Villa de la Candelaria de Medellín, una serie de temblores de tierra y sus nefastas consecuencias, forzaron en el año de 1730 al cabildo a encomendar la localidad a San Francisco de Borja como patrono protector contra "temblores, borrascas y tempestades", y se comprometieron a celebrar su festividad anualmente y según lo establecido por la Iglesia Católica, cada 11 de octubre. Igual que en otras situaciones de este tipo, y según lo refieren los mismos cabildantes, se trataba de buscar un "intercesor" que abogara ante Dios a favor del vecindario, pues el único remedio que discurrían para finalizar aquellos persistentes males era aplacar la "ira divina" que los castigaba por sus pecados[4].

¿Qué valor de representación tenían los santos en la religiosidad popular? Lo religioso aparece íntimamente ligado al destino humano, en "situaciones límite" donde se concretaban y hacían evidentes la vida y la muerte, la enfermedad y la salud, el orden y el desorden social y del cosmos. El santo, hace las veces de "calmante higiénico" contra los temores y deseos de salvación. Como lo dijera Johan Huizinga, es un "seguro espiritual" frente a los temores naturales y sobrenaturales. El despliegue por parte de los creyentes de estrategias mágicas, de fervor, rituales y en general de culto a los santos, expresa un sentido de "religiosidad funcional"; esto es, una religión que se encuentra a su alcance para incidir en los asuntos más nimios de la vida cotidiana pero, también en los más esporádicos, maravillosos y aterradores.

LOS SANTOS, MEDIADORES ENTRE LOS HOMBRES Y DIOS

El historiador francés Michel Vovelle, ha llamado la atención sobre la figura del santo como instancia mediadora entre hombres y Dios, a la cual la "religión popular" asocia las solidaridades humanas[5]. Sin embargo, el santo como mediador amplía su abanico de significaciones en las mentalidades colectivas, y por los especiales poderes que se le atribuyen y sus efectos prácticos llega a ocupar y usurpar el lugar de Dios al que representa, pues las funciones que se le adjudican pasan a tener un gran contenido mágico. Así, el

---

[3] Son testimonios de John Potter Hamilton hacia 1824, en su viaje a la Nueva Granada como primer agregado diplomático de Inglaterra en el país. *Viajes por el interior de las provincias de Colombia*. Biblioteca V Centenario Colcultura. Viajeros por Colombia. Santafé de Bogotá, Editorial Presencia, 1993, págs. 179-180 y 267.

[4] Archivo Histórico de Medellín (AHM), *Actas del Cabildo*, t. 6, legajo 2, f. 263. Según las Actas del Cabildo, la fiesta de San Francisco de Borja se celebró con regularidad, por lo menos durante el siglo XVIII, así como la de la Virgen de la Candelaria, a pesar de que los santos patronos de la Villa eran inicialmente San José y San Juan.

[5] VOVELLE, Michel, *Ideologías y mentalidades*. Barcelona, Editorial Ariel, 1985, pág. 152.

santo es convertido por sus devotos en una especie de divinidad y en recurso indispensable para la vida.

Con el fin de evitar esta prolífica "religiosidad barroca" asociada a una especie de "politeísmo pragmático", las autoridades eclesiásticas velaban por el cumplimiento de la doctrina, que permitía tributar veneración a los santos, pero no adoración, que es la debida sólo a Dios. Al respecto las autoridades Borbónicas trataron con un sentido moderno, no de suprimir lo religioso sino de depurarlo de ciertas contaminaciones, promoviendo las celebraciones religiosas locales sin la suntuosidad, bullicio y festividad acostumbrada desde antaño.

LO POPULAR DE LA RELIGIOSIDAD

Eventos naturales nefastos para la agricultura como una plaga de langosta reforzaron la devoción hacia la Virgen de la Candelaria, la santa patrona de la Villa de Medellín. Así lo anotó el conservador Pedro Antonio Restrepo Escovar en su diario:

> "Mayo 19/1878: ...El padre Gómez convidó ayer para ir en peregrinación a Itaguí, llevando a Nuestra Señora de La Candelaria a decirle una misa allí y a matar langosta... Muy de mañana mandé a mis hijos... que se fueron adelante de mí a matar langosta; yo me fuí después"[6].

Este caso, como muchos otros que narran viajeros, escritores y cronistas de la Nueva Granada, donde se percibe la participación de personas cultas y "principales" de la Villa (como el educador, abogado, y dirigente político Pedro Antonio Restrepo) en romerías y procesiones junto a numerosos campesinos y parroquianos de la más baja extracción social, llevan a pensar que estas manifestaciones de religiosidad no eran tan "populares" como se cree. No parecen exclusivas de las "clases subalternas", pues las diferencias culturales entre éstas y las élites no parecían muy marcadas, aunque si fueran más visibles en lo económico.

Originarias de Europa, muchas devociones sobre las que será necesario investigar con mayor profundidad en los archivos municipales y parroquiales reconocieron a distintos santos atributos especiales para restablecer el comportamiento de la naturaleza o para escapar a sus inclemencias. La protección de San Cristóbal fue invocada contra las inundaciones, principalmente, y San Sebastián tuvo gran fama desde Europa como protector contra las pestes. San Emigdio, San Feliciano y San Nicolás, entre muchos otros, cuyas referencias abundan en los diarios y crónicas como la de José María Caballero de princi-

---

[6] RESTREPO, Jorge, *Retrato de un Patriarca Antioqueño. Pedro Antonio Restrepo Escovar. 1815-1899*. Santafé de Bogotá, Banco de la República, 1992, pág. 329.

pios del siglo XIX, fueron bastante populares en el centro-oriente de la Nueva Granada.

Por encima de las diferencias en las devociones locales, Santa Bárbara tuvo y aún goza de gran popularidad por el poder que se le adjudicaba para apaciguar y poner fin a los desastres naturales, y en especial contra las tormentas. Al parecer, la santa ocupaba un lugar digno en la religiosidad de la sociedad granadina, según lo refiere John Potter Hamilton, hacia 1825. En su memoria de viaje dice, que después de ausentarse por un año de Bogotá:

> "Supimos que durante nuestra ausencia casi no había llovido en Bogotá, y al finalizar enero, vimos desfilar la gran procesión de Santa Bárbara, pidiendo su intercesión para conseguir la lluvia que tanta falta hacía. Más, al parecer, la santa era dura de corazón e inconmovible a las súplicas, pues durante todo este tiempo no cayó una sola gota de agua. Santa Bárbara es la santa que imploran los colombianos para alejar terremotos, pestes, hambres, etc..."[7].

Todavía al finalizar el siglo XX, la Virgen de Chiquinquirá, de proyección nacional como la de El Carmen, despierta gran devoción popular en Colombia. Durante el siglo pasado fue invocada con insistencia en la Capital de la República contra las pestes. De similar estatuto gozaron la Virgen de los Dolores, abogada contra pestes y catástrofes, y Nuestra Señora de la Salud, entre muchas otras advocaciones como la del Divino Niño.

Atributos y plástica individual de los santos. A los santos se les adjudican variados y sofisticados atributos, que se derivan de la historia particular de cada uno, manifiesta en una "personalidad plástica individual" a diferencia de los ángeles que carecen de personalidad, excepto los tres arcángeles Miguel, Rafael y Gabriel. La figura del santo tenía pues su carácter individual, gracias a su imagen fija y definida, que puede ser consultada ante una necesidad específica por parte del devoto. Imagen y santo están, pues, asociadas por doquier y no se comprende la una sin la otra. Con frecuencia los atributos y especialización del santo responden a una parte legendaria de su historia personal. La comparación entre el ataque de la peste y la de las flechas que se abaten de improviso sobre las víctimas tuvo por resultado la promoción de San Sebastián entre la piedad popular medieval, quien había muerto acribillado a flechazos.

En este punto de la exposición y para el futuro avance de la investigación, sería necesario profundizar el análisis sobre la producción pictórica y escultórica de los exvotos, y de las formas de apropiación cultural que rigieron para su producción artística y en la propagación de las diversas advocaciones. La historia del arte colonial y republicano, la de ciertos gremios de

---

[7] POTTER HAMILTON, John. *op. cit.*, pág. 358.

artesanos (pintores, doradores, escultores, etc.), así como el examen de documentación testamental y de la literatura regional por sólo mencionar algunas, indican la gran profusión que alcanzaba el consumo de imágenes santorales en las localidades de la Nueva Granada, ya fuera para los espacios domésticos o públicos, por medio de novenas, cuadros, murales, carteles, ilustraciones impresas, reproducciones fotográficas, estampas, escapularios y medallas de uso diario y personal.

RITOS AGRARIOS

En contraste con las situaciones catastróficas en que se invocaba a Santa Bárbara, los labradores y campesinos de la Nueva Granada tenían en San Isidro Labrador la personificación de su labor y la abundancia de la tierra que prodiga la vida con los alimentos. Unas animadas y emotivas celebraciones dedicadas al santo, en tiempos de cosechas y para iniciar los mercados agrícolas, presenció Manuel Ancízar en la población de Charalá hacia 1850[8]. Esta festividad como la de la "Cruz de Mayo", que todavía se celebra con vivacidad en los campos colombianos el tres de mayo, hacen pensar en los arcaicos "ritos agrarios" y "cultos de fertilidad", que ha identificado el historiador de las religiones Mircea Elíade en varias sociedades occidentales y que expresan, en parte, el mito de la regeneración del cosmos y del mejoramiento del bienestar colectivo, ligado a la celebración de la primavera.

USO POLÍTICO DE LAS CATÁSTROFES

Algunos eventos naturales pudieron tener efectos nefastos, por igual, para toda la población de una localidad. Sin embargo, algunos de ellos no siempre fueron interpretados de la misma manera por los diversos grupos sociales, lo cual significa que se incorporaron de manera diferente al imaginario social. Resultado de ello fue el uso político de que fueron objeto las epidemias de viruela posteriores a la sublevación de los Comuneros de 1781. Las jerarquías eclesiásticas aprovecharon esta coyuntura para predicar que se trataba de un castigo celestial por la impía sublevación contra el gobierno real. En medio de las guerras de Independencia de España también se presentaron este tipo de interpretaciones por parte de los "realistas", buscando culpabilizar a los "patriotas" de los males de la guerra y mermar su furor bélico.

[8] ANCÍZAR, Manuel, *Peregrinación de Alpha*. Bogotá, Biblioteca Popular de Cultura Colombiana, Vol. II, editorial ABC, 1942, págs. 213-216.

CONSIDERACIÓN FINAL

La investigación más profunda de muchos de los temas que en esta exposición apenas se sugieren es una invitación, a la que en primer término se siente obligado de participar el autor. Para desentrañar las ricas facetas de los fenómenos religiosos de nuestro país, que antes que desaparecer frente a un mundo racionalizado o someterse a una supuesta evolución, que iría desde lo tradicional a lo secularizado y moderno, conservan todavía una presencia persistente en nuestra sociedad. Ciertas mentalidades y tradiciones (la significación divina y maravillosa de la naturaleza, por ejemplo) tienen una capacidad de permanencia mayor de la que las sociedades modernas de cara al siglo XXI han considerado. Precisamente cuando parece comprenderse a cabalidad que las catástrofes "naturales" no lo son tanto por la forma como se ha relacionado la sociedad occidental con sus entornos naturales.

Costumbres y Tradiciones de Origen Colonial en la Zona Central de Chile

Mauricio Jara Fernández
Antonio Rodríguez Canessa
Universidad de Playa Ancha
Valparaíso, Chile

La presente comunicación tiene por objeto contribuir en este Primer Encuentro Iberoamericano de Religiosidad y Costumbres Populares con una modesta explicación acerca del valor histórico que tiene la zona central de Chile en las costumbres, tradiciones y en una de las principales figuras de representación nacional: el huaso.

En un sentido general la expresión zona central quiere decir que es aquella parte del territorio que no es el norte ni tampoco el sur del país. Un inmenso espacio geográfico que en rigor se ubica al interior de los denominados valles transversales por el norte y el río Bio-Bío por el sur.

Como se puede apreciar, se trataría de una macroregión integrada a lo largo y a lo ancho por cordilleras –la de Los Andes y la de la Costa-, por precordilleras, por numerosos y bien constituidos valles y por planicies costeras dotadas de amplias bahías en el océano Pacífico[1].

Una zona geográfica que sobre cualquier consideración de carácter puramente física -que por cierto es muy relevante– ha tenido para Chile un importante significado histórico por ser el ambiente natural originario de las primeras manifestaciones culturales de la nación chilena. En otras palabras, la zona central es un área en donde se formaron los valores y estereotipos fundamentales del sujeto popular que habitaba los campos y las ciudades coloniales.

---

[1] Véase: CERECEDA, Pilar y ERRÁZURIZ, Ana María, *Ecogeografía. Nueva Geografía de Chile,* Santiago, Editorial Zig-Zag, 1991 y GARCÍA VIDAL, Hernán, *Chile Esencia y Evolución*, Santiago, Instituto de Estudios Regionales de la Universidad de Chile, 1982.

Por otra parte, la zona central también debe ser entendida como aquel espacio posibilitador de un desenvolvimiento económico y en donde se fueron moldeando las características sociales y definiendo ciertas usanzas y modos de vida que más tarde y de manera natural se hicieron propias y adquirieron significado dentro del conjunto social. Manifestaciones que al internalizarse en la población y ser retroalimentadas por la sociedad se transformaron en elementos de pertenencia común y de vinculación con el pasado: las tradiciones.

En este contexto, se debería entender el desarrollo de algunas festividades populares que teniendo un origen en el campo se extendieron a la ciudad y desde estas dos dimensiones sociales comenzaron a ser interpretadas como imágenes de chilenidad. A este respecto, las de mayor trascendencia nacional han sido aquellas que siendo en esencia una competencia de habilidades o destrezas personales congregaban y siguen congregando a un buen número de asistentes tales como el rodeo, las carreras de caballo, la rayuela o el tejo, el palo encebado, las carreras en saco, etc.[2].

Junto a estas actividades surgidas en la época colonial y en el marco de la zona central, también se fueron asimilando otras manifestaciones de enorme proyección como la adopción del baile español de la jota y la concepción y ejecución de un baile propio como la cueca, por el cual un huaso busca la conquista sentimental de una *china* o mujer típica de campo, la cual trata coquetamente de huir hasta que finalmente termina por admitir ser cortejada; en otro plano, y paralelamente, también se hizo común el consumo de licores y bebidas alcohólicas como la místela, el rompón y licores españoles en recintos cerrados y la *chicha* de manzana y uva en las celebraciones al aire libre o con motivo de otras festividades, haciéndole competencia a los vinos. Complemento de todo esto fueron los juegos de adivinanzas, proverbios, naipes y los cantos de declamaciones de poesía, las cuales adornaban gratamente los salones y contribuían generosamente a pasar el tiempo[3].

<hr/>

[2] Véase: PEREIRA SALAS, Eugenio, *Juegos y Alegrías Coloniales en Chile*, Santiago, Editorial Zig-Zag, 1947.

[3] Véase: DÖLZ- BLACKBURN, Inés, *Origen yDesarrollo de la Poesía Tradicional y Popular Chilena desde la Conquista hasta el Presente*, Santiago, Editorial Nascimento, 1984; POLICZER BOISIER, Catalina y SALOMONTE, Alicia, *Los Alumbrados en Chile: Religiosidad y Cultura Popular entre los siglos XVII y XVIII*, en: *Contribuciones Científicas y Tecnológicas*, Universidad de Santiago de Chile, año XXV, n° 114, Santiago, noviembre 1996, págs. 103-116 y; GÓNGORA DEL CAMPO, Mario, *Origen de los Inquilinos de Chile Central*, Santiago, ICIRA, 1974.

EL HUASO: PERSONAJE TÍPICO

Con el arribo del siglo XVII finalizó en Chile el llamado "orden de conquista" en el que prevaleció el interés de los conquistadores por dominar la región de Arauco, donde se localizaba la mayor concentración demográfica aborigen y donde se encontraban los principales recursos auríferos del territorio. La gran rebelión mapuche que se inició en 1598 y que se conoce con el nombre de la "sublevación de Curalaba" marcó el surgimiento de una nueva etapa en la vida histórica chilena, obligando a la población hispana e hispanizada a abandonar la mayor parte de los territorios ubicados al sur del Bío-Bío para reubicarse diseminadamente en la extensa zona central particularmente en su valle central o longitudinal, entre los ríos Aconcagua y Bío-Bío.

En este escenario geográfico, semi inexplotado, el asentamiento de la población adscrita al mundo cultural hispano dio paso a nuevas formas de organización social y económicas, marcadas por el desarrollo de la gran propiedad agroganadera conocida como "estancia chilena", que no fue otra cosa que la formación de grandes latifundios, cuya constitución propietaria y territorial ya distaba bastante de la adjudicación graciosa de tierras, realizada en los primeros años de la conquista bajo la denominación de merced de tierras.

El valle central de Chile, una extensa y rica llanura, dotada de un clima templado-mediterráneo, encerrada por el Este por el macizo andino y por el Oeste por la Cordillera de la Costa, dio lugar a la formación de una sociedad originaria marcada por la preeminencia de una aristocracia de la tierra de origen hispano y por un numeroso y hasta cierto punto informe sector social de preeminencia mestizo.

La ganadería bovina fue la actividad económica predominante durante todo el siglo XVII y parte del XVIII, debido principalmente a que el país no reunía las condiciones climáticas para una explotación de cultivos tropicales y por carecer de mercados relevantes para la producción agrícola mediterránea.

A lo largo del siglo XVII el incremento de las demandas de cebo, cueros y otros productos relacionados con la actividad pecuaria, favorecieron el surgimiento de un trabajador estrechamente ligado a la conducción y selección del ganado, un hombre "de a caballo", cuya denominación fue la de "huaso" o jinete de los campos chilenos.

El origen de este personaje popular habría que buscarlo en el profuso mestizaje biológico y cultural que hubo en la marcada singularidad chilena dentro del contexto iberoamericano. En Chile, a diferencia de lo que ocurrió en México, Paraguay o Perú, no existió una obra misional que preservara la segregación indígena. Los indios en su mayoría pacíficos se ubicaron en asientos mineros, en las estancias y luego en las haciendas, lo que favoreció su mestizaje. Culturalmente el aborigen chileno fue asimilado, absorbido dentro de los marcos culturales hispanos. Esto hizo que en todas las categorías sociales chilenas se advirtiera, tempranamente, la presencia de rasgos comunes y el uso generalizado del poncho y el andar a caballo; dos elementos esenciales en la vida del huaso.

Para el destacado cronista español del siglo XVIII Vicente Carvallo y Goyeneche la temprana homogeneidad cultural chilena era tan palpable a simple vista, que incluso afirmó:

"En Chile de un mismo modo viste el noble que el plebeyo, y al que estos tiene dinero se aclara la más rica tela de que usan los más autorizados, sin que se haga respetable, porque jamás se estableció distinción entre jerarquías en el vestuario"[4].

Será precisamente en el siglo XVIII cuando la figura del huaso alcance una completa y definida fisonomía social, muy similar a la que todavía hoy podemos encontrar en los campos chilenos.

Para los estudiosos de la cultura popular chilena, el huaso chileno reúne la herencia cultural renacentista y la morisca española. Ambos elementos se aprecian en la utilización de "orlas", "pespuentes", "guarniciones," y en el empleo de arabescos y la silla jineta. Por otro lado, y dado su carácter mestizo, conserva del indígena su rudeza primitiva, "el chivateo", grito salvaje que se emplea con cualquier motivo y en riñas o jolgorios.

Pese a la variedad de sus aportes, se trata de un personaje popular nacionalizado, surgido de la insularidad geográfica y de la homogeneidad cultural chilena. Será en este medio físico donde el huaso establezca su relación con el caballo chileno. Por sus profundas raíces este vinculo ha sido percibido con cierto carácter místico. La admiración del huaso por su caballo es total; actitud que se observa tanto en las faenas diarias de la vida campestre como en el cuidado de la cabalgadura y en el aprendizaje de la equitación.

El carácter esencialmente conservador del huaso contrasta con otras tipologías humanas que aparecen a lo largo de la geografía chilena entre los siglos XIX y XX. El cateador minero, personaje del norte, tenía inclinaciones políticas, intelectuales y especulativas. Al sur del río Bío-Bío, en la región de la Frontera, han predominado otros personajes fascinantes, inclinados más hacia la aventura y el comercio, caracterizándose por su resistencia natural hacia los cánones tradicionales de conducta.

Desde fines del siglo XIX y comienzos del XX la figura del huaso se folclorizó, emergiendo como un arquetipo nacional. Desde las esferas urbanas se le percibió como un emblema de chilenidad frente a la extranjerización y posteriormente a la europeización que asumieron las élites chilenas durante el apogeo del liberalismo. Desde esa época, los rasgos esenciales que se le han atribuido al huaso chileno son:

"Honor, respeto, calma y dedicación"[5].

[4] CARVALLO y GOYENECHE V., *Descripción Histórico Geográfico del Reino de Chile*, Santiago. Colección de Historiadores de Chile, T. VII, pág. 22.

[5] KELLER, C., "Cateadores, Huasos y Chilotes en Chile", T*ierra y Destino*. Compilación de Francisco Méndez. Santiago. Editorial Exit, pág. 88.

El huaso, como hombre típico del mundo rural, ha sido a menudo comparado con otras tipologías humanas del Cono Sur Americano, particularmente nos referimos al gaucho argentino y al gaucho brasileño, siendo la relación con el primero la más cercana. Para Charles Darwin, el huaso aparece como un hombre más civilizado que el gaucho puesto que ha perdido el carácter individual de éste. En cuanto a sus hábitos y costumbres también deja entrever algunas diferencias:

> "El gaucho en toda circunstancia es un gentleman; el guaso (sic) preferible bajo algunos aspectos, jamás deja de ser un hombre trabajador, pero vulgar"[6].

En otros aspectos como la vestimenta y hábitos de vida las diferencias tienden a atenuarse:

> "El gaucho parece no formar sino un solo cuerpo con su caballo, y se avergonzaría de ocuparse en cualquier cosa, en la que su cabalgadura no tomase parte; al guaso (sic) puede contratársele para trabajar los campos. El primero se alimenta exclusivamente de carne; el segundo casi por completo de legumbres. Ya no se encuentran aquí en Chile las botas blancas, los amplios pantalones, el chiripá escarlata, que constituye el pintoresco traje de las pampas; en Chile se usan polainas de lana verde o negra para proteger los pantalones corrientes. Sin embargo, el poncho es común en los dos países. El guaso (sic) pone todo su orgullo en las espuelas, que son exageradamente grandes. He tenido ocasión de ver espuelas cuya estrella tenía 6 pulgadas de diámetro y estaba provista de treinta puntas. Los estribos alcanzan proporciones parecidas; cada uno de ellos consiste en un tarugo cuadrado de madera, vaciado y esculpido, que pesa, por los menos, de tres a cuatro libras. El guaso (sic) se sirve del lazo quizá mejor aun que el gaucho, pero la naturaleza de su país es tal que no conoce las boleadoras"[7].

Pese a que la figura del huaso ha sido utilizada en la fijación de una identidad cultural propia, no podemos desconocer que el personaje encierra sobre sí una serie de características que nos dan cuenta de la idiosincrasia nacional: sobriedad y estoicismo, sentido práctico y realista, respeto al derecho y la libertad, hospitalidad y virtudes domésticas, receptividad a lo extranjero, unitarismo y patriotismo, etc.

[6] BARR MELEJ, P., "Ideologismo Rural e Identidad Nacional. Imágenes del Campo en las esferas Urbanas del Cono Sur en el siglo XX". *Boletín de Historia y Geografía*, N° 13 (1997), Santiago, Universidad Blas Cañas, pág. 110.
[7] DARWIN, Charles, *Viaje de una Naturalista Alrededor del Mundo*. Buenos Aires, El Ateneo, 1951, pág. 33

Finalmente, para el chileno Hernán Godoy Urzúa en la cultura popular chilena, hay un doble raigambre: el pueblo español y el pueblo aborigen; a ellos se unirá más tarde el aporte valioso de los grupos de inmigrantes.

En relación al componente hispano, Godoy ha señalado que:

"Para afirmar su propia personalidad, Chile no ha necesitado, como otros países americanos, desconocer su filiación étnica y cultural. Por el contrario, la conciencia de sus raíces históricas siempre le ha hecho reconocer su filiación con España, que la hermana con todos los pueblos hispanoamericanos"[8].

---

[8] GODOY URZÚA, H., *El Carácter Chileno*, Santiago. Editorial Universitaria, 1991, pág. 521.

El mundo de las Romerías en la ciudad de Dos Hermanas y su influencia en la configuración de la Sociedad Nazarena

Germán Calderón Alonso
Instituto Santo Domingo de Guzmán.
El Puerto de Santa María.

I. INTRODUCCIÓN

Dentro del mundo festivo y religioso de la ciudad de Dos Hermanas, perteneciente a la archidiócesis y provincia de Sevilla, destaca especialmente un acontecimiento que tiene lugar el tercer domingo de octubre: la romería al santuario de Ntra. Sra. de Valme en el cortijo de Cuarto. Es indudable que se trata de una de las grandes romerías andaluzas, cuya fama ha sobrepasado los estrictos límites locales y que ha contribuido junto con otros factores -la calidad de su suelo, la hoy muy mermada industria aceitunera, la expansión del sector secundario por todo el término municipal...- a cimentar la fama y prestigio de Dos Hermanas. No obstante, no se trata del único acontecimiento de este tipo que tiene lugar en su término ni al único que acuden gran número de nazarenos[1].

La tradición romera de la ciudad es muy antigua y no sólo se centra en la romería de Valme. Desde la primitiva y casi desconocida hermandad de Ntra. Sra. de Consolación que en los siglos XVII y XVIII acudía el 8 de septiembre, fiesta de la Natividad de la Virgen, a la famosa romería de la patrona de Utrera hasta la relativamente moderna hermandad de Ntra. Sra. del Rocío, se desarrolla la larga tradición de la localidad en este aspecto. Habría que

---

[1] Tenemos que recordar que el gentilicio de los habitantes de Dos Hermanas es nazareno, en recuerdo del apellidos de los míticos fundadores de la población: Gonzalo, Elvira y Estefanía Nazareno. Del mismo modo, la población tomó el nombre de Dos Hermanas también de las dos hermanas fundadoras.

sumarle las peregrinaciones caminando a los mismos santuarios de Valme, Consolación o el Rocío, la asistencia el 15 de agosto a la procesión de Ntra. Sra. de los Reyes, patrona de Sevilla y su archidiócesis, o las romerías de Ntra. Sra. de los Ángeles de Montequinto o San Isidro Labrador de Los Palacios, de una forma u otra relacionadas con Dos Hermanas. En definitiva, la afición a las romerías de los nazarenos es muy antigua y consolidada, todavía más que la de otras poblaciones del entorno.

Esta comunicación intentará explicar brevemente las causas de este fenómeno basándose en razones puramente religiosas, sociológicas, económicas incluso. Y lo haremos dedicando un capítulo especial a cada una de las devociones que concitan a su alrededor fenómenos que podemos calificar como romerías. Al final intentaremos ofrecer unas conclusiones básicas sobre este asunto.

II. LA ROMERÍA DE NTRA. SRA. DE VALME

Se trata, claro está, de la romería por antonomasia de Dos Hermanas. Se basa en unos antecedentes históricos muy precisos. En sus orígenes tenía como objeto acudir a la ermita del cortijo de Cuarto, donde la Virgen permanecía permanentemente, siendo llevada al pueblo con motivo de desgracias[2]. La fiesta de la Virgen tenía lugar, según Alonso Morgado, el 15 de agosto, día de la Asunción de Ntra. Sra. A las visitas de los vecinos en jornada tan señalada se les pueden considerar las primeras romerías. Pero el mismo clérigo nos cuenta que debido a los numerosos trabajos del campo durante el verano y a los calores excesivos no eran muchos los que acudían a la celebración en honor de la imagen en un día tan importante. Por ello, nos dice que se cambió su festividad a la Pascua de Pentecostés; día en que la Iglesia celebra la Venida del Espíritu Santo sobre María y los Apóstoles. La función y procesión de la imagen tenía lugar el segundo día de Pentecostés; es decir, el Lunes, pues hay que recordar que esta importante fiesta se repartía en tres días, domingo, lunes y martes[3]. Ya se puede hablar propiamente de una romería, la cual, por otro lado, se encuentra perfectamente documentada en el Archivo de la Parroquia Mayor de Santa María Magdalena de Dos Hermanas y en el General

---

[2] *Vid.* MORGADO, José Alonso: *Ntra. Sra.de Valme. Reseña histórico-descriptiva de esta sagrada imagen.* Cap. X. "El Consuelo de Dos Hermanas". Sevilla, 1897 y CALDERÓN ALONSO, Germán: "Unas ordenanzas de Buen Gobierno en la Dos Hermanas de 1794". En *Feria de Dos Hermanas 1992.* Excmo. Ayuntamiento de Dos Hermanas, 1992, págs. 22-25.

[3] *Vid.* MORGADO, José Alonso: *Op. cit.* Cap. IX. "La Fiesta de la Virgen". págs. 77-89. En él relata minuciosamente la romería de la Virgen tanto en la Asunción como en Pentecostés. Cabría preguntarse, por otro lado, si son ciertos los datos que aporta. Mientras tendremos que conformarnos con ellos.

del Arzobispado de Sevilla[4]. Se sabe por Morgado que los nazarenos y vecinos de otros pueblos asistían al santuario ya el domingo, día en que se rezaban las vísperas, costumbre antes muy extendida. El lunes por la mañana comenzaba con la misa solemne acompañada de sermón. Tras su celebración transcurría un día de diversión y baile, en el que destacaba el uso de la guitarra y los palillos y por la tarde salía en procesión la Virgen. Aparte de la que podríamos denominar la fiesta grande, se cantaban cuatro misas en los días de la Asunción, Natividad de María, Purísima Concepción y Anunciación de la Señora y una más en honor del rey Fernando III el Santo, canonizado en 1671 por el papa Clemente X. Pero esta primitiva romería desapareció. La causa fue el traslado de la imagen al pueblo a principios del s. XIX. Según recoge Fernán Caballero no le había sido dado conocer con qué motivo la Virgen había sido trasladada al pueblo definitivamente a principios del s. XIX. Según contaban sus vecinos había sido llevada con motivo de una epidemia llamada la grande que tuvo lugar en 1800. Otros decían que volvió luego a su santuario hasta 1802 que fue traída definitivamente a la villa. D. José Alonso Morgado, más concreto, señala que 1802 fue año de grandes lluvias que asolaron los campos. Hugo Santos, por su parte, ha descubierto un documento en el Archivo General del Arzobispado de Sevilla donde se alude al traslado de 1800, siendo cura párroco D. Diego Delgado[5]. Lo cierto es que la Virgen permaneció en la villa mientras se arruinaba su santuario.

Pero entran en la historia los Duques de Montpensier, D. Antonio María de Orleáns y Dª Luisa Fernanda de Borbón, que a instancias de Fernán Caballero restauran el pendón de San Fernando -supuesto pendón según algunos- que se guardaba en la Parroquia de Santa María Magdalena y la Ermita de Santa María de Valme en Cuarto. El Duque, mostrando esta vez una preocupación por las Artes y la Religión que contrastaba con su desmedidas ansias de ser rey y, por consiguiente, sus no disimuladas ganas de destronar a su hermana política Isabel II, el 1 de mayo de 1857 entregó el estandarte a la villa de Dos Hermanas, tras una función a la Virgen. Pero llegó a más su preocupación por la imagen, pues concibió restaurar el santuario. La obra se hizo entre junio de 1859 y el último de septiembre del mismo año, siendo bende-

[4] *Vid.* CALDERÓN ALONSO, Germán: *Apuntes histórico-artísticos sobre cuatro templos nazarenos y evolución de las devociones en Dos Hermanas.* Excmo. Ayuntamiento de Dos Hermanas, págs. 127-140 y Archivo Parroquial de Santa María Magdalena de Dos Hermanas. Sección Registros Sacramentales. Libro de Defunciones 84/13 1744-1774. Fols. 17, 21, 56, 89, 101 vto., 111, 156, 187 vto. y 202 vto.

[5] *Vid.* BÖHL DE FABER, Cecilia: *Noticias del origen de la Capilla real de la Virgen de Valme y de su restauración por los duques de Montpensier.* Publicado a expensas de los Serenísimos Infantes Duques de Montpensier. Sevilla, 1859, pág. 17; MORGADO, José Alonso: *Op. cit.* págs. 90-104 y SANTOS GIL, Hugo: "La Hermandad y Ermita de la Virgen de Valme en los siglos XVII y XVIII". En *Feria de Dos Hermanas 1999*, pág. 179 y Archivo General del Arzobispado de Sevilla. Sección III. Justicia. Serie III. Pleitos civiles u ordinarios. 1.6. Hermandades y Cofradías. Legajo 131.

cida por el cardenal-arzobispo de Sevilla D. Manuel Joaquín Tarancón y Morón (1857-1862) el 8 de octubre, siendo trasladada la imagen el día 9. Hasta este momento ya tenemos la imagen de nuevo en su santuario. Según Morgado, con motivo de los sucesos de la Revolución de 1868, que dió al traste con el trono de Isabel II la efigie fue trasladada definitivamente a Dos Hermanas. No fue así, pues recientemente hemos descubierto un nuevo documento en el que en 1869 se hablaba de otro traslado que suscitó conflictos entre el alcalde D. Julián Martínez Rubio, el párroco, que era el muy conflictivo D. Francisco Álvarez García y el capellán D. José Ruiz, a la vez beneficiado de la catedral[6].

Según también Morgado, la fiesta de la Virgen en el pueblo se trasladó en 1869 al 24 de junio, día de la Natividad del Bautista. La verdad es que por mucha relación que posea San Juan con su primo y Santa Isabel y Zacarías con la Virgen y San José no acabamos de ver clara esta relación[7].

Pero es hora ya de llegar a la nueva romería que se establece el año 1894 con el fin de que la Virgen pase un día al año, el tercer domingo de octubre, en su ermita. Y me gustaría para acabar este apartado centrarme en algunos aspectos de ella:

1) Por una parte, hay que afirmar que es la festividad en que los nazarenos demuestran de manera más palpable la devoción a su protectora y patrona de su corporación municipal. A ella preceden el traslado de la imagen desde la Capilla del Sagrario -antigua de San Francisco de Paula- donde se venera en Santa María Magdalena hasta su altar de cultos del presbiterio, sabatina, función principal, pregón, inadecuado quinario, besamanos, rosario de vísperas y nueva sabatina. Hemos lamentado en muchas ocasiones la desaparición del viejo y magnífico rosario de gala vespertino, tan esplendoroso y devoto que llenaba las calles de Dos Hermanas en las tardes del tercer sábado de octubre. Ya hemos dicho, por otro lado, que a la Virgen se le dedica un absurdo quinario, ejercicio que se debe dirigir a las Cinco Llagas de Jesús y no a su Madre, aunque en Alcalá de Guadaira la Hermandad de Ntra. Sra. del Dulce Nombre de la Parroquia de San Sebastián curiosamente lo dirige a las cinco letras del dulce nombre de María. Lo natural sería restaurar la novena o el triduo y lo difícil conjugar uno de los dos ejercicios con la apretada distribución de los cultos de la Parroquia de Santa María Magdalena. También hay que referirse al besamanos, acto de gran trascendencia en la ciudad en la que todo el mundo acude a besar a la efigie, dando una gran muestra de fervor.

---

[6] MORGADO, José Alonso: *Op. cit.* Caps. XI, XII y XIII, págs. 105-135; CALDERÓN ALONSO, Germán: "El traslado de la Virgen de Valme a la Parroquia de Santa María Magdalena en 1869". En *Feria de Dos Hermanas 1998*.

Excmo. Ayuntamiento de Dos Hermanas, 1998. págs. 44-49 y A.G.A.S. Sección II. Gobierno. Serie II. 1. Asuntos Despachados. Legajo 316.

[7] *Vid*. MORGADO, José Alonso: *Op. cit.* pág. 122.

2) Por otro lado, la romería actúa como microcosmos que refleja el macrocosmos que es la sociedad nazarena. Se sabe históricamente de la asistencia a la romería de ricos caballeros capitalinos establecidos en la villa o de otros que acudían desde la capital, de los cuales muchos poseían intereses en la villa. Muchos formaron en las filas de la hermandad. Eran los tiempos de los marqueses de Esquivel, de Benamejí, de Torrenueva, los Grimarest, los Ybarras, los Sotos y tantos y tantos otros de la nobleza y la alta burguesía de la capital del reino de Sevilla. De todas formas, siempre hemos intuido que las que han marcado la pauta en el Valme, y lo decimos así porque así lo vemos o entrevemos tanto en la realidad que hemos conocido como en la documentación, son las buenas familias de la burguesía local, rural o comerciante, formada por grandes terratenientes, pelantrines, manchoneros, comerciantes de todo tipo, industriales y profesiones liberales. De manera efímera mostraban su poder, su dominio político y en parte económico en el pueblo, sus dineros, sus caballos enjaezados, sus bellas señoritas, a todos los espectadores. Así tenía lugar en toda una Andalucía, con hermandades patronales -papel que en Dos Hermanas juega la de Valme por encima de la de Santa Ana- dominadas por las clases dirigentes. El evidente binomio poderosos-hermandad patronal es una realidad palmaria. El poder demostrado en la fiesta simbolizaba y reafirmaba a ojos de todos el que se ejercía en la política y en parte de la economía local, pues el resto estaba en manos de la nobleza y la alta burguesía forastera. No queremos, por otro lado, hacer una lista exhaustiva de estas familias que siempre tendrá olvidos, pero por citar algunas que han formado parte de sus mesas de gobierno nombraremos a los Baena de León, Caro, Gómez en sus diversas ramas, Jurado, Madueño, Lozano, Justiniano, Moreno, Salguero... Hermanos mayores como los médicos D. Manuel Calvo Leal (1932-1933) o D. Manuel Andrés Traver (1942-1947), farmacéuticos como D. Isidoro Peña Sánchez (1947-1949), almacenistas de aceitunas como D. Carlos Delgado de Cos (1950-1954 y 1956-1959), D. Francisco de Paula Gómez Carballido (1966-1967) o D. Alonso López Gómez, labradores como D. Joaquín Pérez López (1931) o D.Fernando Gómez García(1964-1965) se encuentran entre lo más granado de la burguesía nazarena, alternando sus cargos en la hermandad con los que ocupaban en el municipio. Es curioso observar que en los difíciles años de la República muy pocos permanecieron en las listas de hermanos de Valme. Se habla de catorce tan sólo entre los que citaremos el hermano mayor D. Tomás Moreno Muñoz (1934-1939) -que sacó la imagen de la Virgen del incendio de la Parroquia de Santa María Magdalena-, el secretario D. Agustín Salguero López, D. Antonio Alonso Madueño -que salvo del incendio la ermita de Cuarto al ser capataz de este cortijo-, D. Manuel Mejías Fornet, D. Enrique Gómez Martínez, D. Hipólito Ruiz y los hermanos D. Manuel, D. Enrique y D. Rafael Tinoco Rodríguez, pertenecientes los tres a una antigua familia de sacristanes de la Parroquia y la Ermita de San Sebastián. Frente a esta burguesía local, con individuos muy poderosos, el pueblo llano que acudía de manera más humilde, como podía y cuando podía, desempeñando tam-

bién su papel en la romería. Todo ello, en principio, visto de una manera descarnada puede parecer un poco duro, pero, de todas formas, hacemos la salvedad de que en absoluto nos metemos por vericuetos puramente devocionales y, por tanto, no negamos los sentimientos religiosos de los protagonistas. Mas bien afirmamos que la veneración a la Virgen se consolida como el fenómeno religioso más importante de la Dos Hermanas de este siglo. Hoy, evidentemente, la cuestión ha variado pues ha cambiado la sociedad nazarena, pero un factor se nos revela evidente: las viejas familias controlan la Hermandad de Ntra. Sra. de Valme. Es de lo poco que ya pueden controlar en la villa y no están dispuestas a dejar escapar este control. Es un fenómeno que parece claro y diáfano a cualquier observador.

3) También nos gustaría centrarnos para acabar en los elementos externos de la fiesta en sí, que le han dado tan merecida fama. Valme no es sólo la devoción a la Protectora de Dos Hermanas, sino también varios centenares de caballos enjaezados y llevados como se hace en Dos Hermanas, numerosas carretas, galeras y coches de caballos y todo un pueblo en masa que acude a la romería de su Virgen. Y la Señora acudirá en su carreta de flores contrahechas y tuyas, a pesar de la extrañeza del forastero que pregunta la razón de que no acuda en carreta de plata, vestida con uno de sus numerosísimos mantos, reinando una vez más sobre el pueblo. Y se bailarán sevillanas y se beberá vino y el día se hará tan cortos que todos preguntarán por qué no se alarga la fiesta un día más.

Se trata, en resumen, del día grande de Dos Hermanas en el que se reconoce como tal, en el que se unen sus vecinos de muy diversos orígenes alrededor de un evento festivo de tipo religioso. Se trata, en suma, de la gran fiesta de Dos Hermanas[8].

III. LA ROMERÍA DE NTRA. SRA. DEL ROCÍO Y DOS HERMANAS

Nos parece, desde luego, muy interesante intentar adentrarnos en la devoción nazarena a la Virgen del Rocío. El fenómeno de la extensión del culto a esta imagen por numerosas comarcas andaluzas, que hoy ha sobrepasado ya los límites regionales para derramarse por toda España y otras muchas naciones, ha sido objeto de estudios por diversos analistas que lo han observado desde muy diversos puntos de vista. Josep M. Comelles insiste en componentes económicos cuando dice, refiriéndose sobre todo a Almonte pero también a otros pueblos perimarismeños en su lucha por apropiarse de la

[8] *Vid.* CALDERÓN ALONSO, Germán: "Breve Estudio Histórico de la Romería de Santa María de Valme y análisis de su significación en Dos Hermanas". En *Romería. Nº 1*. Octubre de 1997. págs. 7-9.

marisma, que "La historia de su apropiación y destrucción es fundamental para entender la romería"[9]. En efecto ésta es una forma válida de entender el dominio del concejo almonteño, representante al menos teóricamente de los intereses vecinales, sobre todo lo referente a la imagen. Con meridiana claridad el mismo Comelles nos dice "Almonte adquirió los terrenos de la ermita, estableció una capellanía cuya provisión disputó al arzobispado de Sevilla, proclamó a la Virgen como su patrona y cambió su nombre de Virgen de la Rocina por Rocío, instauró los traslados rituales de la Virgen, se opuso a la implantación del patronazgo de la Virgen de la Caridad de Sanlúcar por parte de los duques, y acabó imponiéndose sobre los intereses de los municipios colindantes"[10]. Para la Casa ducal de Medinasidonia, que es a la que se refiere el autor, el espacio marismeño donde se eleva el santuario tenía un componente estratégico fundamental porque sus trochas unían su corte de Sanlúcar de Barrameda y su Condado de Niebla.

Pero a nosotros nos interesan las razones del nacimiento de esta devoción en Dos Hermanas. En otros pueblos, con claros intereses y término en la marisma, la creación de una hermandad puede reafirmar de una manera simbólica a través de la devoción a la Virgen sus derechos sobre el espacio. Pero Dos Hermanas, aunque posee terrenos de marisma, está muy lejos del circuito del Rocío y no se puede decir propiamente que con la fundación de su hermandad intentara reivindicar derechos de ningún tipo. Cabría entonces preguntarse cuales son las razones verdaderas del nacimiento de esta veneración en la villa. Aparte del apoyo documental que podemos encontrar en los libros de actas de la corporación o en otro tipo de textos contamos con el inestimable testimonio de nuestra familia, ferviente rociera y una de las primeras, en la mayoría de sus ramas, sobre la que se asentó la devoción de la ciudad y la misma hermandad que se fundó. En principio, parece ser que las razones son fundamentalmente religiosas. Resulta claro que el trato en la zona de Isla Menor entre los vecinos de Coria del Río, que ya contaba desde 1849 con una importante hermandad rociera, y los de Dos Hermanas contagió a los segundos la devoción a la Virgen del Rocío. Cronológicamente puede situarse este fenómeno a fines del s. XIX y se extiende durante todo el primer cuarto del XX. En 1933 fundan la hermandad Manuel García Arquellada, Fernando

[9] *Vid.* COMELLES, Josep M.: "Rocíos". En *Demófilo*. Revista de la Cultura Tradicional. Santuarios andaluces, págs. 13-38.

[9] *Ibidem*. pág. 15.

[10] Para estudiar la figura de D. Juan Luis Cozar y Lázaro *Vid.* CALDERÓN ALONSO, Germán: "Un intento de nombramiento de un capellán de la Hermandad de Valme en 1897". En *El Nazareno*. Dos Hermanas, 29 de enero de 1999. N° 156, pág. 10; CEPEDA Y SOLDÁN, Ignacio: *Crónica de la Coronación de Ntra.Sra.del Rocío*. Sevilla, 1923 y LÓPEZ TAILLEFERT, Manuel Ángel: *El Rocío. Una aproximación a su historia*. Pontificia, Real e Ilustre Hermandad Matriz de Ntra. Sra. del Rocío de Almonte, 1997, págs. 41-43. Sobre la figura de D. Juan Manuel Muñiz Orellana puede verse MILLÁN PÉREZ, Antonio: *Memorias de la construcción del nuevo Santuario del Rocío 1963-1969*. Almonte, 1995.

Rincón Valera, José Luis Ferrer de Couto Lamas, Miguel Gandullo Rodríguez y Manuel Mejías García. La primera acta que conservamos de la nueva hermandad se fecha el 14 de octubre de 1933. Pero este nacimiento que es lo más probable que posea, como hemos dicho, unas connotaciones puramente religiosas no presupone que éstas solamente sean las razones que han propiciado el aumento de la concurrencia de los nazarenos al Rocío. Por un lado, la reafirmación del Rocío como fenómeno andaluz que se impone sobre los tradicionales conflictos entre las diversas capitales al considerarse un territorio vinculado a una colectividad pequeña, Almonte, y a un espacio marginal como la marisma. Por otro lado, la moda que se ha impuesto de acudir al Rocío que tiene diversas lecturas. Entre ellas podemos referirnos al prestigio que para determinados individuos conlleva acudir al Rocío haciendo valer y ver sus riquezas y su poder. Pero para comprobar cuales de estos componentes han podido influir en los nazarenos, tendríamos que analizar la composición social de los primeros hermanos de Ntra. Sra. del Rocío de Dos Hermanas. En la visión que dan de sí mismos las propias familias o individuos interesados que, ciertamente, coincide con la que puede dar el resto de la población, se trataba sobre todo de familias de la poderosa clase media local formada por campesinos medios, lo que los clásicos llamarían labradores y en Dos Hermanas pelantrines y manchoneros, entendida esta última palabra como huertanos, y por comerciantes. También habría que incluir dentro de ella a algunos grandes terratenientes, industriales y profesiones liberales. Como vemos, un caso similar al del sector dominante en la Hermandad de Ntra. Sra. de Valme. Todo este conjunto formaba una influyente pequeña burguesía alejada, como ya se ha dicho, tanto de las masas obreras como de las grandes familias de la nobleza o alta burguesía sevillana con intereses económicos o residencia permanente o temporal en la villa. Este último grupo, aunque habitara en Dos Hermanas, en identificación con la vida local estaba muy alejado de la que hemos dado en llamar clase media, volcándose sus intereses mas bien en Sevilla.

Pues bien, esta clase social sería la que acudiría en sus principios al Rocío, pues contaba con suficientes medios económicos para poder ir a una romería de un pueblo lejano. Todo ello teniendo en cuenta que antes sólo se permanecía fuera de Dos Hermanas cinco días -de viernes a martes-, mientras que hoy se falta de Dos Hermanas nada más y nada menos que nueve días, de miércoles a jueves. De todas formas, individuos de las grandes familias sevillanas tuvieron también vinculación con la hermandad y elementos populares también procuraban acudir a la romería aunque sólo fuera el Lunes de Pentecostés.

Pero habría que preguntarse cómo se encuentra hoy la situación que ha cambiado ostensiblemente. Por una parte el número de hermanos ha aumentado muy sensiblemente y hay que anotar que provienen de todos los sectores de la población. Hay que hacer la salvedad de que el desarrollo ha tendido a desdibujar las clases sociales en Dos Hermanas. En un primer análisis se revela que la vieja clase media no posee ya el poder político y económico que antes la caracterizó. Ahora bien, de todas formas en Dos Hermanas acudir al Rocío durante el camino, siempre desde nuestro punto de vista en muchas ocasiones contrastado con el de otros, supone un cierto "status". Y es curioso referirnos a un fenómeno similar al ocurrido en otras poblaciones de fuertes devociones patronales en los últimos tiempos, que consiste en el relativo "pique" que se entabló entre las devociones de Ntra. Sra. de Valme, propio y específico de la villa, y Ntra. Sra. del Rocío. No se trataba, ni mucho menos, de una división en mitades. Era imposible en un pueblo donde el culto a la Virgen de Valme constituye una ineludible seña de identidad, hasta tal punto que ha sido uno de los elementos integradores, como se ha dicho, de la masa de población que se ha asentado en Dos Hermanas. Pero sí es cierto que, por una parte de la vieja burguesía, se vio con gran hostilidad el que otra parte de ella fundara una hermandad del Rocío. Fue un fenómeno curioso que marcó toda una época y que creó serias divisiones y conflictos entre lo que en origen formaba un mismo núcleo unido por razones de parentesco, económicas, políticas... Afortunadamente podemos decir que esta fisura se superó normalmente por la aceptación del esquema rociero por parte de las nuevas generaciones de las familias que lo rechazaron. Ello es muestra de la fuerza de la devoción rociera a la que se puede dar numerosas interpretaciones.

Hoy la hermandad nazarena es capaz de movilizar en su camino a seiscientos nazarenos aproximadamente y se calculan en varios miles los que acuden a la aldea el fin de semana de Pentecostés o el mismo Lunes. Sigue, desde luego, vigente el esquema que ya antes apuntábamos de que se considera símbolo de cierta categoría social poder acudir al Rocío todos los días de la romería. La importancia de la corporación entre las catorce hermandades propiamente dichas que existen en la ciudad es ostensible. Ha logrado reunir un extenso patrimonio que consiste en dos casas en Dos Hermanas, un terreno para la parada durante el camino en Villamanrique y su casa de la aldea, lo que la convierte en una de las más ricas de Dos Hermanas.

También nos gustaría referirnos, siquiera someramente, al papel que se le reserva a Dos Hermanas dentro del mundo rociero. Es una hermandad medianamente fuerte que basa quizá su importancia en la historia de la devoción en las aportaciones que algunos de sus hijos han hecho a ésta. Es el caso primeramente de D. Juan Luis Cózar y Lázaro, conocido sacerdote que fue párroco de Ntra. Sra. de la Asunción de Almonte, restaurador en 1915 de la ermita de la Virgen, párroco del Divino Salvador de Sevilla -donde puso las bases de la actual hermandad del Rocío de Sevilla, conocida como "El Salvador"- y, sobre todo, secretario de la Junta de Coronación de la Virgen del Rocío el 8 de junio de 1919. Junto a él destaca la figura de D.José Manuel Muñiz Orellana, hermano mayor de Dos Hermanas entre 1956 y 1966 y único no almonteño que formó parte de la Junta de Construcción del nuevo santuario de la Virgen del Rocío[11].

---

[11] *Vid.* CARO, Rodrigo: *Santuario de Ntra. Sra. de Consolación.* 1622.

También nos gustaría reseñar que dentro del término municipal de Dos Hermanas existe un nuevo germen rociero en la "Asociación rociera de Montequinto", establecida en la Parroquia de Ntra. Sra. de los Ángeles y San José de Calasanz de la dicha barriada nazarena y que pretende convertirse en hermandad. Se trataría de la segunda hermandad del Rocío de la ciudad, establecida, eso sí, en un núcleo urbano por muchos conceptos más vinculado a Sevilla.

III. LA DEVOCIÓN A NTRA. SRA. DE CONSOLACIÓN DE UTRERA

No es momento de centrarnos en el origen de la devoción a Ntra. Sra. de Consolación de Utrera, el gran culto mariano de la Campiña sevillana, lo cual nos llevaría mucho espacio. Ya sabemos que la Virgen residía en el s. XVI ya en su actual Santuario, que desde el 31 de marzo de 1561 regían los P.P. Mínimos de San Francisco de Paula. Su fiesta, que se celebraba antes el 25 de marzo, fiesta de la Anunciación de Ntra. Sra., pasó a tener lugar el 8 de septiembre, día de la Natividad de Ntra. Sra. En 1603 el cronista de la Orden Fray Francisco Tamayo nos dejó una narración en octavas reales de la fiesta. Menciona que asistían treinta hermandades, entre ellas la de Dos Hermanas, con el puesto diecisiete. Acudían al festejo las de Campillos (de Málaga), Osuna, Albaida, Olivares, El Coronil, Valencina, Coria del Río, Hinojos, Salteras, Gines, Mairena del Alcor, El Viso del Alcor, Los Palacios, Guadajoz, Castilleja de la Cuesta, Fuentes de Andalucía, Dos Hermanas, Tocina, Benacazón, Castilleja del Campo, Chucena, Escacena del Campo, Paterna del Campo, Carmona, Mairena del Aljarafe, Alcalá de la Alameda, La Algaba, Camas, Guillena y Gelves. A esta lista el historiador utrerano Francisco Javier Mena Villalba añade la de Utrera -fundada en 1649, es decir, muy tardíamente-, la de La Puebla de Cazalla, las dos de Morón de la Frontera y las de Marchena, La Palma del Condado, Las Cabezas de San Juan y los portugueses.

Ya sabemos como se desarrollaba la fiesta con misas de las hermandades, procesión de la Señora acompañada de los pendones de las hermandades, numeroso concurso de público, etc. El bullicio de la romería no gustaba en absoluto a los ilustrados y ya conocemos que por instigación de Fray Juan Prieto, nada más y nada menos que General del Orden Mínimo y que había sido Conventual de Ntra. Sra. de Consolación, y con el auxilio de D. Juan Boza Rivero, síndico personero del común de la villa de Utrera, el Consejo de Castilla en 1770, reinando Carlos III, prohibió que la Virgen se moviera de su altar. Así languideció la romería y se extinguieron las hermandades. Podríamos decir que por un capricho de los ilustrados, devotos nada más que a su manera. Pero no se apagó el fervor de los pueblos que siguieron concurriendo de cualquier manera. Es el caso de Dos Hermanas. Es devoción típica de gentes de campo, de viejos vecinos de la ciudad o de otros que proceden de lugares donde el culto a Consolación se encuentra bien arraigado. Hoy esta Virgen de

"...rostro no muy hermoso, pero venerable y resplandeciente, que causa a quien lo mira religioso temor"como la describe Rodrigo Caro[12] sigue siendo una de las grandes devociones de Dos Hermanas[13].

IV. LA ROMERÍA DE NTRA. SRA. DE LOS ÁNGELES DE MONTEQUINTO

En tiempos recientes nace esta devoción a Ntra. Sra. de los Ángeles en la Parroquia de Ntra. Sra. de los Ángeles y San José de Calasanz de Montequinto, introducida por su entonces párroco D. Manuel Gallego. Desde entonces peregrina en el domingo de mayo anterior al Rocío al campo, logrando posteriormente construir una ermita, que llaman Ermita de la Alegría de Ntra. Sra. de los Ángeles, en el mismo término municipal de Dos Hermanas, más cerca del núcleo principal de la villa. Se trata, en todo caso, del típico ejemplo de intento por parte de la Iglesia jerárquica, en este momento representada por el párroco, de dotar de consistencia a un centro urbano cuyos habitantes proceden de diverso origen, a través de una devoción mariana, en este caso la de la Virgen de los Ángeles, tan relacionada con la Orden de Hermanos Menores, con los Franciscanos. Curiosamente la devoción mariana de estos pagos fue Ntra. Sra. de Gracia, titular de la capilla de la antigua hacienda de Quintos.

Hoy la romería se configura como un acontecimiento festivo de tipo religioso que intenta actuar de elementos de cohesión de su barrio. No es popular en el resto de la ciudad que no suele acudir a ella. Se trata, por tanto, de un fenómeno propio de una barriada pero que es una nueva manifestación del mundo romero nazareno.

V. OTRAS MANIFESTACIONES

Tan sólo citaremos una romería forastera que acude a Dos Hermanas, la de San Isidro Labrador de Los Palacios y Villafranca que en mayo acude al parque de la Corchuela, acompañado de todo su pueblo y la peregrinación el día de la Asunción de Ntra. Sra. a la Catedral de Sevilla para contemplar la procesión de Ntra. Sra. de los Reyes, patrona de Sevilla y su archidiócesis. Posee esta peregrinación una larguísima tradición en Dos Hermanas y a ella acuden numerosos nazarenos. En las reglas de la hermandad de la Santa Vera-

---

[12] *Vid.* CARO, Rodrigo: *Santuario de Ntra. Sra. de Consolación.* 1622.

[13] *Vid.* CALDERÓN ALONSO, Germán: "La devoción nazarena a Ntra.Sra. de Consolación". En *El Nazareno.* Dos Hermanas, 29 de abril de 1999. Nº 215, pág. 17 y MENA VILLALBA, Francisco Javier: "Pontificia, Real e Ilustre Hermandad de Ntra. Sra. de Consolación Coronada". En *Eucaristía, Pasión y Gloria.* Consejo General de H.H. y C.C. de Utrera. E. F.P. Ediciones. 1999.

Cruz, ordenadas el 20 de marzo de 1544 y aprobadas el 19 de enero de 1554, siendo arzobispo de Sevilla D. Fernando de Valdés (1546-1568) se dice en su capítulo XXXI "De la fiesta de Nuestra Señora de Agosto": "Item ordenamos y mandamos que la fiesta de Nuestra Señora de Agosto que estamos obligados a hacer cada año en su propio día la hagamos el domingo siguiente ya que en el día de la Señora se va mucha gente a Sevilla y queda poca en el pueblo; y los hermanos que este día no vinieren a esta fiesta incurran y caigan en las penas contenidas en el capítulo IX y en las que en el capítulo siguiente van declaradas". Como vemos, parece referirse a que el pueblo acudía por la Virgen de Agosto a la capital seguramente para visitar a Ntra. Sra. de los Reyes. Ello es prueba de la antigüedad de este culto en Dos Hermanas.

VI. CONCLUSIONES

Pero es hora ya, para finalizar, de dejar asentadas unas breves conclusiones sobre el fenómeno romero en Dos Hermanas:

1) Se trata de un culto fundamentalmente mariano y dirigido a imágenes de muy diversa advocación sean locales o foráneas.

2) Las hermandades han servido, lo que es evidente en el caso del Valme y el Rocío, para afirmar socialmente a una clase dominante, la pequeña burguesía local.

3) Singularmente interesante resulta el hecho de la creación de la hermandad de Ntra. Sra. del Rocío, que creara una especie de cisma a nivel local, como ya hemos visto.

4) El pueblo en general centra fundamentalmente sus preferencias hacia la romería de Valme. En una ciudad con tan dilatado ciclo festivo: Semana Santa, Corpus Christi, Carnaval, Cabalgata de Reyes, Feria, variado y rico, es significativo que la gran fiesta sea la romería de Valme.

5) Por otra parte, el pueblo llano, mero espectador en las romerías, paulatinamente con la mejora de las condiciones de vida va adquiriendo una papel más protagonista.

6) La Virgen de Valme se convierte en el referente simbólico más importante de la población, aunque no es nada desdeñable el papel de la Virgen de Consolación, el Rocío o los Reyes y, sobre todo, para su barrio, de la de los Ángeles de Montequinto.

7) Por tanto, podemos concluir que Dos Hermanas es una ciudad romera, adjetivo con connotaciones religiosas, pero que también deja ver su huella en lo económico y, sobre todo y ante todo, en lo social.

Enculturación y religiosidad en Bucaramanga en los Siglos XVIII y XIX. Una manera de estudiar el papel social y político de la Iglesia en Hispanoamérica

Álvaro Acevedo Tarazona
Universidad Autónoma de Bucaramanga, Colombia

Todos sabemos que la España que llegó a América fue la del espíritu de la Contrarreforma; una España que intentaba crear la imagen de un Estado–nación con espíritu ecuménico y defensora de las creencias y prácticas tradicionales. Ésta fue una de las principales banderas de Felipe II durante su reinado, y se diría que la fuerza moral de buena parte de sus actuaciones que demarcarían el futuro de España[1].

Una España que siempre miró a América como a la grey que se debía salvar en la nueva fe. Pero más allá de las buenas intenciones, también todos sabemos que detrás del descubrimiento americano había una gran empresa de conquista y poblamiento que movilizó cuantiosas sumas de dinero y desencadenó incontrolables pasiones.

La Iglesia fue fundamental para la Corona Española en sus propósitos, y se podría decir que el mayor soporte en el proceso de enculturación para una administración centralista y poco efectiva en términos reales, de la cual, en equilibrio de las apreciaciones, también se podría decir que a España más le interesó América por los caudales de plata que pudiese recibir que por cualquier otra cosa; muchos problemas mantuvo, además, España en sus propios reinos y con las potencias vecinas para que Hispanoamérica fuese una política prioritaria de Estado.

---

[1] LYNCH, J. *La España de Felipe II*, Barcelona, Ed. Grijalbo, 1997, págs. 116–120.

Casi se puede afirmar que la Iglesia fue la institución articuladora del entramado de relaciones sociales que se fue construyendo en América sobre una cultura mayoritariamente conformada por gentes de color.

LA REPÚBLICA DE DIOS

Avivando la llama del espíritu cristiano, párrocos, curas de almas y doctrineros llegaron más rápidos que cualquiera a casi todos los rincones donde se sabía que había almas que catequizar. No hubo casi nada que escapara a los ojos del cura: desde la economía hasta la política, desde la moral y buenas costumbres hasta las behetrías y borracheras, desde la justicia hasta el enriquecimiento sustancioso, desde la vida hasta la muerte. Tal vez las iglesias, catedrales y capillas, junto con sus libros parroquiales, son el mejor testimonio para estudiar el impacto de la República Cristiana en Hispanoamérica y hacer la historia –como dice Michel Vovelle[2]– de aquellos que no pudieron pagarse el culto de una expresión individual.

Pero la labor evangelizadora de la Iglesia en Hispanoamérica no sólo se limitó a la salvación de las almas; ésta fue prácticamente una República dentro del propio Estado: curas y doctrineros crearon pueblos de indios, erigieron parroquias de mestizos, catequizaron negros, educaron en nuevos oficios, crearon empresas productivas y se hicieron omnipresentes en cada una de las moradas y rincones de su feligresado; nada, casi nada, escapó a su mirada.

Parafraseando a Julio Caro Baroja[3], se puede decir que la prisa por el bautismo, el bien nacer y el buen morir, el amor fuera y dentro del matrimonio, los ritmos del año y las semanas y los días también se hicieron presentes en Hispanoamérica en un proceso de enculturación que le tomó a la Iglesia cuatro siglos para dejar su impronta en una sociedad, que sólo hasta comienzos de este siglo comenzó a entrar en una etapa de secularización.

Pero, ¿cómo estudiar esta poderosa y omnipresente República Cristiana en Hispanoamérica? La generalidad es tal vez el camino más fácil; la particularidad, la posibilidad de describir y explicar.

BUCARAMANGA

A mediados del siglo XVIII Bucaramanga era esencialmente un centro agrícola del que se decía se había constituido en un "pequeño Curazao" en

---

[2] VOVELLE, M., *Ideologías y Mentalidades*, Madrid, Ed. Ariel, 1985.
[3] CARO, J. *Las formas complejas de la vida religiosa. Siglos XVI y XVII*, Madrid, Aguilar. 1985.

donde en unas fiestas o una noche de "aguardientes y bailes a lo indio" se podía ganar o perder lo que se conseguía en un año de trabajo. Pero, en justicia, ésta era una población pobre, con casas de techo de paja y paredes de bahareque, como la mayoría de las que abundaban en el virreinato de la Nueva Granada. Su importancia en la región se debía a que era la sede de un Alcalde Mayor y Corregidor de Naturales que tenía facultad para administrar justicia en los Reales de Minas –ya venidos a menos desde comienzos del siglo XVII– de las Vetas, Montuosa, Suratá, Río de Oro, Bucaramanga, Bucarica y cualquier "aventadero, quebrada o riachuelo" donde hubiese españoles, mestizos, mulatos, zambos, negros e indios lavando oro y labrando la tierra[4].

El poblado, en verdad, era un entuerto jurídico y un diario dolor de cabeza para la administración colonial; por un lado, era un pueblo de indios y resguardo sin casi indígenas que administrar porque éstos se habían mezclado con los españoles y las gentes de color usurpando unas tierras que sólo podían estar en posesión de los indígenas; por otro lado, era un Real de Minas con una Alcaldía Mayor que administraba el quinto real de un oro que ya prácticamente se había extraído todo; y por si faltara poco, era el lugar de una larga disputa jurisdiccional –con doscientos años– entre los cabildos de las ciudades de Pamplona y San Juan Girón, que buscaban liberar la tierra del resguardo para rematarla en su propio beneficio[5].

En suma, un lugar "sin ley ni orden" para efectos de la administración colonial[6]; sin embargo, no nos engañemos, un lugar donde se podía convivir sobre relaciones de vecindad y parentesco que hacían la vida llevadera y posible y en el que la Iglesia ejercía, bien o mal, un control social. En 1778, por fin, la población había sido erigida como parroquia de Chiguinquirá y San Laureano del Real de Minas de Vetas de Pamplona y Bucaramanga. A comienzos del siglo XIX era ya esencialmente un centro agrícola y la quinta parroquia en importancia de la Provincia de Pamplona después de las propias ciudades de Pamplona, Girón, Salazar de las Palmas y de las villas de San José y Rosario de Cúcuta. No obstante, hacia finales del XIX y comienzos del XX era un centro comercial, agrícola y artesanal y la ciudad capital del Departamento de Santander. ¿Cómo había pasado, en menos de un siglo, de ser un simple villorrio, aun en 1840, a convertirse en la capital de una vasta región en 1886? Esto todavía la historiografía no lo ha logrado responder del todo bien.

---

[4] En 1772 la minería del oro ocupaba sólo a 13 indígenas adultos de 84 disponibles, los demás se empleaban en las haciendas y trapiches del pueblo de Bucaramanga y la ciudad de San Juan Girón. Archivo General de la Nación (AGN), Resguardos de Santander, T.1, fols. 123 – 160.

[5] AGN, Tierras de Santander, T. 42, fols. 150 – 161, 272 – 281, 338 – 347.

[6] COLMENARES, G. (ed.), *Relaciones de los Gobernantes de la Nueva Granada*. Bogotá, Ed. Banco Popular, 1989, págs. 30–33.

Lo cierto es que Bucaramanga a mediados del siglo pasado, ya era un lugar donde se podía encontrar tiendas de ropa, negocios de sombreros de jipijapa y tabaco; en este siglo también tuvo acumulaciones efímeras de capital en los negocios de añil, quina, tabaco y luego café; hasta se radicaron allí ciertos inmigrantes alemanes que trataron de imitar la moda y los gustos europeos. En fin, ciudad de pequeños artesanos y comerciantes en la cual las jerarquías sociales estaban a la orden del día y la vida todavía se orientaba por el escándalo público y códigos de honor y de limpieza de sangre, la ley natural y la justicia divina.

Como se pueden imaginar, el papel de la Iglesia era fundamental en la vida social y política de Bucaramanga; sacerdotes ilustres como Juan Eloy Valenzuela, miembros de la Real Expedición Botánica en sus inicios, habían dejado su huella allí, ya abogando por los pobres, ya reclamándole a Bolívar la separación de España, ya defendiendo los intereses económicos de su familia. El cura Salgar les había enseñado a sus parroquianos el tejido de los sombreros de jipijapa, e incluso se llegó a decir que el cura Francisco Romero había creado la caficultura en Colombia, por allá en los años 70 del siglo pasado, cuando a sus feligreses bumangueses les obligaba a expiar sus culpas sembrando matas de café.

No es, por ello, difícil imaginar que en este escenario de control social ejercido por la Iglesia, la República de Dios era más efectiva que la propia administración colonial y republicana; la cotidianidad se desenvolvía en una esfera religiosa que marcaba los ritmos de la vida desde el nacimiento hasta la muerte.

LOS RITMOS DEL AÑO, LAS SEMANAS Y LOS DÍAS

A la altura del siglo XVIII el proceso de enculturación de la Iglesia había llegado a ser tan definitivo en Bucaramanga que sus pobladores marcaban el ritmo de la vida por un orden pasional en el cual se encadenaban los meses en una sucesión inalterable de etapas de austeridad y abstinencia a otras de regocijo y fiesta.

Cuatro semanas antes a la conmemoración de la fecha de nacimiento del niño Jesús se señalaba el Adviento como un período de intenso trabajo en el cual se daba término al año mediante el saldo de deudas y reparación de casas y caminos; etapa ésta en la que se sopesaban las cargas del año y se proyectaban los planes del siguiente, pero también tiempos de austeridad en el que se registraba muy pocos bautismos y matrimonios. El párroco se encontraba más preocupado por llevar a buen término el arreglo de la Iglesia y la preparación de los cánticos, sermones y letanías para la Natividad; es por esta razón que en las semanas precedentes al Adviento –hablamos de las semanas de octubre y primeras de noviembre– el crecimiento de los bautismos y matrimonios podrían marcar puntos muy altos en una población que no sobrepasaba los 300 habitantes.

Después de la Navidad se sucedía la Epifanía hasta el 6 de enero; días de regocijo y liberalidad en los que los bautismos y matrimonios empezaban a aumentar hasta alcanzar sus puntos más altos en febrero. Tiempo en el que la moral cristiana se relajaba y la fragilidad de la vida era menos angustiosa; los carnavales estaban a la orden del día en las poblaciones vecinas, definiendo una tradición de fiestas que hasta nuestros días se perpetúan en casi todo el país: las ferias de Cali y Manizales, el Festival de Negros en Pasto, los Carnavales de Barranquilla, etc.

La liberalidad y "relajación de las buenas costumbres" era también una manera de preparar al feligresado para una nueva etapa de abstinencia y recogimiento que se hacía cada vez más exigente "desde el Miércoles de Ceniza hasta el Domingo de Pascua. Aquí los bautismos y matrimonios volvían a bajar considerablemente hasta la Resurrección cuando marcaban otra vez un ascenso hasta el mes de junio en el que se alcanzaba el mayor número de éstos, pero también el inicio de angustiosas semanas en las cuales la fragilidad de la vida se tornaba en un viacrucis de muerte y dolor que se prolongaba hasta los meses de julio y agosto cuando las epidemias, las enfermedades endémicas, las fiebres y zancudos les restaba las posibilidades a los bumangueses de ganarle una partida más a la muerte.

Las semanas y los días también tenían su propio engranaje pasional marcado por el canto del gallo y la misa de seis para dar inicio a una jornada más de trabajo hasta la tarde cuando despuntaba el sol y el recogimiento del feligresado a las ocho era registrado por un Alcalde Pedáneo que hacía su ronda como todos los días. Una que otra chichería se mantenía abierta hasta los fines de semana y mejor en las fiestas cuando se podía jugar a los dados, al "embiste" (toros) y "bailar a lo indio".

El 4 de julio se celebraba la fiesta de San Laureano, el 9 la de Chiquinquirá, patrona de la parroquia y salvadora de almas y calamidades; también se celebraba la del Santísimo, la de la Virgen y la de las Animas. Las cofradías y vecinos de la Parroquia costeaban las fiestas. Mientras Bucaramanga era "más libre"; en cambio, no la "muy noble y muy leal" ciudad de San Juan Girón, tan sólo a un par de horas de camino.

En un año (1793) se podían costear 156 misas: los lunes por las Animas y los jueves y sábados por el Sacramento y la Virgen María. Tres eran las cofradías, tres los aniversarios, tres las procesiones y dos las fiestas mayores. Misas rezadas, misas cantadas; costo de celo e incienso para el culto divino, música para los oficios y reparo de los ornamentos sagrados eran parte del ritual que los cofrades y vecinos costeaban para mantener el culto católico y la gracia divina[7].

---

[7] Centro de Documentación e Investigación Histórica Regional (CDIHR), Archivo Parroquial de San Laureano. Libros de bautismos, matrimonios y defunciones, 1778–1923.

LA PRISA POR EL BAUTISMO

Durante los siglos XVIII y XIX era "casi un milagro" sobrevivir al nacimiento en Bucaramanga. Cientos de niños recién nacidos hasta los ocho años murieron de forma alarmante en este periodo, como lo puede señalar el levantamiento de las series estadísticas parroquiales de bautismos, matrimonios y defunciones entre 1778 y 1923.

Las defunciones infantiles superaron durante ciertos años a las muertes de los adultos; la precaria y deficiente salud eran suficientes para dejarlos indefensos ante las enfermedades, las endemias y las pestes. Entre 1835 y los dos años siguientes se registraron 254 defunciones infantiles y 240 de adultos para una población que durante todo el siglo XIX nunca alcanzaría el promedio de los 20.000 habitantes. Una epidemia de fiebres fue la causa de esta calamidad, como otras tantas que se sucedieron en el siglo XIX. En aquella ocasión no hubo voluntarios para cargar los muertos al cementerio por temor al contagio, pese a que se cantaron misas con "preces" y letanías y se llevó en procesión a Nuestra Señora de Chiquinquirá; algo parecido se había hecho dos años antes (1832) para evitar que el cólera morbus llegara a la parroquia.

Las epidemias no eran la única causa de la prisa por el bautismo en el siglo XIX; plagas, guerras, enfermedades y el "progreso" también causaron estragos. En la década de los 60 la transformación urbanística de la ciudad cobró sus vidas por las plagas y zancudos de los estancamientos de agua que se depositaban en los solares de los cuales se extraía el barro para hacer las nuevas construcciones. A finales de siglo la guerra de los Mil Días (1899 – 1902) también cobró su alta cuota de muerte, pero no lo fueron menos las pestes de gripe de comienzos de este siglo o las enfermedades endémicas como la disentería, la pulmonía, la neumonía, la nefritis y el colerín, entre otras, que también obligaban a la prisa por el bautismo. Para cualquier bumangués de los siglos XVIII y XIX el primer compromiso con la vida cotidiana era un acto de expiación del pecado y de ¡miedo a la muerte!

EL BIEN NACER Y EL BUEN MORIR

Si la prisa por el bautismo era un pacto de compromiso con el bien nacer en la vida cristiana, éste no significaba nada sin el buen morir. Repiques de campanas, confesiones, misas rezadas, misas cantadas, procesiones, letanías, padrones eclesiásticos, diezmos, limosnas, cofradías, visitas pastorales fueron parte de la cotidianidad de los bumangueses como las mismas guerras de la segunda mitad del siglo XIX.

Entre 1853 y 1886 se vivió el experimento radical en Santander y con éste la expropiación de bienes a la Iglesia. La reacción, sin embargo, no se hizo esperar: padrones eclesiásticos, bautismos y matrimonios privados y condenaciones desde el púlpito se hicieron hasta donde les fue permitido a los párrocos, muchos de los cuales de las parroquias de Santander se vieron obligados a exiliarse en Venezuela por desobedecer al gobierno liberal. Algunas iglesias fueron cerradas y la administración de los cementerios se les dio a los ayuntamientos.

En este período de anticlericalismo la Iglesia de Bucaramanga fue cerrada en tres oportunidades (1863–1864, 1868–1870 y 1878), pero los bumangueses continuaron manteniendo el culto privado y los libros parroquiales se siguieron llevando con sólo leves alteraciones en los años en que la Iglesia cerró sus puertas. Los domingos se leían las oraciones o se hacía algún ejercicio piadoso. En este período también la Iglesia hizo tres padrones para medir sus fuerzas: 6000 registros en 1867; un poco menos de 4000 en 1875 de los 9200 habitantes que se promediaba tenía la parroquia en ese año y 10868 registros en 1883. Es desde aquellos años del experimento liberal en Santander que se ha dicho, debido a las máximas libertades que se expresaron, que "¡el que pisa en tierra de Santander es santaderano!", pero también que "¡en Santander matan curas!".

Los conflictos políticos con sus guerras dejaron altas cuotas de muerte en Bucaramanga, pero de igual manera los indigentes que se aglomeraban en la ciudad y los inmigrantes del sur del país que llegaban a recibir la caridad cristiana en el Asilo San Antonio o el Hospital San Juan de Dios. Si poco después de la independencia (1823–1824), decía el cura Juan Eloy Valenzuela que un gran número de "vagabundos, rateros y limosneros" se habían reunido en torno de la Iglesia y el Hospital para dispensarse cuidados, casi un siglo después, al poco tiempo de la Guerra de los Mil Días, la situación poco había cambiado. Los libros parroquiales son fiel testimonio de esta vida calamitosa.

EL AMOR FUERA DEL MATRIMONIO

La liberalidad con la cual se decía que ya se vivía en Bucaramanga en la segunda mitad del siglo XVIII, aun cuando no era tal como lo trataban de hacer ver los párrocos y los vecinos de las ciudades de San Juan Girón y Pamplona que tenían pretensiones sobre la tierra –según ya más arriba lo hemos expresado– tal vez puede seguirse mejor en el buen número de hijos ilegítimos, naturales o bastardos que se registraron en los libros bautismales durante la segunda mitad del siglo XVIII y todo el siglo XIX. Si bien la cifra nunca fue superior a la de los hijos legítimos, su número sí fue lo suficientemente considerable para ser el diario dolor de cabeza de curas y alcaldes y motivo de escándalo público cuando algún "notable" de la parroquia o de la vecina ciudad de San Juan Girón se viera implicado en tales asuntos.

En 1772, el Gobernador de San Juan Girón, Cristóbal Antonio del Casal, le escribía al Virrey en Santa Fe de Bogotá informándole sobre la manera licenciosa en la cual vivían los pobladores de Bucaramanga ofendiendo tanto a

"Dios y a la justicia" que no sólo los reos se asentaban allí para escaparse de los jueces, sino que también muchos gironeses tenían allí sus concubinas para evitar las persecuciones del cura Rector de Girón y atentar, de esta manera, contra "las buenas costumbres y la paz de la República Parroquial"[8].

Pese a los esfuerzos que hacía la Iglesia, casi le fue imposible mantener un control social sobre las uniones libres, lo cual nos puede llevar a afirmar que en este asunto fue en el que el proceso de enculturación tuvo menos efectos en el común de la población, pero no fue éste el caso de las élites en las cuales la intimidad se revelaba como una piedra de escándalo y un arma política que no hacía distinción entre la esfera de lo público y privado.

Hemos dicho que entre finales del siglo XVIII y comienzos del XX el número de hijos fuera del matrimonio se mantuvo en crecimiento. Incluso en el periodo del conflicto Iglesia–Estado (1853–1886) el número de hijos ilegítimos aumentó considerablemente en relación con los años precedentes; sin embargo, el párroco de San Laureano también hacía todo lo posible para que esto no ocurriera, pues en el mismo período se registran los puntos más altos de matrimonios: 130 en 1851, 90 en 1856 y un poco más de 200 en 1875; en las dos primeras décadas del siglo XX también hubo un número muy alto de éstos como consecuencia de tres visitas pastorales que se hicieron a la parroquia de San Laureano y la nueva catedral de la Sagrada Familia en 1920, 1915 y 1919. ¿Pero cuántos hijos ilegítimos dejaron de registrase por temor a dar a conocer el nombre del padre? Suponemos que muchos, pues era común que en Bucaramanga los clérigos conminaran a las mujeres a dar a conocer el "nombre del hechor".

Pese a los esfuerzos de los clérigos por hacer del matrimonio una institución de tradición y estabilidad social, que igual se había intentado para España en la Época Moderna[9], éstos no lo consiguieron del todo bien. En el tránsito del siglo XVIII al XIX abundan los casos en los que los rastros de la privacidad apenas se esbozan y son los lazos de vecindad los que sostienen el desenvolvimiento social. Unas veces por las tensiones de un orden estatal que recurría a la limpieza de sangre para buscar aceptación, otras veces por la moral sexual convertida en objeto de escandalosa vida pública y atacada desde el púlpito. La condena moral se temía tanto o más que la de la ley, pues los procesos sobre confiscación de bienes y destierro por estos delitos raramente llegaban a cumplirse debido a la dilatación de los mismos.

Concubinatos, adulterios y toda suerte de recriminaciones a la sexualidad expresaron un imaginario colectivo de una vida social en la cual los códigos, en buena parte, estaban mediados por la mujer como centro del mal.

Uno de los casos más conocidos, en la primera década del siglo XIX en la parroquia de Bucaramanga, fue el que protagonizaron el Alcalde Ordinario

---

[8] AGN, Poblaciones de Santander.

[9] GUILLAMÓN ÁLVAREZ, J., *Honor y honra en la España del siglo XVIII*, Madrid, Universidad Complutense, 1981, págs 1418.

de Girón, Juan Telesforo García y Salgar con José Bretón y Ordóñez, menor de edad y Alcalde Partidario de Bucaramanga[10]. Este último, ahijado de García, le hizo unos versos que leyó a otros y publicó en la plaza de Bucaramanga por los amores ilícitos que mantenía con una tal Fermina, de quien también era amante el mismo Ordóñez. Primero le hace una afrentosa presentación.

> Un sujeto se haya empleado
> que llaman bola de fuego
> en todos asuntos loco
> y más en el mujeriego.
> Dice un sabio Rey que el Juez
> ha de ser de buena fama
> manso, leal y sin lama
> de la codicia soez
> también de verdad porque es
> la base de lo apoyado
> porque hoy ya se ve olvidado el
> dicho del sabio Rey
> pues contra su justa ley
> un sujeto se haya empleado.
> Luego le hace la recriminación moral:
> A su pueblo le previno
> hablando de esto el altísimo
> que el juez fuere prudentísimo
> también notable y muy benigno
> a mandato tan divino
> se opuso el cabildo ciego
> habiendo a Juan que está lleno
> de maldades y torpezas
> aquel de hechuras traviesas
> que llaman bola de fuego.

Después manifiesta su autoría apelando a su gallardía, y si fuese necesario, a cualquier enfrentamiento que zanjara la partida:

> La pintura de este Alcalde
> mi pluma hiciera muy bien
> que empaño tan supremo
> puedo pecar de cobarde
> ser y gastar tiempo en valde
> querer hacerla por puntos
> basta decir que conjuntos

---

[10] ANC, Poblaciones de Santander.

> los vicios que el mundo ve
> se hallan en este porque
> es loco en todos asuntos.

Finalmente, hace mención de la tal "Fermina" sin reparar en convertirla en objeto de placer y escarnio público:

> Concluyo mi relación
> con decir que esta parroquia
> ha llegado ya a la inopia.
> Mi padrino a una se inclina
> y contra mí se rebela
> diciendo darme una pela
> por la tal que es la Fermina...

Por estos versos José Ordóñez fue sustituido de su cargo y condenado a cuatro meses de cárcel. Por supuesto, el proceso judicial se dilató y la pena difícilmente se cumplió.

El Cristo de la Guadaña de Gibraleón:
Una Devoción Comarcal

David López Viera
Universidad de Huelva

La presente comunicación trata de los aspectos devocionales de una población onubense y de las tierras de su entorno en relación con una peculiar advocación desde su momento de mayor pujanza, en la segunda mitad del siglo XVIII, hasta su declive en nuestra centuria. Nos referimos a la extendida devoción hacia el Cristo de la Guadaña en la villa de Gibraleón y su comarca.

Diferentes autores han constatado la primacía de la Virgen y los santos sobre las advocaciones cristíferas y pasionistas en el reparto de la religiosidad de la Baja Andalucía y aun de la Alta o en los territorios hispanos del Nuevo Mundo a lo largo del Antiguo Régimen[1]. De igual modo, Lara Ródenas y González Cruz han comprobado la existencia de esta realidad en las tierras de Huelva durante toda la Edad Moderna[2]. En este contexto, la aparición de gran-

---

[1] Para Andalucía, BRISSET MARTIN, D. E.: "Patronos, fiestas y calendario festivo: una aproximación comparativa", en ÁLVAREZ SANTALÓ, C.; BUXÓ, Mª J. y RODRÍGUEZ BECERRA, S. (Coords.): *La religiosidad popular. Hermandades, romerías y santuarios*, Tomo 3, Fundación Machado-Editorial Anthropos, Barcelona, 1989, págs. 51-54. Para la América española, RODRÍGUEZ MATEOS, J.: "Apuntes para una aproximación a la cofradía en América", *Rábida*, nº 7 (1990), págs. 56-57.

[2] Este fenómeno se refiere en LARA RÓDENAS, M. J. de: "Religiosidad y cultura en la Huelva moderna", AA. VV.: *El tiempo y las fuentes de su memoria. Historia Moderna y Contemporánea de la provincia de Huelva*, Tomo III, Diputación Provincial, Huelva, 1995, págs. 158-159. Dicho autor extrae esas conclusiones de sus propios trabajos con fuentes testamentarias, así como de los realizados por González Cruz: LARA RÓDENAS, M. J. de: *Muerte y religiosidad en la Huelva del Barroco. Un estudio de Historia de las Mentalidades a través de la documentación notarial onubense del siglo XVII*, Tesis Doctoral mecanografiada, Universidad de Sevilla, 1997; GONZÁLEZ CRUZ, D.: *Religiosidad y ritual de la muerte en la Huelva del Siglo de la Ilustración*, Diputación Provincial, Huelva, 1993, págs. 502 y 566.

des devociones a imágenes de Cristo cobra un especial interés, dado lo inusual del fenómeno.

En base a lo que se dice en el *Libro* de la Rábida[3] y al análisis de las mandas testamentarias de los testadores moguereños del siglo XVII, Lara Ródenas refiere que el Señor de los Remedios de Moguer -iconográficamente un *Ecce Homo*- constituyó la imagen de Cristo de devoción más extendida en la Tierra Llana onubense, siendo además la única de este tipo que generó una leyenda sobre su aparición recogida por escrito[4]. No obstante, el estudio de diferentes documentos de la época ponen de relieve la preeminencia que en la comarca de Gibraleón obtuvo el Señor de la Guadaña en el siglo XVIII[5].

Según consta en diferentes memoriales y peticiones que los administradores de la capilla o ermita de esta advocación olontense[6] y otros vecinos de la villa dirigieron al arzobispo y a su provisor y vicario general, en Gibraleón se veneraba a mediados del siglo XVIII una imagen pintada de un crucificado con el título de Cristo de la Guadaña: nos encontramos ante la primera originalidad, pues se trataba de una pintura y no de una talla, algo no demasiado frecuente por estas tierras. El Señor, según decía la leyenda, fue aparecido en las carnicerías públicas de la localidad. Si bien ésta se reduce a la indicación del lugar donde prodigiosamente fue hallada la imagen, lo insólito del mismo hace que su invención sea muy diferente del codificado y tópico aparato legendario creado en torno al origen de las principales imágenes de devoción de la actual provincia de Huelva, casi exclusivamente marianas además[7].

El Cristo cobró fama de milagroso, extendiéndose la devoción por "todos los pueblos de la comarca de ella /Gibraleón/, y aun del Reino de Portugal". Tanto es así, que no transcurrían tres o cuatro días sin que acudiesen familias foráneas ante la imagen a implorar gracias u ofrecer sacrificios y limosnas por los favores recibidos. La mayor afluencia de estos devotos tenía lugar durante los días de feria, en torno al 18 de octubre, confirmándose de

---

[3] *Libro en que se trata de la antigüedad del convento de Nuestra Señora de La Rábida y de las maravillas y prodigios de la Virgen de los Milagros.* Manuscrito del siglo XVIII. Archivo de la Provincia Bética Franciscana. Convento de San Buenaventura de Sevilla.

[4] LARA RÓDENAS, M. J. de: *Religiosidad y cultura...*, págs. 166-167.

[5] A. D. H. Expediente suelto acerca de un pleito entre el vicario de Gibraleón, don Pedro Bueno Beltrán, y los administradores de la ermita del Cristo de la Guadaña. Documento por clasificar. Salvo que se indique, con el fin de aligerar el texto de notas, en adelante toda la información concreta relacionada con dicha imagen, la devoción y cultos a la misma, su capilla y la administración de ella está sacada de la anterior fuente documental.

[6] En la documentación se utilizan ambos términos indistintamente para referirse a este templo.

[7] Vid. LARA RÓDENAS, M. J. de: *Religiosidad y cultura...*, págs. 218-224. Un análisis teórico de las leyendas y mitos de origen creados alrededor de ciertas advocaciones podemos encontrarlo en PRAT Y CARÓS, J.: "Los santuarios marianos en Cataluña: una aproximación desde la etnografía", en ÁLVAREZ SANTALÓ, C.; BUXÓ, Mª J. y RODRÍGUEZ BECERRA, S. (Coords.): *Op. cit.*, págs. 219-221.

este modo la tradicional coincidencia cronológica y espacial entre fiesta religiosa y feria comercial, si entendemos la primera en este caso como peregrinación masiva a la ermita[8]. Intercambios comerciales y concurrencia de fieles ante el Señor compartían un escenario común, la plaza mayor de la población, lugar donde, como veremos, se erigió su capilla.

La ermita de la que pasaría a ser titular el Cristo de la Guadaña se edificó a mediados del siglo XVIII, como no podía ser de otro modo, en el mismo lugar de su aparición, es decir, sobre el solar de las carnicerías de la villa, donde primitivamente se encontraba la imagen[9]. Este cambio de ubicación fue motivado, según se indica en la documentación, por hallarse "el Señor en lugar tan ynmundo y extraviarse las limosnas que los fieles traían para el culto del Señor". Fue así que los eclesiásticos de Gibraleón diputaron a un presbítero llamado don José Vicente Pizarro para que recogiese las limosnas que habían de emplearse con tal fin. Éste así lo hizo, y consiguió del Cabildo el traslado de las carnicerías y la cesión del terreno; del mismo modo, obtuvo las correspondientes licencias para pedir limosna y fabricar la capilla del provisor del Arzobispado y del propio arzobispo, fechadas en febrero de 1756, la primera, y en julio de 1758, la segunda.

Durante el transcurso de las obras, la imagen fue trasladada a la iglesia parroquial de San Juan Bautista, muy cercana a la futura ermita, donde seguía recibiendo continuas muestras de la devoción popular. En abril de 1769 se concluía la misma, siendo bendecida y habilitada para celebrar misa en ella, y el Cristo volvía al lugar de su aparición, convertido ahora en templo. La primera descripción de éste nos la ofrece el mismo don José Vicente Pizarro: "oy se halla finalizado con el maior primor y sumptuosidad que cave en aquel pays, y en él una primorosa sacristía (...)". Fruto de una leyenda de invención inusual, resultó un emplazamiento igualmente atípico: la capilla se levantó en la plaza mayor de la villa, centro neurálgico de la misma, lo que no suele resultar muy frecuente en las ermitas devocionales, las cuales generalmente se construyen en las afueras de las localidades o en despoblado, es decir, donde casi siempre se produce la hierofanía.

Finalizada la capilla, don José Vicente Pizarro consiguió permiso del arzobispo para proseguir con la recolección de limosnas que los devotos ofrecían al Señor, con lo que venía a convertirse de derecho en el administrador de su fábrica, tarea que desempeñó hasta su muerte en 1779. En la práctica, el cuidado y control de ella pasó desde entonces a manos de un primo del

---

[8] En esta idea abunda Lara Ródenas. LARA RÓDENAS, M. J. de: *Religiosidad y Cultura...*, pág. 172.

[9] La construcción de santuarios, templos o ermitas en los lugares donde ha ocurrido una determinada teofanía o hierofanía -milagro, aparición, curación, preservación de un mal individual o colectivo, etc.- es muy frecuente. Vid. DÍEZ TABOADA, J. Mª: "La significación de los santuarios", en ÁLVAREZ SANTALÓ, C.; BUXÓ, Mª J. y RODRÍGUEZ BECERRA, S. (Coords.): *Op. Cit.*, págs. 273-275 y 279.

finado llamado don Francisco Tadeo Pizarro, vecino de Gibraleón también, quien en 1785 obtuvo del prelado su reconocimiento como administrador de la ermita, así como la licencia para recoger limosnas destinadas a la terminación de ésta -sin duda se trataría del exorno del nuevo templo-. En sus escritos este individuo magnificaba el papel que su difunto primo había jugado en la erección de la capilla y en la promoción del culto a su titular, llegando a considerarlo fundador virtual de la misma: había coordinado las gestiones encaminadas a su edificación y, según él, contribuyó con parte de las rentas de sus capellanías para este fin, amén de haber continuado costeando la ornamentación de la ermita en los años subsiguientes. En definitiva, todo parece apuntar a un intento de patrimonialización del cargo de administrador de la capilla protagonizado por los Pizarro, familia preeminente de la villa, toda vez que el incremento de la devoción a la imagen habría de traducirse en donaciones de bienes y dinero cuyo control resultaba bastante apetecible. Sabemos, además, que dos hijos de don Francisco Tadeo ordenados de menores acudían todas las noches a rezar el Rosario delante del Cristo de la Guadaña en compañía de otros fieles que concurrían, con lo que se fomentaba el culto hacia la advocación.

En las respuestas que, en julio de 1787, dio el vicario de Gibraleón, don Pedro Bueno Beltrán, al interrogatorio enviado por el geógrafo real Tomás López se sancionaba la veracidad de todo lo extractado de los escritos de los administradores en relación con la imagen y la devoción hacia ésta, salvando la intencionada exageración acerca del absoluto protagonismo que el segundo administrador se concedía a sí mismo y a su predecesor en el cargo. A la vez, en ellas su autor ofrecía una descripción iconográfica más detallada del Cristo y de la propia ermita, en la que se refería la existencia de dos imágenes más, ubicadas en sendos altares: una de San José y otra de la Virgen de la Concepción, devociones muy propias de la zona por estas fechas[10]:

"Igualmente, en la carnicería de este pueblo, que se halla casi en los medios de él, y en una de sus plazas, que se llama Feria Vieja, en el mismo tajo donde se reparte la carne, en la pared inmediata, estaba un crucifijo con el título de Señor de la Guadaña, por tener a los pies de su cruz una muerte con la guadaña en la mano y un letrero que decía: «Mira, que te mira Dios». Y el Señor, es tradición inveterada, fue allí aparecido; y por esta razón todos tenían gran devoción a Su Divina Majestad; mostrándose el Señor tan piadoso en hacer tantos y tan repetidos milagros, que movió el celo de los devotos, y en especial el de un

---

[10] LARA RÓDENAS, M. J. de: "Religiosidad y cultura...", págs. 159-166; GONZÁLEZ CRUZ, D.: *Religiosidad y ritual...*, págs. 163 y 567-568; LARA RÓDENAS, M. J. de y GONZÁLEZ CRUZ, D.: "Piedad y vanidades en la ciudad de Moguer. Un modelo de mentalidad religiosa y ritual funerario en el Barroco del 1700", *Huelva en su Historia*, Tomo II, Colegio Universitario de La Rábida, Huelva, 1988, págs. 541 y s.

eclesiástico sacerdote llamado don José Vicente Pizarro (que de Dios goce). Se dedicó a recoger limosnas, y, pidiendo licencia a este Cabildo para trasladarse dicha carnicería a otra parte, pues allí determinaba hacer capilla para que con más decencia fuese Su Majestad más bien adorado, cuya licencia inmediatamente la consiguió de dicho Cabildo, y, conseguido igualmente licencia para fabricar dicha ermita del excelentísimo señor arzobispo de Sevilla, empezó su obra en el mismo paraje o sitio, a expensas sólo de las continuas limosnas que contribuían los devotos y favorecidos. Se ha hecho una hermita muy preciosa de bóveda, en donde está el Señor con mucha decencia, y otros dos altares de Nuestra Señora de la Concepción y el Patriarca Señor San José, de forma que es un relicario visitado y venerado no sólo de los moradores de esta villa, sino de los demás pueblos y ciudades que tienen noticias de los milagros que el Señor obra por su infinita misericordia"[11].

Años más tarde las relaciones entre los administradores de la capilla y el mencionado vicario se deterioraban, dando lugar a un conflicto que terminó en los tribunales arzobispales a mediados de 1795. Ambas partes mantenían un pleito cuyos motivos no aparecen claros, pero que tuvo como consecuencia un cierre temporal de la ermita por parte de este último, al parecer como venganza. El acontecimiento causó gran escándalo en la población, así como la queja formal de diecisiete vecinos ante el arzobispo: éstos censuraban la actitud del vicario y solicitaban la reapertura del templo, a la par que alababan la gestión de los Pizarro al frente del mismo. Desconocemos en qué quedó el asunto, aunque nos consta que el prelado comisionó al vicario y curas de Huelva para que, yendo a Gibraleón, tomasen cuenta de lo sucedido y remitiesen los informes oportunos. Al hilo del litigio se hacía alusión a las devociones que diariamente se ejercitaban en la capilla: continuaba el rezo del Rosario, se introducía el del Trisagio, por recomendación del padre Diego José de Cádiz, y se mencionaba, además, unas imprecisas "devosiones".

Prácticamente carecemos de información acerca de nuestra advocación para el siglo XIX, contando tan sólo con unos confusos datos que parecen indicar la fundación de una hermandad en torno a la imagen dotada de unas propiedades rústicas considerables, las cuales eran el resultado de las constantes donaciones y legados que iría recibiendo la misma[12].

---

[11] Respuesta del vicario de Gibraleón al interrogatorio mandado hacer en 1783 por Tomás López con vistas a la confección de un *Diccionario Geográfico de España*. Biblioteca Nacional. Manuscrito 7.203.

[12] CAPELO GARCÍA, Mª L.: *Contribución a la problemática de la Desamortización eclesiástica en la provincia de Huelva (1836-1844)*, I. E. O. «Padre Marchena», Huelva, 1980, págs. 56 y 57. Aquí se recoge la existencia de una *hermandad del Santo Cristo de Gibraleón* que poseía en propiedad 28,59 Has. de tierra; también se alude al Santo Cristo de Gibraleón, adjudicándole otras 26,76 Has., todo ello alrededor de 1836-1843.

Muy debilitada, sin embargo, habría de encontrarse esta devoción cuando Rodrigo Amador de los Ríos, en 1909, prescindía de la descripción de la ermita del Cristo de la Guadaña, al no haber en ella, decía, "objeto de valor histórico ni artístico", si bien no dejaba de reflejar la fama de milagroso que tenía este Señor[13]. El golpe definitivo vendría de la mano de los convulsos acontecimientos que tuvieron lugar durante los primeros días de la Guerra Civil: la capilla fue saqueada, destrozándose, según recoge Ordóñez Márquez, "la imagen del titular, tres retablos y un fresco antiquísimo de gran valor"[14].

Tras la Guerra, la ermita pasó a ser la sede de la *hermandad de Nuestra Señora del Rocío* de Gibraleón, no sin antes suscitar ciertos resquemores entre los últimos devotos. El auge en la villa de la devoción por la advocación mariana almonteña, polarizada ahora en la capilla del Cristo, sumado a la pujanza de otro crucificado olontense, el Señor de la Sangre, esta vez de talla, ha terminado por diluir lo que quedaba de la primitiva devoción. En la actualidad sólo pervive en la población el recuerdo vago de un Cristo con fama de milagroso muy venerado por sus antepasados. En definitiva, todo parece apuntar al "agotamiento" de la imagen y su sustitución por otras, fenómeno constatado en algunos casos similares[15].

Pese a todo, la vieja advocación continúa teniendo soporte material en un lienzo que preside el altar mayor de la ermita y en un retablo en azulejos idéntico colocado en la fachada lateral de la misma posteriores a 1936. En ambos se nos muestra a un crucificado de cuyas clavadas manos brotan sendos regueros de sangre, con una muerte con la guadaña a los pies, a diestra y siniestra el sol y la luna rodeados por nubes de tormenta y de fondo la ciudad de Jerusalén. Añádase que al día de hoy la capilla sigue nominándose oficial y popularmente *del Santísimo Cristo de la Guadaña*.

De este modo, advocación cristífera y no mariana, pintura en lugar de talla, ermita en pleno centro de la localidad en vez de en las afueras o en despoblado e inusual leyenda de aparición configuran una devoción de carácter atípico en estas tierras[16], y es ahí precisamente donde radica su importancia, puesto que su análisis nos sirve para matizar algunos de los aspectos ofrecidos hasta ahora en los estudios sobre religiosidad popular.

[13] AMADOR DE LOS RÍOS, R.: *Catálogo de los monumentos históricos y artísticos de la provincia de Huelva* (1909), Diputación Provincial, Huelva, 1998, pág. 213.

[14] ORDÓÑEZ MÁRQUEZ, J.: *La apostasía de las masas y la persecución religiosa en la provincia de Huelva, 1931-1936*, Consejo Superior de Investigaciones Científicas, Madrid, 1968, pág. 73.

[15] Un caso parecido se recoge en LÁZARO DAMAS, Mª S.: "Ermitas y santuarios de la ciudad de Jaén en el siglo XVI", en ÁLVAREZ SANTALÓ", C.; BUXÓ, Mª J. y RODRÍGUEZ BECERRA, S. (Coords.): *Op. Cit.*, pág. 294.

[16]

A SECULARIZAÇÃO DA SOCIEDADE BRASILEIRA

Vanda Arantes do Vale
Universidade Federal de Juiz de Fora
Minas Gerais - Brasil

O objetivo deste texto é a identificação de propostas secularizadoras da sociedade brasileira no período de 1870-1930. Pretendemos identificar o ideário dominante no período, partindo da organização dos Museus - Nacional (Rio de Janeiro); Paulista (São Paulo); Goeldi (Belém) e Mariano Procópio (Juiz de Fora). Inicialmente, apresentaremos fatos e datas relacionados com a criação destas instituições. Aprofundaremos na criação do Museu Mariano Procópio por este se constituir um exemplo da identificação museu-urbanização-industrialização. Finalmente, contextualizando os museus organizados no período, pretendemos identificar as idéias dominantes na secularização da sociedade brasileira.

O Museu Nacional foi criado com o nome de Museu Real em 1808 pelo Príncipe Regente. Uma medida deste governante, dentre várias, como veremos a seguir, para se adequar a antiga colônia ao século XIX. O objetivo da criação do museu foi especificado no decreto de sua criação, de 06 de julho de 1808: "querendo propagar os conhecimentos e os estudos de ciências naturais do Reino do Brasil (...) e que podem ser empregados em benefício do comércio, das indústrias e das artes"[1].

Constavam do acervo do museu, à época de sua instalação, peças de arte, minerais, objetos indígenas, animais empalhados e produtos nacionais. Aberto ao público após 1821, até 1876, o Museu foi principalmente, local onde se guardavam objetos considerados especiais. Neste ano, o museu foi reorganizado dentro de critérios científicos; criou-se uma revista de publicação trimestral, instalaram-se cursos e fizeram-se pesquisas. Os estudos sobre a fauna,

---

[1] SCHWARCZ, Lilian M., O nascimento dos museus brasileiros. In: MICELLI, Sérgio (org.) *História das ciências sociais no Brasil*. São Paulo: Vértice, Editora dos Tribaunais, 1989, v. 1, p. 20-71.

flora e indígenas brasileiros foram realizados na instituição. Estas pesquisas foram perpassadas de idéias evolucionistas. Como exemplo, podemos citar um dos textos de LACERDA, diretor da instituição:

> (...) pela sua capacidade os Botocudos devem ser colocados a par dos Neocaledoneos e Australianos entre as raças notáveis pelo seu grau de inferioridade intelectual. As suas aptidões são com efeito muito limitadas e difícil é fazê-los entrar no caminho da civilização. (Archihvos do M.N., p. 53)[2].

O Museu Paulista, origináriamente chamou-se Museu do Ipiranga. Construído às margens do riacho onde ocorreu o Grito da Independência, o prédio foi concluído em 1890. Em 1893, o museu adquiriu as coleções pertencentes a Joaquim Sertório; segundo SCHWARCZ, eram objetos diversos como "coleções de espécimes de história natural (sem qualquer classificação) bem como peças de diferentes gêneros, de objetos indígenas e jornais, a quadros ou peças de mobiliário"[3].

Montou-se, após 1895, já com o nome de Museu Paulista, uma instituição com caráter enciclopédico. O Museu Paulista, sob a direção do Dr. von Bering (1894-1915) e de Affonso D'Escragnole Taunay (1916 - ?)manteve publicações e intercâmbios com instituições congêneres de outros países. As publicações da instituição mostram as idéias dominantes no período. A postura dominante na época foi a crença que o universo pode ser observado e dissecado científicamente.

Os propósitos classificatórios do universo, estavam presentes igualmente na organização do Museu Goeldi no Pará. Fundado em 1866, passou para a administração da província em 1871. Reinaugurado em 1891 no momentos da euforia da economia extrativista da borracha, foi organizado em secções de Zoologia, Botânica, Etnologia, Arqueologia e Mineralogia. Seguindo os modelos organizacionais de instituições européias, segundo SCHWARCZ[4], tinha "pretensões de transformar Belém em uma espécie de "Paris do Sol".O Museu Goeldi seria em sua arquitetura e organização, um marco identificador, europeu, nos trópicos, meio físico que deveria ser dominado pela Razão Científica. HOBSBAWN comentou sobre os propósitos das ciências à época: "enquanto colonialistas ingleses - como Cecil Rhodes - pretendiam tudo dominar (a terrra e os planetas), teóricos evolucionistas - como Frazer e Tylon - buscavam tudo classificar"[5].

O Museu Mariano Procópio tem sua história indissociada à do desenvolvimento de Juiz de Fora. Mariano Procópio Ferreira Lage foi um dos pio-

---

[2] *Ibidem*, p. 29.
[3] *Ibidem*, p. 37.
[4] *Ibidem*, p. 41.
[5] *Ibidem*, p. 48.

neiros da cidade. Seu nome está ligado à construção da estrada União e Indústria, para a qual contratou imigrantes alemães, que marcaram profundamente a cidade. Os dados biográficos de Mariano Procópio (1821-1871)[6] situam-no no Brasil império agro-exportador, momento de abertura de novas áreas de povoamento, dentre elas, Juiz de Fora. Cafeicultor, homem ligado à política do Império, exerceu diversos cargos públicos. Foi diretor da Estrada de Ferro D. Pedro II, presidente do Jockey Club Brasileiro, diretor das Docas da Alfândega, Deputado Geral pelo Partido Conservador e chefe da delegação brasileira à Exposição Universal de Paris em 1867.

Mariano Procópio foi proprietário de uma fazenda nos arredores de Juiz de Fora, no atual bairro que recebeu seu nome. A sede da fazenda, hoje Quarta Região Miliar[7], pelo que se vê em fotografia da época, era de pau-a-pique, modelo herdado do centro aurífero de Minas. Na colina, acima da sede da fazenda, como se vê na mesma fotografia, Mariano Procópio construiu a "Villa", hoje sede do Museu que leva seu nome. A construção destinava-se à residência campestre de seu proprietário que morava no Rio. Inaugurada em 1861, na mesma data da Estrada União e Indústria, foi projetada pelo engenheiro germânico Carlos Augusto Gambs. Quando da inauguração da Villa, o Jornal do Comércio do Rio de Janeiro, assim comentou:

> Com palavras não se pode fazer a descrição deste lindo edifício, e dos sítios que o rodeiam. Recorde-se cada qual da idéia que em sua infância temos formado da habitação de alguma fada e poderá compreender talvez o que vimos em Juiz de Fora[8].

Percebemos no linguajar do noticiário a consciência de que o prédio identificava transformações histórico-políticas. "Fada", do latim Fata "Entidade fantástica, a quem se atribuía poder sobrenatural e influência no destino dos homens"[9]. A "Villa" não foi o castelo encantado de nenhuma entidade que aparece e desaparece repentinamente. Foi a residência de um homem, representante de um segmento social, membro de uma sociedade que se queria racionalizadora para implantar uma nova ordem sócio-econômica no país.

O modelo racionalista de Palladio usando linhas retas, com materiais industrializados, faz desta residência um dos ícones da industrialização da cidade, mundo que se sobrepôs aos resquícios coloniais com suas curvas barrocas. A razão, nesta sociedade, não influenciaria a vida das pessoas como

---

[6] BASTOS, Wilson de Lima, *Mariano Procópio Ferreira Lage*, sua vida, sua obra, descendência, genealogia. Juiz de Fora: Ed. Paraiso, 1991, p. 14-19.
[7] O filho de Mariano Procópio, Frederico Lage, demoliu a antiga sede da fazenda , construindo no lugar, um palacete de linhas neoclássicas.
[8] *Op. cit.*, p. 105-106.
[9] Novo Dicionário da Língua Portuguesa. Rio de Janeiro: Editora Nova Fronteira, 1986.

as fadas, mas sim as determinaria. A notícia de que a construção foi projetada pelo Engenheiro Gambs aponta para dois aspectos: a valorização da mão-de-obra intelectualizada e especializada, e o primado da teoria sobre a prática dos mestres-de-obras. A nacionalidade germânica de Gambs era a mesma dos trabalhadores livres, contratados por Mariano Procópio para a construção da União e Indústria.

Fazem parte da "Villa"os jardins que são conhecidos como Parque Mariano Procópio. Percebemos neses a intervenção na natureza, procedimento diverso do jardim colonial de herança portuguesa. A inauguração da "Villa"em 1861 entremeia com 1858, ano da da instalação da primeira indústria local e 1912, quando ocorreu a primeira greve operária na cidade. Estas datas e acontecimentos identificam a transição de uma sociedade agro-exportadora-escavocrata para a organização da urbano-indústrial com mão-de-obra livre.

Continuaremos seguindo os estudos de BASTOS[10] para a organização da biografia de Alfredo Ferreira Lage (1865-1944). Filho e herdeiro de Mariano Procópio, fez os primeiros estudos na Europa e formou-se em 1890 pela Escola de Direito de São Paulo. Em sua biografia e na adoção de hábitos urbanos, colecionismo por exemplo, encontramos traços de uma nova maneira de viver da elite brasileira. Herdeiro de imóveis no Rio de Janeiro e Juiz de Fora, em 1915, recebeu a "Villa"como herança materna, levando para elas suas coleções que já então constituíam um museu particular. Além de atividades no Rio de Janeiro, em Juiz de Fora, Alfredo Lage foi jornalista e diretor secretário do jornal O Pharol (1891-1999). Vereador da Câmara Municipal, eleito em 1892. Proprietário, em sociedade, com seu irmão Frederico, do teatro Juiz de Fora (1889-1901). Sócio-acionista, fundador da Sociedade Anônima Academia de Comércio de Juiz de Fora (1891) e Presidente de Honra da Sociedade Alemã de Beneficência.

Em 1921, a firma Jacob e Jorge Kneipp construiu as galerias para abrigarem as coleções. Esta construção segue em sua planta os modelos de museus criados durante o século XIX. Baseada na Galeria dos Espelhos do Palácio de Versalhes, é concebida como edifício retangular alongado, modelo seguido pelos museus alemães e as galerias de Darn e Mollien do Louvre. Em 1936, Alfredo Lage doou o conjunto à municipalidade de Juiz de Fora, ficando como Diretor Perpétuo do Museu Mariano Procópio até sua morte ocorrida em 1944.

Alfredo Lage, formado pela Faculdade de Direito de São Paulo, centro difusor do Positivismo, parece que teve nesta corrente de pensamento a influência maior na organização de suas coleções. Percebe-se no acervo que seu início se deu com elementos de história natural: mineralogia, zoologia,

---

[10] *Op. cit.*, 237-247.

[11] Os irmãos Bernadelli foram figuras de destaque no meio artístico brasileiro no período de 1880-1930.

arqueologia e objetos raros. O acervo foi acrescido com doações como as da Viscondessa de Cavalcanti, irmãos Bernadelli[11] e aquisições pelo fundador do Museu. O acervo do Museu Mariano Procópio tem como característica o enciclopedismo. As coleções constituem-se de livros, cristais, porcelanas, esculturas, pinturas, desenhos, gravuras, fotografias, animais empalhados, invertebrados, minerais e outras categorias. O conjunto que forma o Museu Mariano Procópio- jardins, Villa, galerias e acervo, pode ser considerado um dos emblemas da industrialização que ocorreu na cidade no período de 1870-1930, aspectos que abordaremos mais à frente neste texto.

As medidas administrativas do Príncipe Regente D. João, posteriormente D. João VI, quando a corte portuguesa (1808) transmigrou para o Brasil, identificam modificações substitutivas da organização colonial. Dentre várias medidas, destacam-se, a abertura dos portos, permissão para instalação de manufaturas, doações de Sesmarias em áreas despovoadas, instalação dos primeiros imigrantes, Escolas de Medicina do Rio e Bahia e Imprensa Régia. Posteriormente, resolvidas as questões com a França a partir das derrotas napoleônicas, contratou-se a Missão Francesa de 1816, constituída de estudiosos e artistas necessários à nova fase. O príncipe D. João, com o falecimento da mãe, D. Maria I, foi coroado como D. João VI, rei de Portugal, Algarve e Brasil- este elevado a Reino-Unido. Iniciou-se, nas primeiras décadas do século XIX, no Brasil, o ordenamento da economia latifundiária-agro-exportadora inserida no Capitalismo.

Para os novos estados nacionais latino-americanos, o Capitalismo significou a ruptura com o Pacto Colonial. As elites locais fizeram as independências entre 1811 a 1825 norteadas por idéias liberais inglesas e francesas. Organizaram-se os estados nacionais agro-exportadores e as instituições necessárias a seu funcionamento. Contudo, as estruturas coloniais permaneceram até a década de 60. No caso brasileiro, o Império foi a possibilidade de se fazer a Independência sem a mobilização das massas e de se impor uma organização fortemente centralizada. Organizou-se ao longo do século XIX, no Brasil, o ordenamento da economia agro-escravocrata-exportadora inserida nos princípios do Liberalismo. Universo que começou a mostrar sua inadequação na década de 60. Sílvio Romero (1851-1914), contemporâneo das transformações mencionadas, assim percebeu o seu tempo:

> De repente, por um movimento subterrâneo, que vinha de longe, a instabilidade de todas as coisas se mostrou e o sofisma do Império apareceu em toda a sua nudez. A Guerra do Paraguai estava a mostrar a todas as vistas os imensos defeitos de nossa organização militar e o acanhado de nossos progressos sociais, desvendando repugnantemente a chaga da escravidão; e então a questão dos cativos se agita e após é seguida da questão religiosa; tudo se põe em discursos: o aparelho sofístico das eleições, o sistema de arrocho das instituições políticas e das magistraturas e inúmeros problemas econômicos; o partido liberal

expelido do poder comove-se desusadamente e lança aos quatro ventos um programa de extrema democracia, quase um verdadeiro socialismo; o partido republicano se organiza e inicia um programa que nada faria apagar. Na política, é um mundo inteiro que vacila. nas regiões do pensamento teórico, o tratamento da peleja foi ainda mais formidável, porque o atraso era horroroso[12].

Intensificou-se nos anos 60 do século XIX, o processo de secularização da sociedade brasileira. Secularização prenunciada pela independência mas, contida pelas estruturas coloniais que adentraram pelo Império. Os Museus Nacional, Paulista, Goeldi e Mariano Procópio, inserem-se neste projeto. São instituições como outras, criadas no processo de urbanização do país. Tempo do Capitalismo Industrial que teve na secularização do mundo seu porta-voz. A Razão Científica, postulada como neutra deveria observar, estudar e organizar o mundo.

Positivismo, Evolucionismo e Darwinismo Social foram as idéias norteadoras na organização ou reorganização dos Institutos Geográficos e Históricos, Escolas de Direito, Escolas de Medicina, Museus de História Natural e Academias de Belas Artes. A discussão de questões raciais esteve presente nas instituições brasileiras no período de 1870 a 1930. SCHWARCZ[13] estuda o assunto em o Espetáculo das Raças- cientistas e questão racial no Brasil - 1870-1930. O tema foi abordado nos estudos de Frenologia dos Museus Etnográficos, na leitura dos germânicos pela Escola de Recife, na análise liberal da Escola de Direito de São Paulo, no meio católico evolucionista dos Institutos Históricos e Gegráficos, nas questões eugênicas das Faculdades de Medicina e no ensino artístico da Academia Imperial de Belas Artes.

As instituições acima mencionadas, foram organizadas ou reorganizadas como parte do aparato urbano que se estava implantando, e, contemporâneas à preocupação da intelectualidade brasileira com o reconhecimento de uma identidade nacional. Positivismo de Comte, Darwinismo Social e Evolucionismo de Spencer dividiram a intelectualidade brasileira na década de 80. Nortearam as idéias para a identificação do estado nacional brasileiro. Como identificar nacionalmente um país de índios, brancos e negros? O Istituto Histórico e Geográfico Brasileiro, fundado em 1838, serviu de modelo a congêneres fundados nos país. Teve a proposta de descrever o meio físico e escrever a História do Brasil. Até 1890 preocupou-se com biografias da elite e a descrição das riquezas do país. Nos anos 90 começaram a aparecer discussões sobre o onegro e o índio, vistos como problemas.

---

[12] LEITE, Dante Moreira, *O caráter nacional brasileiro*. 4ª. ed. São Paulo: Pioneira, 1983, p. 195.
[13] SCHWARCZ, L. M., *O espetáculo das raças*; cientistas e questão racial no Brasil 1870-1930. São Paulo: Companhia das Letras, 1993.

As idéias identificadas no estudo desta instituição, podem ser assim resumidas: a herança do pensamento iluminista de civilização e progresso; o Brasil posto como um desdobramento da Europa nos trópicos; a nação brasileira tratada como branca, ficando excluídos negros e índios por não serem civilizados. Diversas soluções foram apresentadas para a solução da "problemática"negra e indígena. A solução do grupo ligado ao evolucionismo positivista, era a da instrução escolas; a vertente religiosa propunha a redenção civilizatória-catequética; os românticos queriam o indígena como símbolo nacional e os ideólogos do branqueamento, como Silvio Romero, defendiam a mestiçagem.

Em 1828 foram criadas as Escolas de Direito de Recife e São Paulo. Na Escola de Recife, o Evolucionismo foi presente na leitura que Tobias Barreto fez de Haeckel e Buckle. Foram lidos e difundidos, Spencer, Darwin, Litré, Le Bon e Gobineau. Silvio Romero, o mais conhecido e divulgado deste grupo, defensor do Evolucionismo, propôs a mestiçagem como solução para a homogeneidade nacional. A Escola de Direito de São Paulo, cidade que após a década de setenta despontou como centro político e financeiro, impôs-se como instituição formadora da elite político-administrativa nacional até 1930. Defendendo a ação de um estado liberal acima das desigualdades raciais, embebida de postulados positivistas, esta elite evidenciou sua adesão ao Evolucionismo, por exemplo, quanto à imigração. SCHWARCZ exemplifica como a Sociedade Central de Imigração (1883-1891), influenciada por políticos paulistas, referiu-se ao caráter "atrofiado, corrupto, bastardo, depravado e em uma palavra detestável da raça chinesa[14].

As Escolas de Medicina do Rio e Bahia foram fundadas em 1813 e 1815. Em 1829, criou-se a Sociedade de Medicina com a incumbência de se analisar o ensino médico. As sugestões da Sociedade foram acatadas na reforma de 1838, quando as Escolas Médico-Cirúrgicas transformaram-se em Faculdades. O ideário destes estabelecimentos de ensino médico foram as Revistas Médicas da Bahia e do Rio. Estas publicações fundamentaram-se no Evolucionismo e o Positivismo. Como Nina Rodrigues (1894-1957) e outros da faculdade baiana, deu-se destaque à preocupação de análise racial e após os anos vinte, aos estudos de Medicina Legal - análise frenológica. No Rio, os estudos voltaram-se mais ao saneamento e higiene. Em ambas, o negro era visto como problema.

Não poderíamos deixar de mencionar o Positivismo, nestes comentários sobre as idéias dominantes em algumas instituições brasileiras de 1870 a 1930. O Positivismo de Augusto Comte (1798-1857) ocupou importante posição no pensamento do século XIX, como método e como doutrina. Como método, graças à certeza rigorosa de experimentação, a partir da qual podem-se elaborar teorias; como doutrina, apresentou-se como revelação da própria

[14] *Ibidem*, p. 184 -185.

Ciência. Estas características do Positivismo mostram a confiança da burguesia na sua capacidade de dominar o mundo em todos os seus aspectos. Ao lado do Evolucionismo de Spencer, o Positivismo ganhou a adesão de grande parte da intelectualidade brasileira.

Idéias positivistas foram discutidas e assumidas por grupos ligados à Proclamação da República. Entre os focos de difusão das idéias comtistas, destacaram-se a Escola Militar e a Sociedade Positivista, no Rio, e a Escola de Direito de São Paulo. O pensamento de que a sociedade pode ser entendida como um organismo vivo onde se detectam questões e aspectos que podem ser resolvidos com raciocínio científico, garantiu a organização da República, apenas como um ajuste institucional sem alteração das estruturas sociais.

Concluímos nosssas observações a nível nacional (1870-1930) afirmando que as Faculdades de Direito e Medicina, o Instituto Histórico Geográfico Brasileiro, os Museus Etnográficos, a Academia de Letras, a Academia Imperial de Belas Artes e outras instituições que foram criadas ou reformuladas no período, funcionaram como instrumento ideológico para a inserção do Brasil na ordem capitalista. A Abolição, em 1888 e a República, em 1889 foram modernizações institucionais que garantiram a permanência no poder, das oligarquias do Império até 1930. As fraturas desta organização se fizeram visíveis com o movimento dos Tenentes em 1922, 1924 e 1926, a fundação do Partido Comunista e a Semana de Arte Moderna em 1922.

Juiz de Fora (1870-1930) cidade onde está o Museu Mariano Procópio, ícone de sua industrialização. O estudo da organização deste centro urbano, colocam-no como um bom exemplo para estudo de caso do que ocorreu na sociedade brasileira do período. Chamou-se Caminho Novo a picada aberta por Garcia Rodrigues Paes, em fins do século XVIII, ligando a Borda do Campo, através da Mata Mineira, ao Rio de Janeiro. Como o declínio da mineração, após 1805, iniciou-se na região a concessão de Sesmarias a famílias tradicionais do Império. Uma das povoações surgidas na região - Santo Antônio do Paraibuna- mais tarde foi denominada Juiz de Fora. Cidade entre a Minas Colonial e o Rio de Janeiro, localização sentida por NAVA, quando se definiu como:

> Eu sou um pobre homem do Caminho Novo das Minas Gerais. Se não exatamente da picada de Garcia Rodrigues, ao menos da variante aberta pelo velho Halfeld e que, na rua pelo arraial do Paraibuna, tomou o nome de Rua Principal e ficou sendo depois a Rua Direita da Cidade de Juiz de Fora. Nasci nessa rua, no número 179, em frente à Mecânica, no sobrado, onde reinava minha avó materna. E nas duas direções apontadas por essa que é hoje a Avenida Rio Branco hesitou a minha vida[15].

---

[15] NAVA, Pedro da Silva, *Bau de Ossos*; memórias. 2ª. ed. Rio de Janeiro: Sabiá, 1973, p. 13.

A aglomeração cresceu em função da prestação de serviços à economia cafeeira, introduzida na região após 1840. Elevada a vila em 1850, a povoação já era cidade em 1856, com vários distritos. Após esta década, capitais excedentes do café foram aplicados na implantação de indústrias de bens de consumo, especialmente a têxtil. A induatrialização deu-se no contexto denominado Capitalismo Monopolista por alguns economistas, como João Cardoso de Mello[16]. E a implantação de indústrias em cidades como Juiz de Fora é identificada como Industrialização Tardia da América Latina. Formou-se Juiz de Fora com a industrialização; cidade laica e possuidora de instalações necessárias a seu funcionamento.

Na história da cidade, estão evidentes os ajustes institucionais e montagens do aparato ideológico necessários às transformações econômicas do Brasil de 1870 a 1930 e na organização de Juiz de Fora, no mesmo período. A industrialização e seu funcionamento como o surgimento do operariado, imigração, saneamento, ferrovias, escolas, bancos e outros, opõe-se à ordem remanescente da colônia. Percebe-se, no país, a formação de setores adeptos do progresso científico, de valores e hábitos laicos; o país insere-se no capitalismo monopolista.

Juiz de Fora, cidade da Mata Mineira, organizou-se espacial e socialmente com a industrialização . Este fato fez da cidade um centro urbano não sómente diferente, mas oposto aos núcleos populacionais coloniais. Cidade que além dos descendentes de portugueses e africanos, teve na sua formação a presença de diversas correntes imigratórias, com destaque em ordem cronológica, para os alemães, italianos e sírio-libaneses. Marca também a cidade o pluralismo religioso, além de numerosos espíritas fazem parte da história educacional de Juiz de Fora: o colégio católico- Academia de Comércio, e o metodista - Granbery.

O Museu Mariano Procópio, em seus diversos aspectos como, biografia de seus fundadores, arquitetura, concepção museológica e data de inauguração da construção da Villa, constitue-se em um ícone da secularização e industrialização da cidade. Cidade onde sirenes identificam funcionamentos de fábricas e chamam operários para o trabalho. Sons e ruídos opostos ao do universo colonial, onde, sinos convocavam os fiéis para Missas, Rezas e outras atividades nas igrejas.

---

[16] MELLO, João Manuel Cardoso de, *O capitalismo tardio*. 3ª. ed. São Paulo: Brasiliense, 1984, p. 35.

Presencia Negro-Africana en Salvador de Bahía (Brasil). Aproximación al "Sincretismo" Cultural y Religioso

José Mora Galiana
Universidad de Huelva

INTRODUCCIÓN

Desde la época de los descubrimientos, a finales del siglo XV y principios del XVI, y con un salto de pértiga de 500 años, la realidad actual de Salvador de Bahía, es decir, la realidad bahiana nos ofrece el crisol de, al menos, tres complejos universos culturales y religiosos: el universo plural de los indios, el de los mercaderes y conquistadores europeos, y la presencia de la cultura negro africana occidental. Pero esa triple realidad, plural y diversa, está globalmente dominada por una dirección económica y por una cultura mundial que fluye de los EE.UU.

La realidad física del Dorsal del Atlántico Central no es más que una instantánea de lo que se percibe y queda oculto en el cambiante panorama terrestre: América del Norte y del Sur, Europa y África separadas y unidas es la imagen de la unidad y pluralidad de poblaciones y culturas que se dan cita en el Mar Caribe o en la Cuenca de Brasil.

Nos interesa, pues, adentrarnos siquiera mínimamente en la realidad de un pueblo, en Salvador de Bahía, cuyo contexto es de mestizaje étnico y cultural, a pesar de la discriminación racial histórica.

En la novela *El viaje de Teo*, Catherine Clément, narradora y viajera, de corte filosófico y curiosidad antropológica nos dice a su regreso:

"Por mucho que las religiones viajen con el invasor, se dan de bruces contra la memoria de los pueblos...

En Brasil había africanos cristianos, africanos musulmanes, blancos animistas, indios cristianos, blancos católicos o protestantes, mestizos indios, incluso indios a secas, que protegían con gran esfuerzo sus propias religiones contra los buscadores de oro, la construcción de carreteras y los especuladores. Brasil era era el mayor crisol de religiones del mundo, el lugar en que se habían mezclado sin remordimientos, el país del sincretismo absoluto, el de la locura divina.

¿Y el carnaval?...

El carnaval también formaba parte del lote religioso..." [1]

Se le olvidó decir a Catherine que hasta las meigas gallegas están presentes en las transacciones y cambios monetarios, bajo la influencia del dólar, y también en los pinchazos y arreglo de neumáticos a lo largo de carreteras abandonadas en ese mundo contradictorio de amplia miseria y poderosa y reducida riqueza, fantástica simbiosis de naturaleza y humanidad, culturas y religiones, arquitecturas superpuestas, edificios inteligentes y favelas, chozas y grandes superficies de supermercados y tiendas, exuberancia selvática, zonas suburbanas y hoteles de cinco estrellas, cabezos y morros fantásticos, arenas de playa y orla de mar Atlántico impresionante, donde conviven junto con la informática y los ecos de la Amazonia y el bosque húmedo tropical, los vientos del Este y del Oeste, desde aquella búsqueda intrépida de las Indias, en la que portugueses y españoles tuvieron que pactar un reparto de poder y dominios, mientras los holandeses navegaban a su amor completando la cartografía comercial de la autoridad portuaria de Amberes.

Ante realidad tan compleja parece osado cualquier intento de aproximación a la realidad bahiana. ¿Cuál va a ser nuestra aportación? Muy sencilla. Vamos a mostrar cómo, durante 500 años, bajo el signo interpelante y enigmático del "mandacarú", símbolo de "resistencia", un sustrato de cultura afro ha mantenido su fuerza utilizando vestimenta de santoral cristiano. Dicha fuerza obedece a una realidad histórica anterior: se calcula que entre los años 1532 a 1585 en Brasil se introdujeron tres millones y medio de esclavos negros. La esclavitud sería abolida en la segunda mitad del siglo XIX.

Con este ejemplo cabe dejar constancia de la complejidad del fenómeno denominado sincretismo cultural y religioso de Salvador de Bahía donde hay tantas Iglesias para visitar como días tiene el año de nuestro calendario. Pero hay un día, el 20 de noviembre, en el que el movimiento antirracista conmemora la muerte en combate de Zumbí, como Día de la Conciencia Negra.

Zumbí es una figura legendaria del desafío al orden establecido. Fueron miles los negros que se opusieron al régimen esclavista y huyeron de las plantaciones de las costas y formaron poblados, a los que se denominó con la voz africana de "quilombo" o "mokambo". En el nordeste brasileño fueron famosos los quilombos de Palmares (1630-1695) y, en ellos, sobresale y se agranda como reto histórico futuro el recuerdo de Zumbí. [2]

---

[1] CLÉMENT Catherine: *El viaje de Teo*, Siruela, Madrid 1998, pp. 292 y ss.
[2] Ver *Guía del tercer Mundo 91/92*, IEPALA, Uruguay 1991, pp. 271-272

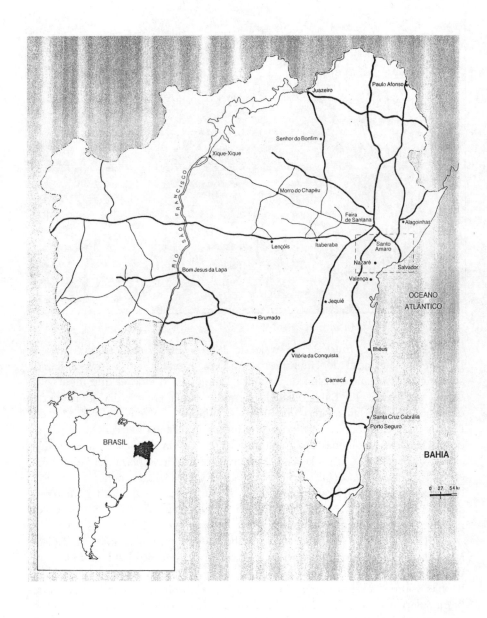

Ya en 1992, fruto de un viaje de 1989 a Brasil, se consiguió para la Diputación Provincial de Huelva una modesta aportación a la revista Rábida sobre el "sincretismo cultural de América Latina", en donde el que fuera vice-cónsul de España en Bahía, Plácido Cerrada, ponía en guardia sobre ciertas expresiones al uso tales como "encuentro de culturas", sincretismo, mestizaje, etc. Personalmente, para mayor provocación, ilustré aquella aportación con imágenes de "divinidades" indígenas de la cultura afro, con el fin de incitar a la investigación. Aquellas ilustraciones las conseguí en el centro de la plaza del Pelourinho, en el *Museo da Cidade*, al lado de la casa de Jorge Amado, también museo y biblioteca del más famoso novelista de Brasil. En la planta superior hay maniquís de los *orixás* (dioses) de las creencias de la cultura *candomblé*, conocidos con nombres negroafricanos y también por sus equivalentes nombres cristianos.

Han pasado siete años. Simbólicamente pudimos traer a Nelson Mandela al Foro Iberoamericano de la Rábida para que nos hablara de la complejidad y la fuerza de la realidad negroafricana. Tendríamos que evitar frases hechas sobre "descubrimiento" y "encuentro de culturas", por lo que encubren, solapan y camuflan. No lo hicimos. Es, pues, momento de volver sobre cuestiones entonces ya planteadas y desenmascarar al menos un aspecto de la realidad del denominado sincretismo, por si se quiere llegar a la verdad de la realidad, respetando la identidad de los pueblos oprimidos y el horizonte de liberación que sus culturas van forjando.

APROXIMACIÓN A LA REALIDAD BAHIANA

Salvador da Bahía, antigua capital de Brasil desde 1549 hasta 1763, se presenta como fruto de amor del mar y la tierra en la ribera norte del enclave marítimo que los portugueses denominaron *Baya de totos los Santos* por el día de llegada. Es un paraje de mágica grandeza y profundidad, ciudad alta y baja, inmensa dársena y abrigo seguro para los barcos.

En la costa sur de Bahía, en *Porto Seguro*, desembarcó en 1500 el explorador portugués Pedro Álvares Cabral. Pero un año más tarde, el día de Todos los Santos, llegó un grupo enviado por la corona portuguesa en donde Américo Vespucio descubriera la villa que pasaría a denominarse de *Sâo Salvador*, sobre un acantilado, justo enfrente de la bahía.

Varios años antes, Portugal se había asegurado "derechos" sobre esas tierras por el famoso Tratado de Tordesillas (1494), pactando entre Portugal y España la línea divisoria para futuros imperios coloniales de acuerdo con la Bula del año anterior del Papa español Alejandro VI, Rodrigo Borgia.

A pesar de los avatares de la historia: incorporación de Portugal a España en 1580, asentamientos de holandeses en Pernambuco (entre 1630 y 1654), posterior separación de España y Portugal, la sustitución del *ciclo del azúcar* por la *fiebre del oro* (a partir de 1696), movimientos independentistas de finales del siglo XVIII, e invasión napoleónica en la Península Ibérica (1808), Brasil consolidó su unidad y amplió fronteras, y su economía permaneció basada en el latifundio, la exportación de productos agrícolas tropicales y la explotación de los esclavos negros.

La primera sensación que se tiene al aproximarse a esta ciudad, sobrevolando la costa atlántica es, sin embargo, de inmensidad. Parece que puede encontrarse el ser humano con un mundo totalmente otro.

Brasil es el país más grande de América del Sur con 8,5 millones de Kms. cuadrados y 159 millones de habitantes en 1994.[3]

Desde una perspectiva filosófica que conjugue las dos grandes esferas de lo finito y lo infinito, lo limitado y lo ilimitado, en la misma redondez de esta tierra bahiana de Brasil parece percibirşe la divinidad fundida con la exuberante naturaleza y confundida entre hábitats, edificios y actividades del ser humano.

Se ha dicho que Bahía es el alma de Brasil. Pero Bahía fue también el centro del poder colonial y lugar de conflictos entre evangelizadores de los indios o nativos, protegidos y no esclavizados, y los colonizadores que, debido a la autoridad de los jesuitas, se vieron empujados a abastecerse de esclavos como mano de obra para los campos en la costa occidental africana, justo en la parte físicamente hermanada con la costa este de América del Sur.

En la actualidad, el Estado de Bahía, uno de los veintiséis Estados de Brasil, tiene unos 11,802.000 habitantes. Contrasta el litoral húmedo y la densidad urbana de la capital con el interior, más árido, agrícola y ganadero, y de riquezas naturales, incluidos el uranio, el petróleo y el gas natural.

Desde una perspectiva de simple geografía urbana, la ciudad tropical de Salvador de Bahía está configurada por cuatro grandes partes: las playas, los suburbios, la ciudad alta y la ciudad baja. El centro conjuga el patrimonio histórico de sabor decadente y la más moderna ciudad. Pero quizás el lugar simbólico del sincretismo cultural y religioso pueda materializarse no sólo en la Iglesia del *Senhor do Bonfim,* el templo más frecuentado de la ciudad, sino en en el caserío colonial de Pelourinho, donde Jorge Amado canta la capitalidad de todas las Áfricas y la ciudad mulata.

En el magnífico libro de Jorge Amado *Bahía tèrre magique*, nacido de la pasión por Brasil del editor Alain Draeger y su mujer Monique, junto a las fotografías antropológicas y etnográficas de emoción contenida, el texto distingue tres regiones del Estado de Bahía: El sur, donde predomina el monocultivo del cacao (de nuevo impulsado); El sur-oeste, tradicionalmente rico en minerales, donde Lençois es museo de arquitectura y estilo de vida colonial; y el "Sertâo", donde la tecnología moderna ha comenzado a aplicarse en la realización de proyectos agroindustriales prometedores, sobre todo en las proximidades del río San Francisco. [4]

[3] Según los datos ofrecidos por la *Guía del Mundo 1996-1997,* IEPALA, Madrid, 1997, pp. 151-156.

[4] ALAIN, DRAEGER y JORGE AMADO: *Bahia, tèrre magique*, Editions d´art Yvon, France 1984, pp. 155-163

En Salvador de Bahía tenemos, pues, un conjunto de recursos materiales y humanos que configuran una cultura plural y necesariamente dinámica y evolutiva, que merece la pena analizar con rigor metodológico para intentar llegar a la verdad de su propia realidad.

En efecto, en Salvador de Bahía es posible descubrir un conjunto de fuerzas materiales y espirituales que operan poderosamente acrisolando el sincretismo cultural mencionado, y que son sobre todo, recursos materiales o estructura corpórea de las fuerzas naturales; distintas fuerzas biológicas y vitales, con una multiplicidad de razas; fuerzas psíquicas de individuos bien diferenciados; fuerzas sociales con costumbres incluso contrapuestas; fuerzas económicas con distintos niveles de técnica de producción, transporte y comunicación; fuerzas culturales, religiosas e ideológicas muy dispares; fuerzas políticas de colonización, resistencia, sometimiento y liberación; y fuerzas estrictamente personales e individuales pero también colectivas, ya sean campesinas o urbanas. Y todas estas fuerzas, incluso las mayorías populares sin tierra junto con las poblaciones de zonas suburbanas, como a ritmo de samba, tienen algo en común: impulsan y "mueven" la historia.

Pero no se olviden las palabras de Catherine:

"De África, los brasileños habían heredado los dioses que habían venido clandestinamente en las bodegas de los barcos negreros... Bautizados por obligación, los esclavos africanos conservaron el culto de los santos católicos, que mezclaron alegremente con sus propios dioses. De modo que las religiones de Brasil formaban un carnaval desenfrenado en que dominaban la danza y los tambores, o sea la poderosa África.
- ¡Los tam-tams...!
- Sí, los tam-tams. Así había empezado la lenta reconquista de África por los esclavos africanos..."

La realidad histórica no es sólo el pasado y el presente sino el horizonte de liberación.

SINGULARIDADES NEGROAFRICANAS Y HORIZONTE DE LIBERACIÓN DESDE SALVADOR DE BAHÍA

Desde que los colonizadores portugueses impusieron su dominio en Bahía implantaron factorías costeras y comerciaron el palo brasil (color de las brasas, entre marrón rojizo y granate), madera utilizada para teñidos en las fábricas textiles europeas. El peligro de que los franceses se apoderaran de Brasil precipitó la colonización definitiva. Los indígenas resistieron sistemáticamente la esclavitud. Los portugueses decidieron utilizar mano de obra africana. Y la presencia de los negros y negras marcó definitivamente a Salvador de Bahía como la capital de África en América del Sur.

La primera singularidad negro-africana en Salvador de Bahía es cuantitativa. La inmensa mayoría es negra y mestiza. Las fiestas populares, en las que hombres y mujeres se visten del blanco luminoso de la cal, tienen para Jorge Amado una significación inequívoca: "le peuple est plus fort que l´oppression et la misère. La vie est parfois si difficile et si cruelle qu´elle paraît insuportable. Pourtant le peuple résiste, il ne se rend pas. Il fête ses fêtes, danse ses danses, chante ses chantes et lâche son éclat de rire libre, jamais dominé".[5]

La procesión del Buen Jesús de los Navegantes, la más importante de las festividades marítimas y la de mayor fervor católico, celebra la entrada del año, pero comienza la víspera con el transporte de la estatua sagrada. Nuestra Señora de la Concepción va a recibirlo. Un galeote engalanado, el mismo desde hace dos siglos, transporta la estatua blanca acompañada de negros. Centenares de embarcaciones de todo tipo se reúnen en el mar para navegar hasta la salida de la bahía, donde el Buen Jesús bendice el océano. La población canta y baila cánticos religiosos y sambas.

Pasados cinco días, el día seis, se celebra la fiesta de los Reyes. Y el primer jueves de enero tiene lugar una de las más grandes fiestas bahianas: el lavado de la iglesia de *Bonfim*, momento culminante de una celebración que dura una semana. Ese jueves no existe el pecado en las calles. En el cortejo de mujeres van las hijas del Santo del Candomblé. Los niños, cargados de ramos, forman con las bahianas la guardia de honor *do Senhor do Bonfim*.

En lo alto de la colina *Do Bonfim,* la plaza de la iglesia se pone de bote en bote. Hay quien se sube a los árboles para poder ver el espectáculo. Pero son las aguas de *Oxalá* las que de las manos de las mujeres negras se esparcen a diestro y siniestro, incluso por los escalones de acceso al templo católico.

¿Acaso puede obviarse el dato objetivo y numérico de la población de bahía? ¿Acaso puede silenciarse que el 80% de la población de San Salvador de Bahía es población negra?

Resulta significativo que las hojas de la *yuca*, a modo de acelgas que se denominan *"manisoba"* en Bahía, en la lengua fang del golfo de Guinea se designen con la voz *manjá*. *Yemanjá*, en Bahía, Divinidad del mar, es equivalente a Nuestra Señora de la Concepción. *Ogum*, el Señor de los herreros, de los guerreros y de los agricultores, *en la tribu fang designa el árbol que da fruto.* *Oxóssi* es el dios de los cazadores, nuestro San Jorge que protege contra el dragón del mal...

Pero hay una divinidad especialmente fecunda: *Nanâ*. Es, tal vez, el rostro materno de Dios del que habla Leonardo Boff,[6] la fuerza de lo femenino, la ternura por excelencia, la maternidad. Naná, Nuestra Señora de Santa Ana,

---

[5] Idem cita anterior, pp. 74-75.

[6] Ver BOFF, L.: *O rostro materno de Deus, ensaio interdisciplinar sobre o feminino e suas formas religiosas*, Editora Vozes, Petrópolis 1979, en el que se parte de la relevancia social y religiosa de lo femenino frente al antifeminismo tanto del judaísmo como de la tradición católica.

madre de María, representa el color azul y blanco, y es la reina de todas las aguas del mundo. Naná, en la orilla occidental del Golfo de Guinea significa "mamá". *Na´à, en fang, es madre.*

Hay, tal vez, en todo este universo semiótico un sustrato cultural que investigar. Pero hay algo más, hay un mismo color de la piel, hay unas raíces de procedencia, hay una realidad sur, del África Negra y de América del Sur.

El hecho de que económicamente se promocionen las playas como valor turístico, y lleguen a Bahía dos millones o más de extranjeros buscando el placer de la luminosidad tropical no es obstáculo para poner en un primer plano la importancia de la identidad negro africana para el horizonte del futuro, en el que tendrá que derribarse el muro Norte-Sur. Sin embargo, quizás no sea posible llegar a un sincretismo fecundo liberador.

Hace ya unos años, en 1985, una misionera alemana, profesora de teología subrayó el hecho de la supervivencia de la cultura cabdomblé más allá de las condiciones adversas del transplante de continente a continente y de la opresión sufrida durante más de 400 años en Brasil. Confrontaba ella el núcleo religioso del candomblé, en el que la cultura africana había centrado su fuerza de supervivencia, con el núcleo de la fe cristiana. ¿Era posible un horizonte de salvación (y de liberación) desde el diálogo?[7].

Quizás lo más importante es asumir el hecho de la pluralidad cultural en un contexto global y facilitar un horizonte histórico que respete la dignidad y la identidad no sólo del ser real sino también del ser potencial, de lo que puede llegar a ser en realidad.

En este último sentido de un nuevo horizonte histórico, de identidad negroafricana con raíces culturales profundas, anteriores a la era de los descubrimientos, cabe que en Salvador de Bahía se produzca la capitalidad del África Negra en América. Si eso se produjera tal vez se concretara históricamente la liberación que tanto ansiara en EE.UU Martín Luther King para todos los negros de una y otra orilla del Atlántico.

---

[7] REHBEIN, Franciska: *Candomblé e salvaçao, a salvação na religiâo à luz da teológia cristâ*, Ediçoes Loyola, Sâo Paulo, 1985.

OXALÁ

Saudação - Epa Babá!...
Sincretismo - Nosso Senhor do Bonfim.
Dia - Sexta-feira.
Cor - Branca.
Sabores - Gosta de pombo e cabra branca, pipoca, acaçá e mucunzá de milho branco, tudo sem sal.
Fetiches - Cajado com pequenas campas (o Opacorô), no qual se apóia, anel de chumbo e braceletes (dois copos e duas escravas).
Instrumentos do culto - Capacete de metal branco, couraça, duas capangas, uma espada, um escudo, um polvarinho.
Indumentária - Branca, delicada, com colares de contas brancas.
Poderes - Divindade da Criação, todos os ORIXÁS lhe rendem vassalagem e respeito. Reina sobre todo o universo e sobre todas as coisas que nele existem. É generoso e indulgente. Encarna a bondade e a turnura.

YEMANJÁ

Saudação - Odô iá!...

Sincretismo - Nossa Senhora da Conceição.

Dia - Sábado.

Cor - Transparente ou cristal.

Sabores - Gosta de milho branco com azeite e sal, pombos e ovelhas brancas.

Fetiches - Pedras marinhas, conchas e pingos d'água dos rios.

Instrumentos
do culto - Coroa, alfange, bracelete (duas escravas e dois copos) e o **abebê** (leque) de metal branco e reluzente.

Indumentária - Azul e branca de tecido fino, geralmente seda e colares de contas transparentes.

Poderes - Divindade do mar, o seu reino encantado fascina os pescadores que a chamam também de Janaína e Senhora Soberana. É doce, generosa e indulgente.

OGUM

Saudação - Ogunhê!...
Sincretismo - Santo Antônio.
Dia - Terça-feira.
Cor - Azul escuro.
Sabores - Gosta de fígado, coração e bofe de boi.
Fetiches - Instrumentos de ferro, polvarinho, cabaça e safra de ferreiro.

Instrumentos
do culto - Capacete de metal, espada de guerreiro, braceletes (duas escravas e dois copos) e um medalhão pendente do pescoço simbolizando um escudo.
Indumentária - Couraça e capanga.
Poderes - Senhor dos ferreiros, dos guerreiros e dos agricultores. Protetor das safras e das matas.

OXÓSSI

Saudação - Okê Arô!...

Sincretismo - São Jorge.

Dia - Quinta-feira.

Cor - Verde.

Sabores - Gosta de bode, galo, porco e **conquém** (galinha d'angola).

Fetiches - Arco, flexa, bornal, polvarinho e capanga de caçador.

Instrumentos do culto - Couraça, capacete de metal, dois chifres a tiracolo, oriquerê, braceletes (duas escravas e dois copos).

Indumentária - Verde e rósea com colares das mesmas cores.

Poderes - Protetor, por excelência, dos caçadores, traz sempre a sua lança em riste contra o dragão da maldade do mundo.

NANÃ

Saudação - Salubá!...
Sincretismo - Nossa Senhora Santâna
Dia - Terça-feira.
Cor - Azul e Branco.
Sabores - Gosta de cabra, galinha, conquém
(galinha d'angola) e andaré.
Fetiches - Um **Ebirí** que sempre traz entre as mãos.
Instrumentos
do culto - Dois **barajás** azuis, braceletes (duas
escravas e dois copos).
Indumentária - Vestido amplo até aos pés, azul e branco
com oujá azul à cintura. Contas azuis e
brancas em colares cruzados sobre os
ombros até a cintura.
Poderes - Considerada o mais velho dos ORIXÁS
por ser mãe de Nossa Senhora, reina
sobre todas as águas do mundo.

El Ciclo Festivo de Almonaster La Real (Huelva): Un exponente de religiosidad popular como aglutinador social

José Juan de Paz Sánchez
Gabinete Pedagógico de Bellas Artes
Junta de Andalucía

Almonaster La Real es un pequeño pueblo, en plena Sierra de Huelva, a 96 Km. de la capital provincial. Un pueblo pequeño, pero con un importante Patrimonio Artístico, que ha supuesto ser declarado Conjunto Histórico Artístico en 1982. Además de la importancia de sus monumentos y yacimientos arqueológicos, esta población contiene un rico Patrimonio Etnográfico, que está conformado por su ciclo festivo en el que junto a una serie de rituales y costumbres seculares la cultura popular ha logrado mantener también un importante conjunto de cantes y bailes asociados a fiestas locales cuya conservación bien podría merecer la declaración de Lugar de Interés Etnográfico, de los que nuestra provincia se encuentra en total carencia, pese a su riqueza en este aspecto.

Además de los rituales propios del ciclo vital, asociados al componente religioso, existen en esta población de la Sierra de Huelva tres elementos que conforman el ciclo festivo anual y constituyen la base de una tradición popular religiosa: la Semana Santa, las fiestas de la Cruz de Mayo y la Romería de Santa Eulalia. Gracias a estos elementos del Patrimonio Etnográfico la conciencia de pertenencia al grupo y las señas de identidad se intensifican y mantienen a lo largo de generaciones de almonasterenses.

El desarrollo de estas festividades tiene lugar en apenas unas semanas, de fines de marzo o primeros de abril hasta finales de mayo; aunque existen otras festividades religiosas que actúan de recordatorio de diversos elementos religiosos y sociales, pero su carácter tradicional y popular queda oscurecido tanto por la importancia social como antropológica de los tres elementos citados.

LA SEMANA SANTA

En cuanto a esta primera fiesta, no nos vamos a extender en consideraciones pues su estudio y conocimiento general, en ámbitos diversos, es suficientemente conocido y, con excepción de la devoción al Señor, está en la tónica general de esta festividad en la Sierra de Huelva.

De todas formas tenemos que exponer que se constituye como una muestra del elemento religioso como hecho unificador y con la que se manifiesta el carácter uniforme de la cultura básica de los habitantes de esta población y la existencia de atributos culturales compartidos por la mayoría del grupo: la consideración de católicos, sean o no practicantes de esta religión[1].

Pero la Semana Santa, que es una festividad eminentemente religiosa, antiguamente comenzaba en Almonaster un día antes, el sábado que precedía al Domingo de Ramos y finalizaba un par de días después del Domingo de Pascua. Ese día tenía lugar el traslado del Señor, que es como se conoce a la imagen del Señor de la Humildad y Paciencia, y se abría la Semana Mayor. Se trata de una advocación, ermita y culto relacionada con el Cristo del Buen Viaje, tan tradicional en Andalucía desde el Antiguo Régimen. En la actualidad este acto ha sido adelantado algunos días por necesidades de organización del culto parroquial. De forma que, desde entonces, dos semanas antes del Domingo de Ramos es cuando tiene lugar este traslado.

Esta imagen que se halla situada en la ermita de su nombre, a las afueras de la población, en el camino que conduce hasta la cercana población de Cortegana, goza de gran devoción entre los almonasterenses. Es preciso destacar el hecho de que las dos imágenes, a las que profesan mayor devoción en Almonaster, se encuentran fuera del núcleo urbano: El Señor y Santa Eulalia.

Este traslado del Señor tiene lugar cada año a la misma hora, aproximadamente, aunque sin necesidad de llamada o aviso alguno un numeroso grupo de personas, prácticamente todo el pueblo, se agrupa en los alrededores de la pequeña ermita con las últimas luces del día. Con la dirección del sacerdote y el auxilio de los monaguillos se comienza una procesión en la que el paso del Señor es llevado a hombros por seis hombres. La procesión se organiza de forma espontánea, pero se sigue un orden natural en el sentido de que primero marchan los niños, después las mujeres y finalmente los hombres, que en su mayor parte marchan detrás del paso, excepto los que forman la cuadrilla de costaleros que portarán el paso en turnos voluntarios y en el que se cede el lugar sin mayor complicación. Finalmente, tras recorrer parte de la población, el paso del Señor es introducido en la iglesia parroquial donde comienzan los cultos que tendrán lugar durante cinco días (quinario), aunque muchos de los que participaron en la procesión se quedan fuera, pues lo importante es el tras-

---

[1] AGUILERA, Francisco E., *Gente de Santa Eulalia. Almonaster la Real (Huelva)*. Huelva, 1995, Diputación Provincial, páginas 69-74.

lado de la imagen más que los cultos en sí. Es el único momento de la Semana Santa en el que se puede decir que el grupo se muestra como tal.

El Domingo de Ramos tienen lugar los cultos propios de este día a los que suelen asistir los fieles por costumbre como en muchas poblaciones andaluzas. Los demás días no tienen mayor relevancia en Almonaster hasta que tienen lugar los ritos y cultos de jueves y viernes santos. El Jueves Santo, a la diez de la tarde, se procesionan la imagen del Cristo de la Humildad y Paciencia, el Señor y la Virgen de los Dolores. Ambos pasos son llevados por los hombres de forma voluntaria y, generalmente, cumpliendo alguna promesa. El viernes por la mañana se hace el traslado del Señor a su ermita de nuevo, en unas condiciones de devoción similares a las de su traída.

El viernes a la diez de la noche tiene lugar la segunda procesión, pero esta noche en lugar del Señor preside la misma una gran cruz con Cristo crucificado, que es llevada horizontalmente por tres mujeres, también sale la Virgen de los Dolores que, como en toda la Sierra de Huelva, goza desde la Edad Moderna de gran devoción, tras su introducción en la zona por diversas comunidades de Servitas de Sevilla (Aracena, Aroche, Almonaster, etc.); esta procesión termina pronto.

Al día siguiente tiene lugar antes de la media noche la misa de la Resurrección, cuando según el ritual se celebra la resurrección en el exterior de la iglesia y son lanzados cohetes y fuegos artificiales generalmente por las hermandades de la Cruz.

El domingo tiene lugar la celebración de la Pascua, este hecho supone una cierta unidad cultural, no social, que termina con una celebración festiva en el campo: la jira, lo cual será una constante en el ciclo festivo. Consiste ésta en un paseo al campo a un sitio no determinado, pero que siempre suele ser el mismo para cada grupo de familias, durante la tarde del Domingo de Pascua. Esta actividad será repetida por los niños el lunes y el martes de Pascua. Mientras que en el aspecto gastronómico la Semana Santa no se aleja de los patrones onubenses y andaluces, en el que la tradicional torrija domina este apartado, con otros elementos como el bacalao en varias preparaciones o el potaje o las tortillitas de bacalao; en el caso del domingo de Pascua se singulariza en Almonaster en este aspecto culinario por la existencia de los tradicionales huevos, que en muchos casos son coloreados, y las roscas, que son elaboradas por los panaderos locales durante la Semana Santa y que se convierte en un elemento imprescindible de la fiesta de la Pascua[2]. Este ritual se halla asociado a la fiesta del bollo, muy común en la Sierra de Huelva (Cortegana, Fuenteheridos, Galaroza, la Granada de Riotinto, Higuera, Zufre) y en otras de España, aunque con nombres diversos: bollo, empanada, rosca,

[2] RECIO MOYA, R., *Antropología de la Sierra de Huelva*. Huelva, 1996, Diputación Provincial, páginas 195-199.
AGUILERA, FRANCISCO E., *Gente de Santa Eulalia. Almonaster la Real (Huelva)*. Huelva, 1995, Diputación Provincial, página 75.

gira, etc.; y a su vez se pueden considerar como un trasunto de las fiestas romanas de la fertilidad, dedicadas a Ceres: la Ceralia[3].

LAS CRUCES DE MAYO

Esta parte del ciclo festivo comienza a tener lugar el primer día de abril. En el caso de la Cruz de Mayo predomina lo popular en forma de canciones, bailes y diversos rituales, aunque medianamente jerarquizado por la tradición, representada y vigilada por la hermandad y los más viejos del lugar.

La fiesta de la Cruz tiene su origen en una fiesta religiosa, que de hecho no es más que, como muchas otras, la cristianización de un ritual pagano romano: los mayos.

En el caso de Almonaster puede decirse que constituye un conjunto de elementos simbólicos que manifiestan la existencia de tensiones sociales, que quiebran la unidad cultural manifestada durante la Semana Santa, quebrazón que se traduce en la existencia física y social de una entidad limitada por sus diferenciaciones dentro del grupo.

Todo ello tiene lugar a través de una serie de elementos simbólicos. El propio símbolo de la Cruz ya constituye parte de este ritual; se trata de unos monolitos encalados de unos dos metros de altura, situados en sendas plazas a la salida de la población en direcciones opuestas, que sostienen una cruz de hierro de forja, de casi un metro de altura. Su situación en los extremos este y oeste de la población, salidas opuestas, en un llano y junto a la fuente del Consejo respectivamente, en el camino real que conduce de Sevilla al reino de Portugal.

La existencia de dos hermandades y dos cruces plantea rivalidades y niveles de comportamiento, alejados de lo religioso. Son la Hermandad de la Cruz del Llano y la Hermandad de la Cruz de la Fuente, aunque en el lenguaje coloquial se conocen como el Llano y la Fuente, con lo que el sentido de la territorialidad aparece claramente dominando el componente religioso, al que parece superar con el propio comportamiento cívico y social en lo momentos claves del ritual en los que la identidad se realza mediante la oposición al otro "bando"[4]. Obviamente lo normal es que cada persona tome partido por una de las dos hermandades y asista a los actos festivos de dicha hermandad, aunque es también numeroso el grupo de éstos que también asiste a los actos de la hermandad contraria.

La existencia de dos hermandades en el pueblo hace que todos sus habitantes, en general, se definan en lo que Isidoro Moreno denominaba grupos semicomunales o de mitades[5]. Lo normal es la adscripción a una de las

[3] CARO BAROJA, J., *Los pueblos de España*, Madrid, 1976, tomo II, pp. 121 y ss.

[4] AGUILERA, Francisco E., *Gente de Santa Eulalia. Almonaster la Real (Huelva)*. Huelva, 1995, Diputación Provincial, páginas 76-79.

[5] MORENO NAVARRO, I., *Cofradías y hermandades andaluzas*, Sevilla, 1986, Biblioteca de Cultura Andaluza, pág. 82.

dos hermandades por la línea matricial y gracias a la presión ejercida sobre las mentes infantiles, que toma forma con la realización del Romerito de los Niños.

Lógicamente, el número de hermanos que se adscriben a una y otra cruz aumenta respectivamente según nos acerquemos a una u otra zona, es decir el número de partidarios del Llano es mayor en la zona de la población cercana a la misma y en caso contrario aumenta el de los partidarios de la Fuente, aunque las excepciones se dan en ambos casos y el número de matrimonios entre partidarios de cruces diferentes aumenta cada año, lo que significa que, pese al matrimonio y a la existencia de relaciones normales todo el año, cuando llega mayo los problemas surgen necesariamente y un relativo enfrentamiento entre parejas llega a producirse, sobre todo la noche del Pino, que es rápidamente superado nada más terminar estos dos días y con el compromiso más o menos tácito de no tocar la cuestión y mantener el "status quo" con mayor o menor elegancia y fortuna.

También es posible que por circunstancias diversas se produzca un cambio de partido, aunque muy raramente, o, más frecuente, la pertenencia a ambas hermandades de forma casi simbólica. En el primer caso suele suceder que se asocie al emparejamiento de jóvenes a través de las diversas actividades relacionadas con la festividad, fundamentalmente los bailes; en el segundo caso están los comerciantes[6].

Independientemente del calendario litúrgico, las Cruces de Almonaster comienzan el primer día del mes de Abril, aunque, si este día coincide con los mayores de la Semana Santa se retrasa hasta el Domingo de Pascua. Ese día comienza el llamado Mes de las Flores. Cada día de ese mes ambas hermandades abren su casa, el salón, para la confección de las flores y otros adornos o actividades que son necesarios para el desarrollo de la fiesta. Esta reunión diaria supone un periodo precioso para el ensayo y aprendizaje de canciones, mientras se trabaja en las flores se cantan los *fandangos de la Cruz*. A la vez que unos hermanos elaboran las flores de papel que decorarán la cruz y el pilar, otros, generalmente las chicas, aprenden y practican las canciones, especialmente la Mayordoma y las Diputadas y algunas chicas más, que las acompañarán vestidas de serranas y dirigirán con las panderetas las canciones de los demás.

El proceso de elaboración de estas flores está dirigido por una de las mujeres mayores, aunque todos colaboran en su fabricación, incluso los niños. Estas flores presentan algunas diferencias de matices entre una cruz y otra, que apenas si son perceptibles. Otro aspecto de esta operación diaria es el baile de algunas *sevillanas* de origen antiguo y muy aceptadas para estas fechas.

Cuando el grupo de hermanos y simpatizantes aumenta el grupo se divide en dos, unos continúan con la labor de las flores mientras que los más jóvenes comienzan a ensayar con las panderetas. Se trata de conseguir, por un

---

[6] AGUILERA, Francisco E., *op. cit.*, pág 79.

lado perfección en los ritmos como resistencia en el manejo del instrumento. Se trata de ensayar las dos modalidades de canciones fundamentales de la fiesta: las *coplas de romero* y los *fandangos de la cruz*.

Las primeras son cantadas tanto en el romero propiamente dicho como en otros momentos de la fiesta, pero se puede decir que contienen los elementos más propiamente religiosos y rituales. Estas coplas del romero constan de cuatro versos que son repetidos de forma que llega a tener nueve versos. Hay alguna de estas coplas que son cantadas por ambas hermandades, mientras que otras son propias de cada hermandad y que nunca serán cantadas por la otra. Estas coplas constituyen un importante elemento aleccionador por el que los miembros más jóvenes de la hermandad son introducidos en ella y se impregnan de su "ideología"[7].

Un ejemplo de *coplas de romero* cantada por ambas puede ser el siguiente:

> En un madero de cruz,
> A Jesús crucificaron,
> A Jesús crucificaron,
> y por eso sus hermanos,
> con devoción la adoramos,
> con devoción la adoramos,
> con devoción la adoramos,
> en un madero de cruz,
> a Jesús crucificaron,
>
> —
>
> Ya vienen las golondrinas,
> con el vuelo muy ligero,
> para quitarle las espinas
> a Jesús el Nazareno.
>
> —
>
> Estamos llegando a la Cruz,
> Con el traje de serrana,
> en homenaje al Señor
> y a su sangre derramada.
>
> —
>
> Bendita sea la cruz.
> Benditas sean las flores
> Y también benditas sean
> todas las que se la ponen.

Mientras que los fandangos son coplas de carácter más profano, aunque también los hay devocionales hacia la cruz o referidos a alguno de los ritua-

---

[7] *Ibidem*.

les cruceros. Igualmente se conforman con cuatro versos en sucesivas repeticiones. Como en el caso de *las coplas de romero* los hay generales, cantados por los componentes de ambas hermandades, y otros que son propios de cada hermandad. He aquí algunos ejemplos:

> Toda la noche me llevo,
> atravesando pinares,
> Toda la noche me llevo,
> Por darle los buenos días,
> Al Divino Sol que sale.
> Toda la noche me llevo,
> Quien tiene piña, piñones.
> Alto pino tiene piñas,
> quien tiene piña, piñones.
> Quien tiene amor, tiene celos,
> quien tiene celos, pasiones.
> Alto pino tiene piñas.

Una de estas canciones, con un aspecto especial, son los conocidos como *fandangos del pique*, en los que de forma satírica, más o menos burlesca o soez se critica a personas o elementos de la cruz rival. Algunos de estos fandangos son también inventados o puestos en vigor de nuevo en estas noches de Flores.

Aunque el antagonismo se halla latente durante todo el año, es en las cruces cuando se manifiesta exteriormente, pero el momento de máxima expresión es *la noche de los pinos*. Durante su desarrollo se trata recíprocamente de reafirmar la identidad de medio pueblo de forma positiva hacia su cruz y negativamente contra la hermandad adversaria.

En estas hermandades *semicomunales o de mitades*, aunque el antagonismo se halla latente durante todo el año, el momento de máxima expresión es esta noche de los pinos. Durante su desarrollo se trata recíprocamente de reafirmar la identidad de medio pueblo de forma positiva hacia su hermandad y negativamente contra la hermandad adversaria[8].

De hecho, durante el resto del año se prefiere no tocar cuestiones relativas a este asunto en presencia de personas que pertenecen a la otra hermandad. De esta forma se evita la hostilidad personal, aunque la competitividad se mantenga.

Cuando finaliza abril los ánimos y espíritus se tensan, sobre todo el último domingo del mes previo al de la festividad de la Cruz: *el domingo de Chubarba*. Ésta es un arbusto de color verde con hoja afilada y espinosa en forma de laurel, que crece en las zonas húmedas y umbrías, junto a los arroyos y pequeños cursos de agua, que es usada en el adorno del pedestal y la

---

[8] MORENO NAVARRO, I., *op. cit.*, págs 83-84.

Cruz. Después de la comida del mediodía las mujeres con las panderetas y el tamborilero con flauta y tamboril acuden a los salones de cada cruz. Algún miembro de la hermandad trae un burro que soportará la carga hasta su llegada de nuevo a la cruz. Este día las personas mayores, que no formarán parte del cortejo de la mayordoma y las diputadas durante los actos del día de la cruz, serán las que junto a aquéllas toquen las panderetas y canten los fandangos de la cruz y coplas de romero.

Este ritual de ir por plantas al campo está muy extendido (en Berrocal es el romero) y asociado a muchas festividades; se relaciona con la consideración del espacio rural/forestal en contraposición al espacio urbano, que mantienen una relación dialéctica, en la que el medio urbano obtiene sus recursos del natural, que es el lugar donde se halla el mito y la leyenda; con estos rituales se vuelve (a nivel simbólico) a la naturaleza, se obtienen de ella sus dones y se transportan ceremoniosamente para adornar la celebración (nivel alegórico). De esta forma puede decirse que no se va al campo para adornar la celebración, sino que se hace el adorno para ir al campo[9].

Una vez recogida la chubarba, se carga en el burro y es transportada entre cantes hasta los pies del monolito de la cruz, allí el burro, que en estos momentos es un protagonista de la fiesta, por lo que ha sido enjaezado con cuidado, da las tres vueltas al monolito de la cruz, mientras los asistentes entonan canciones de la cruz.

Esa mismo noche continúa la elaboración de las flores después de la cena, como las noches siguientes, hasta llegar al sábado anterior al primer domingo de mayo, que es cuando comienza propiamente la fiesta de la Cruz.

Ese día tiene lugar lo que se conoce como *la tarde de las flores*. A media tarde se reúnen los hermanos en el campo a la salida de la población (la Era de la Cuesta en el caso del Llano y en el de la Fuente en la zona del prado de la Toba en la aldea del Arroyo). Allí se cantan los fandangos de la Cruz y las sevillanas antiguas al toque de flauta y tamboril. Después de estos cantes y bailes se vuelve a la población. Antes de entrar los asistentes recogen unas ramas de chopo que previamente han sido cortadas y reunidas. Se hace la entrada en el pueblo con estas ramas en la mano, en el caso de las dos Diputadas hacen un arco con sus ramas y lo colocan sobre la mayordoma que hace así su entrada en Almonaster. Se dirigen hacia el monolito de la cruz, al que se le dan tres vueltas correspondientes. La comitiva se deshace y comienzan los cantes con las panderetas; es éste el momento en que las personas mayores, especialmente las mujeres, muestran sus habilidades en el cante de fandangos y otras coplas y en el manejo con destreza (*repiqueteo*) de la pandereta.

Pasado un buen rato entre cantes y bailes, la comitiva se rehace y se encamina a la calle de la mayordoma para dejarla en su casa, acompañándola con *cantes del romero* de la cruz. Una vez que la mayordoma es dejada en

---

[9] RECIO MOYA, R., *Antropología de la Sierra de Huelva*. Huelva, 1996, Diputación Provincial, página 193.

su casa, se vuelven a cantar los fandangos en la puerta, generalmente su familia suele obsequiar a los asistentes con bebidas y tapas o dulces caseros. En este momento es en el que aparece el mayordomo, junto con sus dos diputados, y se colocan en la puerta de la mayordoma para acompañarla. Después de la cena familiar tiene lugar el baile u otra actividad lúdica, hasta la siguiente fase del ritual: *la noche de los pinos*.

La noche de los pinos consiste en ir al campo para recoger cuatro troncos de pinos, que están previamente cortados y que se colocarán alrededor de la cruz como un adorno, pero que son imprescindibles. Remitimos al comentario anterior sobre la dialéctica campo-ciudad de unas líneas anteriores.

Es la noche en la que se cantan los *fandangos del pique* y en la que las tensiones afloran más agresivamente, aunque las actitudes respecto a las provocaciones son variadas y van desde la respuesta relativamente violenta, tanto en una hermandad como en otra, hasta la indiferencia total y la ignorancia que permite continuar con el baile y la fiesta. Aunque ambas cruces parecen descargar las culpas de gran parte de estos actos provocadores en personas forasteras, ajenas a la fiesta, y por los efectos del alcohol.

Los primeros en salir son los componentes de la Fuente en grupo. Después de dar una vuelta al pueblo pasan por la cruz contraria de forma que ésta es, hasta cierto punto, protegida por sus hermanos, por lo que pudiera ocurrir; esta situación se repite en el caso contrario cuando los visitados son los de la Fuente. El acto tiene lugar en un marco de agitación y alteración que, a veces, da lugar a los incidentes reseñados anteriormente, aunque siempre son resueltos de forma amistosa. Se cantan algunos *fandangos de pique* a la vez que los cohetes no paran de subir, explosionar y, en algunos casos, reptar peligrosamente con mejor o peor intención.

Algunos ejemplos recogidos de estos fandangos son:

> Soy de la calle de la Fuente
> Y lo llevo muy a gala,
> porque en las cruces de Mayo
> es la Fuente la que gana.
>
> —
>
> Todas la llaneras dicen:
> con el Llano no hay quien pueda,
> pero ellas si que no pueden
> con todas las callefuenteras.
>
> —
>
> Los capitales del Llano
> Pasaron a la historia,
> que se aprendan la lección
> que el ser pobre no es deshonra.
>
> (Fandangos de pique de la Fuente).

Después de pasar los de la Fuente y volver del campo con sus pinos, tiene lugar la salida del Llano con lo que la situación se repite. Pero ni en uno ni en otro caso suele suceder nada de importancia, los propios hermanos de ambas cruces mantienen la necesidad de este relativo elemento competitivo, que otorga un poco de sal y pimienta a la propia fiesta y mantiene la propia existencia de la misma. Hemos recogido varios fandangos de pique del Llano, aunque están más en relación con el tema de la recogida del pino:

> Vámonos de aquí galanes
> Que las estrellas van altas
> Y la luz del día viene,
> Descubriendo nuestras faltas
> Cosa que no nos conviene.
> Las estrellitas del cielo
> Las cuento y no están cabales,
> faltan la tuya y la mía
> Que son las dos principales.
> Agua menudita llueve,
> Pronto caerán canales,
> Ábreme la puerta, cielo,
> Si no quieres que me cale.

Se recogen los pinos a la salida de la población y al amanecer se comienza a vestir la Cruz. Esta actividad consiste en colocar en la cruz los adornos y diversos elementos de la forma tradicional; para ello es dirigida esta operación por algunas mujeres que son consideradas expertas por las demás, más jóvenes, pues su edad y experiencia les permite una cierta autoridad en la materia. A veces puede ocurrir que algunos años acuda poca gente a realizar esta operación, lo que produce cierta preocupación entre los más jóvenes.

EL DÍA DE LA CRUZ

El domingo por la mañana es cuando comienza el día de la Cruz, la festividad más importante. Una vez que las cruces están vestidas tiene lugar el *Romero de la Cruz*, en la Fuente por la mañana, en la Llano por la tarde. El acto del romero es el más importante ritual y convocan a toda la población tanto a uno como a otro.

El romero no es más que una procesión en la que las hermandades de ambas cruces hacen, durante el recorrido, una serie de ofrendas en distintos lugares en un itinerario similar, aunque con distinto orden.

En primer lugar van desde la cruz hasta la casa de la mayordoma para recogerla. Vuelven con ella a la cruz y desde allí se dirige el romero al encuentro del mayordomo en el campo, en la Era de Cuesta:

Vamos por el romerito,
Vamos en gracia de Dios,
que está florido y hermoso
Para la cruz del Señor.

La comitiva, acompañando a la mayordoma y sus diputadas, sale a las afueras del pueblo, donde el mayordomo espera montado a caballo, acompañado de sus mayordomos a pie, en el caso de la Fuente, y a caballo también en el Llano. Aunque el motivo de esta diferenciación no está claro en la memoria colectiva, para amortiguar el efecto de esta supuesta situación de inferioridad los de la Fuente tienen una canción:

Que importa que Llano tenga,
tres caballos y mucha gente,
si el Llano siempre será,
una copia de la Fuente.

Cuando se produce el encuentro de los mayordomos la muchacha entrega al caballero la bandera de la hermandad; es entonces cuando se canta la copla:

Mayordomo de la Cruz,
acércate a la bandera,
porque ya viene cansada,
la pobre de tu compañera.

—

Mayordoma de la Cruz,
allí lo tienes parado,
en la Era de la Cuesta,
montadito en su caballo.

Este rito de recibir el hombre la bandera (cetro) de manos de la mayordoma (hembra representativa) no hace sino significar que el varón es quien controla el campo y el bosque, porque se enfrenta con él, y por eso llevará este símbolo en los actos de representación y cortesía, pero que deberá devolver al llegar a su propia cruz, el ámbito doméstico, en el cual es la mujer la que gobierna y controla[10].

Desde el entorno natural se dirige el romero a la población, acompañado de cantes y cohetes, para realizar un itinerario que la tradición ha fijado a través de siglos. Durante este recorrido se hacen ofrendas de romero y flores al pasar por el ayuntamiento, de esta forma la autoridad civil es reconocida y cumplimentada por ambas cruces:

[10] *Ibidem.*

Bendito sea el Alcalde
que la licencia nos dio
para ir por el romero
antes de misa mayor.

—

Bendito sea el Alcalde,
de este pueblo presidente,
que ha recibido el romero,
de la calle de la Fuente.

(Copla de Romero de la Fuente).

Mientras que en este caso, el Llano cantará:
Bendito sea el Alcalde,
Que a la puerta se ha asomado,
a recibir el romero,
de la Santa Cruz del Llano.

(Copla de Romero del Llano).

La comitiva pasa por la cruz contraria donde hacen la ofrenda correspondiente, en acto de cortesía, que no recuerda en nada a la situación de la noche anterior.

Después se cumplimenta en la iglesia con la correspondiente ofrenda, aunque sin la presencia del cura, lo que nos puede dar una idea de ciertas desavenencias en cuanto al ritual por las que la jerarquía de la iglesia no se halla representada.

Después la comitiva festiva se dirige a su propia cruz. La entrada en la plaza donde se halla la cruz es un momento apoteósico y emotivo, sobre todo para los componentes de la hermandad y los partidarios de la cruz respectiva, que atrae a muchos de los de la hermandad contraria.

Allí tiene lugar la ofrenda final. Después de las correspondientes tres vueltas, el mayordomo hace su ofrenda de romero desde el caballo, mientras que la mayordoma, tras él, lo hace de romero y flores. En el momento de esta ofrenda también tiene lugar las coplas de romero como la que sigue:

Acércate mayordoma,
pon el romero en la cruz,
que en ella crucificaron
a nuestro Padre Jesús.

Es cuando el mayordomo devuelve la bandera a la mayordoma. Entonces se entona otra copla:

> Qué bonita está la cruz,
> que parece una paloma.
> Con orgullo y devoción
> se acerca la mayordoma.

En ese momento ésta coloca la bandera a los pies de la cruz. Se arrodilla y todos la imitan. Se trata del momento culminante: gritos rituales y vítores a la cruz, a la hermandad y a los tres mayordomos se mezclan con canciones. Se cantan los fandangos de la Cruz y se baila durante un buen rato. En este caso los fandangos son ya de temas más profanos y apegados a pasiones y realidades cotidianas, alejados de lo religioso y del culto a la Cruz.

En el caso de la Fuente, una vez finalizado el romero, la mayordoma es acompañada a su casa, donde su familia obsequia a los acompañantes con refrescos y bebidas.

Mientras tanto, la fiesta continúa y a la tarde tiene lugar el romero del Llano con las mismas características. Por la noche tienen lugar bailes y asueto total en el que comienzan a olvidar las "afrentas" sufridas por unos y otros.

Entre ambos romeros tiene lugar una fase más religiosa de la fiesta: la procesión de la Cruz. En esta fase los hermanos de ambas hermandades participan con sus mejores galas tanto en la salida procesional como en la misa solemne que tiene lugar a mediodía entre ambos romeros.

Por la noche la fiesta es amenizada por orquestas que animan los bailes y tienen lugar los comentarios sobre la brillantez de los romeros y de otros elementos de la fiesta. Todos son conscientes de que en realidad nadie ha superado a nadie, la valoración es muy difícil y siempre hay elementos que la hacen subjetiva; en realidad nadie ha sido superado, todos han ganado con la celebración, ese es el verdadero triunfo: mantener la tradición de unas fiestas heredadas de sus antepasados.

EL ROMERITO DE LOS NIÑOS

Pero no acaba en este día el festejo de la Cruz de mayo. El lunes tiene lugar el Romerito de los niños. En este día todo es igual al anterior, excepto los protagonistas en todos los aspectos, que en este caso son los niños del pueblo. Ellos son los que organizan y conducen la comitiva, quienes cantan y tocan las panderetas. Los mismos papeles de mayordomos, mayordomas, diputados y diputadas son ejercidos por niños de nueve o diez años. Las mismas canciones, los cohetes, las campanadas de la iglesia, etc.

Ese mismo día por la noche cada hermandad se reúne en su salón, junto a su cruz, sin la formalidad de los días pasados, pero participa todo el que lo desea. En un acto de mediana solemnidad es nombrado el mayordomo del año siguiente y la mayordoma entrega la bandera a la recién elegida. De nuevo comienzan los cantes y bailes, una tolerante permisibilidad da lugar a que desaparezcan las estructuras de formalidad, casi se permite estar en unas condiciones de embriaguez, que en cualquier otro día del año resultaría bastante reprobable.

MARTES DE JIRA

Al día siguiente aún no termina la fiesta. Esa tarde, después de haber descansado de la noche anterior, y de algún acto común (comida o tapeo) en las inmediaciones de la cruz (salón), cada hermandad se dirige a un lugar ya determinado (el Prado los de la Fuente, a la Era de la Cuesta en el caso del Llano). Es una especie de excursión campestre en la que cada directiva invita a sus hermanos y simpatizantes a unas copas de vino y tapas, que en la hermandad se han preparado previamente de su pecunio y con la aportación voluntaria y ayuda de algunos hermanos. De noche se produce el regreso al pueblo entrando una después de la otra, de nuevo los cantes y la música del tamboril se mezclan con las explosiones de los cohetes. De nuevo en la Cruz se reanuda el baile, el último acto festivo de la cruz. Entre las coplas que se cantan se encuentra *el fandango de la jira*, de similares características al de la cruz, pero diferenciado por su acompañamiento musical de banda y panderetas.

Al día siguiente, el miércoles, se descansa, en la medida que las faenas de cada uno lo permite. Por la tarde serán llamadas al toque de las campanas para comenzar la tercera fase del ciclo festivo: Santa Eulalia, que se inicia esa tarde con el comienzo de la novena, dependiendo del calendario, pero siempre nueve días antes de la romería. Esto supone que nueve días después tendrá lugar la romería de Santa Eulalia.

No queremos dejar de destacar la importancia de la indumentaria tradicional de estas fiestas, tanto de las mujeres (mayordomas, diputadas y serranas) como de los varones (mayordomos y diputados).

Y finalmente hay que destacar la importancia de la literatura popular y la tradición oral que suponen las canciones asociadas a los diferentes elementos rituales. Sólo a través de ellos puede llegar a comprenderse la importancia y el significado de este importantísimo hito del ciclo festivo de Almonaster La Real.

LA ROMERÍA DE SANTA EULALIA

Virgen y Mártir († Mérida, 304) padeció martirio con su compañera Santa Julita, bajo la persecución de Diocleciano y Maximiano, a principios del siglo IV. Prudencio le dedicó el himno III de su Peristephanom y la fama de su martirio llegó hasta las iglesias de África: San Agustín la exalta en un sermón, y su memoria se halla en el martirologio cartaginés de principios del siglo VI. Santa Eulalia de Mérida figura en el cortejo de vírgenes de San Apolinar Nuevo de Rávena. Se celebra su fiesta el diez de diciembre.

Su culto en Almonaster, como en toda la Sierra de Huelva, es antiquísimo y se halla muy extendido. La devoción y los cultos a Santa Eulalia se hallan organizados por la Hermandad de su nombre. Por otra parte hay que tener presente que todo el ritual y los actos correspondientes tienen lugar fuera de la población, en un paraje denominado Dehesa de Arguijuela.

Este paraje contiene una serie de elementos y restos arqueológicos de clara filiación romana. De hecho, además del ábside de la propia ermita, constituido por el basamento y parte del cuerpo de una torre funeraria, aparecen en sus alrededores restos arqueológicos romanos, que están en relación con trabajos metalúrgicos de esta época. Actualmente del ábside sólo se conserva el podio y parte de los sillares de los testeros, seguramente serían removidos los restantes al construirse la ermita. Tanto por los elementos hallados en la excavación del ábside como por los elementos de alrededor y la moldración que presenta se puede adscribir este sepulcro al siglo I a. C.[11]. En definitiva, antes de la introducción del cristianismo tenemos este lugar como sagrado. Aunque sigue siendo un misterio la elección de los lugares de las ermitas, en la Sierra de Huelva predominan los espacios campestres, próximos a arroyos y fuentes o en zonas boscosas o de frondosa vegetación.

Esta situación remota de muchas de las ermitas de nuestra provincia, está en relación con la secular costumbre o tradición de las zonas campesinas y ganaderas de acudir al campo o al bosque en determinadas ocasiones, en ellas se puede apreciar un ritual solar, de fertilidad, etc. que la iglesia trata de reconducir. Así, estos ritos de época bajomedieval son asimilados al culto cristiano por medio de milagros, apariciones, peregrinaciones, etc., que acaban por dotar al lugar de ciertos significados religiosos, en los que el propio alejamiento de los núcleos parroquiales va a permitir una cierta relajación festiva en los propios rituales (Santa Eulalia, Flores, El Rocío, La Peña, etc.). Estas ermitas y sus cultos aparecen desde el siglo XV por la oposición de la religión oficial a esos ritos campestres del pueblo, que eran acogidos felizmente por el elemento popular porque encuentra una vía de escape de sus energías (festivas), las cuales quedaban justificadas con la sacralización del lugar; de esta forma la aceptación de esta situación es general, ya que las licencias festivas están bendecidas con la presencia de una imagen sagrada de la religión oficial, imagen que además de sacralizar unos ritos ancestrales atendía a sus necesidades espirituales y materiales en forma de milagros. Pero, lógicamente, estos rituales siempre han sido objeto de reglamentación

---

[11] BENDALA GALÁN, M. et alii, *Almonaster la Real*, Huelva, 1991, Consejería de Cultura Delegación Provincial de Huelva, páginas 55-72.

canónica por la autoridad religiosa, sobre todo en el siglo XVIII, cuando la iglesia ve que el asunto se le escapa de las manos y que puede perder el control. Las disposiciones sinodales y las instrucciones no permitirán a los administradores de la iglesia celebrar cultos ni impartir sacramentos en lugares que no sean iglesia parroquial; en las ermitas o capillas sólo se va a tolerar este hecho unos excepcionales días al año o en el caso de determinados santuarios a los que se les asigna institucionalmente sus propios ministros (El Rocío, La Peña).

Ello daría lugar a que muchas devociones anteriores al siglo XVIII hayan quedado reducidas a un solo festejo anual, cuando no han desaparecido totalmente por el abandono. Tomás Pérez[12] y Pascual Madoz[13] hablan de muchas de estas ermitas como existentes o recientemente abandonadas.

La existencia de hermandad y cultos a Santa Eulalia está comprobada por la continua referencia que se hacen a ella en los libros de visitas desde el siglo XVII. Por otra parte existen documentos en el Archivo Municipal de Almonaster de 1606, en el que mediante un cuestionario se relata la existencia en el paraje de la Arguijuela de la ermita y romería de Santa Eulalia, a la que asistían gentes de todos los contornos. En el Archivo Diocesano de Huelva (capellanías) se hallan las cuentas rendidas por el mayordomo del año 1637, en la que se habla de la institución de su hermandad en 1626. En el pleito seguido en 1637 se comprueba la existencia de muchos años atrás de la ermita y romería de Santa Eulalia. Efectivamente el 14 de mayo de 1626, el arzobispado de Sevilla aprobó las reglas y la constitución de la hermandad de Santa Eulalia; en estas reglas además de diversos actos píos se regula el culto y fiestas religiosas de Santa Eulalia. En 1685 vemos como el visitador arzobispal informa de diversas cuestiones relacionadas con la ermita, cultos y fiestas de Santa Eulalia, entre ellas del toro[14].

EL RITUAL

Tras la división del grupo cultural que tiene lugar durante las fiestas de la Cruz, es en torno a Santa Eulalia cuando se produce una integración social, producto de una comunidad unificada como un grupo social coherente. Por otra parte hay que tener en cuenta que el ámbito de Almonaster, en lo que a

[12] RUIZ GONZÁLEZ, L.E., *Los pueblos de Huelva en el siglo XVIII según relaciones enviadas por los párrocos al geógrafo real Tomás López*, Huelva, 1999, Diputación Provincial.

[13] PASCUAL MADOZ: *Diccionario geográfico-estadístico- histórico de España y sus posesiones de ultramar*. Huelva, 1985, Edición facsímil de la Diputación Provincial.

[14] VÁZQUEZ LEÓN, A., *Ermitas rurales de la provincia de Huelva*. Huelva 1997, Diputación Provincial, páginas 59-67, citando el Libro de Visitas del Archivo Arzobispal de Sevilla.

la devoción a la mártir emeritense se refiere, es superado tanto por la afluencia de gentes de las aldeas del propio Almonaster como por la llegada de devotos de gran parte de los pueblos de la Sierra de Huelva y de la comarca del Andévalo minero.

La romería es una fiesta campestre caracterizada por una serie de elementos rituales y en la que existe un amplio abanico de licencias, comportamientos sociales y elementos eróticos, asociados a cultos paganos anteriores, que en muchos casos la religiosidad oficial trata de encauzar desde el Antiguo Régimen.

Hasta hace unos años era la hermandad de la Santa la representación de un conjunto de familias de cierta importancia económica, gente adinerada, pero en la actualidad esta situación se ha atenuado y de esta forma aparecen elementos de todas las clases sociales entre los componentes de la directiva y en la organización de la festividad. Pero, a pesar de todo, la tradición y el ritual se encuentra de hecho en manos de las familias más pudientes de la villa, lo cual no implica un control férreo ni que esté completamente cerrado a cualquier tipo de colaboración ni cooperación en la administración del ritual. Mientras que en las cruces aparecen dos hermandades claramente diferenciadas y representativas de sendos grupos en los que el pueblo se divide, en Santa Eulalia es una sola y única hermandad la que existe.

Hasta hace unos años la preponderancia de los hombres en el aspecto organizativo era casi absoluta, en la actualidad esta situación va cambiando y podemos encontrar elementos femeninos en la directiva y formando una parte importante de la organización. Aunque hay un Hermano Mayor, éste toma las decisiones de común acuerdo con la Junta, de la que es mero portador. Los cargos de Mayordomo y Mayordoma son los más deseados: serán los representantes de la hermandad en todos los actos, antiguamente se encargaban de financiar una gran parte de los gastos del ritual y cultos, además debían encargarse durante ese año de la conservación y reparaciones de la ermita y sus enseres, en la actualidad administran económicamente la fiesta y cuidan de la pureza del ritual con la Junta Directiva; financian directamente los gastos ocasionados en el pueblo con ocasión de la festividad de Santa Eulalia el diez de diciembre. Son nombrados por el sacerdote, previa presentación voluntaria a la Junta Directiva que elige entre los presentados en el último acto religioso de la romería.

La participación de los hermanos es relativamente directa. Se trata de acudir, en la medida de sus posibilidades económicas, de salud, trabajo o de luto, a los cultos y rituales; por otra parte esta participación en el ritual no lleva obligada la pertenencia a la hermandad; incluso la asistencia a los diferentes actos no es completa en muchos casos y se limita a una asistencia ocasional, aunque lo normal es la participación casi total, sobre todo en el caso de la romería. En la actualidad la hermandad la componen un total de 300 hermanos, cuyas cuotas que alcanzan las 1.000 pesetas., son obligatorias para poder ser hermano.

LOS CULTOS

Comienzan tras el martes de gira de la Cruz, nueve días antes de la romería. Puede decirse que el culto de Santa Eulalia constituye la expresión de una integración, a través del símbolo de la santa, de una cierta unidad cultural que renace cada año, después del enfrentamiento de los dos grupos en los que se fragmentó la comunidad con las cruces. Con la romería y el culto de la santa esta unidad se hace manifiesta y constituye el elemento integrador del grupo poco antes dividido.

De hecho entre los grupos de amigos y de parejas, que durante los días previos y centrales de las cruces estuvieron enfrentados y a punto de la agresividad de mayor o menor grado, aparece un comentario general, sean miembros de una u otra hermandad: "¡menos mal que ya llegó (tenemos a) Santa Eulalia!". Con esto quieren significar que de nuevo pueden establecerse francas y cordiales relaciones de amistad y camaradería, que les permitirá convivir días enteros en unos escasos metros cuadrados durante la romería.

El primer acto de este ritual es la novena. Los devotos de la Santa son llamados a toque de campana y con cohetes para el rezo de la novena. Se trata de una serie de rezos (rosario y otras preces) a la Santa, que no son más que una preparación para el acto central que es la romería; tienen lugar durante los nueve días previos. La fecha de una y otra van enlazadas y éstas a su vez se encuentran marcadas por la de la Cruz, primer domingo de mayo- Por ello la romería tiene lugar casi siempre el tercer sábado de mayo.

Esa primera parte del ritual tiene lugar en la iglesia parroquial de San Martín el sábado por la tarde, en el mismo Almonaster. El primer día de la novena coincide también con el de la vuelta a la normalidad y el trabajo cotidiano, tras el paréntesis de las cruces.

Con los cohetes se avisa al pueblo de la pronta iniciación del rezo de la novena y que la casa del mayordomo se abre. En ella el mayordomo recibe a todos los que llegan con agrado y simpatía, además obsequia con bebidas y tapas. Cuando al toque de campanas se hace la última llamada para la novena todos los que se encuentran en la casa se dirigen a la iglesia. El mayordomo con su símbolo de mando, la vara de plata, y los miembros de la Junta Directiva, con otras varas más modesta, encabezan la comitiva hasta la iglesia. En la primera sesión de la novena la asistencia de devotos es importante, las noches restantes acudirá menos gente.

En cambio el noveno día, viernes antes de la romería, la afluencia es mayor; se dice misa, *la misa de las cargas*. Las cargas no era otra cosa que la operación consistente en cargar sobre una serie de animales (mulas, burros y caballos) las provisiones y una serie de suministros que se consumían durante los dos días de la romería. Los actuales medios y la existencia de una carretera en buen estado permiten hoy su desplazamiento en camiones o furgones automóviles y un transporte más rápido, cómodo y sencillo; en realidad así se hace, pero para mantener la tradición una mula es cargada con algunas provisiones como se hacía tradicionalmente. El tamborilero recorre las calles anunciando que *las cargas* abandonan el pueblo camino de Santa Eulalia. Con este acto se puede decir que empieza la romería. Esa noche los romeros preparan sus animales y sus carros u otros medios de transporte con el que harán el camino al día siguiente. Normalmente los caballos y otros animales son prestados por diferentes personas o alquilados en poblaciones cercanas.

LA ROMERÍA

El tamborilero, con otros músicos y cantaores, despertará al mayordomo casi de madrugada; éste corresponderá invitándolos con vino, aguardiente y dulces. La mañana del sábado comienza, pues, muy temprano, poco después de las siete, con el lanzamiento de cohetes y con el recorrido del tamborilero tocando flauta y tamboril por las calles, que a modo de diana trata de levantar al pueblo de la cama. Se enjaezan las caballerías, las mujeres atienden a sus vestidos y al de sus familiares, la noche anterior ha sido dispuesta toda la comida y bebida.

Alrededor de las diez de la mañana, el primer ritual de la romería: *el poleo*. Los caballistas con sus parejas a la grupa se hallan junto a la iglesia parroquial y calles adyacentes. Entonces todos tras el tamborilero marchan a casa de los mayordomos, éstos con su vara a mano y en sus respectivos caballos son recogidos y encabezan la comitiva. Es el momento en que todas las personas que no participan en la comitiva comienzan a vitorear a la hermandad, a Santa Eulalia y a los mayordomos; los gritos se confunden con los cohetes y la música del tamboril y la flauta y el relinchar de las herraduras sobre el empedrado de las calles. Esta marcha organizada da dos vueltas al pueblo hasta dejar a los mayordomos en sus últimos quehaceres, para terminar con una tercera vuelta.

Inmediatamente se dirigen a Santa Eulalia por el camino de siempre. Como reseñamos antes, la ermita se encuentra a 22 km. de la población. Antes de llegar pasan por la aldea de los Llanos (Calabazares), donde hace una ofrenda floral al estandarte de la Santa, y continúan camino de los Arenales. Allí se hace una parada para reunirse con otros romeros que hacen la romería en automóvil por la carretera y desde aquí toman juntos el camino que les conducirá hasta la ermita.

Tanto a la salida como durante el itinerario y la llegada a la romería es el fandango de Santa Eulalia el más cantado. Mientras que los fandangos de las cruces y coplas de romero sólo se cantan durante el mes de las flores y las fiestas de la Cruz; el fandango de Santa Eulalia se canta durante todo el año, excepto el mes largo de las fiestas cruceras. Se trata de un cante con alusiones significativas a la Santa y sus virtudes, al culto de Santa Eulalia y a exaltar su devoción por la gente de Almonaster y sus aldeas, además de otros temas propios del cante popular como es el cortejo y otros temas amorosos[15]. He aquí alguno de los más significativos recogidos en esta romería:

> Cruzo jarales y encinas,
> Reina del Odiel por verte
> Pa que nos dé buena suerte.
> Tú Santa Eulalia bendita
> Enséñanos a quererte.
>
> —
>
> Fandango santaolallero
> Alegría de Santa Eulalia,
> aroma te da el romero
> y el sentir de una plegaria,
> que de los labios va al cielo.

Se trata de fandangos devocionales. Pero, lógicamente, no todo es devoción en una romería. En el caso de Santa Eulalia aparecen unos elementos relacionados con un cierto paganismo y cultos forestales a los que invitan tanto el mismo paraje y la fiesta como el entorno boscoso y forestal que rodea a la propia ermita.

De los Arenales a Santa Eulalia los romeros se dan más prisa por llegar, a medida que el conocido camino anuncia la llegada a la ermita:

> Dale a la jaca que ande,
> que llegue pronto a la ermita,
> en la que tengo mi fe,
> a Santa Eulalia bendita.

Por ello las paradas se hacen cada vez más cortas y menos frecuentes. Tras los automóviles y furgonetas llegan los caballistas y los carros que acompañan al estandarte de la hermandad que transportan en la carreta de Santa Eulalia, tirada por dos bueyes (de nuevo aparece el elemento relacionado con la ganadería si se tiene en cuenta su escasa utilidad en estos tiempos). Un gran gentío se halla esperando a la entrada del paraje donde se encuentra la ermita, junto a miembros de la Junta que no han hecho el Poleo a caballo.

En la actualidad la imagen del lugar se ha transformado de forma radical; muchas familias por procedimientos diversos han logrado levantar casas en las que se acogen con sus familiares y amigos durante la romería y donde pasan algunos días al año en épocas distintas a las de la propia festividad.

---

[15] BARROSO TRUJILLO, M.A., "El fandango de Almonaster la Real y su contribución a la cultura popular", en *Actas de las Jornadas del Patrimonio de la Sierra de Huelva*, Galaroza, Abril 1995, Huelva 1996, páginas 23-31.

La misma hermandad acoge a romeros y visitantes en su casa, donde no falta el agua, la bebida y un plato de sopa; en otros tiempos en el enorme fogón se hacían grandes comidas, pero en la actualidad el número de romeros y visitantes superaría todas las expectativas e impide dar de comer a todos.

A media tarde aparecen los romeros y parte de la directiva de la hermandad que previamente ha llegado a la ermita sale a recibirlos. A la cabeza los mayordomos hacen su entrada oficial en el lugar. Llegan hasta la ermita y la rodean tres veces y comienza el ritual. Suena el tamboril, explotan los cohetes, se escuchan los fandangos; una catarsis general de devoción mezclado con expresiones lúdicas, líricas, no exentas de apoyo etílico, tiene lugar en ese momento. Después aparecerá otro grupo que procedente de la aldea de El Patrás también se incorpora a la fiesta. Una vez realizada esta entrada continúa el baile y el cante.

A media tarde tiene lugar otro ritual importante: la corrida del toro. Pese a la importancia y estructura formal de este tipo de actos en toda la Sierra de Huelva, la que tiene lugar esta tarde se halla algo alejada de las normas tradicionales y formales de la fiesta oficial de toros.

En el caso de Santa Eulalia, más que en una corrida de un solo toro, lo que así sucedía antiguamente, se trata de una suelta de vaquillas que han sido adquiridas por la hermandad. Cuando era un solo toro para darle muerte era obligatoria la asistencia de un matador de toros profesional. A la hora acostumbrada salía el toro a la plaza, pero ésta era invadida por gran número de jóvenes, y no tan jóvenes, asistentes a la romería, que desarmaban al torero y se encargaban de "torear" al toro. Pese al lamentable estado de muchos de ellos casi nunca solía ocurrir percance de mayor importancia. Todos achacan este hecho a la protección de la Santa. Pese a las múltiples embestidas del animal, éste terminaba por desistir ante la numerosa afluencia de "espontáneos" y no hacía caso a ninguno. Era entonces cuando el público desistía también de sus chanzas y dejaba al profesional el encargo de dar muerte al toro de forma más digna. En la actualidad ocurre algo parecido pero con las citadas vaquillas.

Finalizado el toro tiene lugar el baile en el río; allí se baila el fandango de Santa Eulalia, aunque la gran afluencia de gente ha dado lugar a la introducción de otros cantes y bailes que nada tienen que ver con la festividad y que contaminan su tradicional aspecto. Este fandango de Santa Eulalia es muy pegadizo, pero mezcla la alegría y el bullicio festivo con la profundidad de sentimientos humanos y religiosos en una mezcla de ingenuidad y sabiduría popular adquirida con el paso del tiempo. Es bailable, de hecho, en esa noche es tradicional hacerlo en el río y sus aledaños. Se trata de un baile alegre, cadencioso a veces, que nos muestra un arcaísmo y una belleza propios de lo popular en el momento más animoso de la fiesta profana [16].

[16] BARROSO TRUJILLO, M.A., "El fandango de Almonaster la Real y su contribución a la cultura popular", en *Actas de las Jornadas del Patrimonio de la Sierra de Huelva*, Galaroza, Abril 1995, Huelva 1996, páginas 23-31.

Al caer la tarde tiene lugar el rezo del rosario en las inmediaciones de la propia ermita, el estandarte de la santa es sacado de la ermita en procesión. Ésta es encabezada por el tamborilero y las banderas de la Santa. Se dan las correspondientes vueltas a la ermita a la luz de cientos de bengalas que portan los romeros. Es el momento del canto de los Gozos de Santa Eulalia, especie de antífona, transmitida de generación en generación, y que está compuesta por una serie de estrofas pareadas que tratan sobre la vida, virtudes, martirio y triunfo de Santa Eulalia:

Niña y de noche saliste
a presentarte al tirano.
Danos, Eulalia, la mano
y la fe que recibiste.

—

Y los verdugos perversos
cruelmente te azotaron
Y tu cuerpo desgarraron
Hasta descubrir los huesos
Y en estos tormentos diste
Gracias a tu soberano,
Danos, Eulalia, la mano
y la fe que recibiste.

—

De tu virtud y pureza
La nieve señales dio
cuando tu cuerpo cubrió
Realce de tu grandeza;
La obstinación convertiste
del gentil y del pagano,
danos, Eulalia, la mano...

Terminada esta procesión la fiesta continúa con el cante y el baile. Es el momento de los fandangos de tema amoroso de Santa Eulalia, que son multitud y entre los que los hay más o menos tradicionales:

En tu puerta sembré un guindo,
en tu ventana un manzano,
sólo pa verte coger
manzanitas con las manos.

Claros de lunita clara
en la corriente del agua
y en tus ojos dos luceros
que encienden la luz del alba.

> Lo juraste te creí
> Que no me habías de olvidar
> Si te vas ahora con otra
> ¿Para qué sufrir por ti
> si el tiempo me ha de vengar?
>
> Cuando vas de confesión
> Ángeles bajan del cielo
> que entre los santos se dice
> que nunca el cura te absuelve
> pero sí que te bendice.

Después de tantas horas de fiesta son muchos los que se retiran a descansar, aunque quizás sean más los que permanecen en el jolgorio. Éstos serán los que muy de mañana, al amanecer y acompañados del tamborilero, despierten a los más endebles. Es la *ronda de madrugá*, que también tiene un son especial por el tamboril y la flauta (*la alborá*). Cuando se levantan, con los que aún no se han rendido, realizan otro ritual propio de la romería y que se puede asociar a ancestrales ritos iniciáticos o de purificación y en relación con los bosques y el agua; todos irán bajando al Zancolí y se lavarán con el agua fría la cara y las manos:

> Hay un río en Santa Eulalia,
> que se llama Zancolí,
> donde me lavé la cara
> la primera vez que fui,
> hay un río en Santa Eulalia.

Después, a media mañana tiene lugar la misa en la ermita. Cuando finaliza la ceremonia nuevamente es sacada la imagen en procesión alrededor de la pequeña iglesia. Cuando ésta finaliza, entre vítores y cánticos, el sacerdote anuncia a los presentes el nombre de los nuevos mayordomos, éstos reciben de los anteriores las varas y las felicitaciones de los presentes.

La santa retorna a su altar y los presentes se dirigen a casa del nuevo mayordomo donde se invita a comer y beber a todos los presentes. La gran afluencia de gentes a este acto ha dado lugar a una corriente de solidaridad de los hermanos y amigos del nuevo mayordomo, de forma que todos aportan alguna vianda o bebida para este convite y así se evita gastos excesivos al nuevo mayordomo.

Después cada cual vuelve a su casa o lugares de reunión para preparar el regreso a Almonaster. Después de dar tres vueltas a la ermita inician el camino de vuelta; de nuevo paran en los Arenales para llegar al pueblo al atardecer. También se le da la vuelta al casco urbano y se dirigen a casa del recién nombrado mayordomo, tras depositar el estandarte en la iglesia parroquial; es el momento en que finaliza la romería. Tradicionalmente el nuevo mayordomo hacía una nueva invitación, pero el aumento de este gasto dio lugar a ciertas dificultades para que tomaran el cargo algunos años, por lo que esta comida ha sido eliminada y cada cual lleva sus viandas.

El ciclo festivo ha sido entonces completado. Los procesos de hostilidad/identidad se complementan con los de identidad/integración en el ámbito de la cooperación. Pero para llegar a este estado de cooperación social, en un marco de relaciones regido por la tolerancia, ha sido preciso la creación de una serie de tensiones y fracturas rituales del grupo cuya superación ha supuesto la integración y la intensificación de la conciencia de identidad pertenencia a la comunidad de cada individuo.

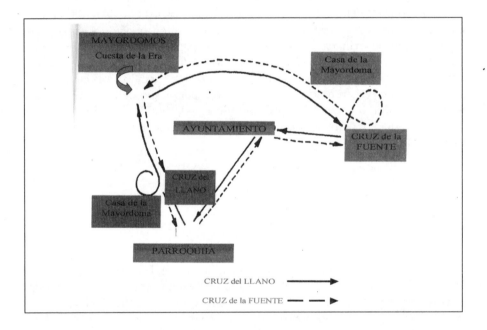

El Turismo
de Motivación Religiosa en el Rocío

Santiago J. Padilla Díaz de la Serna
Hermandad Matriz Ntra. Sra. del Rocío

El avance de la "civilización del ocio o tiempo libre" es, sin duda, uno de los grandes signos que marcan o caracterizan a la sociedad de nuestro tiempo. El turismo es una de sus consecuencias o manifestaciones más evidentes o inmediatas. Así lo reflejan las estadísticas a todos los niveles, a nivel mundial, a nivel nacional, regional o provincial[1].

La raíz o el origen de estos movimientos humanos, en constante crecimiento, está en un concepto largamente estudiado por la doctrina turística; el concepto motivación, un concepto que proviene de los campos de la psicología y de la sociología, y que ha estado directa o indirectamente siempre presente en las definiciones que se han intentado de la palabra turismo. Así *Mr.H. Bormann*, de la Escuela Berlinesa, define el turismo en los años treinta, como:

"El conjunto de los viajes, cuyo objeto, es el placer, o los motivos comerciales, profesionales u otros análogos, y durante los cuales, la ausencia de la residencia habitual es temporal"[2].

Por su parte los padres de la ciencia turística moderna, los suizos de la Universidad de Berna, Walter Hunziker y Kurt Krapf definirían el turismo años más tarde, en la década de los cuarenta, como:

---

[1] España recibió, según los datos del Ministerio de Economía y Hacienda, cuarenta y siete millones de turistas en el ejercicio 1998, preveyéndose, según datos recogidos por este Ministerio de la O.M.T. (la Organización Mundial del Turismo), un crecimiento superior al 3% de la media europea para los próximos diez años. RUIZ MONTERO, P., "Récord histórico de llegadas desde el extranjero", *ABC*, número especial Fitur-99 (1999), págs. 6-8.

[2] VOGELER RUIZ, C. y HERNÁNDEZ ARMAND, E., *Estructura y Organización del Mercado Turístico*. Madrid, Edit. Centro de Estudios Ramón Areces, S.A., 1996, pág. 2.

"El conjunto de las relaciones y fenómenos producidos por el desplazamiento y la permanencia de personas, fuera de su lugar de residencia, siempre que el desplazamiento o la estancia no estén motivados por una actividad lucrativa"[3].

Más recientemente, la O.M.T., (Organización Mundial del Turismo) en su definición comúnmente aceptada del año 1991 ha definido el turismo como:

"Las actividades que realizan las personas durante sus viajes y estancias en lugares distintos al de su entorno habitual, por un período de tiempo consecutivo, inferior a un año, con fines de ocio, por negocios y otros motivos"[4].

Vemos, pues, como el concepto motivación se convierte en un concepto clave a la hora de definir el turismo como un elemento consustancial de la demanda turística.

Pero, ¿qué es la motivación turística? Siguiendo a los profesores C. Vogeler y E. Hernández podemos definir la motivación turística como la razón, el motivo o el fin que mueve o que impulsa al sujeto-turista a realizar el viaje turístico; de tal modo que podemos afirmar que no existe viaje turístico, que en su génesis no responda a una o varias motivaciones: económicas, culturales, religiosas, de ocio, deportivas,... Dichas motivaciones tienen una raíz psicológica cuando nos referimos al turista como individuo; es decir, cuando estudiamos el comportamiento humano individual en relación con su conducta en el tiempo libre. O de naturaleza sociológica cuando este estudio se centra en el comportamiento humano de un grupo o colectivo determinado.

A partir de esta hipótesis; la motivación como base, junto con otros elementos, para definir el turismo; y a partir de estas técnicas científicas y metodológicas de investigación de los comportamientos del hombre, individual y colectivamente, en relación con el tiempo de ocio; la psicología del turismo y la sociología del turismo; los estudiosos se han afanado en clasificar a los turistas en función de las motivaciones turísticas. De manera que son muchas y diversas las clasificaciones que se han hecho sobre el particular, agrupando las motivaciones según afinidad de características volitivas, de hábitos, conductas y elementos repetitivos como base para abordar y comprender el mercado turístico. Destacamos entre todas ellas la clasificación de la O.M.T. (Organización Mundial del Turismo) del año 1991, establecida en *Ottawa* (Canadá), con motivo de la Conferencia Internacional de Estadísticas sobre Turismo. Dicha clasificación divide a las motivaciones turísticas del siguiente modo:

[3] VOGELER RUIZ, C., y HERNÁNDEZ ARMAND, E., *op. cit.*, pág. 2.
[4] VOGELER RUIZ, C., y HERNÁNDEZ ARMAND, E., *op. cit.*, págs. 2 y 3.

"De ocio, recreo y vacaciones, de visitas a parientes y amigos, de negocios y motivos profesionales, de tratamientos de la salud, de religión y
peregrinaciones y de otros motivos"[5].

Constatamos, pues, la afirmación de la existencia del turismo de motivación religiosa como una realidad y como una motivación relevante[6], que
atribuye la condición de turista a las personas que en el mundo se desplazan
de sus lugares normales de residencia, movidos por el deseo de vivir y com-
partir con otras personas sus creencias y experiencias con Dios, siempre que
lo hagan por un espacio de tiempo superior a un día e inferior a un año. Es
decir, los estudiosos del turismo han concluido que la religión, las creencias
del hombre sobre Dios, constituyen un motivo significativo para la realización
del viaje turístico, un motivo en el que prima y subyace el interés del sujeto-
turista por entrar en contacto con una realidad superior.

En este sentido, en la etapa histórica del turismo, a la que cierta doctrina denomina *etapa pre-turística*[7], encontramos ya significativos antecedentes
de este tipo de viajes, que hacen de esta motivación una de las formas más
antiguas de viajar que se conocen. Baste mencionar para ello los testimonios
que encontramos en las culturas helena y romana, y muy especialmente en la
Edad Media[8].

---

[5] Recomendaciones sobre estadísticas de turismo de la O.M.T. (Organización Mundial del
Turismo). Conferencia de Otawa (Canadá). Junio de 1991.

[6] El profesor, Jordi Montaner Montejano, siguiendo a las profesoras Claudine Chaspoul
y Martin Lunven establece tres tipos de motivos, dentro del viaje de motivación religiosa:
Espiritual, como un medio para el individuo de acercamiento a Dios; sociológico, como un
medio para el creyente de conocer mejor la historia del grupo religioso al que pertenece; y
cultural, como un medio, tanto para los creyentes, como para los no creyentes, de comprender las religiones, que impregnan las distintas culturas. MONTANER MONTEJANO, J.,
Sicosociología del Turismo. Madrid, Edit. Síntesis, 1996.

[7] No existe unanimidad en la doctrina a la hora de hablar y de valorar la existencia o
no de una etapa pre-turística. En cualquier caso, los que la defendemos nos referimos cuando hablamos de ella, a todos aquellos viajes realizados por el hombre a lo largo de la historia, y que por sus características, pueden ser reconocidos como antecedentes del fenómeno contemporáneo del turismo; que hoy identificamos con el turismo de masas y cuyos orígenes se fechan unánimemente en la Revolución Industrial Inglesa, en el segundo cuarto del
siglo XIX, con los importantes avances que se producen en el campo de los medios de loco-
moción y la aplicación al mismo de la máquina de vapor; y con la aparición de los precur-
sores del turismo industrial, el británico Thomas Cook, fundador de la firma T. Cook Ltd. y
el alemán Karl Baedecker, a los que se unieron algunos años más tarde los americanos Henry
Wells y William F. Fargo, fundadores de American Express, el suizo César Ritz, fundador de
los hoteles Ritz, o los belgas George Nagelmackers y James Allport, fundadores dela firma
Wagons- Lits. VOGELER RUIZ, C.y HERNÁNDEZ ARMAND, E., *op. cit.*, págs. 20-24.

[8] Los profesores C. Vogeler y E. Hernández hacen una aproximación muy interesante a
la etapa pre-turística, con referencias que nos muestran expresivos antecedentes del fenómeno contemporáneo del turismo. VOGELER RUIZ, C. y HERNÁNDEZ ARMAND, E., *op. cit.*,
págs. 17-20.

De las culturas helena y romana podemos afirmar, en relación con el turismo, que son las primeras culturas conocidas que fueron capaces de dar al tiempo de ocio un sentido desconocido hasta su época. Sabemos que los griegos despreciaban el trabajo, que consideraban un menester de esclavos y de la clase baja y que dedicaban su tiempo libre a la cultura, a las diversiones, al deporte o la religión. Homero, Herodoto, Jenofonte o Pausianas son algunos de los autores griegos que nos han dejado testimonios escritos de la afición de los griegos por el viaje. Baste recordar el significado de las Olimpiadas, celebración, mitad religiosa y mitad deportiva, que concentraba en Atenas a muchas personas venidas desde todos los puntos de la antigua Grecia.

Maneras de actuar similares encontramos en la civilización romana, de la que es conocida su admiración por la cultura helena, que imitó en tantos aspectos. En el caso de los romanos habría que significar, además, el impulso que esta civilización daría a los sistemas de comunicaciones, con lo que esto supondría para la movilidad geográfica de animales y personas.

Pero es, sin duda, en la Edad Media, en el marco de la sociedad teocéntrica del momento, en la que encontramos el gran antecedente y el gran precursor de los viajes de motivación religiosa. Los Santos Lugares en Jerusalén, Santiago de Compostela o la Meca atraen peregrinos de todo el orbe occidental conocido. Al abrigo de estos lugares, a los que más tarde se añadirán otros, como la propia Roma, capital del cristianismo... surgirán rutas, órdenes militares para protegerlas, monasterios, hospederías, hospitales, guías y mapas, todo un conjunto de infraestructuras y servicios, en el que destaca particularmente el Camino de Santiago, verdaderamente pionero en lo que hoy conoceríamos como técnicas de planificación y desarrollo turístico. Toda una infraestructura y servicios que tenían ya entonces por objeto facilitar y ayudar al viajero; en este caso, al peregrino, en el desarrollo de su encomiable esfuerzo. Por otra parte, el culto a la Stma. Virgen María,también va a alcanzar cotas desconocidas hasta esta época, particularmente en España, entre los siglos XV y XVII[9]; y con él, las peregrinaciones a los grandes santuarios marianos del momento; Guadalupe, Covadonga, El Pilar, Montserrat, Atocha; lugares en donde se multiplican los hechos sobrenaturales... Primero en el marco del proceso político de la Reconquista, que fue sembrando de imágenes de la Virgen María las tierras de España ganadas a la morisma, convirtiendo a María en principal reclamo y valedora de la reconquista militar y moral de la Península. Segundo con el patrocinio que la propia familia real de la dinastía de los Austria ejerció en la expansión y difusión del culto mariano; una labor en la que destaca Felipe IV[10].Y finalmente gracias al ingente esfuerzo de difu-

---

[9] CELADA GARCÍA, M., (ed)., El Libro de la Virgen. Madrid, Edit. Edicel, 1995, págs. 963-983.

[10] Es conocida la especial devoción que toda la dinastía de los Austria (Carlos I, Felipe II, Felipe III, Felipe IV y Carlos II) mostró siempre por la Stma. Virgen María y su contribución a la propagación del culto a la Virgen en España. Pero de entre todos ellos destaca el rey Felipe IV, CELADA GARCÍA, M., *op. cit.*, págs. 973-980

sión y propagación que se realizó desde los púlpitos de las iglesias, incendiando todos los ambientes de fervor mariano a partir de las obras y escritos de esa nómina irrepetible de místicos y escritores de los siglos XVI y XVII[11]. Culmina esta riquísima etapa para la mariología española y europea con la publicación de la bula pontificia *Sollicitudo omnium ecclesiarum*, en 1661[12], que dejaba el camino definitivamente expedito para la proclamación, siglos más tarde, de la Inmaculada Concepción de la Virgen María.

Sin embargo, hemos de subrayar que esta categoría del turismo de motivación religiosa es una categoría de creación moderna de los estudiosos y de la industria del turismo con fines metodológicos y docentes y con fines comerciales, de segmentación de los mercados turísticos. Ni los romanos, ni los griegos, ni los hombres de la Edad Media, se sintieron ni tuvieron conciencia de ser turistas. Es más, la aparición del turismo, en sentido estricto, como una realidad contemporánea, ha suscitado diversas reacciones y, a veces, incluso el rechazo de algunos sectores sociales; en particular de las jerarquías de los diferentes credos religiosos que han visto y siguen viendo en algunos casos más una amenaza que un aliado para sus fines e intereses, y para los intereses de los centros sagrados que rigen y dirigen[13].

La Iglesia Católica, a nivel de sus instancias superiores ha manifestado, desde la década de los años 60, su comprensión, su apoyo y su estímulo al turismo, creándose en el año 1970 por iniciativa de Pablo VI un Pontificio Consejo para la Pastoral de la Migración y del Turismo.

El Rocío, en Almonte, provincia de Huelva, es hoy, a la luz de estas categorías científicas estudiadas, un importante foco de atracción turística. Un foco, que cuenta también, al ser sede de una devoción con una dilatada historia en el tiempo, con significativos antecedentes de turismo de motivación religiosa; antecedentes que corren paralelos a las reseñas históricas ya descritas con carácter general.

[11] Entre otros grandes mariólogos destacan en estos dos siglos (XVI y XVII), las figuras de Santo Tomás de Villanueva, San Juan de Ribera, Santo Toribio de Mogrovejo, Francisco Suárez, del padre Curiel de Salamanca, el padre Montesino de Alcalá y un largo etc... CELADA GARCÍA, M., *op. cit.*, págs. 974-975 y 978.

[12] La proclamación de la bula pontificia *Sollicitudo omnium ecclesiarum*, en el año 1661, por el Papa Alejandro VII, cierra un largo camino de crecimiento en España de la devoción a la Stma. Virgen María y de reivindicación de su Concepción Inmaculada, que fue decisivamente apoyada por la dinastía de los Austria. Con ella se abre definitivamente el camino para su solemne proclamación en el año 1760 por el Papa Clemente XIII. CELADA GARCÍA M., *op. cit.*, pág.,977.

[13] Es triste comprobar todavía en nuestros días, como en los medios de comunicación todos los años, en distintos puntos del planeta el turismo es utilizado en muchas ocasiones como moneda de cambio para la consecución de los más diversos fines político-religiosos. Quizás, el caso más sonado de estos últimos años fue la matanza en el valle del Nilo, Egipto, en 1997, en la que varias decenas de turistas perdieron la vida en manos de integristas islámicos.

El origen de la devoción está vinculado a la Reconquista, en este caso de la Andalucía Occidental[14], que se sella en las postrimerías del siglo XIII y a la figura del mariano monarca Alfonso X el Sabio.Y es en la etapa alta de la Edad Media, con la constitución de la Capellanía del sevillano Baltasar Tercero en Lima en 1585[15] y con la fundación de las primeras hermandades filiales de carácter comarcal, a finales del siglo XVII, cuando podemos fechar los orígenes de este fenómeno pre-turístico en el Rocío. Es decir, hasta estas fechas la ermita de Sta. María de las Rocinas, en el bosque del mismo nombre, es un lugar obligado de paso, al presidir su antigua fábrica un importante cruce de caminos[16] entre el Atlántico y Sevilla, y entre Sanlúcar de Barrameda y Niebla. A partir de estas fechas con la institucionalización, merced a la Capellanía, del culto en la ermita, que hasta entonces había tenido un acentuado carácter discontinuo e irregular; y con la mencionada aparición de las corporaciones de fieles, la ermita, además de lugar obligado de paso, podemos concluir que se convierte en lugar de peregrinación.

El siglo XVIII es también un siglo de crisis devocional y mariana en el Rocío, cuyo crecimiento se estanca de modo temporal. Por su parte, el siglo XIX nace y se cierra con la ampliación del horizonte geográfico y de devoción al Rocío con la incorporación de tres nuevas hermandades: el sevillano barrio de Triana, entonces un pueblo a las afueras de la ciudad, el aljarafeño pueblo de Umbrete, y Coria del Río.

Pero es, sin duda, el siglo XX, el gran siglo de la expansión devocional rociera, marcada por tres grandes hitos históricos la Coronación Canónica de la Sagrada Imagen en el año 1919[17], la construcción del nuevo Santuario 1963-1969[18], en su fase inicial o básica, en el contexto de la creación de la nueva Diócesis de Huelva, y la llegada de su primer Obispo, D. Pedro Cantero Cuadrado; y finalmente la Clausura de los Congresos internacionales XVIII Mariano y XI Mariológico en 1992; y la visita de S.S. el Papa Juan Pablo II en

---

[14] Para aproximarse a los orígenes de la devoción rociera, sigue siendo de obligada lectura los trabajos de investigación de D. Juan Infante Galán, en particular los recogidos en su libro *Rocío, la devoción mariana de Andalucía*. Sevilla, Ed. Prensa Española, 1971, págs.1 a 31.

[15] CRUZ DE FUENTES, L., *Documentos de las Fundaciones Religiosas y Benéficas de la Villa de Almonte y apuntes para su historia*. Huelva, F. Gálvez, 1908, págs. 245-249.

[16] La importancia de la ubicación geográfica de la ermita del Rocío ha sido subrayada por distintos estudiosos del tema, entre ellos INFANTE GALÁN, J., *op. cit.*, págs. 31-39; ÁLVAREZ GASTÓN, R., *Las Raíces del Rocío. Devoción de un pueblo*. Huelva, Edit. Católica, 1981, págs. 340-343; OJEDA RIVERA, J., *Organización del territorio en Doñana y su entorno próximo (Almonte). Siglos XVIII- XX*. Sevilla, ICONA, 1987, págs. 324-330; COMELLES J. Mª., "Los caminos del Rocío", en RODRÍGUEZ BECERRA, S., (Coord.), *Antropología cultural de Andalucía*, Sevilla, Consejería de Cultura de la Junta de Andalucía, 1984, págs. 427-435.

[17] CEPEDA SOLDÁN, I., (ed). *Crónica de la Coronación de la Virgen*. Sevilla,1923.(96 págs.).

[18] MILLÁN PÉREZ, A., (ed). *Memorias de la Construcción del Nuevo Santuario 1963-1969*. Sevilla, 1995. 236 págs.

1993[19]. En este contexto han crecido ininterrumpidamente las peregrinaciones y las hermandades del Rocío, que han pasado de ocho a noventa y siete, las asociaciones de ninguna a más de una treintena, y los romeros y peregrinos...

En paralelo a este proceso expansivo de la devoción rociera, ajeno muchas veces y enfrentado otras al mismo, se ha desarrollado también el fenómeno contemporáneo del turismo en El Rocío en el Siglo XX[20]. Y así con los comienzos de la organización administrativa del turismo a nivel nacional; primero con la creación de la "Comisión nacional para fomentar las excursiones artísticas y de recreo del público extranjero", más tarde con la "Comisaría Regia" y posteriormente con "el Patronato Nacional de Turismo"[21]; se dejan sentir en este espacio distintas iniciativas promovidas por la Diputación Provincial y por la propia administración local, que ponen de manifiesto una primera toma de conciencia acerca de las posibilidades y del interés de ese fenómeno, que entonces se empieza a conocer como turismo en nuestro país[22].

Pero serán las décadas de los 50 y de los 60, dentro del denominado *boom turístico español*, cuando la devoción rociera afronta por vez primera el fenómeno del turismo de masas. Su proceso de modernización que coincide en el tiempo, a instancias del primer obispo de la diócesis D. Pedro Cantero Cuadrado, no fue suficiente para amortiguar los impactos de un turismo que vino primero atraído por el color de la fiesta; y más tarde, en número creciente, de paso, camino de las costas. Ello fue la consecuencia de haber quedado el Rocío fuera de los planes de desarrollo turístico de la comarca y de la provincia, de acuerdo con los gustos imperantes de la época, basados en el monoproducto sol-playa[23]; y dentro del eje de comunicación de las tierras de

[19] DÍAZ DE LA SERNA CARRIÓN, A; SALAS DELGADO, A.; MAIRENA VALDAYO, J, *El Rocío de Siempre*. Córdoba, Ed. Publicaciones Obra Social y Cultural Cajasur, 1998. 155 págs..

[20] Es de gran interés para aproximarse al tema del desarrollo turístico del municipio de Almonte en el siglo XX, el libro del Profesor Ojeda. OJEDA RIVERA J. FCO., *op. cit.*, Cap. VIII, Los impactos del turismo, págs.323-380.

[21] FERNÁNDEZ ÁLVAREZ, J., *Curso de derecho administrativo turístico (tomo I)*. Madrid, Editora Nacional, 1974, págs. 102-124.

[22] D. Rosendo Álvarez Gastón, en su libro *Almonte y El Rocío. Esperanzas de un pueblo andaluz*, nos habla de una serie de iniciativas del Ayto. de Almonte que coinciden en el tiempo con los comienzos de la organización administrativa del turismo en España, y que ponen de manifiesto esta primera toma de conciencia. Entre estas iniciativas cabe destacar: el acuerdo con la Diputación de Huelva para la construcción de un camino del Rocío, antecedente más inmediato de la carretera Almonte-El Rocío (30 de julio de 1927), el establecimiento de una zona de verbenas en el Real del Rocío y su reglamentación, y la edición del primer cartel de la romería en 1935. ÁLVAREZ GASTÓN, R., *Almonte y El Rocío. Esperanzas de un pueblo andaluz*. Sevilla, Edit. Católica, 1978, págs. 104, 110-111.

[23] El proyecto de promoción turística de la costa de Huelva, ultimado en Mayo de 1963 por la Comisión Interministerial de Turismo, que intentaba poner en valor las potencialidades turísticas de la provincia de Huelva, "Objetivo:... se trata del último tramo de la costa española de cualidades turísticas óptimas, según los gustos imperantes en la actualidad...", dejó al Rocío, como a los otros espacios de interior de la provincia, al margen de todas sus previsiones y acciones.

interior con la costa, en Matalascañas. De modo, que más allá de la fiesta, de su tipismo y colorido deslumbrante[24], el Rocío no representaba ningún otro valor turístico para para la iniciativa pública y privada, que por ello ofrecía las infraestructuras turísticas para la misma, desde el litoral, en Matalascañas.

Dichas políticas van a producir necesariamente las primeras y más significativas fricciones que se han conocido en este espacio, entre el fenómeno del turismo y la devoción rociera. Hasta el Rocío llegan cada verano gentes preparadas y sobre todo mentalizadas para ir a las playas; lo que provoca un inevitable choque cultural, de mentalidad y de formas. Ello producirá un cierto rechazo social que se traducirá años más tarde en artículos de contestación en revistas especializadas, controles de acceso de personas al Santuario[25],...

El cambio paulatino de los gustos imperantes en el mercado, a lo largo de la última década[26], han situado al Rocío hoy en el punto de mira de la iniciativa pública y privada, en una situación verdaderamente estratégica para su desarrollo turístico, con todos los pros y los contras que esto pueda tener para la conservación y el desarrollo de esta devoción. La presencia en la aldea de hoteles, de empresas de servicios turísticos, de una oficina de información, de señalización turística... o su incorporación a los planes de desarrollo turístico del municipio, de la comarca y de la provincia son los datos que certifican hoy esta realidad.

De entre todos esos valores geoturísticos que hacen del Rocío un lugar atractivo para el turismo hay dos que destacan por su importancia, por responder más adecuadamente a los gustos imperantes en el mercado; de una parte los valores naturales y paisajísticos que encarnan fielmente los paisajes de Doñana y su entorno; y de otra parte los valores culturales y religiosos que polariza la devoción a la Virgen del Rocío. De estos valores parece extendido el consenso, ya en nuestros días, en relación con lo que signifique un desarrollo económico y turístico respetuoso con el medioambiente[27].

---

[24] A solicitud de la corporación local de Almonte, en fecha 25 de enero de 1965, le fue concedido a la Romería del Rocío, por el Ministerio de Información y Turismo, el título honorífico de Fiesta de Interés Turístico.

[25] A finales de la década de los años 70, la junta de gobierno de la Hdad. Matriz de Ntra. Sra. del Rocío acordó colocar un cartel a la entrada del Santuario, para las temporadas de verano, con la siguiente leyenda: "Queda prohibida la entrada en pantalón corto y traje de baño. Gracias".

[26] Los indicadores de turismo, muestran como a partir de finales de la década de los años ochenta se produce en España una diversificación de la oferta turística y un cambio significativo en los comportamientos de la demanda en cuanto a los gustos, modo de organizar las vacaciones,... MINISTERIO DE ECONOMÍA Y HACIENDA, *Anuario Estadístico.* Madrid. Anual.

[27] CASTELL, M. (Coord.), y otros, *Dictamen sobre estrategias para el desarrollo sostenible del entorno de Doñana.* Sevilla, Junta de Andalucía, 1992. 131 págs.

La cultura del desarrollo sostenible, un concepto que sabemos sigue sin ser cuantificado, y que tiene el peligro de morir del éxito, parece haber calado definitivamente en todos los niveles sociales. No es tan claro, sin embargo, que la asimilación de este concepto de desarrollo sostenible se haya extendido del mismo modo y haya calado de la misma manera en relación con los valores culturales y religiosos, que también, al menos teóricamente incluye, y que en el Rocío tienen un peso específico especialmente significativo. Sólo el carácter aconfesional que la Constitución[28] confiere a las administraciones públicas podría justificar que en el proceso de difusión de aquel concepto, emprendido con decisión por las mismas los valores religiosos, hayan quedado casi siempre difuminados cuando no enmascarados y reducidos a los valores estrictamente culturales (folklóricos,...). Lo que en el caso del Rocío, en el que estos valores religiosos tienen un peso tan significativo, no deja de ser notorio y llamativo.

La importancia de este punto estriba, pues, en este momento en que a distintos niveles administrativos se están gestando nuevos planes de desarrollo turístico que incorporan al Rocío de lleno en sus puntos programáticos, hasta el punto de convertirlo en punto especial integrante del eje de sus objetivos e iniciativas. Es, por tanto, el momento de definir cuál es el tipo de turismo que queremos para el Rocío, cuál es el tipo de turismo al que van a ir dirigidas las infraestructuras, los servicios y las acciones de captación que se están diseñando. Cuál es el tipo de turismo que será capaz de mantener intacto el binomio conservación-desarrollo en El Rocío y que será capaz de respetar sus valores naturales y también sus valores culturales y religiosos.

La Hermandad Matriz, sabedora de la importancia de este momento histórico y de sus posibles consecuencias positivas o negativas para el desarrollo futuro de esta devoción popular; en el ejercicio de la responsabilidad que viene asumiendo históricamente en el desarrollo de este movimiento mariano-popular es consciente de la necesidad inaplazable de consensuar, entre todos los agentes públicos y privados implicados, un modelo óptimo de desarrollo turístico para el Rocío. Un modelo que sea capaz de hacer compatible distintas formas de hacer turismo en este espacio, capaz de desestacionalizar su mercado turístico y de incorporar con valentía lo religioso como un argumento y como una motivación turística con posibilidades reales de desarrollo y de éxito, y beneficiosa para la conservación y el desarrollo de esta devoción y de este lugar en el tiempo.

---

[28] Art. 16.1 y 3 C.E. "1. Se garantiza la libertad ideológica, religiosa y de culto de los individuos y de las comunidades, sin más limitación, en sus manifestaciones, que la necesaria para el mantenimiento del orden público protegido por la Ley. 3. Ninguna confesión tendrá carácter estatal". Aunque más adelante, también añade, "Los poderes públicos tendrán en cuenta las creencias religiosas de la sociedad española y mantendrán las consiguientes relaciones de cooperación con la Iglesia Católica y las demás confesiones".

Todo ello debe traducirse, no sólo en la inclusión de la conservación de los valores religiosos y culturales y en los objetivos de los distintos planes de desarrollo turístico que se programan para la zona, sino en su dotación presupuestaria que permita la creación en el Rocío de un conjunto de infraestructuras y servicios que refuercen su atractivo como oferta para el turismo de motivación religiosa.

El gran reto de nuestro tiempo para El Rocío está planteado, ojalá que encontremos el camino para superarlo; de su satisfactoria resolución depende en gran medida, hoy más que ayer, y quizás menos que mañana, el futuro de la religiosidad popular del Rocío.

La Religiosidad en el Norte de México: Entre la Permanencia y la Invasión Silenciosa.

Javier Contreras Díaz
Universidad Autónoma de Zacatecas, México

I

Uno de los temas que no se han abordado con la seriedad y serenidad que merecen es el referente al lento gradual e irreversible proceso de lo que podríamos definir como de "desenvangelización" o evangelización a la inversa o de nuevo tipo. La sociedad mexicana, hasta hace poco eminentemente católica ha sufrido una sacudida, no sólo en las conciencias sino a nivel de regateo de adeptos, parcela en el que va perdiendo terreno la jerarquía católica y aún no se vislumbran ni movimientos ni estrategias paracelestiales ni terrenales para contrarrestar esta especie de invasión silenciosa por parte de toda laya de doctrinas, creencias, modas ideológicas, pararreligiones que a base de permanencia y expansión, de una permanente política de adoctrinamiento y reclutamiento, incremento en el gasto de marketing vía *mass media* propios o asociados tendentes al fortalecimiento de una infraestructura material y humana para la propagación.

Muchas y variadas, según la ubicación de la trinchera religiosa, serán las que ofrezcan alguna explicación al respecto; verdaderas peregrinaciones de hipótesis han llegado hasta el altar de las explicaciones pero sin aterrizar en una convincente acerca de un fenómeno que amenaza, no sólo con una desbandada de feligreses, ya no digamos el incremento sino la permanencia de la fe dominante y, de igual manera, con una fuerte onda expansiva a otras esferas de la vida socio-económico-política de una vasta región del país.

Esta pérdida cualitativa y cuantitativa de adeptos a la cristiandad puede encontrar alguna explicación -engrosando el rosario de hipótesis-, tanto en la vecindad con el mayor mercado espiritual del mundo como lo son los Estados Unidos; las corrientes migratorias de mexicanos, la mayoría en calidad de indocumentados, que huyendo de la crisis económica en México los coloca en la indefensión, no sólo económica sino en la orfandad ideológica y por ese hecho se convierten en presas fáciles del contagio ideológico. A lo anterior habrá que agregar el desencanto de amplios sectores poblacionales hacia la praxis de los ministros católicos que, mayoritariamente, más preocupados por balances y movimientos bancarios que por cuestiones pastorales han llevado la penitencia del desinterés. Esto acontece en amplias regiones del norte del país, pero el fenómeno igual puede focalizarse en las regiones altamente indigenizadas del sur.

En el presente trabajo nos proponemos analizar, hasta dónde nos sea posible, como un ejercicio académico desde un laicismo irrenunciable, pero sin la atracción por estacionarse en otro dogma un fenómeno que parece soterrado por otros que por visibles no restan importancia. Un simple punto de vista no ajeno a la apreciación distinta, rozar el acierto fruto del mediano conocimiento que pueda tener del tema, igual no estoy exento de mayúsculos errores que pueda cometer y que será por mi evidente, personal y transferible ignorancia.

Nuestro análisis se desplazará en dos bandas: primero, un proceso de evangelización de la zona norte del país y el sur de lo que hoy es los Estados Unidos de Norteamérica; segundo, un proceso inverso, una contraevangelización bajo otra modalidad.

Zacatecas es fundada hace 451 años por Diego de Ibarra y Juan de Tolosa, y con ellos llegan los frailes para cerrar la pinza de la conquista -la vertiente religiosa- entre los cuáles se encuentra Fray Antonio Margil de Jesús que teniendo como base el Colegio de Propaganda Fide (hoy convento de Nª Señora de Guadalupe), pionero en el proceso evangelizador del norte de México y sur de los Estados Unidos cuyo objetivo último es el de consolidar y expandir la fe y las tradiciones impuestas prevalecen sobre los nativos; aunque cabe señalar que la cultura indígena juega a dos bandas, por un lado acepta la conversión públicamente pero continua con sus antiguas prácticas y veneración de antiguas deidades en privado. El catolicismo se hace del monopolio religioso, se convierte en la única, aceptable y aceptada cosmovisión.

A lo largo de la historia del país no se puede comprender mucha de la fenomenología del pueblo sin que pase por el tamiz religioso; esto se corrobora lo mismo en la conquista, la independencia, la Guerra de Reforma, la Revolución de 1910, o la denominada "guerra cristera". El mexicano es un pueblo eminentemente religioso, se pone en manos divinas desde la concepción. Nacer, crecer, reproducirse y morir y las manifestaciones son infinitas; son parte de la idiosincrasia y ejemplo vivo de un pueblo doblemente conquistado: búsqueda de protección ante lo desconocido, frente a los elementos, para con lo indomable, la sanación y las propiedades curativas de la oración y la penitencia y el dolor autoinfligido como vía de expiación de maleficios y cochambre pecaminoso ("doy infinitas gracias al Santo Niño de Atocha por haberme permitido salir airoso de una mortal enfermedad.."), el exvoto como testimonio de la gracia y permiso para continuar con vida... por posponer la muerte.

Se agradecen los golpes de suerte -aquí no se distingue si es buena o mala-, paciencia, sapiencia para afrontar lo remediable y lo irremediable. La entrega del diezmo, que se niega a morir pese a la profundidad de la crisis, a regañadientes cuyo monto finisecular equivale a un día de salario; la alegoría desbordada en el día consagrado al Santo Patrono con sus acompañamientos de cantos, jaculatorias, ofrendas gastronómicas, la pirotecnia y el estruendo como reafirmación de la plegaria que da certeza: "aquí estamos postrados a tus pies...", la pasarela de escapularios, canéforas en hábitos de Santa Teresa de Jesús rosario en la diestra. Ir a la caza del perdón o el ser favorecido mediante la manda (de la promesa al sacrificio), incluso concebida ésta como el acceso al favor divino por medio del dolor inútil. Levantar mirada al cielo invocando lluvias, el jornalero, campesino pauperizado ahogándose en polvaredas y sembrando en caliche; el cura de pueblo como eje vertebrador social que junto al profesor rural tienen la patente de la credibilidad, superior incluso al de la autoridad civil.

Toda la cultura religiosa cabe en un país como el nuestro sabiéndola acomodar.

II

"pobre México, tan lejos de Dios y tan cerca de los Estados Unidos"

Una de las certezas es que el país no solamente ha iniciado un irreversible proceso de integración (anexión para otros) hacia la economía más fuerte del orbe. México a partir del estallamiento de la crisis económica a mediados de la década de los años setenta se ha echado a los brazos del gobierno de la gran potencia unipolar. Pero la gran potencia no sólo es en el ámbito de producción y consumo sino también es el mayor aparato de divulgación y cooptación ideológica acorde a los nuevos tiempos de la posglobalización y se induce a un cambio de deidad: la adoración al mercado, al dinero, al consumo, al despilfarro, al boato. La globalización ideológica llega a México por su frontera norte con su cargamento de teleconfesores, las hordas fastidiadas de lo cotidiano, adictos al ermitañismo, teólogos del nihilismo que prometen el nirvana, los adoradores de extraterrestres y los discípulos del becerro de oro ciberbíblico. La evangelización en reversa y los antiguos dueños de vidas y conciencias tocan la retirada pues "la iglesia católica pierde, tan sólo en Latinoamérica, ocho mil fieles diarios. La globalización religiosa llegó a México gracias al Tratado de Libre Comercio (NAFTA por sus siglas en inglés) y la liberación de restricciones legales para esas cuestiones. En nuestro país hay entre 15 y 20 millones de no católicos: 12 millones de ellos son evangélicos y los ocho millones restantes se reparten entre mormones, testigos de Jehová, adventistas del séptimo día y acólitos de la Luz del Mundo. Cada grupo se adapta a sus mercados. En el rosacrucismo está permitido asistir a la iglesia, pero se reza a los dioses hinduistas. La *New Age* incluye a los extraterrestres como parte de sus creencias. Los evangelistas norteamericanos son ahora tele-fieles vía satélite, mientras, que en Internet ya hay clases de satanismo"[1].

Todo este cúmulo de paradigmas quizá llegaron desde décadas ante-riores, pues lo que hoy somos no tan niños no olvidamos la portada de la revista LIFE en español donde se daba cuenta de la atroz carnicería que Charles Manson dejó tras de sí en la residencia de la actriz, con un avanzado embarazo, Sharon Tate y parte de su familia. Aquel acto de barbarie extrema a los ojos de los mexicanos parecería algo lejano y difícilmente podría uno imaginar que pudiese llegar a contaminar las conciencias de connacionales en un futuro inmediato. California estaba años luz y acontecimientos como éstos no se conciben en estas tierras por factores de varia índole, incluyendo antro-pológicos. Atónitos con una dosis de indiferencia nos enteramos del suicidio masivo de Guyana a fines de la década de los setenta bajo la batuta del reve-rendo Jim Jones. Dantesco espectáculo morbifico batido en espumarajo y vómito, carne mortecina dando fe de los niveles de desamparo y las acciones a la que nos conduce la orfandad masiva, la ausencia de un asidero.

Todo este peregrinaje de muerte parece que ha llegado para quedarse, digna del museo del absurdo, ha sentado sus reales y México no tiene escapa-toria ni mecanismo repelente para amortiguar o esquivar su traslado hacia éste lado de la frontera. Ya desde los años setenta se iniciaba lo que bien se puede denominar como una invasión ideológica silenciosa y la ofensiva la realizó el llamado Instituto Lingüístico de Verano, organismo religioso que ha definido su área de influencia las zonas indígenas del sur del país y so pretexto de coadyu-var a promover planes y programas de desarrollo que vengan a paliar las con-diciones míseras de vida de la mayoría de nuestros indios, pero en el fondo se busca la introducción del protestantismo y otras vertientes religiosas -biblias bilingües de por medio- derivando a la ruptura y el desgajamiento de comuni-dades enteras cuyo coste aún no estamos en condiciones de valorar y dimen-sionar con un alto grado de precisión, lo que no resta que las evaluaciones pre-liminares arrojen un saldo negativo a muchas de estas comunidades, pues sólo hay que analizar las expulsiones, las divisiones internas y los asesinatos que en los núcleos indígenas se han escenificado, todos en nombre de "su" dios único y verdadero, y es a partir de la llegada de "la nueva palabra" que se ha tenido que soportar los más variados atentados a la genética

Tal pareciera que estamos en la antesala del implante de corrientes tan *sui géneris* como las prédicas del reverendo Moon, lo que de fortalecer e incli-narse hacia el fundamentalismo no nos debe ser extraño que dentro de poco nos veamos en el espejo de lo acontecido en Waco Texas con los miembros de la secta de los *davidianos* çuyo mártir David Koresh, después de la resis-tencia a un acecho fulminante y en un acto desesperado y final llama a la inmolación de sus seguidores; los jóvenes suicidas de la secta Templo Solar,

---

[1] Estrada Inda Lauro. *Al final del amor.* Editorial Grijalbo. México, 1999, p. 35.

Puerta del Cielo que siguiendo la palabra de su guía convierten la cicuta en *ticket*, viaje sencillo, para abordar una nave no visible desde estas tierras estacionadas en el halo de un errante cometa. La cruel idea de que se debe morir para vivir y no a la inversa.

El auge en la membresía a sectas, grupos místico-religiosos, o filosófico-místico, desde una visión fuera del aro de influencias dogmáticas y/o fundamentalistas, se deben en mucho a la capacidad erosionada del individuo por la profundización de una crisis económica estructural que ha arrasado no sólo con los niveles de bienestar material sino con los pilares ideológicos, filosóficos, morales y de toda índole. El hombre dentro de un escenario árido es un insepulto, un eterno penitente a causa de pecados nunca cometidos. Las sectas y religiones como punta de lanza, de control y dominio económico-ideológico de los sectores paleo-conservadores, cabezas de playa para la reconquista y sometimiento por parte de los países centrales hacia los periféricos. La caja de pandora de las sectas y religiones está abierta y su soberbia arremete contra la anemia espiritual de los individuos y pretenden controlar todos los hilos de la vida interna de los países, el sometimiento invisible, la desculturización y la pérdida de identidad.

El individuo busca su refugio de pecadores ya no en lo material -que lo ha perdido totalmente- sino pretende mantenerse a flote por medio de alguna religión y da igual que se trate de la mitología, la magia, el espiritismo, el hinduismo, el budismo, el taoísmo, el confucionismo, sintoísmo, judaísmo, cristianismo, apostasía, el islam, la reforma, la incredulidad, el tele evangelismo y un interminable y raro etc.

Se ha mencionado que la corriente de sectas hacía México han escurrido principalmente por la frontera norte, casi todas con *made in USA,* todas ellas con su pesada carga ritual, con su historia y antecedentes *non sanctos* por otras latitudes del mundo. Nuestro país conoce la presencia abierta o encubierta de todas las corrientes tradicionales, así como las de la *new age,* los narcosatánicos, la secta Moon (Asociación para la Unificación del Cristianismo Mundial), "la familia" (los hijos de Dios), *hare krishna*. No descartamos que pronto, como en una película de terror, hagan su triunfal aparición Los Amigos del Rifle, alentadores de las balaceras en planteles educativos que van desde las preparatorias hasta los *kindergarden`s* y que sus prédicas rondan la propuesta de que las armas son elemento indispensable para fortalecer el proceso enseñanza-aprendizaje; un eminente egresado de prestigiosa universidad aficionado de tiempo completo a las cartas explosivas, hasta llegar a los sobresalientes alumnos en el manejo de explosivo y plástico cuya graduación fue el bombazo y demolición limpia de un edificio en Oklahoma, sin olvidar el auge del KKK. Y es precisamente por la frontera norte de México, convertida en nicho de mercado para la literatura religiosa, para aquella que aliente la xenofobia, la eugenesia, la antropofagia.

Estas características envuelven la expansión de una faceta de lo nocivo del *american way of life*, el retorno hacia el sur. Si hace siglos la influencia religiosa tomó camino al norte, hoy han iniciado su camino de regreso: la serpiente que se muerde su cola. Frente al escenario cabe preguntarse ¿cómo se encuentra esa vieja estructura religiosamente pueblerina (en la mejor acepción de la palabra)? ¿cómo se encuentra esa grey que vive con el perpetuo temor de Dios? ¿cómo ese campesino andrajoso que invoca lluvia y llueve?. A estas masas pauperizadas las doctrinas -exóticas les llamas ellos-, les toman en una situación que se debate entre el reforzamiento de las creencias de siempre y la tentación de la novedad (que por desconocida doblemente atractiva), entre una herencia que se erosiona, que se desertifica y de un asalto moral que ofrece salvación. Una posible explicación al agujero abierto para la propagación de estas creencias está (no en estricto orden de importancia) en: deserción masiva de curas hacia la vida mundana y a las oficinas del registro civil, las fallas en la orientación vocacional que arroja escasa matrícula a los seminarios, tenacidad de los publirrelacionistas (mercado y poder) de las sectas y creencias de todo tipo.

Quizá sea necesario un estudio a fondo de las perspectivas de un país en vías de recolonización, no sólo económica (ésa bien se puede denominar absorción) sino ideológica como es nuestro caso. De persistir esta tendencia, claro estoy, de que el futuro no será como antes. Con la invasión silenciosa no sólo se desgaja parte importantísima de nuestra idiosincrasia (que mantiene pese a todo un pueblo) sino que viene a corroborar que México -y muchos países periféricos- sigue siendo tierra de conquista.

Debemos de tener claridad de que la historia no se repite, pero ignorar sus lecciones, las que sean, resulta desastroso.

PODER, MEDIOS DE COMUNICACIÓN Y CULTURAS POPULARES

WALTER GADEA
UNIVERSIDAD NACIONAL DE LA MATANZA, BUENOS AIRES (ARGENTINA)

> *"La ética arranca de la experiencia de que*
> *no poseo al Otro, sino que el Otro tiene*
> *por derecho su palabra"*
> Inmanuel Levinas

Resulta llamativo y alarmante mencionar que en Occidente existe un claro desequilibrio en la producción, control, distribución y consumo de la información noticiosa.

Esto se fundamenta en la siguiente estadística[1]: el 80% de la información noticiosa que recibe Occidente en forma diaria es producida y controlada por sólo 5 agencias europeas y norteamericanas (UPI, AP, REUTER, AFP, EFE).

En los 16 principales periódicos de América Latina el 90,7% de la información internacional proviene de sólo 3 agencias de noticias: UPI, AP, AFP.

Existen también datos sobre el nivel de entretenimientos que son igualmente preocupantes, pues de todos los rubros de entretenimiento que existen actualmente en América Latina (vídeos, cine, TV, discos, videocassettes), a excepción de Argentina y Colombia, el 40 % del total pertenecen a entre 5 y 10 corporaciones estadounidenses.

Respecto del nivel publicitario sucede que 10 agencias estadounidenses manejan el 50% de las ganancias mundiales del rubro. Al mismo tiempo sabemos que el 46% del espacio de los periódicos latinoamericanos se encuentra ocupado por espacio publicitario y por avisos comerciales. Entre el 30 y el 40%

---

[1] Los datos estadísticos pertenecen a ARGUMEDO, A.: *Los laberintos de la crisis. América Latina: poder trasnacional y comunicaciones*, Ilet-Foliios, Buenos Aires, 1884, Pág. 123.

del tiempo de emisión radial se corresponde con "tandas" publicitarias y alrededor del 25% del tiempo total de las emisiones televisivas se compone con espacio publicitario. Más del 40% de los programas de entretenimientos de la TV abierta latinoamericana es material importado de Estados Unidos.

Teniendo en cuenta estos datos nos preguntaremos ¿hasta qué punto y en qué medida es posible que las culturas populares se manifiesten o sobrevivan en medio de este universo cultural concentrado y globalizado? ¿qué teoría de la comunicación y del poder podrían dar cuenta de la "descapitalización" simbólica y al mismo tiempo de la resistencia de las culturas populares en América Latina?.

Para responder a estas cuestiones diferenciaremos en primer lugar el concepto de culturas populares del concepto de popularidad. En segundo lugar daremos un breve esquema de las metodologías que han intentado abordar el fenómeno de las culturas populares. Por último intentaremos delinear una perspectiva teórica en la que sea posible repensar la relación entre el poder, la cultura y los medios de comunicación. Estas tesis no son definitivas y valen como parte de una investigación de doctorado en la Universidad de Huelva.

CULTURAS POPULARES Y POPULARIDAD. LA RE-EDICIÓN DE LA MASIVIDAD

Durante mucho tiempo se creyó que la masificación de la cultura era el producto reciente de una industria cultural que, a través del desarrollo tecnocientífico y por medio de la sistematización y el control de los medios de información, controlaban y homogeneizaban los deseos, las creencias y los hábitos de conducta de las masas. Fue la Escuela de Frankfurt la que con mayor dramatismo y tenacidad trajo a la luz el poderoso proceso de unidimensionalización de la vida y de la cultura, logrando establecer una filosofía social que al quedar encerrada en sus propias aporías sería incapaz de resolver y de explicar los diversos procesos de lucha y de heterogeneidad de la cultura contemporánea.

Es necesario rescatar la intención crítica de la Escuela de Frankfurt, pero es ampliamente sabido que el proceso de masificación de las culturas populares en América Latina pasaron al menos por tres etapas previas a la establecidas por Frankfurt.

Un claro ejemplo de lo que decimos se encuentra en la obra de García Canclini[2] en donde se especifican tres procesos o etapas de masificación. El primero es atribuido al descubrimiento de América y se prolonga hasta finales del siglo pasado, abarcando a las diversas olas de inmigración europeas en América y a los diversos procesos de independización.

---

[2] GARCÍA CANCLINI, N.: *Culturas Híbridas. Estrategias para entrar y salir de la Modernidad*, Editorial Sudamericana, Buenos Aires, 1992, pp. 9-17.

El segundo momento de masificación de las culturas populares en Latinoamérica transcurre como un fenómeno de alianza entre los medios de comunicación electrónicos y los gobiernos de corte populista. Esta temática ha quedado excluida de los análisis de Frankfurt de acuerdo con García Canclini.

La tercera etapa tiene efecto durante la síntesis que opera en el desarrollismo latinoamericano entre las comunicaciones masivas y el proceso de industrialización. En este momento los medios de comunicación acompañan y coadyuvan en la innovación de la producción en el contexto de las políticas desarrollistas.

Que el proceso de masificación no comenzó con la radio ni con la televisión es algo tan evidente como que el mismo nunca fue ni unidireccional ni mecánico, lo cual pone en claro que los estudios iniciales sobre los medios electrónicos de comunicación no sólo sobredimensionalizaron el poder de los mismos en la creación y manipulación del significado, sino también olvidaron que la sociedad ya estaba masificada antes de que apareciera la cultura masiva.

"Ni siquiera puede adjudicarse a los medios electrónicos el origen de la masificación de las culturas populares. Este equívoco fue propiciado por los estudios tempranos de comunicación según los cuales la cultura masiva sustituiría lo culto y lo popular tradicionales. Se concibió lo masivo como un campo recortable dentro de la estructura social, con una lógica intrínseca, como la que tuvieron la literatura y el arte hasta mediados del siglo XIX: una subcultura determinada por la posición de sus agentes y la extensión de sus públicos"[3].

Esto cambia radicalmente la valoración que teníamos sobre la relación que ha existido y que existe entre las culturas populares y los medios de comunicación, lo cual nos permite pensar que no son incompatibles y que, muy por el contrario, hay elementos de continuidad y de unión entre éstos.Nos referimos a la relación de continuidad que se establece entre las culturas populares y los medios de comunicación electrónicos, en tanto ambos se constituyen a través de teatralizaciones imaginarias de lo social.

Si bien García Canclini[4] sostiene que es imposible establecer una diferenciación entre representación auténtica o falsa, es importante establecer que puede determinarse con claridad qué entiende por popular el agente del medio de comunicación y qué se entiende por popular desde otros agentes sociales, o desde el lugar del intelectual.

Desde el lugar del agente del medio de comunicación puede entenderse por popular un fenómeno comunicacional que en rigor podemos denomi-

---

[3] GARCÍA CANCLINI, N.: 1992, pág.237.

[4] GARCÍA CANCLINI, N.: *Ideología, Cultura y Poder*, Oficina de Publicaciones del Ciclo Básico Común de la U.B.A., Buenos Aires, 1995, pp.239-240.

narlo de popularidad. Esto significa que el agente del medio de comunicación juzga a algo como "popular" desde el punto de vista del mercado, implicando de este modo que sólo lo que se consume masivamente, sólo lo que gusta masivamente es "popular".

Sin embargo, es posible establecer otro punto de vista, que no es el del mercado de bienes; porque algo podría definirse como popular no por su cantidad o por su cualidad de consumo, sino porque expresa un proceso de simbolización que perdura y contribuye a crear la tradición de un pueblo, o de los agentes sociales.

Si la popularidad implica la cantidad y el consumo, se vuelve un proceso abstracto; es decir, se aleja en este caso del proceso de sedimentación que anima y da sentido al mundo de la vida.

La popularidad supone la rotación permanente de las estructuras simbólicas, el cambio acorde con las necesidades de la demanda en un proceso de intercambio comercial; en cambio, la cultura popular supone un sujeto activo y creador en tanto es capaz de darle un sentido narrativo a la identidad. Pero no hay que confundir estas distinciones con la idea según la cual el medio es el fundamento de la distorsión de significados, y las culturas populares la fuente del correcto sentido. El proceso de interacción de los elementos populares y de los procesos de popularidad forman muchas veces tramas difíciles de discernir.

Se ha valorizado a los medios de comunicación desde una perspectiva maniquea y poco analítica, pues se supuso y tal vez hoy se sigue sosteniendo que los medios tienen mayor capacidad de manipulación del sentido de los acontecimientos de los que en rigor han tenido.

Las culturas populares han respondido a un proceso de comunicación guiado en parte por el consumo y lo cuantitativo a partir de un contexto de habla cuyo proceso de interpretación estuvo signado por momentos de *creación proyectiva y generación cooperativa*[5] de las denominadas vigencias comunitarias ocasionales.

La etnometodología nos muestra que los motivos de las acciones de los actores sociales dependen de un tipo de consenso que es ocasional, y representan situaciones de reconocimiento particular que los mismos actores realizan de su propia actividad en un contexto determinado.

Estas evaluaciones interpretativas suponen un relativismo que alcanza al mundo de la vida, porque el ocasionalismo o la contingencia de la actuación interpretativa afecta también al denominado marco cultural.

Si bien no creemos que esta ocasionalidad sea tan amplia como postula la etnometodología, hacemos propia la preocupación por la dependencia que guarda el contexto de interpretación respecto de la acción comunicativa cotidiana.

---

[5] DOUGLAS, J.(ed.): *Understanding Everyday Life*, Londres, 1971, pág. 94.

El contexto del habla puede aclararse a partir del análisis de los contextos cotidianos, y como es de esperar son contextos plurales y ambiguos. Sólo a partir del conocimiento del contexto del habla es posible comprender a qué se refieren las expresiones, con lo cual puede afirmarse que la dependencia de las expresiones de su contexto no es una claudicación teórica trascendental, sino una condición necesaria para el uso normal del lenguaje.

De aquí se deduce que una misma expresión varía de acuerdo a los diversos contextos del habla, otorgando a los diversos actores sociales la capacidad y la obligación de explorar y crear, en el proceso de decodificación, consensos ocasionales para desentrañar el entramado de referencias con cierto "éxito".

La etnometodología nos impide concebir a los actores sociales como meros sujetos pasivos, pues cada acto de interpretación obliga a la comprensión de un contexto, en el cual el propio actor debe tomar parte en el proceso de formación y reproducción de ese mismo contexto.

Toda interpretación supone un proceso en el cual el actor o bien "conoce" de antemano la situación del contexto, o bien "tiene que pedir al hablante que formule explícitamente su supuestos implícitos"[6].

Durante algunas décadas el poder social de la interpretación fue desconocido o profundamente desestimado por aquéllos estudiosos del fenómeno de masificación de la sociedad capitalista avanzada. Esto provocó una sobrevaloración del poder homologador de los medios masivos de comunicación y una concepción de lo popular como una entidad subordinada, pasiva y refleja. Los propios defensores de las tradiciones populares generaron una teoría que inhabilitaba toda actuación creativa y colectiva. Todo esto sumado al poder demiúrgico atribuido a los medios masivos de comunicación consolidaron un cóctel por el cual lo popular aparecía como una estructura simbólica impuesta a la comunidad desde el exterior.

Las teorías actuales del poder y de la comunicación permiten pensar a las culturas populares desde otra perspectiva en donde prima la idea de que el poder es una relación de fuerzas cambiante y contingente, y en donde los medios de comunicación no determinan los significados sociales, sino que mediatizan los contenidos que crean y producen los distintos actores sociales, sin la intervención reductiva de ningún principio organizador que homogeneíce el desciframiento y la dramatización de los significados.

Si existe un lugar en donde lo popular pervive es precisamente en la lucha de los desciframientos por mantener una memoria de la historia vivida y en los proyectos inacabados.

Los medios de comunicación no pueden ser omitidos en esta lucha, sin embargo no constituyen más que una escena (muy importante claro está) en donde los sentidos sufren mediaciones y donde las identidades adquieren y pierden sentido interpretativo. De aquí se desprende que tanto la satanización

---

[6] HABERMAS, J.: *Teoría de la Acción Comunicativa*, Madrid, 1981, pág. 175

de los medios, como la degradación de lo popular ha impedido comprender las relaciones complejas y fructíferas que entre ambas esferas se ha llevado a cabo durante la irrupción de los medios electrónicos de comunicación.

CAMPO METODOLÓGICO Y RECONSTRUCCIÓN DE LO POPULAR.

En esta segunda parte quisiéramos explicitar las instancias metodológicas que se han ocupado del estudio de las culturas populares. Lo popular fue un fenómeno que concitó la atención de los intelectuales de todas las tendencias políticas, porque se consideraba que la manipulación de los movimientos populares significa una pieza clave en la construcción de la hegemonía política.

Dos tendencias acapararon centralmente la atención de los intelectuales. La primera tendencia se consolidó sobre la base de una tradición marxista que paradójicamente re-editó un pensamiento "teológico" del poder y de la comunicación.

Estas tendencias izquierdistas supusieron que los rasgos determinantes de lo popular encontraban su fundamentación en un tipo de poder que dotaba a las masas de un sentido para la acción y de una interpretación del mundo. Este poder era la fuerza de la producción de los significados serializados que emanaban de la luz todopoderosa del imperialismo, o de las clases dominantes de cada país. Lo popular fue conceptualizado como el simple reflejo de un universo simbólico que se gestaba en un sistema articulado por la administración burocrática, las demandas económicas y las operaciones políticas que habían unidimiensionalizado la vida y la cultura. Esta concepción reproductivista del poder se formuló a partir de la existencia de un proceso omnipotente de manipulación discursiva de los medios masivos de comunicación que organizaba la conciencia de las masas de manera hipnótica y represiva, consolidando una "conciencia feliz".

El seductor estilo de la naciente "nueva izquierda" encabezada por Herbert Marcuse y acompañada por autores de muy diversos orígenes como Wright Mills o Paul Baran revitalizaban sin desearlo la aporías de una renovada visión "teológica" del poder.

Marcuse sostenía que:

"En los sectores más avanzados de la comunicación funcional y manipulada, el lenguaje impone mediante construcciones verdaderamente sorprendentes la identificación autoritaria entre persona y función"[7].

---

[7] MARCUSE, H.: *El hombre unidimensional*, Planeta Agostini, Barcelona,1999, pág. 122.

Dicha afirmación delineaba la idea por la cual el lenguaje de la sociedad capitalista avanzada reproducía una racionalidad técnica o instrumental que vaciaba de sustancia la realidad y la tornaba funcional. La interpretación no era equivocada, pero magnificaba un proceso que, al mismo tiempo que coronaba el tremendo alcance de la racionalidad técnica entendida como poder de disposición del orden social y natural, generaba síntomas de resistencia y dislocamientos de magnitudes y cualidades para nada despreciables.

Al reducir la dominación a la tecnología, Marcuse había caído en la misma lógica que quería combatir y desmitificar. La extensión de la alienación a toda la cultura, entendida ésta en clave de conciencia tecnocrática, había cerrado la puerta a toda negatividad y a toda oposición.

Sin embargo, para poder hacer una crítica al modelo tecnocrático se requería de una teoría que fijara algún límite, alguna exterioridad, ante el poder de los sistemas organizados y autorregulados técnicamente de la sociedad industrial avanzada[8].

Si la sociedad resultaba como el diagnóstico de Marcuse vaticinaba, entonces la cultura popular no tenía ninguna posibilidad de crear sentidos en forma autónoma; en suma, el proyecto de la modernidad habría llegado a un callejón sin salida.

Esta mirada absolutista de la dominación de los sistemas integrados en un único bloque de poder hicieron de la cultura popular un mera derivación alienada y pasiva ante la homogeneización y estandarización de las estructuras simbólicas de la sociedad desarrollada. Otra metodología que intentó explicar y comprender a las culturas populares provinieron del campo del culturalismo antropológico norteamericano y de los denominados populismos latinoamericanos. Estas metodologías de abordaje supusieron o bien que lo popular podía registrarse como un simple hecho que se derivaba de las comunidades tradicionales de origen campesino o indígena, tal fue el caso del culturalismo; o bien que lo popular respondía a una esencia más o menos aprehensible, depositada en las clases más desfavorecidas del entramado social.

El culturalismo se convirtió en un relativismo extremo por el cual las culturas estudiadas quedaron sumergidas en un aislamiento de corte particularista. Esto imposibilitó la elaboración de un saber que pudiera sobrepasar los marcos acotados de los diversos particularismos culturales. Paralelamente con esto no pudo establecerse ningún tipo de relación entre el poder trasnacional y las referidas culturas particulares.

Al no existir criterios de interacción simbólica entre ambos proyectos culturales y políticos, fue difícil comprender los nexos de convivencia entre todas esas realizaciones discursivas.

---

[8] Ver la crítica a Marcuse realizada por Habermas, J.: *Teoría y praxis*, Ediciones Altaya, Barcelona, 1999, pp. 324-327.

Respecto de los populismos los errores fueron más groseros, porque se recayó en una suerte de tradicionalismo y de esencialismo trasnochado.

El tradicionalismo consideró que detrás de la modernización latinoamericana, o a pesar de ésta, los sectores populares guardaban celosamente una esencia ahistórica e inmaculada, la cual funcionaría como referente político válido para entablar la lucha política por la independencia nacional frente a un proceso de modernización capitalista irrefrenable.

Es obvio que los pretendidos caracteres innatos de lo popular han operado como un espejismo tras el cual se ha ocultado el verdadero desempeño de las culturas populares en latinoamérica.

Estas dos metodologías han impedido valorar en su justa medida tanto a los poderes sociales como a los medios de comunicación.

Se requiere entonces un cambio en los puntos de partida pues: Si los medios de comunicación cambian las condiciones de aparición de las identidades narrativas de los diversos actores populares, y si, como dijimos más arriba, el poder no puede ser pensado como un factor homogeneizante y todopoderoso, ¿cómo superar las aporías de los planteos marcusianos o el esencialismo de los planteos populistas más recientes?...

HACIA UNA PERSPECTIVA DEL PODER POPULAR COMO UN SISTEMA DE MEDIACIONES

Si las tesis de Frankfurt y de los populistas hubieran sido correctas, entonces las culturas populares o bien hubieran desaparecido bajo la aplanadora de un poder tecnocientífico omniabarcante y homologador, o bien habrían sido detectadas intuitivamente su cápsulas esencialistas. Es evidente que ninguna de las dos fórmulas brindadas guardan relación con los fenómenos culturales que acontencen en Latinoamérica.

Una primera aproximación a la superación de estos marcos teóricos fracasados supondrá situar a las identidades populares bajo la perspectiva de unos esquemas interpretativos cuyo eje articulador será la relación entre contextos generales y contextos particulares.

La especificidad de una identidad se efectiviza en las interacciones simbólicas de los distintos grupos, sin olvidar que existe un contexto de mayor peso que es el contexto de la hegemonía política y cultural.

Por lo tanto, la revalorización de lo local no implica asumir las tesis de los microproblemas o de la microsociología de base empirista; se trata de comprender a las identidades como sistemas de mediaciones cuya especificidad no puede determinarse si no se explicitan los contextos generales de producción de las interpretaciones identitarias.

En este juego que resignifica lo local, la mediación es:

"pasaje de determinaciones sociales de un contexto a otro, de un nivel a otro, mediante procesos específicos que dependen de las instancias mayores que los generan"[9].

Desde ya que hablar de un contexto mayor nos aleja del interaccionismo simbólico, pero sólo en parte, pues para analizar a las culturas populares se vuelve imprescindible estudiar a las identidades como funciones motivacionales que provienen de un discurso que mediante la diagnosis y la prognosis articulan el campo de la experiencia común, elaborando el consenso ocasional del cual hablaba la etnometodología.

Si las identidades se definen a partir de sus operaciones narrativas, es evidente que los medios masivos de comunicación sirven como mediadores en tales construcciones. La gran diferencia que establecemos con el planteo de Marcuse reside en que si bien los medios masivos de comunicación crean sentidos para la acción, no lo hacen de la nada, sino utilizando un material que ya existe en la sociedad.

Al mismo tiempo esos sentidos no son unívocos ni homogéneos. No son homogéneos porque la complejidad social ha producido una lucha de intereses entre los mismos medios de comunicación, y entre los distintos actores sociales que se muestran en los medios.

No hay unanimidad de criterios en los dueños de los medios de comunicación, del mismo modo que no existe en las sociedades plurales sentidos homologadores permanentes para las motivaciones sociales.

Es evidente que para que un grupo social alcance una identidad debe realizar sus dramatizaciones públicas a través de lo medios de comunicación, pero es erróneo sostener que la identidad de los grupos dependa de los medios de comunicación.

La identidad cultural de los grupos sociales depende por una parte de las relaciones que se entablan con el marco general de la hegemonía política, pero también con las interacciones y negociaciones que se realizan con los demás grupos subordinados. Si la identidad se establece sobre la base de un sistema de luchas de interpelaciones, entonces los medios masivos de comunicación son un ámbito propicio para suscitar una serie de imágenes donde condensar y simplificar las estrategias discursivas, pero de ninguna manera el único ámbito de actuación.

De la misma forma en que no existe el poder sin su escenificación, tampoco existe la identidad sin su dramatización.

Más que como instancia de manipulación, habría que concebir a los mass-media como el espacio de la mediación de una lucha de interpelaciones identitarias, cuyo objetivo último es la hegemonía de un campo de significa-

---

[9] LABOURDETTE, S.: *Política y Poder*, Editorial A-Z, Buenos Aires, 1989, pág. 90.

ciones más o menos estable. Si toda identidad descansa en gran medida sobre un espacio de ilusiones dramatizadas, es necesario olvidar la pasividad a la que fue reducida la cultura popular para reencontrarnos con perspectivas metodológicas que superen tanto las aporías de la alienación cultural, como el estudio de unas esencias que permanecerían presentes en los sectores populares.

Los nuevos movimientos sociales en América Latina han comprendido que la construcción de los marcos cognitivo-ideológicos chocan con aquellos marcos generales[10] que están más profundamente arraigados en las sociedades modernas.

Los medios de comunicación tienen una fuerte incidencia sobre estos marcos generales, de manera tal que representan una fuente de información dominante. Los nuevos movimientos sociales han aprendido a interactuar con esos medios, utilizando un estilo narrativo específico.

Las culturas populares han sabido buscar o bien marcos que contengan símbolos heroicos, o bien producir escenificaciones espectaculares, las cuales son capaces de captar la atención de las audiencias masivas, que están acostumbradas a esos registros heroicos o espectaculares.

La contracara de este aprendizaje es el peligro de impersonalización y de abstracción de las demandas de los grupos sociales.

No obstante ello, hay muchos ejemplos que denotan que las culturas populares saben hacerse oir ante los medios de comunicación, muchas veces utilizando un sistema de reglas que provienen de los propios medios.

Estas manifestación o teatralizaciones de las culturas populares y de los movimientos sociales que los encarnan muchas veces "están significativamente influenciados por otros marcos de protesta disponibles en una coyuntura socio-histórico dada"[11].

Si bien es cierto que la hegemonía política sólo puede ejercerse, entre otras cosas, a partir del dominio sobre las apariencias y los símbolos, es posible concebir que incluso las culturas populares encuentren abrigo, en parte, en esa huida del poder en dirección de los medios masivos de comunicación.

[10] Sobre el tema de Frames Maestros ver Gorlier, J.C.: "Constructivismo y el estudio de la protesta social", en A.A.V.V., *Cuadernos de Investigación de la Sociedad Filosófica Buenos Aires Nro 4*, Ediciones Al Margen, Buenos Aires, 1998, capítulos 2 y 3.

[11] *Ibíd.*, pág. 87.

Se acabó de imprimir *Religiosidad y Costumbres Populares en Iberoamérica* el día 28 de febrero de 2000, Día de Andalucía, en los talleres de Tecnographic y estando al cuidado de la edición el Servicio de Publicaciones de la Universidad de Huelva.